中国
气象年鉴
1999

气象出版社

《中国气象年鉴》编辑委员会

主 任 委 员： 温克刚

副主任委员： 刘英金　嵇启武

委　　　员： （按姓氏笔画排列）

丁一汇　王才芳　毛耀顺　孙先健　朱祥瑞

沈国权　李士斌　阮水根　郑国光　钮寅生

赵同进　赵东儒　倪允琪　章国材　萧永生

梁景华　韩通武　裘国庆

《中国气象年鉴》编辑部

主　　　任： 朱祥瑞

副　主　任： 张桂森　庞　亮

编　　　辑： 胡桂琴　赵秋霞　宋善允　李桂英　缪旭明

特 约 编 辑： 陈少峰　顾兴本

编　　　务： 黄晓燕

编 辑 说 明

一、《中国气象年鉴》是中国气象局主编的全面反映气象行业的资料性工具书，主要刊载上一年度全国气象部门及有关单位的业务、科研、教育等方面的基本情况及进展，每年一本。

二、《中国气象年鉴》的栏目设：特载；气象工作综合情况；各省、自治区、直辖市、计划单列市气象工作情况；中国气象局直属单位、院校气象工作情况；其它部门的气象工作情况；国际合作与交流；全国天气气候综述与影响评价；气象服务效益事例选编；气象科技进展述评；人物；重要会议；统计资料及附录。

三、本年鉴的稿件由各单位的工作人员及专家、教授撰写，单位领导审定。资料和数据都经过主管部门审核。

四、特载内容分三部分：第一部分为国务院及有关上级部门的公文，如命令、通知等；第二部分为上级领导和中国气象局领导的报告或讲话；第三部分为气象部门的重要法规。

五、各省、自治区、直辖市、计划单列市按行政区划顺序排列。其他部门按科研、院校及其它有关单位的顺序排列。

六、“气象科技进展述评”栏目，由该学科的专家撰写，仅就气象领域某一学科的发展及水平加以评述。

七、“统计资料”由中国气象局计划财务司及国家气象中心提供。由于统计口径不同，其它栏目内的统计数字若有与此不一致的，均以计划财务司及国家气象中心提供的为准。

八、“附录”中的大事记部分，暂未收集气象部门以外的有关气象方面的重要事项。

九、年鉴收集的事件和资料，时间均以1月1日至12月31日为限。跨年度的事件一般不收入。

十、本书各部分的资料、数据，除注明外，不包括台湾省和香港、澳门特别行政区。

十一、本年鉴的内容在坚持四项基本原则的前提下，实行文责自负。

《中国气象年鉴》编辑部

1998年8月6日，中共中央政治局委员、上海市委书记黄菊在上海市委常委、副市长韩正陪同下，冒着高温来到上海市气象局视察工作。

下图为上海市气象科技人员冒着酷暑正在全市高温观测点进行实地观测。

1998年8月22日，中共中央政治局委员、山东省委书记吴官正在山东省气象局视察工作。

1998年8月20日，全国人大副委员长许嘉璐，黑龙江省人大副主任朱典明、副省长王佐书在中国气象局名誉局长邹竞蒙陪同下，莅临黑龙江省气象台慰问气象职工，听取天气趋势汇报。

1998年7月8日，重庆市人大主任王云龙在市气象局视察汛期气象服务工作。

1998年8月15日，吉林省防讯总指挥杨庆才副省长在嫩江抗洪第一线，听取省气象局专家组现场气象服务汇报。

1998年10月20日，新疆维吾尔自治区气象工作会议在乌鲁木齐召开。图为中共新疆自治区党委书记王乐泉、自治区主席阿不来提·阿不都热西提，在会前亲切会见专程来疆出席会议的中国气象局温克刚局长。

1998年8月6日晚间，河南省副省长王明义到省气象台视察工作和慰问一线气象工作人员。

1998年5月，西藏拉萨开展了一年一度的“科普一条街”活动。图为西藏自治区副主席拉巴平措在饶有兴致地观看气象科普宣传栏。

1998年8月16日,中国气象局温克刚局长亲临湖北指挥迎战长江第六次特大洪峰的气象服务。

左下图为三峡总公司副总经理贺恭向温克刚局长介绍汛期三峡工程气象保障服务的情况。

1998年8月18日，中国气象局马鹤年副局长深入湖南洪涝重灾区检查气象服务工作。(右图)

1998年7月22日，湖北黄石市气象局职工冒雨趟水到受淹的观测场进行气象观测。

1998 年 5 月 22 日，全国政协常委、中国气象局名誉局长邹竞蒙和湖南省委书记王茂林、副省长庞道沐视察湖南省气象局。

1998 年 1 月 28 日（正月初一），甘肃省委书记阎海旺，省人大主任卢克俭，省委常委、秘书长仲兆隆，省委常委、兰州市委书记陆浩等省市党政领导到省气象局慰问气象职工。

1998年12月8日，青海省政协主席韩应选和部分政协委员到气象部门视察工作，对气象部门为地方经济建设服务特别是近两年来开展黄河上游人工增雨给予高度评价。

1998年8月3日，厦门市市长洪永世、副市长卓钦锐召集市有关部门负责人，首次在市气象局召开现场办公会，部署下半年全市防台抗灾工作。图为市领导听取市气象局领导汇报天气趋势。

1998年2月24日，河北省副省长郭庚茂出席省气象局长会议，并为荣获1997年度的先进集体颁奖。

1998年1月18日，宁波海洋气象台成立。图为中国气象局温克刚局长在中共宁波市委副书记王卓辉、副市长徐杏先陪同下视察海洋气象台业务化成果。

1998年3月8日，中国气象局副局长李黄赴南京气象学院检查工作。图为李黄副局长在院领导陪同下视察校园。

1998年5月26－29日颜宏副局长一行赴湖北检查防汛气象服务工作。图为颜副局长等人正在参观长江三峡大堤模型，研究防汛气象服务工作。

1998年2月15日，吉林省级精神文明建设先进系统和全国气象部门文明系统同时在吉林省气象局挂牌。吉林省副省长杨庆才和中国气象局副局长刘英金亲临致词祝贺。

国家"九五"重中之重科技项目"我国短期气候预测系统的研究"取得重要进展。在中期评估总结暨1998年年会上，8个专题的优秀研究成果受到项目表彰。

1998年5月3日，进行"南海季风试验"的海洋考察船"实验3号"启航仪式，在中国科学院南海海洋所码头隆重举行。SCSMEX SOC主席温克刚局长出席了会议。

青海省气象局经常组织职工开展文艺体育活动,促进部门精神文明建设。图为邀请省老年大学的学员为气象职工作画。

为配合杭州湾跨海大桥建设而设立的宁波市唯一的自动气象站。

目　录

特　载

气象工作综合情况

各省、自治区、直辖市、计划单列市
气　象　工　作　情　况

中国气象局直属单位、直属院校气象工作情况

其它部门的气象工作情况

国际合作与交流

全国天气气候综述与影响评价

气象服务效益事例选编

气象科技进展述评

人　　物

重　要　会　议

统 计 资 料

附 录

特　　载

温家宝副总理在听取中国气象局工作汇报时的讲话

（1998年6月6日）

刚才温克刚同志全面汇报了气象工作，颜宏同志介绍了今年汛期气候趋势的会商情况，有关部门的同志也发表了意见。这些年我国气象事业发展比较快，气象服务工作做得比较好，为经济建设和社会发展做出了重要贡献。这是党和政府重视和支持的结果，也是气象部门广大干部职工努力的结果。

气象工作对国民经济建设和社会发展，尤其是对农业发展，具有非常重要的作用。建国以来，我国气象工作从无到有，从小到大，发展很快。特别是改革开放以后，中国气象局以国际先进水平为目标，紧紧依靠科技进步，加快气象现代化建设，努力探索有中国特色的社会主义气象事业的发展道路，使我国气象事业发展的总体水平上了一个大台阶。我国已初步形成了由气象综合探测、信息网络、分析预测和气象服务四大系统组成的结构合理、功能齐全的比较完整的气象业务技术体系，气象现代化建设总体上处于发展中国家的领先水平，某些方面接近或达到国际先进水平。这对我们这样一个基础薄弱的发展中大国来说，是很不容易的。随着气象现代化水平的不断提高，气象服务领域不断扩大，服务能力不断加强，服务效益越来越显著。现在，气象部门已成为党和政府部署生产建设、指挥防灾减灾的重要参谋和助手。无论是领导干部，还是普通群众，每天都关心天气预报。这说明气象工作与经济建设、社会发展、人民生活关系越来越密切，影响越来越大。

我国是气象灾害最多的国家之一，气象灾害占到整个自然灾害的70%以上。近几年来，气象灾害造成的直接经济损失每年平均2000多亿元左右。农业是整个国民经济的基础，而我们现在还没有从根本上摆脱靠天吃饭的局面，制约农业发展的关键因素之一是天气、气候条件。江泽民总书记1996年1月17日视察中国气象局时指出：气象预报是否准确，不仅是经济问题，也是政治问题，关系到经济建设，关系到社会安定，人民群众关心，党中央、国务院关心。应该看到，随着经济和社会的发展，对气象工作提出了更新、更高的要求。气象事业要有更大、更快的发展，气象工作的科学水平要有新的提高。可以说，气象工作任重道远。

气象事业是一项重要的社会基础性公益事业，办好气象事业是政府履行社会服务职能义不容辞的责任。我们是社会主义国家，全心全意为人民服务是我们共产党人的宗旨。气象工作要继续坚持“**以科技进步为动力，积极推进气象科学技术现代化，不断提高气象监测、预测能力；以气象服务为宗旨，准确及时地为经济建设和国防建设服务；以农业服务为重点，不断提高服务的社会经济效益**”的方针。气象局提出的今后一个时期的工作任务和思路，是符合实际、切实可行的。下面，我讲几点意见：

第一、继续加快气象现代化建设的步伐。根据已经确定的到本世纪末我国气象工作初步达到国际中等水平，下个世纪前10年接近或达到国际先进水平的目标，气象部门要大力推进科技进步，尽量采用先进技术，实施跨越战略。要完善气象综合探测、信息网络、分析预测和气象服务四大系统，特别要加快大气探测和气候预测的现代化水平，形成全国性的、多层次的气象信息与服务网络。

第二、努力提高气象服务的水平。气象工作的根本任务是为国民经济和社会发展服务，为保护人民生命财产的安全服务。这也是气象工作的根本出发点和最终目的。气象部门要进一步增强服务观念，扩大服务领域，突出服务重点，增强综合服务功能。服务工作要做到“主动、及时、准确、科学、高效”。

第三、要进一步深化改革。这些年来，气象部门在管理体制、服务形式等改革方面进行了有益的探索，取得了一定的成效。气象部门要以结构调整为重点，进一步深化气象领域的各项改革。要认真做好气象部门的机构改革工作，通过人员分流，转变职能，确实做到精简、统一、效能。

第四、加强队伍建设。要不断提高气象队伍的思想素质和业务素质，充实一批有专业技术特长的高技术人才。气象队伍是一支好队伍，在艰苦的条件下，坚守岗位，吃苦耐劳，甘于清苦，甘于寂寞，不计报酬，无私奉献。这种优良传统和无私奉献的精神，是我们最宝贵的财富，要代代相传。有了这种精神，才能打硬仗。要提高队伍的业务素质。要重视开展国际交流与合作。气象科技是跨国界的，气象资料是跨国界的，气候影响也是跨国界的，它是一个全球性的行业。人员的业务素质要提高，眼界要更宽广。

第五、要切实做好今年汛期的气象服务工作。全国已陆续进入主汛期。根据气象预测，6月至8月有南北两条多雨带，防灾减灾任务艰巨。气象部门要密切监视天气气候变化，利用一切现代化手段，尽最大努力提供准确的预报。要全体动员，全力以赴，立足防大汛、抗大灾，提高思想认识，加强组织领导，落实责任制，搞好装备保障，切实做好今年的防汛抗旱气象服务工作，减少灾害损失，为确保今年农业有一个好收成做出应有的贡献。

中国气象局改革和发展的任务都很艰巨，各有关部门要关心、帮助、支持中国气象局的工作；气象部门的全体干部职工要努力奋斗，加快发展，加强管理，使我国的气象事业再上新台阶，为国民经济和社会发展做出更大贡献。

在全国气象局长会议开幕式上的致词

上海市市长　徐匡迪

（1998 年 1 月 11 日）

同志们：

新年伊始，中国气象局的领导和兄弟省市的同志们来沪参加这次全国气象局长会议，我代表上海市人民政府，表示热烈的欢迎。这次会议在上海召开，是对上海气象工作的鼓励和鞭策，也是对上海工作的检查和促进。在这里，我希望与会的领导和同志们，对上海的工作多提宝贵意见。

气象与人们的工作、生活，与工农业生产和社会发展各方面息息相关。正如江泽民总书记所说："气象预报是否准确，不仅是经济问题，也是政治问题，关系到经济建设，关系到社会安定，人民群众关心，党中央、国务院关心。"事实上，对上海这样一个 1300 万人口的特大城市来说，气象工作所发挥的作用越来越大。在防灾减灾方面，每当汛期和台风来临之际，气象台都是全市人民关注的焦点。我每年要来气象台一次，只要台风在浙江以北登陆，我就要来这里了解台风情况，看台风的走向，部署防台抗台工作。由于气象工作每年都有进步，气象预报准确及时，有助于我们正确决策，早作安排，把灾害损失降到了最低程度。在农业生产方面，气象部门密切配合，跟踪监测，为农业丰收和菜篮子工程作出了很大贡献。在城市建设方面，气象工作者积极参与，服务到位，有力地保障了重点工程建设进度和施工安全。南浦、杨浦大桥合龙时都遇到一个热涨冷缩的问题，如果不控制好温度，大桥就无法合龙，因此，要了解合龙当天几点几分的温度、风力等最有利于大桥合龙。又如安装东方明珠电视塔天线也要考虑风力的大小，保证安全、准确到位。在配合组织大型活动方面，气象部门也全力以赴，做好服务工作。去年全市庆香港回归，上海举行万人歌会，那几天正好下雨，每次排练和演出都要确定不下雨的时间，这些都是气象局帮我们选择的，那天演出刚一结束，天就下雨了。又如选择八运会开幕式的日期，气象人员查阅了 100 多年的气象记录，最后选择了 10 月 12 日。这些方面上海气象部门立下了汗马功劳。可以说，上海这几年取得的巨大成就，同样凝聚着广大气象工作者的智慧和心血。今天，借此机会，我代表上海人民，向气象工作者表示衷心的感谢。

近年来，伴随着上海的发展变化，上海气象事业紧紧依靠科技进步，利用高科技手段，在服务社会、参与建设的过程中，有了长足的进展。在中国气象局的关怀指导和兄弟省市气象部门的大力支持下，上海先后建成了多普勒天气雷达、城市自动雨量监测系统、东海台风监测预报警报服务系统等一批先进气象设施，气象现代化建设的步伐明显加快，发挥了很好的效益。我们深知，气象事业越发展，防御自然灾害的能力越增强，就越能保障我们事业的成功。在迈向新世纪的进程中，上海市委、市政府将一如既往地重视气象事业，认真贯彻落实国务院办公厅〔1997〕43 号《通知》精神，积极支持国家气象业务现代化骨干项目及其配套设施的建设，进一步增强全社会的防御能力和防灾减灾意识，切实把上海的气象事业提高到一个新的水平，以满足经济社会迅速发展的要求。

目前，气候变化已成为国际社会、各国政府和人民十分关注的问题。上海是沿海城市，海拔较低，气候变暖会使海平面上升，对上海的影响首当其冲。所以，加强对气象灾害的预报预防，对正在加快城市现代化建设的上海尤为重要，气象部门是大有用武之地的。我希望气象部门不断增强服务意识，提高工作水平，进一步用高科技手段武装起来，加强监测预报，提出防御对策，为做好防灾减灾工作，促进国民经济和社会发展再立新功。

这次全国气象局长会议在上海召开，给我们提供了一个很好的学习机会。希望上海气象部门的同志们认真学习兄弟省市的宝贵经验，开阔视野，增进相互之间的了解和合作，使气象事业更好地为祖国的现代化建设大业服务。

最后，预祝本次会议圆满成功！

祝全体会议代表在上海期间工作顺利、生活愉快！

谢谢大家。

全面贯彻党的十五大精神
把充满生机和活力的现代化气象事业推向新世纪

——在全国气象局长会议上的报告(摘要)

温 克 刚

(1998 年 1 月 11 日)

同志们：

这次全国气象局长会议的主要任务是，以党的十五大精神为指导，紧密联系部门实际，研究在新形势下加快改革和发展的主要任务和措施，进一步动员全国气象部门广大干部职工，高举邓小平理论伟大旗帜，努力开创气象工作的新局面。现在，我代表中国气象局向会议作报告。

一、以十五大精神总揽全局，进一步开创气象事业发展的新局面

认真分析气象事业发展面临的形势，总结历史经验，是联系实际贯彻十五大精神的重要前提。党的十四大以来的五年，是我国气象事业持续快速健康发展的五年。气象现代化建设取得了重大进展，以中期数值预报业务系统、气象卫星综合应用业务系统的建设和风云 2 号气象卫星的成功发射为标志，业务现代化总体水平又向前迈进了一大步；气象为国民经济和社会发展服务的能力得到增强，服务工作取得了重大经济效益和社会效益，气象工作的社会地位明显提高，影响更为广泛；以气象事业结构调整为重点的各项改革全面展开，新型事业结构框架初步形成，部门的活力有所增强；管理工作逐步得到加强，气象工作领导管理体制不断完善；地方气象事业蓬勃发展，双重计划财务体制已在全国各省(区、市)和大多数地市及县建立起来；《中华人民共和国气象条例》的颁布实施，标志着气象工作开始步入法制化管理的轨道；社会主义精神文明建设取得丰硕成果，气象职工队伍整体素质有较大提高，涌现出一批以优秀共产党员、模范气象工作者陈金水为代表的先进典型。以上这些成就的取得，是全国气象部门广大干部职工团结奋斗的结果。

回顾五年来所走过的历程，我们更加深刻地体会到，推进气象事业的发展，必须坚定不移地贯彻执行党的基本路线和各项方针政策，牢牢把握大局，以提高气象服务的社会经济生态效益为中心，坚持气象现代化建设不动摇。在实践中，我们对气象现代化的认识不断深化和提高。气象现代化建设要围绕业务现代化，统筹兼顾，安排好服务、科研、教育、管理等各方面的现代化建设，气象事业才能协调发展；改革是推进各项工作前进的动力。加快气象事业发展必须在深化改革上下功夫，只有坚持深化改革，才能推动气象事业全面发展，不改革就没有出路。与此同时，还要大力加强社会主义精神文明建设，努力建设一支高素质的气象职工队伍。这是推动气象事业发展的重要组织保证。事实证明，五年来我们根据十四大精神所确定的加快改革和发展的各项任务和措施，是完全正确的，是符合气象工作实际的，较好地处理了改革、发展与稳定的关系，调动了广大干部职工的积极性，保证了气象事业的持续快速健康发展，并为今后的发展奠定了坚实的基础。

当前，气象事业发展面临新的机遇和挑战。国民经济和社会的快速发展，日新月异的科技进步，为气象事业的发展提供了历史机遇。国民经济发展和社会进步对气象服务的需求会越来越广泛；市场经济的建立和完善，为气象信息服务产品进入市场提供了广阔前景；国家各项改革的深化，为气象部门加快改革开放提供了良好的外部环境。与此同时，气象事业的发展也面临严峻的挑战。在市场经济条件下，作为公益性的气象事业如何适应市场经济，加快自身发展，是摆在我们面前亟待研究解决的新问题；气象服务与社会需求的矛盾仍然很突出，气象服务的能力还不能适应国民经济和社会快速发展的需求；气象业务现代化建设发展不平衡，基础探测业务发展相对滞后，省以下基层台站技术装备比较落后，总体效益尚未得到充分发挥；管理工作比较薄弱；发展和维持的矛盾比较突出，部分基层台站工作生活环境差，影响了队伍的稳定。面对机遇和挑战，我们应充满信心，既要看到已经取得的成就和有利条件，又要正视困难和问题，进一步解放思想，以更加良好的精神状态，牢牢抓住历史机遇而不可丧失机遇，积极开拓进取而不可因循守旧，主动迎接挑战，坚定不移地把气象部门的改革开放和现代化建设推向前进。

联系气象部门的实际，贯彻党的十五大精神的总体要求是，**高举邓小平理论伟大旗帜，以提高气象服务的社会经济效益为中心，继续坚持气象现代化建设不动摇；主动适应社会主义市场经济体制，以气象事业结构的战略性调整为重点，全面推进各项改革，积极扩大对外开放；推进气象法制建设；大力加强精神文明建设，重视和加强基层建设，培养和造就一支高素质的气象职工队伍，努力实现气象事业的全面发展。**

(一)坚定不移地推进气象现代化建设，努力提高现代化的总体水平

坚持气象现代化建设不动摇，就要在认真总结经验的基础上，进一步统一认识，明确思路，突出重点，协调发展，提高效益，使现代化建设走上一条速度比较快、结构比较好、效益比较高的发展路子。

我国现有的气象现代化水平，还远远不能适应防灾减灾和经济、社会发展的需求。尤其是近年来，世界各国特别是一些发展中国家气象现代化建设加快了步伐。如果我们发展的速度放慢，就可能落后，就难以为国民经济和社会的可持续发展做出更大贡献，就难以保持在发展中国家的领先地位。对此，我们要有危机感、紧迫感和责任感。搞现代化建设有困难，但不搞现代化会更困难。只有克服困难，坚持积极推进现代化，才能实现气象事业的良性循环发展。这应当成为全国气象部门上上下下的共识。

气象现代化建设要按照结构合理，系统严密，管理科学，注重效益的思路积极推进。要加强总体规划和科学管理，避免不合理的重复建设，努力实现资源共享；要加强上级气象台对下级台站的指导，丰富指导产品，减少重复劳动，提高产品质量；要努力提高人员素质，现代化装备的更新要与人员素质的提高同步进行，尤其要重视搞好岗位培训。

现代化建设必须突出重点。今后一个时期国家气象事业建设的重点是，大力加强短期气候预测业务系统建设；加强气象科学研究，尤其是气象业务现代化的科研与技术开发，提高气象为社会服务的综合能力；加快大气探测自动化系统建设，推进探测业务的现代化。地方气象事业建设的重点是，从当地经济、社会发展的需求出发，搞好气象服务系统建设、中尺度灾害性天气预警系统建设和人工影响局部天气技术系统的建设。

现代化建设要注重协调发展。积极采用先进的气象探测技术和装备，加强气象业务技术保障体系的现代化建设，尽快改变基层台站技术装备比较落后的状况；进一步重视现代化管理，建立和完善与业务现代化相适应的科学管理体系，向管理要质量、要效益，充分发挥现代化建设的总体效益。

提高我国气象现代化总体水平，要进一步扩大对外开放。从我国气象现代化建设的实际和需要出发，积极引进国外先进技术和设备。继续扩大和发挥中国在世界气象组织及其它国际组织中的作用，促进双边科技合作，推进气象技术、装备的输出和人才交流，加大在全球气候变化框架公约和政府间气候变化委员会等相关活动中国内外工作协调与参与的力度。

(二)大力拓宽气象工作领域，全面增强气象服务能力

气象工作要以防灾减灾服务为重点，努力做好气象灾害的监测、预报和抗御灾害的服务工作。要提高对各种气象灾害的认识，凡是由大气作用对人类生命财产、国民经济特别是农业以及国防建设等所造成的损害，都是气象灾害，都要列入气象防灾减灾工作范围，加强对诸如干旱、洪涝、强对流天气、热带气旋、寒潮、冷冻、大雾以及酸雨和大气环境污染等气象灾害的研究。充分利用天气预报警报、气象情报、气候应用分析、大气环境影响评价、卫星遥感、雷达、人工影响局部天气等多种设备和手段，有效地开展气象灾害的监测、预测、服务工作，不断拓宽防灾减灾工作领域。

必须重视气候资源的开发、利用和保护工作。加强为综合开发利用气候资源服务的能力建设，提高气候资源的利用效率，尤其要大力加强气候资源的动态监测、评估和应用工作，强化气候资源的管理；加强多部门、多学科的合作，为节约水资源、治理水土流失和防止沙漠化等提供服务；加强对气象能源及云水资源的开发、利用和管理工作，为国家合理开发、利用和保护气候资源做好服务。

气候与气候变化对人类生活环境有重大影响。要增强气候与大气环境意识，进一步提高对气候与气候变化的监测能力及影响评价和对策的研究能力；积极开展大气环境的监测、影响评价和保护工作；积极参与和开展城市环境气象(包括空气污染潜势)预报服务；重视开展保护生态环境和水环境的气象服务，为实现环境、资源和社会、经济的协调发展做出贡献。

全面加强气象服务系统建设。进一步增强气象服务能力，加强气象服务的现代化建设，建立全方位、多层次、系列化、现代化的气象服务体系。加快公益服务系统及以城市、海洋、重点工程服务为主要内容的专业气象服务系统建设，推动气象服务向更深更广的领域发展，不断满足社会经济日益增长的需求。

(三)进一步解放思想，深化改革，大力推进气象事业结构的战略性调整

在新的形势下，应进一步解放思想，加大力度，以“三个有利于”作为根本判断标准，从发展战略的高度对事业结构进行全局性、升级性和效益性的调整。主要任务是，按照“两个根本性转变”的要求，努力推进气象事业结构由单位的“小三块”向部门的“大三块”转变。推进业务技术体制改革，实现气象业务技术体系的优化和升级；扩大科技服务领域，实现气象服务产品的多样化；面向市场发展科技产业，推进“规模型”、“集团化”，不断增强产业实体的市场竞争能力。通过调整，增强气象事业发展的生机与活力。

进一步深化基本气象系统的结构调整。积极推进气象业务技术体制改革，根据现代化业务技术的要求，有计划地调整业务结构和站网布局。在国家基准站和基本站实现大多数器测项目的遥测化和自动化。以调整承担基本气象观测任务的艰苦台站为重点，调整站网布局和工作任务。积极推进岗位设置、岗位规范、岗位培训工作，实行持证上岗，加大基本气象系统人员的分流力度，使基本气象系统更加精干、高效。

积极开拓气象科技服务新领域。在社会主义市场经济条件下，气象服务产品可以而且应当多种多样。在公益服务中，应树立新的观念，遵循市场经济规律，调整气象信息产品的对外提供政策。有些公益服务产品应核算成本，形成补偿反馈机制。专业有偿服务要进一步面向市场，积极发展与市场经济相适应、实行市场机制的多种服务产品和服务形式。

大力发展气象科技产业。以市场为导向，以经济效益为中心，因时因地制宜，依托优势，转换机制，大力发展高新技术产业。在发展高新技术产业中，要坚持把发展信息产业放在首位。积极建立以气象综合服务为主体的信息产业；以气象骨干工程建设及气象技术装备开发为依托，建立工程型和生产型骨干产业；充分利用地域、地缘和环境优势，发展以服务业、旅游业以及房地产、物业经营等为主的综合经营。发展产业要加强联合，扩大规模，形成优势，提高效益。

进一步建立和完善与新型事业结构相适应的运行机制。要根据市场经济体制的要求，结合部门实际，尽快建立既有利于事业发展，又有利于适应市场经济大环境的运行机制。积极推进人事、财务和行政后勤等各项配套改革。在对基本气象系统定编、定员的基础上，实行下岗分流，减员增效。充分发挥人才交流机构的作用，组织下岗人员培训，为走上新的岗位创造条件。在深化事业结构调整中，人员流动和下岗分流，进入新的工作岗位，是不可避免的。广大干部职工要转变观念，积极适应改革和发展的新形势。推进分配制度改革，探索把按劳分配和按生产要素分配结合起来的新办法。对职工个人的分配既要建立有效的激励机制，又要有责任制约，以保证“效率优先，兼顾公平”。逐步调整分配结构，建立科技服务和科技产业既依托基本气象系统又稳定支持基本气象系统的机制。科技产业要根据“产权清晰，权责明确，政企分开，管理科学”的要求，逐步建立新的符合现代企业制度的管理和运行机制。

积极发展和完善气象工作领导管理体制。随着市场经济体制的建立和完善，气象工作现行领导管理体制也要进一步发展和完善。根据 10 多年来气象事业发展的实践，“双重领导，以部门领导为主”的领导管理体制符合我国国情，有力地促进了气象事业的发展，应在现有基础上不断发展和完善。实际上，从 1984 年以来，由于市场经济的建立和各地经济发展水平的不同，已出现了主体为“双重领导，以部门为主”与其它不同类型管理体制并存的局面。今后，要继续坚持在主体不变的情况下，从实际出发，在部分有条件的地方，经中国气象局批准，可进行领导管理体制改革的试点。体制问题关系全局，要采取十分慎重的态度，认真总结新经验，深入研究新问题，不断发展和完善领导管理体制。

（四）充分认识基层的重要地位，切实加强基层建设

改革开放以来，基层台站广大干部职工坚决贯彻党的基本路线，坚持以服务为本，锐意改革，开拓进取，大力推进两个文明建设，台站的面貌发生了深刻变化，自身的活力得到增强，工作生活环境也有了较大改善，特别是一些地处经济欠发达地区的基层台站，发扬艰苦奋斗的优良传统，克服重重困难，做出了突出成绩，涌现出不少先进典型。总的看，基层的建设正在朝着越来越好的方向发展。应充分肯定成绩，坚定信心，同时也要看到存在的困难和问题，寻求解决的办法。当前，基层存在的主要困难和问题是，发展不平衡，差距有进一步拉大的趋势。部分台站特别是国家基本站、基准站，业务任务重，维持经费不足，创收能力弱，工作生活条件比较差，基础设施简陋；西部地区尤其是地处边远、高山、沙漠、海岛的一些台站，困难更为突出。对于这些困难和问题，要高度重视，并有组织、有计划、有步骤地切实加以解决。

解决基层的困难和问题，出路在于深化改革，加快发展，调整结构，增强活力。广大基层台站要在积极推进气象现代化建设，努力提高气象服务社会经济效益的同时，解放思想，转变观念，加大改革力度，通过人员分流，减员增效，大力发展科技服务和科技产业，不断增强自我发展和自我改善能力。要积极争取国家和地方政府增加投入，进一步改善基层的工作生活环境。中国气象局要加强宏观调控，根据国家财政补助情况，调整气象事业费预算定额，加快基层台站基础设施综合改善步伐。首先要解决好西部和经济欠发达地区基层台站及一、二类艰苦台站的问题。加快大气探测自动化系统建设，改善基层职工的工作环境。制定和采取相应的政策措施，努力缩小地区差距。按照国家社会保障制度改革部署，积极推进部门的住房、医疗、养老等各项制度的改革。

加强基层建设要坚持“两手抓”。既要抓好物质文明建设，也要抓好精神文明建设。其中，首先要抓好领导班子建设。实践证明，要改变一个台站的面貌，把各项工作搞上去，关键是要有一个好的领导班子。要努力把基层领导班子建设成为坚决贯彻党的基本路线、思想解放、团结群众、勇于开拓进取的坚强领导核心，以组织群众、宣传群众、教育群众、带领群众一道去开创新局面。要认真总结搞活基层的好经验，大力宣传那些通过深化改革、艰苦奋斗、改变面貌的先进台站，鼓舞基层广大干部职工增强克服困难的信心。要大力弘扬敬业爱岗、无私奉献的精神，强化有所作为才能有所地位的意识，形成积极向上、开拓进取的良好精神状态。

（五）积极推进气象科技体制和教育体制改革

气象科技体制改革要按照“稳住一头，放开一片”的方针，结合气象事业发展的需要，与实施气象事业结构调整协调一致，对现有的三级科研机构进行结构调整。在“稳住一头”方面，要加强和发展在气象事业发展中承担重要任务的重点科研机构，特别是以面向气象现代化研究为主、并有突出大气科学专业研究优势的少数重点科研机构，加强和发展气象部门及当地经济发展所需的重点学科、领域的研究以及研究、试验、服务基地的建设，增强面向气象现代化和面向经济建设的服务能力及自身活力。在“放开一片”方面，鼓励大多数科研机构积极探索实现功能社会化的途径，面向气象业务现代化的科研工作要加强与气象业务的结合，面向社会经济建设的科研工作要努力加强与经济建设的结合，有条件的要积极进入市场，在气象事业、经济建设和社会发展的广阔天地中，重新确定适合自身发展的位置。要加强科技管理制度建设，逐步形成开放、流动、竞争和合作的科研运行机制，建立一支精干、高效的优秀专职科研队伍。

气象教育体制改革要迈出实质性步伐。按照中央确定的教育体制改革方向，推进气象院校结构调整。要继续按照成都全国气象教育工作会议确定的改革方向，加大工作力度，积极向前推进。大力加强高层次人才培养，大力加强继续教育和岗位培训，建立比较完善的继续教育和培训工作体系。

（六）切实加强精神文明建设，建设一支高素质的干部队伍

加强精神文明建设的一项重要任务，就是继续深入开展创建文明气象行业的活动。我们的目标是，2010 年以前，把全国气象部门建成文明行业。各级气象部门要提高认识，加强领导，扎实工作，努力完成各项任务，保证目标的如期实现。

切实加强队伍的思想政治和职业道德建设，始终不渝地用邓小平理论教育全体干部职工。各级领导干部要带头学好，努力把握邓小平理论的科学体系，掌握精神实质，理论联系实际，提高解决实际问题的能力。要在全体职工中开展以为人民服务为核心、集体主义为原则的社会主义道德教育，引导广大干部职工树立正确的世界观、人生观、价值观，大力弘扬爱国主义、集体主义、社会主义和艰苦创业精神。加强党风廉政建设，深入持久地开展反腐败斗争。加强审计工作和财务管理。重视气象宣传，抓好新闻、出版、气象科普工作，把握正确的舆论导向，为改革开放和现代化建设营造良好的舆论氛围。

努力建设一支高素质的干部队伍，是气象事业不断发展的关键。要以思想政治建设为重点，努力把气象部门各级领导班子建设成为坚决贯彻党的基本理论和基本路线、全心全意为人民服务、具有领导现代化建设能力、认真执行民主集中制、团结坚强的领导集体。要抓紧优秀年轻干部的培养选拔工作，大胆启用优秀年轻干部。努力培养造就一支高水平的专业技术人才队伍，尤其要重视年轻专业技术人才的培养。按照管理现代化的要求，建立一支结构合理、素质优良的管理队伍。要进一步做好离退休老干部工作，从政治上、生活上关心照顾好老同志，发挥他们的作用。

按照总体要求和以上六项任务，在本世纪的最后三年内，通过全国气象部门广大干部职工的共同努力，**要基本建成比较现代化的气象业务技术体系；基本形成国家气象事业和地方气象事业协调发展、与社会主义市场经济体制相适应的新型气象事业结构；基本实现生活奔小康的目标。**

二、1997 年的简要回顾与 1998 年的主要任务

（一）1997 年的简要回顾

1997 年，全国气象部门认真落实年初全国气象局长会议提出的六项任务，紧密围绕香港回归和党的十五大召开两件大事，切实做好气象服务，积极推进气象现代化建设，深化各项改革，加快气象立法步伐，重视和抓好基层建设，积极创建文明气象行业，较圆满地完成了全年的各项任务。

气象服务工作取得重大社会经济效益　去年，我国多雨区范围偏小，北方干旱严重，台风活动异常。各级气象部门把服务工作放在首位，做到了思想不麻痹，精力不转移，工作不松动，取得了显著的社会经济效益。

重大灾害性天气预报准确、服务及时。对去年出现的大范围暴雨过程，中央气象台和有关省（区、市）气象台都提前 4－7 天做出了中期预报，提前 24－48 小时做出了准确或基本准确的短期预报。对于 4 个登陆台风（热带风暴）的路径、强度和风雨范围的预报基本正确，特别是 11 号强台风在浙江温州登陆时，恰逢天文大潮，风、雨、潮三碰头，形势非常严峻。中国气象局多次向国务院领导汇报，局领导及有关省（区、市）局的领导都深入一线坐镇指挥。中央气象台、浙江省台提前 3 天发布了台风消息，提前 35 小时发布了紧急警报。浙江省政府在台风到来前组织撤离疏散了 143 万群众，使台风的损失减到了最低程度。国务委员宋健、罗干等领导同志对服务工作给予了充分肯定。

出色地完成了各项重大社会活动的气象服务。在庆祝香港回归、党的十五大召开期间，国家气象中心和有关省（区、市）气象部门及时提供了优质服务，保证了各项重大活动的顺利进行。中央领导同志对香港回归期间的气象服务给予了高度评价。此外，还为长江三峡工程的成功截流、江总书记视察兴隆天文台、内蒙古自治区成立 50 周年、第八届全运会等重要活动，提供了气象保障服务，取得了良好的效果，产生了广泛的社会影响。

为农业服务工作继续加强，气象科技扶贫出现新局面。各级气象部门围绕当地农业夺丰收和农村经济发展，积极做好气象服务。针对北方的严重旱情，有关省（区、市）气象部门大力开展

抗旱服务，进行人工增雨，对旱情起了缓解作用。向国务院领导提供了全国粮、棉产量预测，其中冬小麦、秋粮和全年粮食总产量预报基本准确。中国气象局与国务院扶贫办联合下发了《关于做好气象科技扶贫开发工作的通知》，有力地推动了全国的气象科技扶贫工作。有13个省的气象科技扶贫纳入了地方扶贫计划，17个省(区、市)共争取到地方扶贫项目162个，经费达540多万元。各地实施气象科技扶贫项目581个，为贫困地区引进技术268项，举办培训班504个，培训人员约6万人次。

公众服务手段明显改进，电视天气预报工作有很大发展。全国31个省(区、市)、4个计划单列市以及190个地市和202个县气象局建立了电视天气预报节目制作系统，17个省和4个地市的电视天气预报上了节目主持人。

专业专项服务和科技服务领域不断拓宽。各省(区、市)气象部门共为302项重点工程开展了服务。城市环境气象预报服务已经起步。各地还积极开展了旅游、保险、防雷和电话自动答询服务，有16个省级城市和624个地、县开通了"121"电话，科技服务年总收入比上年有较大增长。

气象现代化建设和科研教育取得重要成果，基础业务得到加强 9210工程硬件布局全面实施，省级系统设备全部安装、调试完毕，82.7%的地市完成了VSAT小站的安装和调试。应用软件开发和联调基本完成，人机交互处理系统计算机网络软件已通过验收并投入试运行。完成了近千人的培训任务。"风云2号"气象卫星于6月10日发射成功，云图质量良好。卫星应用系统工程通过国家验收，已交付使用。短期气候预测业务系统工程项目建议书通过评估。大气监测自动化系统工程立项取得进展。中国气象局大气探测综合试验基地正式挂牌运行。福建中尺度灾害性天气监测预警系统第一阶段工程通过验收，北京、广东灾害性天气监测预警系统的建设进展顺利。

气象现代化建设总体效益进一步得到发挥。气象综合探测系统、信息网络系统和基本气象信息加工分析系统的发展规划已由中国气象局下发并实施。国家气象中心向下发布了T106数值分析预报产品，开展了数值预报产品解释应用工作。全国地、县级气象信息产品服务终端已分别达到98.8%和81.5%。卫星气象中心向下提供了业务化卫星云图和其它定量产品。国家气候中心试发布了月预报产品。各省(区、市)台也加强了对下级台站的技术指导和产品的分发工作。

基础业务特别是测报工作得到加强。各地认真贯彻全国气象测报工作会议精神，普遍加强了测报业务管理，积极完善各项规章制度，加强了人员培训。一些省组织了测报质量检查，有的省举办了测报技术比赛，开展了基础业务质量年等活动，还有的省为测报人员增发了岗位津贴，制定了鼓励政策，进一步稳定了基础业务队伍。

气象科研、教育工作取得新成果。"九五"科研计划全面启动，国家重中之重项目及其它各类课题全面展开。全年共组织科研项目50余项，年内有12项成果获部门科技进步奖，其中有1项获国家科技进步奖。四大科学试验的前期筹备工作取得实质性进展，为外场试验打下了坚实基础。高层次人才培养工作得到加强，继续教育和岗位培训工作有较大发展，全部门有1.8万人参加了计算机普及培训。

国际气象科技合作继续扩大，促进了国内气象现代化建设。我国在世界气象组织和其它国际组织中继续发挥较大作用，参与了气候变化框架公约第三次缔约方会议的有关工作，成立了全球气候观测系统中国委员会。双边气象科技合作取得较大进展，去年出访团组和人数分别比上年增加了16%和11%，接待来访团组和人数也分别比上年增加了41%和21%，特别是中印两国气象科技合作取得突破。一些省(区、市)气象部门的国际气象科技合作已列入地方科技外事计划。

各项改革继续深化 气象事业结构调整取得新的进展。不少省改革的力度明显加大，基本气象系统进一步精干、高效，科技服务和综合经营队伍不断扩大。中国气象局制定的《推进西部欠发达地区气象事业发展和改革的若干支持政策》即将下发，将有力地促进西部欠发达地区的事业结构调整。各地积极发展专业气象服务实体，拓宽服务领域，提高了经济效益。深入贯彻全国气象科技产业工作会议精神，以信息产业为重点的高新技术产业呈现出良好的发展势头，不少省重组兴办了具有一定规模的企业经营实体，取得了较好的经济效益，一些经营实体还参照现代企业制度建立了新的运行机制。

省和省以下机构改革基本完成。通过改革，规范了机构设置，明确了职责，理顺了关系。省(区、市)气象局和计划单列市气象局机关全面参照公务员制度管理。同时，加强了领导班子和干部队伍建设，促进了人员交流，推动了机关工作的制度化和规范化建设，提高了工作效率。

气象业务技术体制改革在深入调研的基础上，制定了《基本气象系统岗位设置和岗位规范》，提出了常规地面、高空气象观测站网建设和调整的意见，为基本气象系统的精干、高效奠定了基础。

按照国家对事业单位财务改革的要求，根据部门的实际，制定了改革实施计划，进行了一系列准备，为部门财务和会计制度改革的顺利实施创造了条件。

积极推进气象科技体制和教育体制改革。向国家科委上报了《关于进一步深化气象科技体制改革的方案》，制定了气象高校体制改革意见。中国气象科学研究院的改革已经起步。

完善气象工作领导管理体制取得重要进展。经过大量艰苦的工作，国务院办公厅不久前转发了《关于加快发展地方气象事业的意见》(国办发〔1997〕43号)。这一文件的下发，将有力地推动地方气象事业的发展。截止11月底，已纳入地方财政预算的投入比上年增长了114.5%，还有6个省下发了发展地方气象事业的文件，14个省解决或部分解决了地方津贴补贴问题。重庆市成为直辖市之后，全国又一个省级气象机构——重庆市气象局，于年底前正式挂牌成立。

气象立法工作取得较大进展 《气象法》起草工作步伐加快。年初，起草了《气象法》初稿，在反复征求意见并经全国气象局长研讨会专题研讨、修改后，9月中旬形成了《气象法(征求意见稿)》，并印发国务院有关部门及各省(区、市)人民政府征求意见，还组成专门小组，就征求意见稿的修改问题与国务院有关部门进行了协调，并组织了专题论证。受国务院委托，中国气象局局长向八届全国人大第27次常委会汇报了工作，引起了常委们的热烈反响。国务院已将《气象法》列入立法计划。全国人大常委会已建议将《气象法》列入九届全国人大常委会的立法规划。年内，有5个省(区、市)根据《气象条例》制定了地方性法规或规章，2个省开展了执法监督检查。

精神文明建设迈出新的步伐 中国气象局加强了对部门精神文明建设的指导，主动向中央精神文明建设指导委员会汇报了工作，得到了重视和支持。在全国众多行业和部门中，中央文明委确定气象部门的20个台站为全国文明服务示范单位。5月14日在全国公布后，引起很大反响。各省(区、市)气象局认真贯彻全国气象部门精神文明建设工作会议精神，制定了规划、计划，抓紧做好实施工作。继湖北省之后，河南省、吉林省气象部门又被省委、省政府命名为文明系统，青岛市气象局和所属的台站全部建成文明单位。经请示中央文明委同意，中国气象局日前已授予青岛市气象部门文明系统称号。

各级领导班子建设得到加强。一批优秀中青年干部走上领导岗位，全国58.9%的司局级领导班子中配备了45岁以下的干部，1/3以上的处级班子配备了35岁以下的干部。加强了老干部工作，按要求完成了“两费”的清欠工作。大力加强了气象宣传工作，围绕防灾减灾、气候资源开发利用、气象立法、气象知识普及，积极开展对内对外宣传，新闻、出版工作也取得较好成绩，扩大了社会影响。去年在北京举行的“辉煌的五年”成就展上，江泽民总书记等中央领导同志参观了气象展区，给予较高评价。与中国气象学会联合召开了全国气象科普工作会议，确定了新形势下加强气象科普工作的任务。党风廉政建设和反腐败力度进一步加大，加强了审计工作和财务管理，认真贯彻党中央、国务院关于厉行节约、制止奢侈浪费行为的若干规定，取得积极成果。

加强管理、转变作风初见成效 根据中央、国务院和国家机关党工委的部署，中国气象局机关开展了“三优一满意”活动，加强了机关建设。一年来，先后就推进气象现代化建设、加强基层建设、加快气象科技体制和教育体制改革、加速发展气象科技产业、发展和完善气象工作领导管理体制、加强现代化管理等6个关系气象事业发展的重大问题，展开了深入研讨，理清了思路，提出了许多对策和建议，不少已得到采纳。各省(区、市)气象局普遍加强了科学管理工作，建立和健全各项规章制度，有26个省(区、市)局建成了机关计算机局域网。基层工作得到加强，去年基层台站基础设施建设的投入占全年基建投入的84.5%，其中生活部分安排了32.7%，部分基层台站的困难得到缓解，还为部分基层单位配备了交通车辆。各级领导纷纷深入基层，其中各省(区、市)局级领导有1562人次下基层调研，为基层解决了不少实际困难。

在看到成绩的同时，也不能忽视我们工作中存在的薄弱环节。主要是，由于科技发展水平等方面原因，主汛期短期气候趋势预测不够理想；发挥现代化建设总体效益方面虽然做了许多工作，但缺乏具体措施，成效不够明显；深化改革的力度和深度不够；基层工作仍然需要进一步加强等等。对于这些问题，在今后的工作中要切实加以解决。

(二)1998年的主要任务

1998年，是全面贯彻落实党的十五大提出的各项任务的第一年，也是完成“九五”计划的关键一年。从气象部门的实际出发，我们已经提出了贯彻十五大精神，加快改革和发展的总体要求、六项任务和三年目标。各省(区、市)气象部门要联系本地区、本部门的实际，创造性地开展工作，抓好各项任务的落实。

1998年总的工作要求是：**高举邓小平理论伟大旗帜，全面贯彻落实党的十五大精神，继续把气象服务工作放在首位，千方百计提高服务的质量和效益；继续积极推进气象现代化建设，充分发挥现代化建设的总体效益；全面推进各项改革，加大气象事业结构调整力度，务求取得新的突破；加快气象立法进程；进一步抓好基层建设，大力创建文明气象行业，实现气象事业的持续、快速、健康发展**。气象部门各级领导要自觉地担负起光荣而艰巨的任务，努力做到：统揽全局，精心部署，狠抓落实，稳中求进，圆满完成今年的各项任务。

中国气象局在认真总结各省(区、市)气象部门开展目标管理经验的基础上，决定于1998年对全国各省(区、市)气象局的工作试行目标管理。拟定了《1998年各省(区、市)气象局和计划单列市气象局主要工作目标》，这些项目和目标基本包括了全国气象部门的主要工作，并提出了年终考核办法。实施目标管理，是加强现代化管理的一项重要措施，有利于充分调动各方面的积极性，把各项工作真正落到实处，同时也便于对全年的工作进行科学评价和考核。各省（区、市）气象局对实施目标管理工作要高度重视，切实加强领导，认真部署，确保各项目标的顺利实现。中国气象局机关和直属事业单位的目标管理也将在调研的基础上逐步推行。

第一，关于气象服务工作

全国各级气象部门要继续坚持把气象服务工作放在首位。在思想上必须始终重视而不能有任何麻痹，在工作上必须切实加强而不能有半点松懈，在服务的措施上只能加强不能削弱，千方百计提高服务的社会经济效益。从现在起，就要认真部署全年各个阶段的服务工作，立足于防大汛、抗大旱，按照主动、及时、准确的要求，认真做好各项工作。

努力做好重大灾害性天气气候的预报服务工作。务必保持高度的警惕，抓住服务重点，抓住关键时期，抓住关键性天气不放松，进一步提高预报准确率，力争做到大范围重大灾害性天气不错报、不漏报。凡遇有重大灾害性天气，主要领导都要亲自坐镇指挥。要针对去年出现强厄尔尼诺现象和已出现北方大范围干旱、南方冬季连续大范围阴雨、青藏高原特大雪灾等异常天气气候状况，加强短期气候的监测，尽早组织今年天气气候趋势的分析和会商。入汛前，要组织力量，在总结近些年对主汛期趋势预测经验教训的基础上，加强对今年主汛期天气气候预测的技术准备，进一步研究改进预报技术和手段，努力做好主汛期的预报工作。汛期，要更严格地执行行政领导负责制，加强督促检查，杜绝责任性事故，确保服务工作万无一失。

继续加强决策服务和专业专项服务。认真落实《中国气象局决策气象服务周年方案》提出的各项任务。拓宽专业气象服务领域，切实做好三峡工程的气象保障服务。积极开展城市大气质量环境气象预报服务。不断改进和提高电视天气预报节目制作水平，今年将举办第二届全国电视天气预报观摩评比活动，各省（区、市）气象部门要做好推荐工作。

为农业服务绝不能松动。农业的发展，直接关系到国民经济的发展和社会政治稳定的大局。各级气象部门要为确保今年农业再有一个好收成，为农业增产、农民增收、农村稳定，做出更大的贡献。要认真贯彻中央经济工作会议和中央农村工作会议精神，结合本地农业和农村经济发展的实际，加强服务的针对性，努力提高服务的经济效益。要加强技术力量，做好今年旱涝天气气候趋势预测；加强对农业气候灾害的监测预测工作，对影响农业的重大灾害性天气气候要抓住不放，努力做好防御灾害的气象服务；加强人工影响局部天气工作，一季度将召开人工影响局部天气协调会；加强农业气象情报服务，做好墒情、防治病虫害和产量预测；加强农业生态环境的有关工作，这也是开拓气象服务新领域的重要内容。要做好第三次农业气候区划试点工作。气象科技扶贫要继续贯彻《中国气象局关于加强气象科技扶贫开发工作的意见》，认真总结经验，狠抓各项任务的落实，争取更大的成果。

第二，关于气象现代化建设

气象现代化建设要按照“统一认识、明确思路、突出重点、协调发展、提高效益”的要求，坚定不移地向前推进。

要继续抓好气象现代化重点工程建设。9210 工程要按照年度工作目标，上半年完成地区级系统的安装和调试工作，加快软件的开发和优化，加强中速广播网建设和单向接收站的推广，年底前全部工程务必要投入准业务运行。各省（区、市）局要加强组织领导，认真抓好建设和业务运行工作，充分发挥工程建设的效益。完成 9210 工程对于推进我国气象现代化的总体水平意义重大，要上下共同努力，确保工程按期完成，尽早发挥效益。“风云 2 号”气象卫星今年 1 月已投入准业务运行，国家卫星气象中心要加强运行管理，严格岗位责任制，确保系统正常运行和按时向台站分发产品。各省(区、市)气象局要认真做好产品的接收和应用工作,抓紧DCP平台的业务应用,更好地发挥效益。继续抓好"风云一号"02批极轨气象卫星地面应用系统的建设,做好"风云一号"C星的发射和资料接收处理各项准备工作。

启动短期气候预测业务系统和大气探测自动化系统的建设,是今年的一项重要任务。要切实抓好组织落实工作。大气探测自动化要在充分论证、开发试验考核的基础上,由示范站点到面,分期逐步实施。积极开展中小尺度灾害性天气预警系统建设,北京、广州、福建、深圳中尺度灾害性天气预警系统要按预定方案,抓紧建设,并注意边建设、边发挥效益。东部有条件的地方,也要根据地方经济建设和社会发展的需求,努力创造条件,推进灾害性天气预警系统的建设。要加快新一代多普勒天气雷达的生产和研制工作,积极做好新一代天气雷达布局的前期准备工作,以加快大气探测业务现代化进程。

进一步加强指导产品的开发。国家气象中心要加快数值天气预报业务系统发展的步伐,提高T106L19、HLAFS分析预报产品的质量,并在数值分析预报产品解释工作中起带头和指导作用;国家气候中心也应增加指导产品的品种,提高产品质量;各省(区、市)气象局,都要抓好常规天气要素分县预报和灾害性天气落区预报指导产品的开发工作,为各级台站提供更多更好的指导产品;各级气象台站要加强数值天气预报的解释应用和配套的预报方法的开发工作。

切实抓好基础业务建设,重点是抓好测报业务管理,努力提高测报质量。要在完善规章制度、加强岗位培训上下功夫。各省(区、市)气象部门要继续贯彻全国气象测报工作会议精神,按照目标管理中对测报质量的指标要求,加强管理,保证实现目标。要认真组织好测报人员的技术培训,今年将进行持证上岗和资格证书培训试点工作,全面开展省、地气象台短期预报岗位资格培训,实施持证上岗制度。

进一步扩大国际气象科技合作的领域和范围,在加强双边合作方面要有新的进展。积极配合四大科学试验,做好涉外工作。继续推进省(区、市)气象部门的国际气象科技合作,今年争取再有一部分省(区、市)气象局的气象科技合作列入地方政府科技外事计划。

第三,关于深化改革

今年,要进一步深化以事业结构调整为重点的各项改革。重点抓好以下六个方面,并力求有新的突破。

一是积极推进气象业务技术体制改革,进一步实现基本气象系统的精干、高效。中国气象局将下发《基本气象系统岗位设置和岗位规范》、《常规地面、高空气象观测站网建设和调整的意见》。各省(区、市)局要结合本省(区、市)实际,制定具体实施方案。要按照《规范》要求,重新定编、定岗、定员,实行下岗分流,各省(区、市)气象部门人员的分流,要努力完成目标管理中确定的指标。根据《意见》,年内将开始进行站网布局和工作任务的调整,重点是调整承担基本气象观测任务的艰苦台站。在实施调整前,必须严格按审批权限办理。同时,确定深化预报业务技术体制改革的具体任务,并逐步实施。

二是加速气象科技服务向专业化、产业化发展。全年科技服务的总收入要比1997年增长25%。各省(区、市)气象部门要在提高电视天气预报制作系统和"121"电话答询系统的普及率方面下功夫,努力完成目标。还要大力发展防雷检测、BP机寻呼等项目,提高经济效益。要积极探索专业气象服务新的组织形式和运行机制。

进一步发展面向市场的气象服务。年内将组织专门班子,认真研究建立市场经济体制以来,气象服务工作面临的新形势,重点研究发展面向市场的气象服务问题。调整气象信息产品对外提供的政策，确定应纳入有偿服务的产品范围。要通过调研拟草在市场经济体制下开展气象服务的政策性文件，扩大气象服务市场，争取今年拿出初稿上报国务院。

三是加快发展科技产业。科技产业年收入总额要求比上年增长15%。9210工程建成后，各省(区、市)气象部门要积极开拓市场，运用市场机制，加快信息产业的发展，实现增长目标。中国气象局和各省(区、市)局要就产业发展的依托机制、资本结构和运作、财务管理、提高效益等一些深层次问题，研究提出优化产业发展环境的有关政策。要探索建立部门产业发展资本结构组织的合理形式，探索经营性国有资产有效运营的管理方式，在有条件的地方进行股份制或股份合作制等资产重组的试验。各省(区、市)气象局的直属企业，都应积极参照现代企业制度，建立新的企业运行机制。一些经营效益好、管理比较规范的经营实体，应加大企业运行机制改革的力度。

四是加快气象科技体制和教育体制改革。要根据中国气象局制定的《关于进一步深化气象科技体制改革的方案》，组织实施改革。各省(区、市)气象局都要将科技体制改革纳入事业结构调整的总体规划，并于上半年完成科技体制改革方案的制定工作。年内计划在部分区域级专业科研机构和省级科研机构展开改革试点。北京气象学院的改革今年要全面组织实施。成都气象学院要确定改革的具体实施方案，并尽早起步。南京气象学院要按照“211”工程建设目标要求，抓紧落实实施方案。

五是搞好机构改革和完善气象工作领导管理体制。推进机构改革，是十五大确定的政治体制改革的重要内容。要按照党中央、国务院的统一部署，从进一步适应市场经济，有利于气象事业持续快速健康发展出发，认真研究。在改革过程中要按照中央的要求，做到思想不散，秩序不乱，工作不松。在搞好机构改革的同时，要深入总结发展和完善气象工作领导管理体制的经验，探索发展和完善领导管理体制的形式和办法。

六是全面实行事业单位财务制度和会计制度改革。各省(区、市)局要按照国务院的有关规定和中国气象局的部署，认真做好深化改革和争取经费的有关工作。

第四，关于发展地方气象事业

国务院办公厅转发中国气象局《关于加快发展地方气象事业的意见》(国办发〔1997〕43号)，是继国务院〔1992〕25号文件之后，又一个极为重要的文件。各省(区、市)气象部门应高度重视，作为一件大事抓紧抓好。要在充分准备的基础上，及时做好向地方政府领导和计划、财政、人事等部门的汇报工作，争取得到更大的支持。贯彻工作要突出重点，着重做好落实地方气象事业建设项目和解决气象职工享受地方津贴补贴问题的工作。各级气象部门要结合地方经济和社会发展的需求，积极与地方政府领导和有关部门协商，确定发展地方气象事业的主要任务和具体建设项目，并正式纳入当地国民经济和社会发展计划，保证资金的落实。落实地方津贴补贴虽有一定难度，但事在人为。各地要抓住《通知》下发的有利时机，积极做好各级地方政府和有关部门的工作，争取由地方政府妥善解决好气象职工享受地方津贴补贴等福利待遇问题。与此同时，要在贯彻国务院〔1992〕25号文件的基础上，按照《通知》精神，尽快建立与国家财政体制相适应的地方气象投入体制，特别是目前尚未建立这一体制的地、县，要抓紧工作，尽快把地方气象投入体制建立起来。

各省(区、市)局要结合本省(区、市)的实际，认真研究贯彻实施《通知》的具体措施，加强组织领导，抓好各项工作的落实。要加强对各地、县气象部门的具体指导，及时解决工作中存在的困难和问题。

第五、关于精神文明建设

要把认真学习十五大报告，作为加强队伍思想政治建设的首要任务。通过各种形式，组织全体干部职工认真学习领会报告的精神实质，紧密结合部门改革和发展的实际，用报告的精神统一思想。各级领导班子特别是省(区、市)局领导班子，要围绕气象事业发展中的一些重大问题，深入学习，认真思考，研究提出加快改革和发展的新思路、新办法。

要深入开展文明行业的创建工作。今年力争再有2－3个省、1－2个计划单列市建成文明气象系统。各省(区、市)局要按照《中国气象局党组关于加强精神文明建设的若干意见》，认真总结上一年开展创建工作的经验，分析存在的问题，找出薄弱环节，制定有力的创建措施。要加强对基层创建工作指导和督促检查，把各项工作真正落到实处，使创建工作在新的一年里取得更大的进展。

要认真贯彻全国组织工作会议精神，继续抓好三支队伍建设。各省(区、市)气象局要按照《全国气象部门"三支"骨干队伍建设"九五"计划》确定的各阶段的具体任务，狠抓落实。要全面贯彻干部队伍"四化"方针和德才兼备的原则，选好用好干部。以培养选拔优秀年轻干部为重点，努力建设高素质的干部队伍。要结合实际，按照目标管理中下达的指标，研究制定具体措施，确保目标的实现。加强离退休老干部管理工作，继续做好"两费"的清欠工作，力争不出现新的拖欠。

要进一步重视和加强气象宣传工作。各级气象部门要切实加强对气象宣传工作的领导，认真解决工作中存在的实际困难和问题，更好地发挥宣传工作的作用。宣传工作要围绕贯彻十五大精神和今年的重点工作，加大宣传力度，抓好新闻、出版和气象科普工作，积极向社会和广大群众宣传气象工作，普及气象科技和防灾减灾知识。

要继续推进党风廉政建设，加大反腐败斗争的力度，严格党风廉政建设责任制，健全省、地、县三级纪检、监察和审计工作网络。加强监督，严格管理。厉行节约、制止奢侈浪费行为，严肃认真查处违法违纪案件。

在抓好以上五个方面重点工作的同时，还有几项涉及全国的具体任务，也要抓紧落实。

一要继续抓紧《气象法》的起草工作　积极做好与国务院有关部门的协调工作，一季度要形成《气象法(送审稿)》及起草说明，报国务院法制局。经国务院常务会议讨论通过后，形成《气象法(草案)》，并尽快报全国人大常委会，力争今年《气象法》能正式出台。各省(区、市)局对立法工作不要等待，要根据《气象条例》和《气象法(送审稿)》，从本地实际出发，积极主动做好《气象法》的实施准备和本省(区、市)的气象立法工作。《人工影响天气管理条例》年内要争取拿出初稿。

二要精心组织好四大气象科学试验　四大气象科学试验包括第二次青藏高原大气科学试验、南海季风试验、淮河流域能量与水分循环试验和海峡两岸及邻近地区暴雨试验，这是在中尺度气象和短期气候预测研究领域展开的一场重大战役。试验涉及的国家和地区之多、台站之广，都是前所未有的，任务重，难度大，影响广。今年将全面开展大规模外场观测，我国大多数气象台站都承担了任务，而且试验期正值汛期。各有关省(区、市)气象部门要按照统一部署，认真组织，确保试验成功。要妥善处理好汛期服务与试验工作的关系，做到汛期服务和科学试验两不误。中国气象局第一季度将召开会议做出安排，有关单位要做好准备。

三要认真落实加强基层建设的各项工作　中国气象局和各省(区、市)局要结合贯彻国办发〔1997〕43号《通知》，积极扩大经费来源，多渠道争取资金，加大基层台站基础设施综合改善的投入，重点抓好西部和经济欠发达地区基层台站的综合改善。进一步探索解决基层职工住房的有效途径，及时总结和推广好的经验。今年还要争取多为基层解决部分交通车辆。中国气象局有关部门要按照即将下发的《推进西部欠发达地区气象事业发展和改革的若干支持政策》，认真落实有关任务。在抓好基层工作、生活环境改善的同时，要以加强基层领导班子建设为重点，结合创建文明气象行业，抓好各方面的建设。各级领导机关和领导干部要坚持面向基层，切实改进工作作风，多深入基层，提倡说实话，办实事，鼓实劲，讲实效，踏踏实实地工作，认认真真地做好每一件事情。

四要继续开展专题调查研究　中国气象局机关要在去年工作的基础上，继续就气象事业发展中的6个重大问题，展开调查研究。要按照十五大精神，研究提出新的思路及有关政策措施。各省(区、市)气象局也要加强对以上重大问题的调研，联系本地实际，深入基层，及时发现和解决新问题，把各项工作不断推向深入。

全国各级气象部门都要用十五大精神统一全体干部职工的思想和行动，从实际出发，认真贯彻中央的各项方针政策，把握改革和发展的全局，精心谋划，科学决策，作出周密安排和部署；要实事求是，脚踏实地，扎实工作，集中精力抓大事、抓落实，注重解决工作中的难点和群众关心的热点问题，特别是关系气象事业发展全局的重大问题；要进一步加强团结，充分调动广大干部职工的积极性，上下齐心协力，共同做好工作；要继续发扬艰苦奋斗的优良传统，特别是各级领导干部要以身作则，大力提倡勤俭节约，反对铺张浪费行为；在各项工作中要解放思想，振奋精神，大胆实践，勇于开拓，积极进取，随时注意总结经验，不断前进，为圆满完成1998年的各项任务而奋斗。

全国气象局长会议小结(摘要)

马鹤年

(1998年1月15日)

同志们:

1998年全国气象局长会议就要闭幕了。会议紧紧围绕气象部门如何贯彻落实十五大精神,进一步开创气象工作新局面的中心议题,在认真领会十五大精神的基础上,密切联系部门实际,重点对克刚同志所作的题为《全面贯彻党的十五大精神　把充满生机和活力的气象现代化事业推向新世纪》的工作报告展开了热烈、深入的讨论。会议审议并原则通过了这个报告。代表们一致认为,《工作报告》立意高,体现了十五大精神,体现了解放思想、实事求是的原则,突出了改革与发展的主线。《工作报告》思路清晰、重点突出,既符合十五大精神,也符合本部门实际。《工作报告》指导性强,不仅提出了一系列新思路,确定了三年目标任务,还提出了一系列贯彻落实的措施。大家认为,报告不仅对做好1998年工作有很强的针对性,对今后一个时期在新形势下加快气象事业的发展也具有重要指导意义。会议还专门审议了《1998年各省(区、市)气象局工作目标》。大家认为,在全国气象部门实施目标管理很有必要,有利于加强宏观管理,有利于促进抓落实,同时能对年度工作作出比较客观科学的评价。代表们赞同在全部门推行目标管理,并且经过认真的讨论,认为总的来说所定的目标是可行的,经过努力是可以实现的。大家还对两个文件提出了许多很好的修改意见,会后将认真归纳、分析、研究,把大家提出的意见吸收到文件中去。

这次会议充分发扬民主,与会同志们思想解放,畅所欲言,献计献策。经过深入的讨论,进一步加深了对十五大精神的理解,联系部门实际,进一步解放了思想,对气象部门如何贯彻十五大精神,加快改革开放和现代化建设的总体思路、工作重点、主要任务和措施,都有了更深一步的认识,为今后工作的顺利开展打下了良好的思想基础。

下面,我就会议讨论中提出的一些问题以及如何抓好1998年各项任务的落实,根据大家讨论的情况讲几点意见。

一、关于讨论中提出的几个问题

1、关于进一步深化气象服务工作问题。同志们在讨论中一致认为,十几年来特别是近几年来,气象服务工作取得了重大社会经济效益,服务能力和质量、水平有了明显提高,气象工作进一步为广大群众所认识。在充分肯定成绩的同时,也要冷静地思考在新的历史条件下,气象服务如何进一步适应社会进步和经济发展的新需求,如何适应社会主义市场经济发展的新形势。这首先就要根据党的十五大精神,进一步深化对气象服务工作重要性的认识。气象服务是气象事业立业之本,气象现代化建设是兴业之路。所以强调气象服务要放在首位,就是因为气象服务是气象工作存在的基础,削弱和放松气象服务,就等于动摇了气象事业的基础。对于气象服务工作，时时刻刻都不能放松，只有服务工作做好了，才能为防灾减灾、经济和社会的发展做出更大的贡献。事实证明，气象工作之所以越来越赢得地方政府的重视和支持，之所以能打开局面，有广泛的社会影响，靠的就是服务，特别是要围绕防灾减灾做好决策服务和公众服务，同时也要千方百计拓宽服务领域。我们经常说，有所为才能有所位，"为"就是服务，"位"就是气象事业的地位、影响、声誉，这都是加强服务工作带来的结果。对于这一点，尤其在发展社会主义市场经济的大环境中，一定要有明确的认识。

在讨论中同志们也谈到了气象服务与气象现代化建设的关系。强调把服务工作放在首位，绝不是忽视现代化建设。相反，提高气象服务的社会经济效益、提高服务的能力和水平，最根本的还要靠气象现代化，不搞气象现代化建设不行，如果没有过去十几年的现代化建设，气象服务就没有今天的效益。气象现代化建设是提高气象服务能力、水平、效益的出路所在、希望所在和潜力、后劲所在。要提高气象服务水平，必须积极推进气象现代化建设，现代化建设是提高服务能力和水平的手段，最终目的也是为了提高服务的能力和水平。

把气象服务工作放在首位，就要千方百计地提高服务质量。在气象服务工作中要树立三个意识：生态意识，效率、效益意识和成本意识。服务工作要努力做到主动、及时、准确、科学、高效。这 10 个字中核心是"准确"，"及时"是关键。要抓住核心，把握关键，同时要主动、科学、高效地做好气象服务。

气象服务工作要进一步适应市场经济体制，也要进一步更新观念。客观环境和形势要求我们进一步探索建立气象服务社会经济效益和气象事业可持续发展能力之间的良性循环机制。根据社会主义初级阶段的国家实际财力、供给和需求的矛盾，根据小平同志的"三个有利于"的原则，要探索完善社会主义初级阶段的气象服务体系和相应的机制，在原有基础上扩大气象服务的社会经济效益。公益服务不等于无偿，要通过调整气象信息产品的对外提供政策，实现服务产品的多样化，积极探索建立与市场经济体制相适应的，包括决策服务、公众服务、专项服务和专业服务等多种服务形式在内新的气象服务体系。对于决策服务，要无条件地做好；对于公众服务，要在不断提高水平的同时，对其中一些服务项目应建立补偿反馈机制；对于专项服务，应收取成本费；面向市场的专业服务，实质上是商业性服务、经营性的服务，应当既讲成本又讲利润，价格随行就市，这实际上也是国家鼓励培育、发展信息咨询产业的组成部分，应当理直气壮，大力宣传，大胆实践。根据上述思路，在继续做好气象公益服务（包括决策服务和公众服务）的同时，要大力开拓面向市场的服务领域，积极探索适应市场经济的运行机制，使气象工作的社会经济效益和自身的发展迈向一个新的水平。

2、关于对气象事业结构进行战略性调整的问题。工作报告中提出要大力推进气象事业结构的战略性调整，这是贯彻落实十五大精神，加快部门改革步伐的一项重大措施。早在 1992 年，气象部门就作出了进行事业结构调整的部署。从几年来的实践看，这实际上就是对事业结构进行战略性的调整。现在进一步强调战略性，是对气象事业结构调整的继续和深化提出了更高的要求。对气象事业结构进行战略性调整，也要借鉴国家对经济结构调整的大思路，学习其他有关部门结构调整的好经验。对事业结构进行战略性调整，就是对事业结构进行全局性、升级性和效益性调整。所谓全局性，就是不仅对第二、三块要进行调整，而且对第一块基本气象系统也要进行调整，进一步实现精干、高效。总体上要由单位的"小三块"向部门的"大三块"的方向转变。这是实施两个根本性转变在气象部门的具体措施，目的是将我们的事业结构调整得更适应不断进步的现代化科学技术，更具有集约性和规模效益。实行这一转变，实际上是社会发展和部门改革发展到一定程度的必然。当然，实现这一转变是要有一定条件的，是有阶段性的。对于已经具备条件的，要不失时机的实现转变；条件还不成熟的，要积极创造条件，逐步实现这一战略性的转变。所谓升级性，就是要依靠科技进步和深化改革，实现业务技术体系的优化和升级，科技服务和科技产业中的科技含量要不断提高，使气象业务和经营活动都上一个新台阶。所谓效益性，就是调整要以提高效益为目的，通过对基本气象系统的调整，减少重复劳动，实行人员分流，减员增效。与此同时，要开拓气象服务领域，大力提高气象服务的社会、经济效益，通过建立与社会主义市场经济相适应的气象服务体系和气象科技产业，使我们在效益性调整方面，迈出更大的步伐。既能为国民经济和社会发展提供更多的服务，做出更大的贡献，又能加速自身的发展，实现事业发展的良性循环。

3、关于下岗分流，减员增效的问题。这是事业结构战略性调整的重点和难点问题。在讨论中，许多同志认为，我们部门的下岗分流与企业的下岗分流虽然有所差别，但没有本质上的差别，都是为了减员增效，都是一种就业结构的调整。随着事业的发展和改革的深入，必然有一些岗位和任务要调整，同时又有一些新的事业生长点需充实力量，这就需要进行就业结构的调整。比如国家正在进行的国有企业改革、事业单位改革及行业结构调整等改革，都涉及到了干部、职工的就业结构调整。对气象部门来说，随着气象现代化水平的不断提高，业务任务和岗位必然要进行调整。要按照新的岗位设置，实行持证竞争上岗，也必然会有人要暂时下岗。从第一块下岗的，通过双向选择，其中多数同志可能很快就分流到第二、三块，以加快第二、三块的发展。从原岗位分流到其它岗位，就是就业结构的调整。基本系统的精干高效，要与开辟新的服务领域紧密结合，使从第一块下岗的人员能走上新的岗位。当然，第二、三块也要按照效益优先、精干高效的原则进行重组和人员分流。因此，在下岗分流过程中，也不排除少数职工，通过双向选择，不能到第二、三块工作，这样就有一个暂时待业的过程。对于下岗人员，要充分发挥部门内部人才交流中心的作用，通过培训等方式，创造必要的条件，使他们能够尽快适应新的岗位。在下岗分流、减员增效的问题上，要进一步解放思想，转变观念。实行下岗分流，减员增效，既是国家改革大环境的要求和就业结构调整的要求，也是气象事业发展过程中结构调整的必然要求，势在必行，早起步早见效。不这样做，现代化建设的效益就不能充分发挥，气象事业就不可能快速地发展，就不能从根本上摆脱当前面临的困难。我们要加大力度，迎头赶上整个社会改革在这方面迈出的步伐。当然在实施过程中，既要积极，又要稳妥，要做好有关政策、制度和规定的配套工作和思想政治工作。

推进这项改革虽然难度较大，困难较多，但我们要克服畏难情绪，坚定信心，要努力造成一种有利于深化改革的良好氛围。同时，要做过细的工作，正确处理好改革、发展与稳定的关系，在具体实施时要考虑到群众的承受能力，在保持稳定的环境中推进改革，寻求突破。在讨论中，一些同志提出要制订下岗分流的政策，尤其是一些配套政策。这个意见很好。中国气象局要抓紧研究制订，但各省(区、市)气象局不要等，可以根据实际积极探索。目前一些省(如湖南)在这方面已做了积极的探索，并取得了初步经验，应进一步总结、完善。实行下岗分流，应加强人才交流机构的建设。目前还有一部分省没有建立人才交流机构，要抓紧建立起来，以利于改革的展开。

二、切实抓好 1998 年各项工作任务的落实

1998 年是全国气象部门贯彻落实十五大精神的第一年，也是继续实施“九五”计划的关键一年。各省(区、市)气象部门要围绕《1998 年各省(区、市)气象局工作目标》，按照《工作报告》

的具体部署和要求，把各项工作真正落到实处。我再强调几点：

1、要认真抓好十五大报告的学习。深入贯彻落实十五大精神，首先必须学好十五大报告。要把学习江总书记的报告作为一项长期的重要任务，认真抓好。各省(区、市)气象局的领导班子要带头学好，要理论联系实际，用十五大精神来分析、研究和解决气象事业发展中的重大问题，推动部门的改革和发展。还要认真组织广大干部职工的学习，用十五大精神统一全体干部职工的思想。通过深入学习，进一步解放思想。使广大干部职工更深刻地认识我国处于社会主义初级阶段，主动适应社会主义市场经济。解放思想，首先是对领导干部的要求，广大群众也有一个解放思想的问题，但领导是关键。领导干部思想解放了，就能带领广大群众开拓进取，推动一个单位乃至一个部门的工作，几年来的实践已经充分说明了这一点。贯彻十五大精神和这次会议提出的任务，都要坚持解放思想，实事求是，要创造性地开展工作，按照“三个有利于”的标准，大胆地去试、去闯，勇于开创新局面，创造新经验。

2、切实加强气象服务工作，特别是做好为农业服务的工作。《工作报告》已对今年的气象服务工作做了全面部署，我这里再进一步强调一下。最近召开的中央经济工作会议和中央农村工作会议，都把加强农业提到了非常重要的地位。农业的发展，直接关系到国民经济的发展和社会政治稳定的大局，尤其是在今年深化改革将要迈出更大步伐的形势下，加强农业，确保农业夺丰收，就更为重要。全国各级气象部门要一如既往地把为农业服务作为重点，要特别重视，特别精心，特别加强。我国北方不少地区已连续两年出现干旱，今年会不会出现连续三年大旱，这个问题已引起了党中央、国务院的高度重视。当前，北方的旱情相当严重。据国家气候中心初步预测，今年春季北方地区降水仍将偏少，春季农业生产将面临严重干旱缺水的局面，抗旱任务十分艰巨。目前北方冬麦区有1亿多亩麦田、2亿多亩春播地严重缺墒，各地都非常关注今年天气气候趋势。各级气象部门要密切注意大气环流的演变趋势，认真分析当前旱情发展的形势，要尽最大的努力，有针对性地做好今年的短期天气气候预测。要做好春季气象服务、汛期气象服务的各项准备，并要结合各地农业生产的实际，为地方政府组织抗旱提供决策服务。千方百计地做好对农业生产有影响的灾害性天气监测、中短期和短时预报服务，适时做好人工增雨，重视加强农业气象情报服务。最近，中国气象局发出了《关于做好抗旱气象服务工作的通知》，各省(区、市)局要结合实际，认真抓好贯彻落实。

3、切实加强科学管理。中国气象局要进一步转变作风，求真务实，提高效率。切实落实这次局长会议确定的各项任务，对于工作报告中提出的贯彻十五大精神六个方面的主要任务，要提出进一步实施的具体意见和措施。在管理工作中，宏观要管好，微观要放活，要加强政策引导，组织力量研究制订改革的配套和支持性政策，为改革提供良好环境，创造有利的条件。

要认真实施目标管理。实施目标管理是推进现代化管理的一项重要措施，对于加强宏观管理和促进各项工作的切实落实很有必要。提交会议讨论的目标管理办法，是在吸取许多省局多年实行目标管理的经验和开展气象科学管理体系软科学研究成果的基础上，经多次上下征求意见形成的。讨论中，总的认为目标太细，大家对一些目标进一步提出了修改意见。会后要认真吸收，按照突出宏观管理目标和只对实现目标的最终结果进行控制的思路，把目标修改好。由于今年对省(区、市)局进行目标管理是试行，就不与各省(区、市)局领导签订目标责任书，明年再进一步改进这项工作。各省(区、市)气象局对实施目标管理工作要给予高度重视，切实加强组织领导，保证各项目标的顺利实现。目标管理工作要着重抓好以下几个环节：一是要做好目标的分解。各省(区、市)局对下达的各项目标，要逐级分解落实到单位，对于大的目标任务要有分阶段实施计划，一些涉及实施单位较多的目标，应加强组织协调工作。二是要加强日常管理。在目标实施过程中要加强督促检查，中国气象局各职能部门要加强与各省(区、市)局的联系，及时掌握目标的进展情况，给予指导，使目标管理工作顺利展开。三是要实事求是地认真做好目标的考核和验收工作。考核是目标管理工作的关键环节。各省(区、市)局要认真组织好年终目标考核工作。年终，中国气象局将组织验收。要严格地按照考核办法，对各项工作做出客观、公正的评价。四是要兼顾好各方面的工作。在抓好目标管理的同时，对于其它一些未列入目标的工作，也要抓紧完成。

中国气象局各直属事业单位今年也要试行目标管理。各事业单位都要按照会议精神，提出年度工作目标。特别是在推进事业结构调整方面，要加大力度，有新的突破。春节前，各直属单位要提出年度工作目标，由中国气象局办公室汇总并报局领导审定后 2 月底前下达实施。

4、要进一步加强调查研究。贯彻落实十五大精神，推进各项工作和深化改革中，会遇到许多新情况、新问题。同时，市场经济体制的不断完善和国家各项改革的深化，气象部门也面临一个如何适应的问题。各级领导干部要深入实际，深入基层，切实加强调查研究。要围绕今年工作的重点，特别对事业结构进行战略性的调整的有关问题，围绕与社会改革接轨问题，展开深入的调研。通过调研，及时总结经验，发现新的情况和解决新的问题，更好地推动各项工作的进展。气象部门的改革是在国家和社会改革的大环境下进行的，因此还要加强对国家、社会改革政策的调查研究，使部门的改革与之相衔接起来。当前，要特别加强对住房、医疗、养老等社会保障制度改革的研究。由于各地的情况不同，中国气象局要及时了解和掌握各地的情况，并根据气象部门的特殊情况进行综合研究，需要向国务院和有关部门反映、协调的，要积极做好工作。

5、要进一步加强向地方政府的宣传工作。加快气象部门的改革和发展，离不开地方政府的重视和支持，要进一步做好向地方政府的宣传工作。今年，各地政府都要换届，因此做好宣传工作更为重要。要积极主动向新一届政府汇报工作，并充分利用《中国气象报》等宣传手段，使新一届政府尽快熟悉气象工作，更好地支持气象工作。

在邓小平理论学习研讨班上的总结讲话(摘要)

温克刚

(1998 年 11 月 13 日)

同志们:

这次邓小平理论学习研讨班,历时 13 天,就要圆满结束了。经过同志们的共同努力,完成了学习和研讨的任务,达到了预期的目的。

下面我结合这次学习研讨的情况,谈几个方面的意见:

一、紧密联系部门实际,兴起深入学习邓小平理论的新高潮

同志们在学习研讨中,通过总结 20 年取得的重大成就和基本经验,进一步思考改革和发展的未来,更加深刻地体会到,过去 20 年气象事业的发展,靠的是邓小平理论的指导;要实现未来的发展目标,也必须靠邓小平理论的指导。搞好邓小平理论的学习,兴起理论学习的新高潮,应着重把握好以下三个方面:

(一)必须从国际国内形势和气象事业发展的大局出发,增强理论学习的自觉性。

加强理论学习,也是提高干部队伍特别是领导干部队伍思想政治素质,坚持党的基本路线不动摇的根本要求。领导干部只有坚持不懈地学习和实践邓小平理论,从根本上提高自己,才能成为合格的领导者。有了一支素质较高的领导干部队伍,坚持党的基本理论和基本路线不动摇,才有可靠的组织保证。

气象事业正处于跨世纪发展的关键时期。十五大以来,和其它各条战线一样,气象部门的改革开放和现代化建设进入了一个新阶段。改革正在向纵深发展,也可以说将进入攻坚阶段;在市场经济条件下发展气象事业,我们面临许多新情况和新问题;经济和社会的快速发展,对气象工作提出了许多新需求,气象服务与社会和经济发展需求不完全适应的矛盾越来越突出;世界气象科技的发展很快,一些发展中国家气象现代化水平在迅速提高。我国气象事业要实现跨世纪的发展,同样面临着历史的机遇和严峻的挑战。在新的形势下,要求我们必须认真学好邓小平理论,坚持党的基本路线不动摇,并在学习的深度和广度两个方面下功夫,运用所学的理论指导实践,解决前进中遇到的矛盾和问题,不断开创气象事业发展的新局面。

气象部门的各级领导干部,特别是在座的"一把手",务必要站在面向世界、实现中国跨世纪发展的高度;站在气象事业发展的全局、实现气象事业跨世纪发展的高度,以强烈的历史责任感和使命感,增强学习邓小平理论的自觉性。

(二)深入学习邓小平理论,要同学习和贯彻党的十五大精神结合起来。

党的十五大以来,气象部门广大干部职工的思想进一步解放,精神更加振奋,呈现出了全面推进改革开放和现代化建设的新局面。根据十五大精神,气象部门提出了不少加快改革和发展的新思路、新措施。比如,提出气象现代化建设要进一步统一认识、明确思路、突出重点、协调发展、提高效益，走上一条速度比较快、结构比较好、效益比较高的发展路子；提出气象工作要积极适应内外部环境的新变化和新需求，开拓新领域，不断提高气象为国民经济及社会发展服务的能力；提出对气象事业结构进行全局性、升级性和效益性调整，推进气象事业结构由单位的“小三块”向“大三块”转变；提出在公益服务中，应树立新的观念，遵循市场经济规律，调整气象信息产品的对外提供政策，有些公益服务产品应该核算成本，要有保持持续发展的补偿机制，专业有偿服务要积极发展与市场经济相适应的多种服务产品和服务形式；提出从实际出发，积极发展和完善气象工作领导管理体制等等。按照这些思路，加大改革力度和加快发展速度，就需要我们以邓小平理论为指导，理论联系实际，解决实际问题，创造性地开展工作。因此要在全面、正确理解和掌握邓小平理论科学体系及精神实质上下功夫，要在全面、正确地理解和掌握十五大精神上下功夫。通过学习，使气象部门各级领导干部对邓小平理论和十五大精神的理解与掌握方面有新的提高，在履行领导职责，推动改革和发展方面有新的进步，充分调动广大干部职工的积极性和创造性，推进气象事业的全面发展。

（三）深入学习邓小平理论，必须坚持理论联系实际。

学习理论的目的完全是为了指导实践。气象部门各级领导干部学习邓小平理论，就是要按照十五大精神，坚持“一个中心，三个着眼于”，具体来说，就要以气象部门的改革开放和现代化建设的实际问题、以我们正在做的事情为中心，着眼于邓小平理论的运用，着眼于对实际问题的理论思考，着眼于新的实践和新的发展。要通过学习，把邓小平理论同本部门的实际结合起来，运用邓小平理论来指导实践，解决好工作中的重大问题，不断开拓工作的新局面。从总体上看，当前气象部门各级领导干部学习邓小平理论的热情很高，学习也取得了不小的进展，理论政策水平普遍有了提高。但是也还存在着理论学习比较薄弱的现象，有的同志由于日常工作比较繁忙，对理论学习抓得不够紧，下功夫不够；有的同志对理论学习的重要性认识不足，忽视理论学习，忽视主观世界改造。针对这些现象，必须进一步加强气象部门各级领导干部的理论学习。要采取有组织的学习与自学相结合。特别是各省（区、市）局党组一班人，肩负着重要的领导责任，更要带头学好邓小平理论，发扬理论联系实际的学风。要坚持和完善党组中心组的学习制度，同时个人要搞好自学，越是工作忙，越要挤时间学，多进行理论思考，不断提高理论联系实际的能力，在改造客观世界的同时，改造自己的主观世界。中国气象局党组以及各职能部门和直属事业单位的领导，都要认真研究加强理论学习的问题，切实把理论学习提高到一个新水平。

这次举办邓小平理论学习研讨班，就是加强理论学习的重要步骤。但这仅仅是深入学习的开始，为全国气象部门兴起学习邓小平理论的新高潮开了一个头。各级气象部门特别是省（区、市）级气象部门的领导干部，要以此为新的起点，切实抓好各单位和自身的理论学习，把全部门的理论学习扎扎实实地引向深入。

二、认真总结改革开放20年的成功经验，努力建设有中国特色的社会主义气象事业

在学习研讨中，大家围绕《气象部门改革开放20年成就和基本经验》的研讨材料，对基本经验进行了认真总结。一致认为，20年来气象事业之所以能取得快速发展，最根本的一条，就是始终坚持以邓小平理论为指导，解放思想，实事求是。如果没有邓小平理论的指导，如果不是坚持解放思想，实事求是的思想路线，气象事业就不可能有今天这样蓬勃发展的大好局面。这是我们总结20年发展历程得出的一条最根本的经验，也是指导气象事业跨世纪发展的一条最基本的经验。

在邓小平理论的指导下，我们坚决贯彻党的基本路线，从气象部门的实际出发，积极探索建设有中国特色社会主义气象事业的发展道路，积累了宝贵的经验。根据同志们讨论的结果，可以概括为以下5条基本经验：

第一，必须坚持气象服务是立业之本的观点，把做好气象服务做为气象工作的根本宗旨，作为出发点和归宿，全心全意为社会主义现代化建设服务，为防灾减灾服务，为保护人民生命财产安全服务。实践证明，气象部门的一切工作，都要通过服务来体现；气象现代化的成果，最终也要通过服务来体现。做好气象服务工作，是我们立业的根本。要始终抓住服务工作不放松，按照“主动、及时、准确、科学、高效”的要求，努力提高气象服务的社会经济效益。有所为才能有所位，只有不断提高服务的水平和效益，才能充分体现气象工作在国民经济中的重要地位，才能更好地发挥气象事业在国民经济建设中的基础性和先导性作用。20年的实践证明，气象服务必须紧密结合经济和社会发展的需求，积极拓宽服务领域。气象服务工作要主动适应国家经济体制改革的深入发展，在社会主义市场经济条件下，服务要面向市场，要大力发展气象科技服务，积极发展与市场经济相适应的多种服务产品和多种服务形式。

第二，必须坚持气象现代化建设不动摇，这是我们的兴业之路。20年气象服务之所以取得重大的社会经济效益，主要是依靠了科技进步，依靠了气象现代化。大力推进气象现代化建设，是提高气象服务的能力和水平，提高气象服务社会经济效益的根本途径，也是气象事业发展的出路和希望所在。推进气象现代化建设要坚定不移。要按照“科教兴气象”和“气象可持续发展”战略，积极依靠科技进步和提高气象队伍的素质，充分发挥现代化建设的总体效益。要从国情出发，搞中国式的气象现代化。现代化建设要结构合理、重点突出，协调发展，要切实加强管理，积极探索一条速度比较快、结构比较好、效益比较高的发展道路。

第三，必须坚持改革开放。要以改革促发展，气象部门改革的重点是调整气象事业结构。通过调整实现各方面资源的优化配置，促进总体效益的发挥。气象部门的改革应在国家改革的总体部署下，抓住机遇，积极推进。判断改革的是非得失，最终要以是否有利于气象科学技术水平的提高，是否有利于气象事业的全面发展，是否有利于改善广大干部职工的工作生活条件为标准。要鼓励试、允许看、不争论，及时总结经验，加强指导，对的就坚持，不对的就改正，把部门的改革不断引向深入。要继续扩大对内对外的开放，尤其要进一步扩大向社会的开放。要跟踪国际气象科技发展动向，善于学习和引进国外一切先进的技术和设备，不断缩小与发达国家气象科技发展水平的差距，这样才能保持中国在国际气象科技领域中已经取得的一席之地。

第四，必须坚持并不断发展和完善气象工作的领导管理体制。实行“双重领导，以部门领导为主”的管理体制，对气象事业的持续快速健康发展起了重大作用；建立双重计划财务体制，发展地方气象事业，是完善和发展领导管理体制的重大举措，也是建设有中国特色社会主义气象事业的成功之举。领导管理体制是国家政治、经济体制的组成部分。气象工作的领导管理体制，要根据国家的方针政策和改革发展的新形势，认真总结经验，在实践中不断发展和完善。

第五，必须坚持以提高队伍的整体素质为核心，以加强各级领导班子建设为重点，大力推进精神文明建设。事业的发展，关键在人才。要建设一支高素质的队伍，全面提高队伍的思想道德素质和科学文化素质。要实施两个大力加强：一是大力加强高层次人才的培养，努力培养学科带头人和科学家以及管理专家；二是大力加强继续教育，普遍提高在职人员的素质。抓好各级领导班子建设，对于事业的发展至关重要，尤其要重视培养和选拔优秀中青年干部。创建文明气象行业，是推进部门精神文明的有效形式，要持之以恒地开展群众性精神文明创建活动。

以上5条基本经验，是学习邓小平理论与气象工作的实践相结合的结果，既是对过去20年实践的总结，也是面向新世纪发展气象事业所必须坚持的。我们的事业总是不断向前发展的，今后，我们要继续在邓小平理论的指导下，解放思想，实事求是，一切从实际出发，坚持以上成功经验，并不断丰富它、发展它、完善它，积极探索，勇于开拓，努力建设有中国特色的社会主义气象事业。

三、按照国家推进事业单位改革的总体思路，积极稳妥地推进气象事业单位的改革

研讨气象事业单位改革问题是这次邓小平理论学习研讨班的一项主要内容。现在，我就气象事业单位改革问题谈几点意见。

（一）必须充分认识气象事业单位改革的必要性和紧迫性。

党的十五大提出了推进机构改革的任务和方针政策，九届人大一次会议审议批准了国务院机构改革方案。气象事业单位改革势在必行，早准备，早动手，对气象事业单位改革做些前瞻性研究，预测国家政策取向，探索未来发展方向，明确当前改革任务，有利于争取主动。这是局党组决定开展这一课题研究的着眼点。

关于事业单位改革问题，罗干同志在《国务院机构改革方案说明》中提出了“除教育和极少数需要列入财政拨款的以外，其他事业单位每年减少财政拨款1/3，争取3年基本达到自负盈亏”的总体思路。温家宝副总理在听取中国气象局汇报时指出，气象事业是一项重要的基础性社会公益事业，办好气象事业是政府履行社会管理职能义不容辞的责任。课题组的材料中也对气象事业的定性和部门工作的定位进行了分析，气象事业应当由国家财政拨款保证和支持。但是，客观地讲，气象部门包括离退休在内的8万多人的队伍，难以完全由国家财政保证和支持。尽管国家和各级地方政府这些年对气象事业给予了很大的支持，投入总量总体上讲是上升的，但这些投入还十分有限，离气象事业发展的需求还有很大的差距，这就要求我们一方面对外需要继续努力，根据我们的定性和定位反映困难和问题，阐明我们的特殊性，争取国家和地方各级政府的更大支持，为气象事业发展创造较为宽松的投入环境。这里要特别指出，地方各级政府近年来对气象事业给予了很大的支持，今后还要在争取地方政府支持方面继续做更多的努力；另一方面，对内要自加压力，精兵简政，减员增效，通过改革精干基本气象系统，提高工作效率和服务效益。这些看法在讨论中，已基本取得了共识。

改革的外部压力是很大的，而内部的改革要求更为紧迫。当前，气象事业发展面临着总体布局与业务技术体制结合不够紧密、机构设置重叠、职能交叉、管理界面不够清晰、现代化水平有待提高、队伍庞大且整体素质有待提高、资源配置不合理、事业经费保证界限不够明确、气象科技信息服务产业发展不适应社会主义市场经济体制的要求等诸多矛盾和问题，归纳起来，其最根本的矛盾是需求与供给的矛盾，需求大、需求高，业务服务能力和水平达不到。要解决这些矛盾和问题，除了依靠科技进步，加强气象现代化建设，加快气象科技本身的发展外，还必须大力推进气象事业单位的改革。

气象事业单位深化改革既是适应国家机构改革形势的客观要求，也是适应国民经济建设和社会发展需求以及保持气象事业持续、快速、健康发展的必然选择。同志们一定要充分认识改革的大形势，在思想上和战略上重视当前的改革形势，增强紧迫感，提高整个部门对深化改革的认识水平。

（二）面向长远，立足当前，统一思想，继续深入研究气象事业单位改革的问题。

国家对事业单位改革还没有做具体部署，我们先做些前瞻性的研究工作，我认为十分必要，也很有意义。课题组作了大量工作，对一些问题进行了较深入的分析，也提出了气象事业单位改革的指导思想、总体思路、目标和原则以及推进改革的对策和措施。但从研究到决策还有相当的距离，课题组提交会议研讨的材料仅仅是课题组的阶段研究成果，还未进入决策阶段，更不是党组的最终决策，因此，这个材料不宜公开，也不要求传达。经费是事业发展的关键之一，课题组从经费入手，结合业务需求进行研究，也是一种切合实际的思路。研究要立足全局，把握大局，既要面向长远，又要立足当前，从国家改革和发展的大局和气象事业发展全局出发，探索长远的改革思路，研究改革的实现途径，而改革的具体实施则应结合国家的总体部署和进展，贯彻陆续出台的有关方针政策，慎重决策，稳步推进。

在讨论中，大家在气象事业属于基础性社会公益事业、气象事业单位主要由政府财政拨款保证和支持、8 万人的队伍难以完全由政府拨款保证和支持等方面的认识基本上是一致的。而对有些问题持有不同看法，这是正常的。对有些问题的不同认识，不急于统一，允许继续研究探讨。但是有一点，我想说一下，国家在改革中，对于政企、政事分开的取向是明确的，事企分开现在没有象政企、政事分开提得多，但今后完全“吃皇粮”的事业单位，恐怕再和经济实体混在一起是不行的。我们要看到这一点。但这又可能是一个相当长远的过程。那么我们现在还要不要发展专业气象服务呢？还要不要大力发展科技信息产业？还要不要深化事业结构的战略性调整？要不要发展“三大块”的结构模式呢？回答是肯定的，不仅要，而且是要下大力气抓紧、抓实、抓好，尽快抓出成效。对此，同志们要用发展的观点看问题，要从气象事业发展的阶段性分析问题。现阶段，我们仍然要强调大力发展气象科技信息服务产业，这是社会主义市场经济发展的必然要求，也是更好地发挥气象事业单位潜力，增强部门活力，为国家经济社会发展作出应有的贡献的要求，并且也为最终实现国家对事业单位的改革打下良好的基础。关于这一点，作为气象部门的高层次领导干部要有清醒的认识。

气象事业单位改革情况复杂，许多问题也不可能一下子就能研究透彻，更多的还需要在不断的实践中探索和思考。课题组的研究还要继续深入，对这次研讨班大家讨论的意见要认真归纳，补充完善研究内容，对于其中的重要意见，还要再认真分析，深入研究，必要时，可采取上下结合的办法，组织专题研究。特别是在研究中，还要继续关注国家对事业单位改革的政策和其他有关文件，深入领会精神实质，提出有利于党组决策参考的、切合实际的、高水平的成果。

全国各级气象事业单位的改革既面临着同样的问题，各地又存在一些特殊性。在经济发展水平、社会环境等诸多方面都有较大差异，改革的模式就不能搞“一刀切”。所以也希望同志们在邓小平理论指引下，解放思想，实事求是，站在国家改革和发展的大局以及气象事业发展全局的高度，结合本地和部门实际，继续深入思考和研究探索气象事业单位的改革问题。凡事预则立，不预则废，在抓好当前改革的同时，思考一下长远的问题，是有好处的。

(三)继续积极推进气象事业结构战略性调整。

当前，各级气象部门要按照年初局长会议的部署，继续积极深化和推进气象事业结构的战略性调整。按照中国气象局下发的《省及省以下气象基本业务岗位设置规范》，精干高效基本气象系统，大力发展气象科技服务和气象科技产业，并处理好三者的关系；加快科研和教育体制改革。此外，还要认识到改革是一项系统工程，要加强与改革相配套的政策研究，力争与社会同步，按照属地化原则，推进气象部门各项社会保障制度改革。住房、医疗、养老和再就业等关系到广大职工的切身利益，更关系到改革任务能否顺利完成，队伍能否保持稳定，因此要把住房、医疗、养老和再就业等方面的改革作为当前气象事业单位改革的重要内容给予高度重视，认真研究。实现住房、医疗、养老和再就业的社会化是大势所趋，职工住房、医疗、养老和再就业等方面的改革必须与国家社会保障制度改革相衔接。气象部门实行部门与地方、以部门为主的双重领导管理体制，去年国务院办公厅下发了 43 号文件，为解决地方出台的补助起到了积极的作用。按照属地化原则，抓住国家推进社会保障制度改革的时机，与当地社会保障制度改革同步进行，这一点大家也基本取得了共识。当前还要进一步研究社会保障制度改革过程中的一些实际问题，比如经费渠道等。

改革必然面临着这样那样的问题，改革不可能没有阻力和风险，也肯定会有许多难点。如何做好人员分流转岗、如何筹措发展资金、如何处理好气象科技信息服务产业与基本气象系统之间的关系、如何使科研与业务更有效的结合等，都需要花很大的精力研究和解决。在研究和解决这些问题的过程中，要深入调查研究，充分发扬民主，坚持实事求是，要尽可能细致、周密，全面地分析所存在的问题和考虑到各种可能的解决方案。我们要创造一个宽松的改革环境，大力提倡创新精神，只要按照中国气象局对于改革的总体部署，只要坚持“三个有利于”的大原则，大家就可以大胆探索符合本地实际的各种改革方案，在不断的探索中逐步总结，不断完善。这方面我们的一些省级气象部门已经做了很好的努力，今天上午 5 个省局介绍了各自在事业结构调整和气象事业单位改革方面的做法，他们坚持推进事业结构战略性调整，改革组织机构，精干基本气象系统，大力加强气象科技服务和科技产业，改革和完善相应的运行机制，加强宏观管理，推进气象现代化建设，取得了初步成效。

总之，改革是机遇，改革也是挑战，改革将为我们开创气象事业发展的新局面。希望我们的领导干部能站在国家发展的大局和气象事业发展的全局认识问题；运用邓小平理论，解放思想，实事求是，树立创新意识，解决气象事业改革和发展中面临的各种问题。

四、认真抓好年底前的几项重点工作

1、认真学习、贯彻十五届三中全会决定，进一步做好今冬明春气象服务工作。在今年的防汛抗洪抢险救灾工作中，各级气象部门提供了出色的气象服务，为夺取抗洪抢险斗争的胜利，为保护人民生命、财产安全做出了重要贡献，受到了党中央、国务院和各级党政部门的充分肯定，赢得了社会各界和广大人民群众的广泛好评。气象服务工作只能加强不能削弱，服务工作一定要越做越好。当然，我们一定要保持清醒的头脑，要重视我们服务工作中的不足，不断总结提高。要深入学习、贯彻十五届三中全会精神，三中全会《决定》中，提出要进一步健全气象服务体系，这是对气象部门提出的要求，我们要深刻理解其内涵，总结经验，提出完善措施，抓好落实，进一步做好为农业和农村经济发展的气象服务工作。要按照 10 月 28 日全国气象部门防汛抗洪气象服务总结表彰电视电话会议的要求，联系实际进一步推动气象服务工作不断发展，百尺杆头更进一步，为社会经济发展，特别是为农业、农村经济的发展做出更大的贡献。当前，在做好 1998 年特大洪涝灾害总结的同时，要重点结合救灾、生产的实际做好今冬明春的各项气象服务工作；要警惕异常气象灾害出现，克服一切麻痹思想和松劲情绪，尽早做好明年防大汛、抗大灾的一切准备工作；要密切监视天气气候变化，利用一切现代化手段，千方百计做好短期气候预测工作。总之，我们的责任重于泰山，必须继续发扬抗洪精神，扎扎实实地做好当前和明年的气象服务工作。

2、积极推进气象现代化建设，全面完成今年全国气象局长会议部署的各项任务，充分发挥投资效益。(1)年底前各省(区、市)气象局要在华信公司的帮助下，全面完成 9210 工程应用软件的布设工作；并抓好培训，实现9210工程的准业务运行，发挥工程效益。(2)要抓紧9210工程二期工程PCVSAT单收站的布设工作，首先是国家基本站、基准站，然后全面推开。(3)积极推进灾害性天气预警系统建设。已经立项的省局要抓紧建设和完善，最大限度地发挥效益；还没有立项的省局，要抓住机遇，结合当地的实际，积极向地方政府争取立项和落实匹配资金。(4)要按照预报业务工作会议的要求，抓好预报业务体制改革工作，尽早落实分县和灾害性天气落区预报职责；加快发展人机交互系统；并建立相应的业务流程和规范。(5)要做好大气监测自动化系统建设的有关准备工作，特别是切实落实天气雷达、探空设备及自动站仪器的生产、布点准备、立项及地方匹配资金的有关工作，以保证花好、用好中央今年下拨给我们的基础设施建设资金。

3、要认真做好年终总结工作。按照今年全国气象局长会议确定的目标，各省(区、市)局、计划单列市局、各直属单位，要保质保量完成。年底前中国气象局还要考核、抽查、评审，并要公布评审结果和进行奖励。有关工作中国气象局已下发了《关于做好〈1998年各省(区、市)气象局和计划单列市气象局主要工作目标〉年终考核工作的通知》(中气办发〔1998〕32号)，各单位要按照统一部署认真落实。中国气象局和各省局机关及各单位还要按照公务员条例和事业单位管理的有关规定做好年度总结和考核工作。通过总结、考核，对明年的工作做出安排、部署。

4、认真做好总结改革开放20年成就与经验的工作。今年12月18日，是党的十一届三中全会召开20周年。20年来，气象事业的发展取得了重大成就，积累了丰富的经验。认真总结20年的成就和基本经验，对于动员全国气象部门广大干部职工，继续高举邓小平理论伟大旗帜，坚持党的基本路线，把建设有中国特色的社会主义气象事业推向新世纪，具有十分重要的意义。在十一届三中全会召开20周年之际，各级气象部门要按照中央《关于党的十一届三中全会二十周年纪念活动的通知》精神，按照当地的部署安排，搞好有关的纪念活动，在广大干部职工中普遍进行一次邓小平理论和党的基本路线教育。同时，要重视抓好本省(区、市)气象部门总结改革开放20年成就与经验的工作。要以邓小平理论为指导，本着总结过去、指导未来的精神，坚持实事求是，从本部门和本单位的实际出发，全面总结回顾20年，既要总结20年取得的重大成就，更要认真总结历史经验，包括正反两方面的经验，通过深入总结，用以指导今后的实践，使我们的各项工作做得更好，事业发展得更快。在总结的过程中，要做好对内对外的宣传工作。通过扩大宣传，既教育和鼓舞气象部门的广大干部职工，又向社会宣传气象部门改革开放的成就。

5、年底前，中国气象局要完成局机关的机构改革。局机关的机构改革已做了大量前期准备工作，昨天又征求了各省(区、市)局领导的意见，下一步我们要认真考虑吸取研讨班讨论意见和各职能部门提出的建议方案，完善具体实施方案，抓紧实施，务求在年底前完成有关工作。在实施过程中，各职能单位要注意做好思想政治工作，做到思想不散、秩序不乱、工作不断。各省(区、市)局也要根据国务院机构改革的精神，认真考虑研究下一步省局机关的机构改革工作，提前做好有关准备。

同志们，这次学习研讨班就要结束了。希望同志们回去后，继续加强邓小平理论学习，发扬理论联系实际的好学风，使运用理论解决实际问题的能力有一个比较大的提高。同时希望大家抓紧做好年底前的几项重点工作，争取以优异的成绩迎接建国五十周年和中国气象局建局五十周年的到来。

在邓小平理论指引下蓬勃发展的气象事业

——气象部门改革开放20年成就与基本经验

中国气象局党组

以党的十一届三中全会为标志，我国进入了一个波澜壮阔的改革开放的新时期。我国气象事业的发展也揭开了新的一页。这20年，是气象事业发展最快、效益最高、成就最大的20年，也是沿着建设有中国特色社会主义气象事业道路阔步前进的20年。

一、发展历程

回顾气象部门改革开放以来所走过的历程，大体经历了三个阶段。

1979—1984 **年，是气象部门拨乱反正，实现工作重点转移，改革领导管理体制，气象现代化建设开始起步的阶段。**

以1978年末召开的党的十一届三中全会为转折点，我国气象事业的发展出现了重大转折。在十一届三中全会精神和邓小平同志"解放思想，实事求是，团结一致向前看"的思想指引下，全国气象部门在十一届三中全会后的短短几年内，进行了思想、组织和业务方面的拨乱反正，制定了新时期气象工作方针，把工作重点转移到了气象现代化建设上来。与此同时，平反了大量冤假错案，认真落实党的知识分子政策。根据党的《建国以来若干历史问题的决议》，认真总结气象工作的历史经验，形成了《建国以来气象工作基本经验总结》。标志着气象部门拨乱反正的全面完成，气象事业开始向着现代化建设的方向迈进。

1982年党的十二大召开，确定了我国新时期的总任务和到本世纪末的奋斗目标。邓小平同志作出了"走自己的路，建设有中国特色的社会主义"的英明论断。气象部门以十二大精神和邓小平理论为指导，开始形成了走一条中国式气象现代化路子的基本思路。经过多年酝酿，于1984年全国气象工作会议审议通过了《气象现代化建设纲要》，提出了到本世纪末气象现代化建设的奋斗目标。《纲要》的诞生，标志着全国气象现代化建设进入了新的发展时期。

八十年代初期，气象部门实行了以改革领导管理体制为重点的机构改革。全国用3年多的时间，自下而上完成了气象工作管理体制的重大改革，实行了"双重领导，以部门领导为主"的管理体制。这项改革的实施，对保证气象事业的持续快速健康发展起到了重大作用。同时，按照"四化"要求，对各级领导班子进行全面调整，一大批优秀知识分子走上领导岗位，干部队伍的"四化"水平显著提高，为实现气象现代化提供了重要的组织保证。

十一届三中全会后，气象部门根据邓小平同志"现在的世界是开放的世界"，"关起门来搞建设是不行的，发展不起来"的思想，率先实行了对外开放。积极参与世界气象组织的活动，扩大我国气象工作的国际影响。1979年5月即与美国签定了气象科技合作协议，这是"文革"结束后气象部门与国外签署的第一个气象合作协议。

1985—1991 **年，是气象部门大力推进现代化建设，全面推进改革，气象事业发展取得重大**

成绩的阶段。

这期间,全国气象工作在邓小平同志建设有中国特色社会主义理论和党的“一个中心,两个基本点”的路线指引下,逐步形成了“以提高气象服务的社会效益和经济效益为中心,积极进行气象事业现代化建设,积极进行管理体制和业务技术体制改革,积极进行社会主义精神文明建设”的总体指导思想,气象事业出现了快速发展的新局面。

遵照邓小平同志“四个现代化,科学技术现代化是关键”的论断,全国气象部门把依靠科技进步,大力推进气象现代化建设作为中心任务,全面实施了《气象现代化建设纲要》。开展了国家重点骨干工程和省级气象现代化建设,抓紧建立现代化的大气综合探测、气象电信、气象资料自动处理和检索,天气预报业务及气候诊断、分析、预测和气象服务等五大业务系统,着重加强国家和各区域气象中心的建设。组织了中期数值天气预报系统、气象卫星资料接收处理系统、天气雷达网络、中小尺度灾害性天气预警系统的建设,大力推广计算机应用技术,加快了省级气象现代化建设。全国气象业务现代化的总体水平有了显著提高。

改革是解放生产力,不改革就没有出路。气象部门积极贯彻党的十二届三中全会精神和邓小平同志关于加快改革的论述,1985 年经国务院批准,在继续做好公益服务的同时,开展有偿专业服务和综合经营。这是气象部门一次思想大解放,观念的大转变,意义十分深远。1988 年,根据党的十三大精神,全面深化各项改革,提出了《气象部门加快和深化改革的总体设想》,推进了业务技术体制、气象服务、气象科研和教育体制、人事制度、计划财务、气象仪器设备管理等 8 个方面的改革。1990 年,积极贯彻中央治理整顿、深化改革的方针,对气象事业进行“四个结构”(专业、队伍、人才、投资结构)的调整,促进了事业的协调发展。

在对外开放方面,贯彻邓小平同志“必须坚定不移地实行对外开放”的思想,开始扩大与发达国家和发展中国家双边合作的规模,积极学习先进技术,培养人才,并对外输出气象技术装备,初步形成了有进有出的对外开放新格局。1987 年至 1995 年,中国气象局局长连续两届当选为世界气象组织主席。这是我国政府官员首次在联合国专门机构中担任主席职务。

在坚持改革开放的同时,以邓小平同志“两个文明一起抓”的方针为指导,大力加强精神文明建设。根据党的十二届六中全会《中共中央关于社会主义精神文明建设指导方针的决议》,制定并实施了《气象部门加强社会主义精神文明建设实施规划》,开展了坚持四项基本原则和“四有”的教育,改进和加强思想政治工作,提高广大干部职工的思想道德素质。

1992—1997 年,是气象部门适应社会主义市场经济,进一步解放思想,深化改革,气象事业全面快速发展的阶段。

以 1992 年邓小平同志视察南方重要谈话为标志,我国改革开放和现代化建设进入了一个新阶段。气象部门以邓小平同志“抓住时机,发展自己”的思想和十四大精神为指导,认真总结八十年代改革和建设的经验,制定了《气象事业发展纲要(1991—2020 年)》和《气象事业发展十年规划(1991—2000 年)》,提出了跨世纪发展的宏伟目标,进一步加快了气象事业现代化建设。

在气象业务现代化建设中,认真总结以往的经验,加强了建设的总体规划,总体设计,实行统一布局,统一开发,软、硬并重,注重结构合理,协调发展;积极采用高新技术,推动静止气象卫星的研制和发射,推进新一代天气雷达、气象信息网络系统和数值天气预报业务系统的建设,进一步重视发挥气象现代化建设的总体效益。

自 1992 年起,气象部门的改革进一步深化。国务院于 1992 年和 1997 年先后下发了《关于进一步加强气象工作的通知》和《关于加快发展地方气象事业的意见》，明确提出建立双重计划体制和相应的财务渠道，加快发展地方气象事业。建立双重计划财务体制，发展地方气象事业，是在邓小平理论指引下，建设有中国特色社会主义气象事业的一大创新，为形成国家气象事业和地方气象事业协调发展的新局面提供了政策依据。

1992年末，气象部门开始实施了以气象事业结构调整和建立完善相应运行机制为重点的改革。建立由基本气象系统、科技服务和综合经营构成的新型事业结构，探索新的运行机制，并逐步形成了三支队伍。这项改革，是气象事业适应社会主义市场经济体制的重大举措。

在加快改革和建设的同时，气象部门坚持"两个文明"一起抓，全面落实邓小平同志"科学技术是第一生产力"的思想，提出并实施"科教兴气象"的发展战略；根据国民经济和社会可持续发展战略，结合部门实际，提出并实施"气象事业可持续发展"战略；按照邓小平同志"冷静观察、沉着应付、韬光养晦、有所作为"的方针，继续扩大对外开放，在全球气候及气候变化问题上发挥了重要作用；重视和强化科学管理，抓紧建立现代化科学管理体系；大力推进精神文明建设，作出了创建文明气象行业的决定；根据邓小平同志加强党的建设和干部队伍建设的一系列理论，以大胆选拔优秀中青年干部为重点，加强了各级领导班子建设。

在建立社会主义市场经济体制的新形势下，气象部门认真贯彻邓小平同志关于加强法制建设的思想，认真总结历史经验，重视和加强气象法制建设。1994年，国务院颁布了《中华人民共和国气象条例》，之后又开始拟定《气象法》。《条例》的颁布实施，对于推进全国气象法制建设，保障气象事业的长期稳定发展，具有重大意义。

党的十五大召开后，气象事业的改革开放和现代化建设进入了一个新阶段。在十五大精神的指引下，全国气象部门高举邓小平理论伟大旗帜，牢牢把握历史机遇，以提高气象服务的社会、经济效益为中心，坚定不移地推进气象现代化建设，全面进行气象事业结构的战略性调整，大力创建文明气象行业，各项工作都呈现出新的良好发展态势。

二、主要成就

经过20年改革开放和现代化建设，气象事业的发展取得了重大成就。气象业务现代化总体水平上了一个大台阶，气象为防灾减灾、国民经济建设和社会发展服务的能力迅速增强，气象服务取得了重大社会经济效益，气象工作在国民经济和社会发展中的作用日益明显，社会影响日益扩大，气象事业形成了基本气象系统、科技服务和综合经营共同发展的新格局，对外开放取得重要成果，广大干部职工的精神面貌发生了深刻变化，整体素质显著提高。

初步建成了比较现代化的气象业务技术体系。与20年前相比，气象业务现代化从总体规模、技术装备水平、业务技术手段等各方面，都发生了根本性变化。建立了门类比较齐全、布局基本合理的气象综合探测系统。遍布全国的2600多个台站组成了独具特色的气象台站网，部分气象灾害多发省份还建立了中尺度灾害性天气监测预警系统。新建了100多个特种观测站。1994年，世界上第一个大陆腹地的基准本底观象台在青海建成。20年内，全国新增较先进的气象雷达55部，进一步完善了雷达探测网。1988年以来，先后成功地发射了3颗气象卫星，结束了我国不能研制和生产气象卫星的历史。建立了国家卫星气象中心，研制并使用了先进的卫星云图接收处理系统，各地已建有180套卫星地面接收系统，气象卫星资料在业务和服务中发挥了重要作用。气象信息网络系统迅速发展，全国建成了以邮电公用通信网为主、自建专用通信网为辅、有线无线相结合、与国际气象信网络相连接的，比较现代化的气象通信网。国家气象中心和6个区域中心与31个省级台实现了计算机广域网络的远程联网。到1997年末，全国有

98%以上的地市级气象局域网与省级台实现远程联网，建立了地到县的微机远程终端1600多个，占全国有预报服务任务县站的80%以上。进入90年代开始建设的我国新一代气象信息网络——卫星通信系统，即将投入业务，气象信息传输能力将大幅度提高。计算机在气象业务中得到广泛应用。1981年，全国气象部门只有各类计算机21台，最高运算速度仅为100万次/秒；到1997年底，已拥有包括12台大中型计算机、63台小型机在内的各类计算机15182台，最高运算速度已达到85亿次/秒。目前，全国气象部门每天收集、加工和分发处理的气象资料及信息产品的总量，是20年前的几百倍。基本建立了由国家、区域、省、地、县五级自上而下指导、分工协作、以数值天气预报为基础的基本气象信息加工分析预测系统。1982年初，短期数值天气预报系统投入业务，结束了我国只能收用国外数值预报产品的历史。进入90年代，中期数值天气预报业务系统投入运行，引进了国内和国外生产的巨型计算机，开发了先进的预报模式和新一代天气预报人机交互处理系统。从80年代初以来，气候业务建设得到较快发展，全国上下普遍加强了短期气候预测、气候影响评价、气候资源应用等业务工作，1995年国家气候中心成立，标志着我国气候业务和研究工作进入了新的发展阶段。

气象服务水平和社会经济效益显著提高。气象业务现代化总体水平的提高，大大增强了气象为防灾减灾和为国民经济、社会发展服务的能力。20年间，我国已逐步建立了天气预报、警报、气候分析应用、科技辐射、农业气象和人工影响局部天气等多种现代化手段的气象信息技术服务系统。各级气象部门广泛开展了决策服务、公众服务、专业专项服务及技术服务等多种服务，服务工作更加紧密地与国民经济和社会发展相结合，服务的领域大大拓宽。据评估研究结果表明，气象服务投入与产出效益之比已接近1：40，经济发达地区可达1：100以上。

与改革开放前比较，气象部门对国计民生有重大影响的灾害性天气如台风、暴雨、寒潮、大风的预报准确率，有了明显提高。特别是在对1981年四川发生的特大暴雨和荆江、龙羊峡水库分洪与泄洪，1983年陕西安康地区的特大暴雨，1984年华北地区特大暴雨和1985、1986年东北地区连续发生的暴雨洪涝，1987年扑灭大兴安岭特大森林火灾，1991年江淮、太湖流域发生的特大洪水的气象服务中，气象部门都做出了准确及时的天气预报和服务，为把气象灾害造成的损失减到最低程度发挥了重要作用。尤其在今年汛期长江发生的继1954年以来又一次全流域性大洪水的气象服务中，气象部门提前较准确地做出了短期气候预测和中、短期天气预报，为党中央、国务院以及有关省、市党政部门指挥抗洪救灾，发挥了重要的技术指导作用，为夺取抗洪救灾的全面胜利做出了重要贡献。据1995年统计，全国短期天气预报中的一般降水预报准确率比80年代提高了4.2个百分点。雷达、卫星云图等监测手段的运用，使短时灾害性天气预报业务从无到有地发展起来，增强了气象部门对短时灾害性天气的监测和预报能力。中期数值天气预报的时效已由80年代中期的2—3天，提高到了现在的6—7天，并建立了滚动的逐日天气要素预报业务。短期气候预测业务和研究工作的深入开展，使预测的水平逐步提高。

改革开放以来，为领导决策服务已成为气象服务的首要任务，服务的水平不断提高。各级气象部门积极主动地为党中央、国务院以及地方各级党委、政府指挥防灾减灾，制定国民经济和社会发展重大决策服务，开展了包括灾害性、关键性和转折性天气预报及情报服务，短期气候预测、农业产量预报等各项服务，同时还为政府和经济部门研究发展战略、安排生产，提供了气象依据。截止1997年底，全国气象部门为地方政府建立气象服务终端560多个。决策服务的针对性明显加强，效益不断扩大。

20年来，气象为农业的服务在深度和广度上取得了新进展。据初步统计，目前气象为农业服务的效益已占到气象为国民经济各行业服务总效益的40%以上。各级气象部门结合当地农业生产和农村经济发展的需求，积极配合各地农业综合开发、农业结构调整、种植制度改革，农业商品粮、油、肉、蛋、奶基地建设和种子工程等，开展了农业气象情报、农业气候区划、农业气候资源合理开发利用、农业气象适用技术推广等多方面的服务。加强了服务设施建设，新建了国家和省级气候灾害监测预警系统。全国有三分之一以上的县建立了到乡镇一级的农村气象科技服务网，为农业生产提供了产前、产中、产后的系列化服务。80年代初开始，各地建立了农业产量预报业务，预报的准确率逐步提高。在林区还开展了森林火险等级预报。人工影响局部天气在农业抗旱、防雹、森林灭火以及蓄集水源等方面，发挥了积极作用。1991年以后，全国平均每年开展人工增雨作业面积达200万平方公里左右，防雹作业保护面积约10—20万平方公里。气象科技扶贫取得显著效益。自1987年以来，国家气象部门共下达科技扶贫项目400多个。1993年至1995年，全国气象部门在722个县建立了科技扶贫基地或联络点，实施扶贫项目926项，举办技术培训班872次，培训数万人次，社会经济效益超过17亿元。

公众气象服务的总体水平有了大幅度提高，手段进一步现代化，产生了广泛的社会影响。气象服务已在国民经济、社会发展和提高人民生活质量等方面，发挥了越来越重要的作用。电视天气预报于80年代初起步以来，在全国各地发展迅速。目前全国各省(区、市)以及232个地市和507个县，都开展了电视天气预报制作业务，节目制作的技术水平和播出质量明显提高，其中有20多个省级电视台上了节目主持人。部分大城市还开展了概率天气预报。广大人民群众对天气预报的关注程度超过了以往任何时期，全国电视天气预报目前已成为收视率最高的节目之一。天气预报还通过广播、报刊、电话等各种媒介向社会广为传播。全国有16个省级城市和642个地、县安装了“121”气象咨询电话，建立了天气警报发射台1800多个，用户达10万多个。随着我国城市建设的加快，各级气象部门还积极为城市的发展建设提供多种服务。在一些城市中，开展了大气污染气象潜势预报、紫外线预报、人体舒适度预报、可能中署预报、花粉预报等新的有关城市环境气象预报的服务项目，进一步方便了人民生活。还开展了为重大社会活动的服务，先后成功地为第十一届亚运会、第四次世界妇女大会、第八届全运会、庆祝香港回归开展气象保障服务。

通过对气象服务方式进行重大变革，改变了建国几十年来传统的单一公益服务方式，气象服务领域不断拓宽，广泛开展了专业、专项服务和各种技术服务，服务向深、广、细、活的方向发展，气象科技更加广泛地向社会辐射，部分产品已进入了市场。如今，气象服务的领域扩展到为工业、商业、能源、水利、交通、建筑、环保、海洋、保险、卫生、体育、旅游等100多个行业和部门，气象科技服务项目不断增加，开展了电视天气预报制作服务、避雷检测服务、大气环境评价、气象寻呼服务等多种新的服务项目，还为100多项国家及地方重点工程开展了气象保障服务。同时开展了计算机技术等多项技术服务，取得了可观的社会经济效益。

改革为气象事业的发展注入了生机和活力。经过20年的改革开放，打破了部门封闭半封闭的状态，广大干部职工的思想进一步解放，观念得到更新，精神面貌发生了显著变化。改革使气象事业焕发出勃勃生机，自我发展能力大大增强。

以气象事业结构调整为重点的改革取得重大进展。与社会主义市场经济体制相适应的新型事业结构初步形成。基本气象系统得到巩固和加强，队伍进一步精干、高效。以基本气象系统为依托，科技服务和综合经营迅速发展，到1997年底，全国气象部门从事科技服务和综合经营的人员已分别占到职工总数的22.6%和14.6%，与此同时，探索建立运用计划与市场手段相结合的管理运行机制取得较大进展。近年来，气象科技服务和综合经营以高新技术产业为重点、信息产业为主体，面向市场，大力发展综合性产业体系，科技型产业逐年增加，科技含量不断提高，呈现出了良好发展势头。1997 年，全国气象科技服务的创收总额是 1992 年的 3.36 倍；以高新技术产业为重点的综合经营创收总额是 1992 年的近 4 倍。

气象工作领导管理体制不断发展和完善。实行“双重领导，以部门领导为主”的管理体制以来，实现了气象事业的统一规划、统一布局、统一建设和统一管理，促进了气象事业的快速发展。双重计划财务体制的建立，促进了国家气象事业与地方气象事业的协调发展。一大批以国家气象现代化骨干工程为依托，为地方经济社会发展服务的气象设施建立起来，气象现代化的总体效益得到进一步延伸和发挥。与国家气象事业投入体制相适应的地方气象事业投入体制已基本形成，截止 1997 年末，全国 31 个省(区、市)及 1994 个地市、县都建立了地方气象投入体制。1997 年，地方政府的投入约占到气象事业经费总投入的 33%左右。

气象业务技术体制改革取得积极成果，提高了气象现代化建设的整体效益。通过对天气预报业务技术体制的改革，逐步建立了新的预报技术体制，初步形成了由国家气象中心、省级气象台组成的自上而下、逐级指导、分工比较明确的天气预报业务流程；调整了气象站网和工作任务，减少了重复劳动，站网布局和任务安排趋于合理；加强了岗位设置和岗位规范，实行了定岗定员，推行持证上岗；调整了农业、海洋等专业气象业务，增加了业务项目，促进了服务效益的发挥；实行了分级管理制度，理顺了关系，进一步明确了各级业务管理的分工及权限，强化了管理。

人事制度、计划财务、气象仪器设备管理等各项改革稳步推进。人事制度进一步健全，实行了分类管理制度，增加了选拔任用干部的透明度、开放程度和群众参与度，实行了“双向选择”和考核、竞争上岗，完善了专业技术职务聘任制度，积极改善和提高知识分子待遇，调动了广大科技人员的积极性；计划财务管理体制逐步完善，加强了宏观调控和综合平衡能力，广开资金渠道，增强了部门的自我发展能力，同时强化了计财监督、信息反馈和效益检查、评价系统的建设；气象仪器设备管理得到加强，初步建立了气象业务技术保障体系，并面向社会开展技术装备保障服务，促进了自身发展。以上各项改革，优化了人力、财力、物力和技术等资源的配置。

气象科研教育事业获得新的发展。党的十一届三中全会带来了科学的春天。经过 20 年的发展，气象科研、教育事业出现了蓬勃发展的新局面。

全国已建立了以中国气象科学研究院为中心、各区域气象中心专业研究所为骨干和各省级气象科研所为基础，包括气象院校科研机构和各气象业务单位中的开发研究实体在内的气象科研体系。建立了一支 2000 多人的专职和 1500 多名兼职人员相结合的气象科研队伍，其中高、中级科研人员分别约占 16%和 42%。气象科研工作坚持面向气象业务现代化建设，面向经济建设和社会发展，面向未来的方针，在大气科学基础理论、应用研究和技术开发研究方面取得了重要成果。成功地开展了青藏高原科学试验，国家重中之重项目——短期气候预测业务系统研究顺利展开，研制了一批大气探测仪器，并在计算机通信技术、气象卫星应用、人工影响天气、农业气象开发研究等方面获得了新成果，为促进气象现代化和国民经济建设发挥了积极作用。据不完全统计，1980 年—1997 年，全国气象部门获得国家科技进步奖 40 项，其中一等奖 7 项，获省部级科技进步奖 1000 余项。气象科技体制改革继续深化，气象科研成果的转化工作得到加强，对气象现代化和国民经济的贡献率逐步提高。在积极探索建立气象科研院所新的运行机制方面积累了经验，科研机构的自身活力进一步增强。

气象教育获得了较快发展。全国已建成了多层次、多种形式、承担普通教育和成人教育双重任务、基本适应气象事业发展需要的气象教育培训体系，为气象现代化和国民经济建设培养了大量专业人才。1981—1997年，气象院校和科研单位分别培养了7769名本科大学生和610名研究生，培养中专生25653人，约有15万人次接受了在职培训。在深化改革中，气象院校积极调整教育结构，增强了办学能力。气象教育工作的加强，明显改善和提高了气象队伍的人才结构和科学文化素质。据统计，全国气象部门在职职工中大专以上学历的人员比例已由1980年的15.8%上升到1997年的36.1%，中专学历由23%上升到38.6%。

对外开放取得重大成果。改革开放以来，我国气象部门已与160多个国家和地区的气象部门进行了科技交流，与21个国家和地区建立了气象科技合作关系，其中约有140多个发展中国家和地区及10多个发达国家的气象局局长及高级官员来华考察、访问。我国积极发展与世界各国的气象科技合作，在自力更生的基础上，先后引进了包括各种高性能计算机、气象卫星云图接收处理系统、气象雷达等在内的先进技术和装备，打破某些发达国家的高技术封锁，引进了克雷巨型计算机。派出大批科技人员参加国际气象科技合作与交流，培养了一大批技术骨干，加快了我国气象现代化进程。坚持引进与输出并重的方针，已向亚、非、拉、欧地区近60个国家提供了仪器装备和技术。南京气象学院被世界气象组织指定为区域培训中心，自1994年以来，为几十个国家培训了200多名气象人员。随着综合国力的增强和气象现代化的发展，我国气象工作在国际气象界产生了重要影响，广泛参与了世界气象组织和其他国际组织的活动，参加了全球大气试验，参与了政府间气候变化专业委员会和联合国气候变化框架公约的谈判。我国在发挥世界气象组织在全球气候变化及环境保护中的作用，保护发展中国家的利益方面，做出了重要贡献。

气象法制建设和科学管理工作得到加强。1994年，建国以来的第一部气象法规《中华人民共和国气象条例》由国务院颁布实施，标志着气象事业的发展纳入了法制化轨道。全国已有16个省(区、市)制定了地方性气象法规，17个省(区、市)气象部门的约1500人获得行政执法监督证书。加强了部门规章建设，先后制定了200个重要规章。开展了普法教育，广大干部职工的法制观念和法律意识普遍增强。

科学管理工作被提上重要日程。积极进行现代科学管理体系的建设，已初步建立了结构比较合理的决策、计划、执行、监督和信息反馈系统。加强了决策的科学化、民主化。20年来，气象部门每一项关系全局的重大决策，都坚持了科学的决策程序，较广泛地发扬了民主；全国气象部门已普遍实行了目标管理；建立了工作报告和督查制度；大力加强办公自动化建设，全国已建成了连接各省(区、市)气象部门以及到部分地市的计算机管理信息网络，建立健全了政务信息工作系统。各项管理工作正在向制度化、规范化、科学化的方向迈进。

精神文明建设取得丰硕成果。改革开放以来，气象部门深入贯彻党的基本路线，认真学习邓小平理论，党的基本路线和邓小平理论深入人心。广泛开展了爱国主义、集体主义、社会主义和革命传统教育，加强了职业道德教育，广大干部职工的思想道德素质普遍提高，展现了良好的精神风貌。在部门内已逐渐形成了一种艰苦创业、勤奋爱岗、严谨求实、团结共事、无私奉献的“气象精神”。20年中，先后涌现出了以金龙浩、雷雨顺、覃国政、陈素华、陈金水等一批优秀人物为代表的不畏艰苦、甘于奉献的先进典型。群众性的精神文明创建活动方兴未艾，到1998年上半年，全国有3个省和1个计划单列市的气象部门建成了文明气象系统，有1465个单位被地方授予文明单位称号，占部门独立创建单位总数的57%。1986年—1995年，全国气象部门有311人次被评为国家和省部级先进个人。各级领导班子的思想、组织、作风建设得到加强，班子的年龄、知识结构不断优化，其中全国气象部门司局级在职干部的平均年龄已由1981年的57岁下降到目前的50岁，45岁以下的占到了26.8%，大专以上文化程度由16.9%上升到96.1%。党风廉政建设取得明显成效。气象宣传工作得到加强，气象新闻和出版工作取得重要成果。全部门开展了丰富多彩的文体活动，活跃了干部职工的文化生活。

职工工作生活环境有了较大改善。20年间，随着国家经济的迅速发展，人民生活水平的不断提高，部门改革的逐步深化，气象职工的工作生活环境有了较大改善，总体生活水平得到提高。据初步统计，“七五”以后全国气象部门安排的基本建设总投资中，用于生活设施建设的投入保持在35%左右。1981年到1997年，全国共竣工各类用房近360万平方米，其中生活用房229万多平方米。全国已分期分批开展了基层台站的基础设施建设，台站的环境不断得到改善。逐步提高和扩大了艰苦台站的补贴标准和范围，一部分气象台站享受了地方出台的津贴补贴。增加了对文化设施建设的投入，丰富了干部职工的精神文化生活。

三、基本经验

邓小平同志曾反复强调：我们改革的政策是坚定不移的，重要的是走一段就要总结经验，关键在于不断地总结经验。十一届三中全会以来气象部门的改革开放和现代化建设，是在不断总结经验中前进的。回顾改革开放20年，气象事业之所以能取得快速发展，最根本的一条，就是始终坚持以邓小平理论为指导，解放思想，实事求是，建设有中国特色的社会主义气象事业。如果没有邓小平理论的指导，如果不坚持解放思想，实事求是的思想路线，气象事业就不可能有今天这样蓬勃发展的大好局面。这是我们总结20年发展历程得出的一条最根本的经验，也是指导气象事业跨世纪发展的一条最根本的经验。在邓小平理论的指导下，我们坚定地贯彻党的基本路线，从气象部门的实际出发，积极探索建设有中国特色社会主义气象事业的发展道路，积累了许多宝贵的经验，主要是：

第一，气象服务是立业之本。必须始终把做好气象服务作为气象工作的根本宗旨、出发点和归宿，全心全意为社会主义现代化建设服务，为防灾减灾服务，为保护人民生命财产安全服务。要紧紧抓住气象服务工作不放松，把为党政领导部门的决策服务和为广大社会公众的气象预报服务，放在服务工作的首位，按照“主动、及时、准确、科学、高效”的要求，努力提高服务的社会经济效益。实践证明，有所作为才能有所地位。只有不断提高服务的水平和效益，才能充分体现气象工作在国民经济中的重要地位，才能更好地发挥气象事业在国民经济中的基础性和先导性作用。气象服务必须紧密结合经济和社会发展的需求，不断拓宽服务领域，主动适应国家经济体制的改革和发展。在社会主义市场经济条件下，气象服务更要积极面向市场，大力发展气象科技服务，积极探索和发展与市场经济相适应的多种服务产品和服务形式。

第二，气象现代化建设是兴业之路。必须依靠科技进步，坚定不移地推进气象现代化建设。20年发展的实践证明，不断推进气象现代化建设，是提高气象服务的能力和水平、提高服务社会经济效益的根本途径，也是气象事业发展的出路和希望所在。不加快气象现代化建设，就难以实现气象工作的根本宗旨，也难以更好地为国民经济和社会发展服务。因此，必须毫不动摇地推进气象现代化建设，实现气象事业发展与国民经济建设和社会发展相适应，并尽可能适度超前。进行气象现代化建设，要按照“科教兴气象”和“气象可持续发展”战略，依靠科技进步和提高气象队伍的素质，加强科学管理；要从国情出发，搞中国式的气象现代化，走集约化发展道路，现代化建设要结构合理、重点突出，协调发展；在保持较快发展速度的同时，要高度重视发挥总体效益，积极探索一条速度比较快、结构比较好、效益比较高的发展路子。

第三，必须坚持深化改革，对外开放。改革是气象事业发展的动力，要以改革促发展。调整气象事业结构，是气象部门深化改革的重点，通过调整要实现各方面资源的优化配置，促进总体效益的发挥，同时要搞好其它各项改革。气象部门的改革要在国家改革的总体部署下，抓住机遇，积极推进，敢于大胆探索和试验，胆子要大，步子要稳，鼓励试、允许看、不争论，及时总结经验，加强指导，对的就坚持，不对的就改正。判断改革的是非得失，最终要以是否有利于气象科学技术水平的提高，是否有利于气象事业的全面发展，是否有利于改善广大干部职工的工作生活条件为标准。要尊重群众的首创精神，紧紧依靠群众，不断把改革引向深入。要继续扩大对外开放，跟踪国际气象科技发展动向，善于学习和引进国外一切先进的技术和设备，不断缩小与发达国家气象科技发展水平的差距，这样才能保持中国在国际气象科技领域中已经取得的一席之地。封闭的系统是没有生命力的。要认真研究市场经济和国家各项改革的方针政策，既向社会辐射气象科技，扩大服务效益，同时也要学习和借鉴各行各业改革和发展的经验，取人之长，补己之短，增强活力，使气象事业在良好的外部环境中获得更大的发展。

第四，实行"双重领导，以部门领导为主"的管理体制，并在实践中不断发展和完善，是气象事业持续快速健康发展的重要保证。气象事业近20年发展的历程表明，实行"双重领导，以部门领导为主"的管理体制，符合国情，也符合气象工作的特点，有利于调动和发挥两个积极性，保障了气象事业的持续快速健康发展；建立健全双重计划财务体制，发展地方气象事业，是当前完善和发展气象工作领导管理体制的重大举措，也是建设有中国特色社会主义气象事业的成功之举。气象工作的领导管理体制，应根据国家的方针政策和改革发展的新形势，认真总结新经验，深入研究新问题，在实践中不断发展和完善。与此同时，要大力推进气象法制建设，依法管理气象，充分发挥法律的规范、引导、保障和服务作用，使气象事业的发展真正纳入法制化轨道。

第五，必须坚持以提高队伍的整体素质为核心，以加强各级领导班子建设为重点，大力推进精神文明建设。推进精神文明建设，是建设有中国特色社会主义气象事业的重要内容。必须毫不动摇，常抓不懈。要坚持用邓小平理论和党的基本路线教育广大干部职工，针对气象工作的特点，大力弘扬"气象精神"，树立"气象人"形象，使广大干部职工牢固树立艰苦创业的思想，同时抓好各项教育，全面提高队伍的思想道德素质和科学文化素质。事业的发展，关键在人才。要积极实施两个大力加强：大力加强高层次人才的培养，努力培养学科带头人和科学家以及管理专家；大力加强继续教育，普遍提高人员的素质。抓好各级领导班子建设至关重要，要切实加强各级领导班子的思想、组织和作风建设，尤其要重视培养和选拔优秀中青年干部。创建文明气象行业，是推进部门精神文明建设的有效形式，要持之以恒地开展群众性创建活动。重视基层的各项建设，积极改善基层台站的工作生活环境，进一步调动广大干部职工的积极性，把各项工作推向前进。

以上这些经验，既是对过去20年实践的总结，也是面向新世纪发展气象事业所必须坚持的。我们的事业是永续不断地向前发展的。今后，我们要继续在邓小平理论指导下，解放思想，实事求是，一切从实际出发，坚持以上成功的经验，并在实践中不断丰富、发展和完善，积极探索，勇于开拓，努力建设有中国特色的社会主义气象事业。

气象事业即将跨入新的世纪。放眼世界，当今全球范围内的科技革命突飞猛进，知识经济正在兴起，国际竞争日趋激烈；综观全国，国民经济和社会快速发展，各项改革全面深化，社会主义市场经济体制继续发展和完善。在新的形势下，我们面临着前所未有的有利条件和大好机遇，也面对着严峻的挑战。气象事业经过20年的发展，已经取得了重大成就，为跨世纪的发展奠定了坚实基础。同时也要清醒地认识到，气象事业发展的总体水平与国民经济和社会发展的要求，还有差距；气象服务与经济和社会发展需求不完全适应的矛盾还很突出；气象现代化建设的总体效益有待进一步发挥；在建立和发展社会主义市场经济条件下，气象部门的改革面临的任务十分繁重。在今后的发展中，我们还会遇到许多新的矛盾和问题。我们要牢牢抓住世纪之交的历史机遇，迎接新的挑战。我们的奋斗目标是，到2010年，气象事业要基本适应国民经济和社会发展的需求，气象服务的综合效益全面达到国际先进水平；气象业务现代化建设总体水平要接近同期国际先进水平，某些方面达到国际领先水平；形成比较完善的新型气象事业结构及相应的运行机制，基本实现管理体制和运行机制的规范化、法制化及资源的优化配置；气象职工的工作环境、居住条件和生活水平、生活质量保持同期当地中等以上水平。为了实现跨世纪的长远目标，全国气象部门要继续高举邓小平理论伟大旗帜，以提高气象服务的社会经济效益为中心，坚持气象现代化建设不动摇，主动适应社会主义市场经济体制的建立和完善，大力推进气象事业结构的战略性调整，深化改革，扩大开放，努力创建文明气象行业，培养和造就一支高素质的气象职工队伍，实现气象事业的全面发展。

气象事业已经走过了辉煌的20年。总结过去，面向未来，我们更加充满信心。让我们继续沿着党的十一届三中全会确定的路线和方针，全面落实党的十五大提出的各项任务，继续推进改革开放和现代化建设，为把一个充满生机和活力的气象事业带入新的世纪而努力奋斗！

中国气象局关于
气象部门事业结构战略性调整的指导性意见

（1998 年 11 月 27 日）

为了贯彻落实党的十五大和九届人大的有关改革精神，加快气象部门的改革步伐，1998 年全国气象局长会议提出，大力推进气象事业结构战略性调整的重大举措。这是对气象事业结构调整的深化提出了更高的要求。对气象事业结构进行战略性调整，要依据国家对经济结构战略性调整的大思路，借鉴其他有关部门结构调整的经验，结合几年来气象部门结构调整的实践，研究制定在新形势下气象事业结构战略性调整的原则、目标和重点任务。

一、总体目标和重点任务

（一）总体目标

· 三年内，基本实现同一层次上（中国气象局大院指司级单位）由单位的“小三块”向部门的“大三块”的转变，人员分流到二、三块的比例总数达到 50％。实现政事分开，形成人员精干、分工明确、权责清晰、办事高效、运转协调和管理规范的新型事业结构，建立起适应社会主义市场经济发展要求和有利于气象事业自身发展、充满生机和活力的管理体制和运行机制。

· 按照《省和省以下气象部门基本气象系统岗位设置》和《省和省以下气象部门基本气象系统岗位规范》（以下简称《岗位设置和岗位规范》）标准和要求，通过新的定岗、定编、定员，基本气象系统更加精干高效，科技水平进一步提高。

· 大力发展气象科技服务，以市场为导向，以经济效益为中心，进一步完善以气象科技信息服务为特色的现代化程度较高的专业气象服务体系。

· 初步建成一批依托部门科技优势、综合效益好的高技术企业和以合资合作形式为主的骨干企业，以及以气象科技信息产业为龙头的规模型企业组成的产业体系。

· 气象部门的自我发展能力有较大提高，职工工作环境、居住条件和收入水平等方面达到当地职工同期中等以上水平。

（二）重点任务

1. 积极推进气象业务技术体制改革，进一步实现基本气象系统的精干、高效。根据现代业务技术的要求，有计划地调整业务结构和站网布局，减少重复劳动，优化资源配置，在国家基准站和基本站逐步实现部分器测项目的遥测化和自动化，使气象基本业务进一步现代化，业务质量、服务效益进一步提高。对基本气象系统要积极落实岗位设置、岗位规范，推进岗位培训工作，实行持证上岗。到“九五”末，基本建立布局合理、分工明确、发展协调、运行通畅、比较现代化的新一代气象业务技术体制。

2. 坚持依托气象部门优势，积极发展新型专业服务实体，逐步形成气象信息服务产业，大力开展气象信息服务和气象科技咨询服务；要研究开发科技含量高、有专业特色的拳头产品；探索组建优势互补、利益共享的跨省(区、市)、跨部门的科技服务和科技咨询联合体，培育发展气象信息技术市场。为扶持科技产业的发展，根据实体创收的情况，采取经费定额或定项补助的办法，按照三年的目标逐步减少实体财政补贴，争取在三年内实现自负盈亏，最终按照“产权清晰、权责明确、政企分开、管理科学”的要求，并遵照《公司法》和原国家体改委《关于发展城市股份合作制的指导意见》进行改制。各级气象部门要与公司建立起以产权为纽带的明确的投资收益关系。积极探索股份制和股份合作制等形式，加大机制转换力度。要规范由非经营性转化为经营性的国有资产管理，优化投入环境；要建立相应的人才、资源支持政策；要积极探索建立适应市场经济和适合二、三块特点的运行机制。

3.积极推进气象科研和教育体制的改革。按照“稳住一头，放开一片”的方针，加强重点气象科研机构的建设，鼓励气象科研机构，根据气象事业发展及当地国民经济发展的需求，积极探索新型气象科研机构发展途径。加强气象科研基地和科研骨干队伍建设，根据气象现代化建设对人才的需求和国家教育体制改革的精神，按照“共建、调整、合作、合并”的方针，优化气象教育资源配置，积极稳妥地进行气象院校的体制改革(含中专学校)；要着力加强重点院校的建设，力争将其办成达到一流办学水平的院校；建立和完善适应气象事业发展的新型培训体系，形成由中国气象局培训中心和若干省局培训中心组成的两级培训基地，大力开展岗位培训和继续教育，全面提高职工队伍的素质。

4.大力发展地方气象事业，进一步满足各地防灾减灾和经济发展对气象服务的需求，建立与国家计划财政体制相适应的地方气象事业投资渠道。

二、调整资源配置，加速机制的转换

(一)调整资源配置

1.内部资源的重组。要在保证基本气象系统正常运行的前提下，根据业务技术发展和业务技术体制改革等情况，按照《岗位设置和岗位规范》的要求，尽快实现第一块精干、高效。通过战略性调整，对人员、业务、设备、资金和机构等方面进行重组，实现内部资源的优化配置。

2.以增量调节带动存量优化。要积极、稳妥地扩大增量，要充分挖掘内部存量潜力。在继续抓好气象现代化建设并充分发挥其效益的同时，抓好气象科技服务与气象科技产业的基本建设，使气象科技服务与气象科技产业在基础设施、人员素质、产品数量和质量上都有一个明显的提高。通过增加科技含量，不断扩大气象服务产品的应用。

3.积极鼓励各单位面向社会，通过竞争与合作，积极争取社会资源；发挥自身的科技优势，为促进地方经济发展和资源优化配置做出新的贡献，同时要善于吸纳社会资源，有条件的科研院所或院校可以争取办成部门、地方共建共管，实现结构和资源的优化。

(二)建立相应的运行机制

1.建立与社会主义市场经济体制相适应的组织管理制度。各省(区、市)气象局在深化事业结构战略性调整中，可突破事业单位的组织机构设置模式。对第一块要按照新的《岗位设置和岗位规范》标准，并按照新的业务流程实行目标管理。对分流从事二、三块的人员按照市场经济的要求，既要考虑节约资源、降低管理成本，又要做到高效运作，还要实现有效调控，尽可能按一个拳头产业项目组织一个实体；鼓励地(市)级以上单位创办企业性的科技服务实体。按照科技服务实体化，服务实体企业化，企业群体规模化或集团化的思路，各地要根据现有的经济实力和自身条件，抓住一些短期内能够集成部门优势，增强部门竞争能力的项目，逐步实现产业项目的联通，推进部门产业的集团化和规模化经营。搞好产权界定，积极而慎重地探索股份合作制试验，进一步调动职工的积极性。

2. 加快人事制度的改革，建立与社会主义市场经济体制相适应的人事管理制度。

？地(市)以上气象部门在推进事业结构战略性调整中，要加快人事管理制度的改革步伐，建立和完善与新型事业结构相适应的人才引进、培训、使用、流动、激励和人事监督机制等人事管理制度。

！在推进事业结构战略性调整过程中，要实行双向选择，竞争上岗。对于不能达到岗位要求，或因岗位有限不能聘用的少数人员，可实行下岗待业。要制定下岗待业人员管理办法，加强对下岗待业人员的转岗培训和再就业管理。

：基本气象系统要按新的岗位设置规定，实行持证上岗、竞争上岗。要严格考核，把竞争机制引入专业技术职务的聘任工作中，根据业绩，实行技术职务能上能下；对于少数不能达到岗位技术要求的，可实行高职低聘。要建立优胜劣汰的人事管理制度，人员能进能出，实行动态管理。

’逐步建立起“开放、流动、竞争、合作”的科研运行机制，大力加强气象科研开放实验室的建设。在气象科研机构中实行固定编制与流动编制相结合，以科研项目来带动人员的动态组合。推行以竞争为特点的人事管理制度，可试行全员合同聘任制，实行按需设岗，按岗聘任，竞争上岗。

”对创收实体的人员管理，可试行现代企业人事管理制度。实体管理人员可试行聘任制，员工可试行合同制。要建立健全创收人员的流动、解聘、下岗、辞退、退养、退休、职称(务)评聘、人事档案管理等制度，一般不宜袭用国家事业单位的管理办法。充分发挥人才交流(管理)机构的作用，对实体人员实行人事代理，使人员管理逐步社会化。

）在严格控制队伍总量的前提下，加快队伍开放和流动的力度。要加快对优秀年轻人才的培养，特别是要加强高层次人才的培养，扩大高层次人才的数量并不断提高质量。不断完善三支队伍建设。各单位要建立人员流动的制度，在保持队伍合理结构的前提下，建立人员能进能出机制。要有计划地引进高素质、高学历的各类急需人才，逐步提高队伍的整体素质。

3. 深化分配制度改革，在创收实体中，积极探索资本、技术等要素参与收益分配，逐步建立与社会主义市场经济体制相适应的分配机制。

？要充分体现“效率优先，兼顾公平”的原则。根据气象部门当前职工收入的主要来源是劳动收入的客观实际，要把重点放在职工收入的初次分配(即指单位向职工发放的工资、奖金、福利补贴和各种劳务费)上，坚持按劳分配为主，充分体现效率优先，以效率促进公平。

！为了保证气象部门内部各项工作的有序、协调发展，要建立基本气象系统和创收实体之间以资产和资源为基础的效益再分配和宏观调控办法。合理拉开个人收入差距，充分调动干部职工的工作积极性。

：要坚持正确处理好国家、集体、个人三者利益关系的原则。要建立创收实体的职工效益工资分配制度。实行工资总额增长率低于本实体效益增长率的分配制度，职工各种补贴、津贴和其他福利性收入全部纳入工资管理，实现职工收入的货币化和规范化管理。对实体(公司)负责人可试行年薪制。

’坚持在社会收入分配方式多元化的客观条件下，鼓励各地、各单位结合自身实际，在法律和政策许可的范围内，勇于实践，敢于创新，在创收实体中积极而慎重地探索生产要素和技术参与收益分配。

4.逐步建立与市场经济相适应的财务会计制度。按照新的国家事业单位财务制度和精简统一效能的原则,逐步推进建立财务管理(结算)中心。省(区、市)气象局直属单位以及所属实体,原则上不设财务人员,由财务管理(结算)中心代理各单位的财务管理工作。财务管理(结算)中心对各单位单独开户、单独建账、单独核算、单独制定工资和财务报表。

5.建立与市场经济相适应的资产、资金的管理制度。各单位对各实体占用的资产要进行全面登记、清理和评估,根据实际使用情况,按国家规定把相应的从非经营性国有资产转化为经营性国有资产,把资产的决策管理和运行管理分开,授权相应职能机构负责管理和监督,确保国有资产的保值增值。其运营形式可以多样化,有条件的要尽可能转为国有资本金投入,由各单位按投入资本金受益。同时,应全面规范实体资产运作行为,对实体筹资、投资、资产调度、折旧等都要进行规范化管理和监督。

三、支持性政策

1.允许和鼓励各单位(特别是地市以上)积极探索新的用人制度和分配机制。适当放宽经费自收自支企业的人员管理。自负盈亏企业性质的实体,经各省(区、市)气象局审批,可按当地政府规定自行使用各类临时工。给予实体(中心、企业)充分的用人自主权,吸收一些"精兵强将"加强产业发展。通过人才交流机构,代理招聘人员和人事管理。

2.鼓励和提倡科研教育单位与地方或行业共建,不断增强科研教育机构的活力。

3.积极支持高新技术产业、特别是气象科技信息产业的发展,建立产业发展专用资金,采用优惠办法,对西部等欠发达地区给予扶持。对其中社会经济效益好而需要扩建、新建的项目,将优先安排投入或贷款。

4.允许和鼓励有条件的单位在经营实体中,建立适合自身发展的结构、体制及运行机制,真正成为适应市场的法人实体和竞争主体。

5.改变目前事业经费按人头分配的办法,逐步推行按照业务岗位及所承担的业务任务分配事业经费的办法。

6.逐步建立与社会主义市场经济相适应的保障制度,尽可能与地方社会保障体制的改革同步。在未实现社会化之前,有条件的可根据当地有关政策实现属地化。

四、实施要求

1.按照全国总编制数,人员分流50%的指标,应该3年到位,力争绝大多数实体5年内初步建立起现代企业制度,实现新的运行机制。由于东西部的经济发展、台站所处环境、承担任务、人员结构、思想认识等方面的差别,提倡和鼓励有条件的单位改革进度可以再快一些;改革进展缓慢的单位更要加大力度。

2.中国气象局直属单位要根据上述目标和任务的要求,结合各单位的实际,提出深化事业结构战略性调整的实施方案,加大人员分流的力度(具体分流比例参照新的《岗位设置和岗位规范》的标准确定),考虑到中直单位的基本业务任务重、实时性强,第一步先按30%进行分流,有条件的单位分流比例应大于30%。大力发展二、三块,所创办的实体凡有条件的要加快新机制的转换,按照现代企业制度运作,逐步建成部门级产业集团。

3.各省(区、市)气象局要根据上述目标和任务的要求,结合本省(区、市)气象局的实际,提出深化事业结构战略性调整的实施方案。分流到创收实体或部门外的人数,其比例要达到各单位编制总数50%。超编单位要大于50%,空编单位可以低于50%。在抓好基本业务和服务的同时，集成优势，瞄准市场，建立起有利于气象信息产业发展的运作系统。专业气象服务实体可实行横向和纵向的联合协作，实现专业服务的实体化、产业化；要逐步建立起专业气象服务的产品加工、市场开拓和技术开发研究队伍。县级以下少数艰苦站、空编的基准站和基本站主要是确保基本业务。

4. 为了保证气象事业结构战略性调整工作的顺利进行，中国气象局拟抓几个省(市)气象局做为战略性调整的综合试点单位。由政策法规司负责结构战略性调整的组织指导、协调、督促和检查以及试点经验的推广。有关职能机构要积极配合，并根据各自职能分工，抓好专项改革试点。各省(区、市)气象局也要根据本地情况抓几个单位进行改革试点，以便推进面上的深化改革工作。

各省(区、市)气象局以及各直属单位，在进行战略性调整的改革试点工作中，既要解放思想，又要实事求是；既要积极进取，又要循序渐进；既要有明确的目标原则，又要立足当地实际。坚持在试点的基础上推广，在推广的过程中完善，真正把事业结构战略性调整推向一个新的阶段。

中国气象局关于
推进西部欠发达地区气象事业改革与发展的
若干支持性政策

（1998 年 4 月 16 日）

为贯彻落实党的十四届五中全会和十五大提出的“坚持区域经济协调发展，逐步缩小地区发展差距”的战略方针，促进西部欠发达地区气象事业的改革与发展，特制定向西部欠发达地区气象部门倾斜的若干支持性政策。

一、人事和老干部管理

1. 实行工资总额包干，控制人员增长。继续落实中气人发[1993]14 号文件精神，有条件的单位，在核定编制的基础上，试行工资，巷额包干，增人不增工资总额，减人不减工资总额，节余部分，单位可自主安排。

2. 专业技术职务评聘要考虑遭远艰苦合站的特点。为鼓励和稳定科技人员长期在达远、艰苦、少数民族地区基层气象台站工作，在制定专业技术职务评聘具体实施办法及分配专业技术职务岗位数额时。应考虑这些台站的实际情况和特点。

3. 在严格控制部门招收人员的前提下，根据西部欠发达地区艰苦台站的空编情况和工作急需，适当下达招干指标。从具有气象中专学历以上符合条件的人员中招收，补充业务急需的岗位。招收时，在同等条件下优先考虑本部门职工子女，但应主要面向边远地区三类以上的艰苦气象台站。

4. 有条件的省(区)气象部门，可根据需要适当建设艰苦台站西退休人员生活基地，尽可能为他们在条件较好的地方解决离退休后的休养问题。生活基地建设要考虑与国家房改政策相一致，可以采取由国家、单位、个人共同负担的方式。

5. 艰苦台站的建设和运行要根据实际情况采取不同的方式，包括有条件的可适当建设艰苦台站生活基地，在基地建设时，要考虑融子社会化服务的问题。具体由有关省(区，气象部门根据需要确定，建设经费筹集可果取由国家、单位和个人三者共同负担等多渠道解决。

二、计划财务

6. 调整事业费的分配办法。

(1)职工工资按中国气象局下达的人员编制数核定，确保职工的基本工资和国家规定的各种津贴、补贴，地方出台的津贴、补贴政策。要按国办发[1997]43 号文件精神主要由地方政府给予解决，中国气象局根据实际情况，尽可能在事业经费中给予支持。特别是对一、二类艰苦台站将优先给予照顾。

(2)公用经费(合公务费、修缮费、设备购置费等)按中国气象局下达的人员编制数，综合定额该定。核定公用经费时，对那些运输线长、取暖时间长的气象台站作适当倾斜，重点解决取暖的燃料费问题。

(3)业务经费。为了保证基本气象业务的正常开展，要确保国家基本站、基准站和探空站的刚性支出项目的业务经费。这一部分业务经费将按中气计发[1995]5号文核定的标准下达，经中国气象局审批认可的价格调整引起的费用增加如数补足，并列增下一年度基数。

7.加快台站综合改善进程。根据“九五”计划有关基层台站综合改善的要求，西部基层台站综合改善的任务相当繁重，将加大投入力度，根据不同台站类别制订不同的投入政策，安排基建投入时优先考虑那些承担国家气象事业任务重、工作生活条件差，而又地处艰苦地区、环境恶劣的属于一、二类艰苦站的基准站、基本站和探空站。

8.交通工具的配置和更新。根据西部地区地域辽阔、合站分散、战线长、路况差，且基层台站仪器设备、冬季取暖物资、台站业务管理以及往来人员全需要依靠汽车运输等特点，在统筹汽车配置、更新的数量和投资上给予优先安排。

三、基本业务现代化建设

9.搞好“9210工程”的建设，改善西部地区的通信条件，对西部艰苦地区“9210工程”建设给予适当的倾斜，中国气象局将在西部重点基本站、基准站、发报站配备小型信息收发系统，以解决边远艰苦台站的通信问题。

10.对合站的布局和调整，按用中国气象局下发的《常规地面、高空气象观测站网建设和调整的意见》中气业发(1998]6号文件的规定执行。

11.促进农业气象观测业务进一步精干、高效、科学、实用，在满足农业气象情报预报业务服务需要的前提下，国家二级农业气象观测站可适当调整观测项目和观测时次。

四、科技开发和人才培寨

12.适当增加西部地区气象业务、科研骨干的出国培训和对外交流入数；特别是在与西部相邻的国家的交流中，对西部省(区)局的业务技术人员给予更多的考虑。

13.加强西部地区气象部门的人才培训，加速西部高层次人才的培养，以及在职职工继续教育和岗位培训，对培训经费拟采取中国气象局出一部分，单位出一部分的办法予以解决，鼓励西部地区在职职工以提高自身所从事工作的能力和水平的在职学历教育，实行比东部地区更加优惠的政策措施。

制定加速培养西部少数民族地区专业技术人员有关政策，通过定向招生培养的办法使西部地区少数民族专业技术人员素质不断提高，促进西部少数民族地区专业技术人员的属地化的进程。

14.在审定科研计划及项目时，在同等条件下适当向西部地区倾斜，以利于通过科研工作，锻炼培养青年科技人才，增强科技发展能力。

15.完善科技奖励评审办法，考虑西部地区的特点，在同等条件下，对艰苦地区的项目评审，适当倾斜，鼓励更多的西部地区科技人员，参与研究开发工作。

五、科技服务和科技产业的发展

16.加强对西部地区气象科技服务与产业发展的指导。制定扶持西部气象部门科技服务与产业发展的有关政策和措施。西部地区气象部门的科技服务与产业发展的项目，经充分论证确有发展前景与明显效益的，将在贷款上优先予以支持。

17. 组织开展东西部对口协作，促进全国气象事业协调发展。组织东部地区气象部门对西部地区气象部门业务技术、科技人员等对口协作，具体参照国办发[1996]26 号文件《国务院办公厅转发国务院扶贫开发领导小组关于组织经济发达地区与经济欠发达地区开展扶贫协作报告的通知》精神，开展对口协作。

18. 中国气象局有关职能机构根据职责分工，按照本政策中有关条款组织落实，局办公室和政策法规司共同负责文件的督办落实工作。

气象工作综合情况

气象业务工作

天气预报

天气预报业务技术体制改革　1998年6月中国气象局下发了《关于深化天气预报业务技术体制改革的意见》。截止12月,全国已有北京、宁夏、陕西、山东、河北、山西、贵州、武汉、安徽、浙江、江西、新疆等12个省(区、市)气象台开展了降水和最高、最低温度分县指导预报业务,在数值预报可用时效内逐日滚动制作分县指导预报。宁夏、山西、新疆、山东、河北、湖北、江西、广西等8个省(区、市)气象台开展了暴雨落区指导预报业务。中央气象台、湖北、青海、宁夏、陕西、山西、贵州、重庆、广西、浙江、江苏、江西、福建省(区、市)气象台开始转变天气预报作业方式,建立新的预报流程。宁夏、青海、新疆、陕西、山西、山东、内蒙古、贵州、四川、湖北、广东、广西、安徽、江西、福建等17个省(区)的地市级气象台也开始转变天气预报作业方式。

天气预报业务管理　2月18日,中国气象局下发了《关于加强公开发布城镇天气预报管理的通知》。6月中国气象局制订下发了《天气预报业务规定》,对全国天气预报时效、天气预报业务联防、天气预报质量检验和评估、数值天气预报模式业务化评审、天气预报业务技术流程、天气预报作业方式等作了统一规定。11月25日,中国气象局制定并下发了《全国大江大河流域天气预报业务联防规定》。

数值天气分析预报业务及其产品解释应用　从1998年10月20日起,对9210通信系统广播的T106产品的范围进行了调整,将北半球范围划分为东北半球和西北半球,先广播东北和西北半球72小时以内的预报产品,再广播72小时以上的预报产品。

国家气象中心的HLAFS数值预报模式的水平分辨率由1度升为0.5度,垂直分层由15层升为20层。该模式于1998年6月1日准业务运行,12月1日起通过9210卫星通信系统向气象台站广播产品。

武汉区域气象中心数值预报系统(简称MAPS)于1998年4月6日通过业务化评审。MAPS数值模式的水平分辨率为0.5经纬度,垂直分层为15层,模式覆盖范围为20.0°N～45.0°N;95.0°E～125°E。该模式于1998年5月正式业务运行,并向所辖省气象台分发降水等指导预报产品。

重大灾害性天气过程技术总结和经验交流　1998年4月7～9日由业务发展与天气司召开“1997年重大灾害性天气过程总结和预报技术经验交流会”。会议总结了1997年各类重大灾害性天气的预报技术和经验。会议共收到论文240篇,有21篇论文在会上交流,分会交流42篇。会议评选了大会优秀报告奖,有10名同志的论文荣获大会优秀报告奖。

全国数字化天气雷达实时业务拼图　业务发展与天气司于7月1日至10月5日,组织开展了第一次全国数字化天气雷达实时业务拼图。我国54部组网的S波段和C波段天气雷达中,有40多部参加了全国数字化天气雷达实时业务拼图。拼图的时次为每天08、11、14、17、20、23时(北京时)。用于拼图的雷达资料统一为海拔3000米高度上。

降水概率预报　6月26日,业务发展与天气司批准了江西省气象局《关于在南昌市公开发布降水概率预报的请示》。江西省气象台从7月1日起正式发布南昌市降水概率预报。

年度预报质量　1998年度,省、地两级气象台一般性降雨24小时区域平均预报准确率为65.7%,省、地、县三级气象台(站)本地平均预报准确率为70.1%。省、地两级一般性降雪24小时区域平均预报准确率为66.9%,省、地、县三级本地平均预报准确率为73.6%,分别比1997年提高了5.3%和4.

8%。

1998年度，省、地两级气象台24小时暴雨区域平均预报准确率为30.9%，省、地、县三级本地平均预报准确率为29.0%，但暴雨空、漏报率仍较高，省、地两级区域平均空、漏报率为66.8%，省、地、县三级本地平均空、漏报率为68.4%。

授予全国优秀值班预报员称号 中国气象局批准授予151名预报员"1998年度全国优秀值班预报员"称号，颁发了证书(名单见本文后附表1)。

大气探测

台站变动情况 1998年全国地面气象观测站变动的有，基本气象站：经中国气象局批准，河北的秦皇岛站、黑龙江的富锦站、安徽的阜阳站、江西的赣州站、山东的日照站、陕西的佛坪站、新疆的乌鲁木齐站站址进行了迁移；浙江的天目山站和新疆的安德河站撤消，天目山站的地面测报任务移交给淳安站，安德河站的地面测报任务移交新建的塔中站；四川的攀枝花站进行了业务调整；浙江的淳安站和江西的井冈山站由一般站调整为基本站；上海的龙华站和江西的宁冈站由基本站调整为一般站。一般气象站：经有关省(区、市)气象局批准，北京的石景山站，河北的邯郸站，黑龙江的同江站、桦川站，江苏的阜宁、海安站，安徽的怀远站，湖北的秭归、十堰市站，广东的从化站，四川的南部、汶川、岳池站进行了站点迁移；河南的洛阳站、四川的内江东区站和云南的芒市站进行了任务调整；江西的赣县站和贵州的黄平县旧州站撤消。1998年全国高空观测站变动的有：新疆的安德河的高空探测任务移交到民丰站；江西赣州站的高空探测任务迁移至新址。

中国气象局大气探测综合试验基地 1998年试验基地进行的考核试验工作有：

GPS探空测风系统，芬兰MILOS－500型自动气象站，I型、II型地面有线综合遥测气象站，辐射仪器技术改造后的样机及L波段二次测风雷达——电子探空仪系统等；12月在试验基地举办了中(中国)加(加拿大)国际学术研讨会。年内，试验基地接待中外学术界人士、领导200余人，对外接待科普教育等会议代表300余人。

L波段二次测风雷达——电子探空仪系统和C波段测风雷达——电子探空仪系统建设 呼和浩特探空站C波段测风雷达——电子探空仪系统于8月1日投入准业务化运行。

南京大桥机器厂、原电子工业部南京第14研究所和成都第784厂研制的L波段二次测风雷达——电子探空仪3台样机在中国气象局大气探测综合试验基地进行动态性能试验考核。考核试验表明，新的测风雷达——电子探空仪系统自动化程度、操作方便性等均有较大程度提高。

业务发展与天气司制定下发了《波段测风雷达——电子探空仪系统规章制度(试用本)》。

Ⅱ有线遥测仪试验 1998年，江苏无线电科学研究所、长春气象仪器厂研制的地面有线综合遥测气象站通过了设计定型，并做了小批量生产的准备工作。编写了《地面有线综合遥测气象站(II型)规范》，并在大气探测综合试验基地对《规范》中的有关内容进行了试验，1998年底通过了专家评审，编写了遥测自动化站业务规章制度。

引进芬兰的自动气象站 从芬兰引进5套MILOS—500型自动气象站，分别布设在北京、郑州、榆中、新民、漳州，拟在1999年投入业务使用。

地面气象测报计算机换型 1998年，对全国部分地面观测站的地面气象测报用计算机进行换型。用微机替代目前台站使用的PC－1500袖珍计算机，在安徽省合肥市举办了地面气象测报用计算机换型学习班，15个省(区、市)气象局派员参加了培训。至年底，已有282个气象站对地面气象测报用PC－1500计算机换型，并投入业务使用。

测报质量 1998年全国气象测报质量继续保持在较好的水平上。其中，地面测报质量平均错情率为0.4‰，比上一年下降了0.1‰(见本文后附表2)。太阳辐射观测平均错情率0.17‰，比上一年下降了0.11‰(见本文后附表3)。

高空气象测报质量全国平均连续16年达到6项指标，各项指标保持在较好的水平上(见本文后附表4)。其中探空错情率为0.8‰、测风错情率0.3‰，探空高度为26692米、测风高度为25451米、球炸率为947‰、人为重放球率为1.9‰。

测报业务管理 截止1998年12月31日，全国31个省(区、市)气象局对地面气象测报员进行了培训和业务考核，颁发了"上岗证"。

1月1日起，颁发并执行《中国气象局测报业务检查员组织办法》。年内共组织中国气象局聘请的测报业务检查员对内蒙古、贵州、西藏、新疆等省(区)

气象局的测报业务进行了检查。

1月1日起,全国气象观测站开始执行《气象测报业务技术管理职责(试行)》《气象测报岗位考核管理办法(试行)》《中国气象局气象测报业务检查员组织办法》《气象测报开展创优质竞赛及奖励"质量优秀测报员"授奖办法》《各类气象探测环境的技术规定(试行)》《地面、太阳辐射测报业务质量综合考核评定办法(试行)》和《地面气象测报、太阳辐射观测业务管理系统(试行)》。

质量优秀测报员 1998年经中国气象局批准,全国有281人被授予"质量优秀测报员"称号(见本文后附表5)。

天气雷达 《天气雷达观测暂行规定(试行)》于1998年5月1日起在全国执行。全国天气雷达终端更新和全国天气雷达标校业务项目开始实施,本年度共签订18套雷达专用定标设备合同。完成与气象台(站)不同站址的14个雷达天气观测站的扩频通信建设。河北张家口天气雷达进行了升级改造。

1998年,业务发展与天气司组织开展了对国内雷达生产厂家调研,进行了新一代天气雷达生产的国内投标、招标、评标,并分别与成都第784厂、原电子工业部合肥第38研究所、敏视达公司及原电子工业部南京第14研究所签署了3部新一代天气雷达生产合同。9月30日福建省气象局与敏视达公司签署了建阳新一代天气雷达购销的正式合同。首台新一代天气雷达天馈线系统在合肥成功安装架设。

山东滨州、福建建阳新一代天气雷达基础设施建设进展顺利。上海WSR-88D连续业务试运行。南宁国产多普勒天气雷达(714SD)完成架设。

"新一代天气雷达系统建设一期工程"项目开始实施。3月,在北京举办了新一代天气雷达培训班。

业务发展与天气司制定下发了《关于组织新一代天气雷达站点址工作的通知》。审批了福建省建阳和闽西雷达、广东省广州市雷达、宁波市雷达的选址报告。

气象卫星 1998年4月8日,"风云二号"气象卫星消旋系统出现故障,每天只能提供6-7小时的监测信息。"风云一号"(03)星地面接收系统的准备工作进展顺利。"风云二号"(03)星总体方案可行性论证报告评审工作结束。甘肃、青海卫星辐射校正场建设顺利进行。

大气特种观测 进行了全国新增酸雨观测站点需求调查,形成《全国酸雨站点建设方案》。举办了PH值低于4.0的南方9省(区、市)气象局有关气象台站人员参加的酸雨技术培训班。组织1998年酸雨样品质量考核,印发了1997年酸雨观测情况通报。启动了广东广州边界层观测站建设。

中尺度灾害性天气监测预警系统 1998年,北京、深圳、福建、广东的中尺度灾害性天气监测预警系统的建设进展顺利。4月,江西省鄱阳湖区域突发性灾害性天气监测预警系统项目建议书通过了专家论证;湖南省"洪涝和中尺度灾害性天气监测预警系统"作为"湖南省洞庭区防汛指挥决策系统"总体方案和可行性研究报告的组成部分,通过了由湖南省政府组织的评审;中尺度灾害性天气监测的自动气象站已完成设计定型;9月,中国气象局下发了《中尺度灾害性天气监测预警系统建设指南(试行)》。

其它 《长江三峡工程气象保障服务系统专项设计报告》《国家防汛指挥系统工程黄淮流域雨情监测和预测项目建议书》通过国家计委组织的专家评审。

海洋气象

热带气旋预报误差评定 1998年中央气象台编号的热带气旋共14个,上海台风研究所对9801-9809共9个热带气旋的定位和预报精度作出了评定。

热带气旋综合定位平均误差:中央气象台为16.5公里(157次)、香港26.3公里(36次)、日本15.0公里(160次)、关岛35.9公里(151次)。热带气旋卫星定位平均误差:国家卫星气象中心:28.9公里(150次)、上海16.1公里(42次)、日本20.3公里(164次)。

热带气旋24小时路径综合预报平均距离误差:中央气象台为226.7公里(120次)、上海295.6公里(29次)、广东187.4公里(14次)、香港276.3公里(23次)、日本190.9公里(124次)、关岛236.9公里(102次)。热带气旋48小时路径综合预报平均误差:中央气象台为485.4公里(88次)、上海691.4公里(12次)、广东671.2公里(10次)、香港788.0公里(9次)、日本434.6公里(91次)、关岛566.2公里(72次)。

1998年7种热带气旋路径客观预报方法24小时预报误差总平均为202.01公里,48小时的误差总平均为460.17公里。

海洋气象工作 1998年中国气象局批复同意成立了宁波和舟山海洋气象台，纳入全国海洋气象台统一布局。上述海洋气象台在原市气象台的基础上扩建，实行“一个机构，两块牌子”，逐步开展为当地服务的海洋气象工作。

气象通信

国内、国际及港澳气象电路网建设 1998年1月，北京——莫斯科气象电路由模拟电路改为数字电路，同时北京——伯力75波特气象电报电路改为数字电路。6月，北京——奥芬巴赫气象电路由9600BPS数字电路升速为64KBPS。截止1998年底，国内干线气象电路和省际(不包括省以下)气象电路以及国际气象电路的实施情况如下：

电路类别		电路条数				
		合计	其中			
			数据电路	全话路	报放复用	75波特
国内	干线电路	14	7			7
	省际电路	28	1	22	2	3
国际及港澳电路		10	7			3

无线气象广播网建设 1998年，全国无线气象广播布局未变动，仍为一级气象传真广播一组，二级区域气象传真广播三组；无线气象电传广播五组。但一些广播的频率及内容已做相应调整。其广播布局如下：

无线气象传真广播	无线气象电传广播
一级：北京 二级：上海、成都、兰州	北京、武汉、成都 兰州、乌鲁木齐

台站发报业务建设 本年度在内蒙古自治区的化德等26个气象台站、四川省的马尔康等24个气象台站和新疆自治区的富蕴等10个气象台站建设短波单边带低速数据通信网，以便解决因当地电信条件较差而严重影响发报业务质量的问题。内蒙古、新疆自治区气象局已完成网络建设和人员培训，建成的短波单边带低速数据通信网已投入业务试运行。

本年度对内蒙古自治区海力素等105个国家基本站于早期建成的短波单边带低速数据通信网的部分设备进行更新。内蒙古、黑龙江、西藏、青海、新疆和甘肃省(区)气象局完成了短波单边带低速数据通信网的部分设备更新。

中国气象局于4月13日向各省(区、市)气象局下发了《关于部分国家基本站加入公用分组交换网的通知》，决定在“九五”期间，对部分经邮电公众(人工)电传电报网发报的站实施技术改造，加入当地公用分组交换网进行报文传输。

气象信息网络业务质量管理 1998年，全国国家基本站天气电报发报时效统计结果：天气电报总份数为1787678份，其中及时报为1772166份，占99.13％；逾限报为9834份，占0.55％；过时报为2499份，占0.14％；缺报为3179份，占0.18％。(详见本文后附表6)。

1998年10月1～15日参加全球交换的国家基本站天气电报传输时效统计结果：天气电报总份数为61278份，其中及时报为60983份，占99.52％；逾限报为164份，占0.27％；过时报为25份，占0.04％；缺报为106份，占0.17％(见本文后附表7)。

1998年度全国国家基本站天气电报及时报率比上年度提高0.34％；1998年10月1～15日参加全球交换的国家基本站天气电报及时报率比上年度同期提高0.8％

全国气象信息网络优秀业务人员评奖 1998年开始，执行《气象信息网络优秀业务人员评奖暂行办法》，原《气象通信人员连续百班优质高效无错情评奖办法》同时废止。1998年度气象信息网络优秀业务人员共35人，其中授予“全国气象信息网络优秀值机员”称号的有15人，“全国气象信息网络优秀系统管理员”称号的有15人，“全国气象信息网络优秀维护与开发员”称号的有5人(见本文后附表8)。中国气象局颁发了奖励证书和奖金。

气象无线电管理 中国气象局派员参加了于9月23日～10月7日在日内瓦召开的WMO/CBS/FCSG第4次会议和ITU－R /7C、7D、SG7会议。会议主要内容是根据1997年世界无线电通信大会所作决议，研究气象卫星业务、气象辅助业务等气象无线电业务频率划分需求及与其它无线电通信业务共用的可行性，为2000年世界无线电通信大会议程作准备。这是中国气象局首次派员出席 ITU－R / 7C、7D、SG7 研究组会议。

计算机 2000 年问题管理 1998 年，在全国气象部门内展开了计算机 2000 年问题的宣传和调查工作。11 月，成立了中国气象局解决计算机 2000 年问题领导小组和技术小组。

气象卫星综合应用业务系统（简称 9210 工程） 1998 年，完成了地级系统硬件建设任务，完成了应用软件的开发、培训和省、地两级的布局，实现了全系统的准业务运行。

截止到 12 月 31 日，地（市）级系统硬设备的安装调试，除新疆哈密因业务楼未交工没有进行地级系统的建设外，全国其余地（市）级系统的硬件建设已经全面完成。

应用软件的开发工作，从上半年开始陆续在试点省进行软件调试。中国气象局 9210 工程办公室于 6 月和 9 月两次组织对应用软件进行测试，根据测试的情况和用户的反映，软件开发组对应用软件进行了修改完善，并进行试验布点，于 10 月初通过了测试。

国家气象中心信息网络部/华信公司组织了 5 个安装小组，于 10 月中旬至 11 月 10 日完成了全部软件示范安装工作。据统计，截止到年底，全国有 280 个地（市）台完成了业务应用软件的安装、调试工作，占应布地（市）台的 95%。

业务发展与天气司制定下发了《9210 工程（USAT 通信系统）气象信息传输业务流程（试行）》《9210 工程各级信息网络业务部门的任务及职责划分暂行规定（试行）》。

本年度举办了 1 期省级和 4 期地级人员的应用软件技术培训班，约培训 380 人（次）。完成了 IBM 和 DEC 公司有关计算机双机切换技术的培训。

1998 年，实现了 9210 工程下行资料广播的准业务运行。据 12 月 16～21 日各省（区、市）气象局和计划单列市气象局提供的目标考核统计，下行资料的接收完好率平均为 87%，其中半数以上超过了 90% 的预期目标。

华信公司于 9 月完成了单向卫星数据广播系统的设计和软件开发，并于 9 月底通过了 9210 工程办公室组织的测试。10 月底，华信公司组织了单向卫星数据广播系统的培训。完成了设备的技术谈判、商务谈判和签约工作。截至 1998 年 12 月底，已有 13 个省（区、市）局完成了示范点安装工作。

年内，完成 1 套 9210 工程 VSAT 主站备份天馈系统的建设并投入使用。

1998 年，中国气象局利用 9210 工程卫星话音网召开了 4 次卫星电话会议。据统计，全年各单位使用卫星话音网通话次数累计达 80 万次，合计通话时间约 14430 个小时。

年内，各省结合本省实际开展了 MICAPS 系统的二次开发，逐步把天气预报的工作平台移植到 MICAPS 系统上。

卫星单收站建设 1998 年，由中国气象局和地方政府共同投资，开始在全国部分台站建设单收站系统。首批配置的 900 套单收站设备已全部发送各省（区、市）安装调试。

信息资源管理 1998 年 2 月中国气象局制定下发了《气象部门计算机资源管理暂行规定》；1998 年 1 月中国气象局天气司制定下发了《“九五”省、地、县气象信息网络系统建设指南》。

9 月 8～10 日在内蒙古自治区锡林浩特市召开了全国省以下超短波气象辅助通信网频率协调会。各省代表审议了《全国省以下超短波气象辅助通信网频率指配表》，对有关问题进行了协商，达到了预期目的。

气候业务与气候资源

气象灾害实时监测预警系统建设 截止 1998 年底，全国各省（区、市）级气象部门已基本建成了气候灾害实时监测预警系统，在为当地政府的决策服务中发挥了作用。

第三次农业气候区划 年内开展了第三次农业气候区划试点工作。本次区划包括“建立农业气候资源及区划信息系统”、“编制专题性农业气候区划”和“编制农业作物气候灾害风险区划”3 项内容。4 月 6 日气象服务与气候司召开了“农业气候区划试点工作技术方案论证会”，中国农业科学院、中国农业大学、中国气象科学研究院等单位的 8 位专家组成论证组。4 月 23 日向北京、黑龙江、河南、江西、湖南、贵州、陕西等省（市）气象局和中国气象科学研究院下发了《关于实施第三次农业气候区划试点工作的函》。7 月 31 日～8 月 2 日在北京市延庆县召开了“第三次农业气候区划试点工作第二次技术协作组会议（扩大）”，28 人与会。年内各试点省均组成了区划领导小组和技术小组，制定了本省的实施方案和技术方案，按照区划信息系统框架设计分工，各自承担了相应的软件开发工作，配备了地理信息系统，组织了技术人员的统一培训。11月中旬各子系统的技术人员在江西省南昌市组织了软件组装，初步建立了“农业气候资源监测及区划信息系统”的框架。

气候资源管理 1月24日下发了《中国气象局气候资源开发利用项目管理办法(试行)》。年内审批立项7个气候资源开发利用试验示范项目，安排了8个省的项目投资。

气候业务和气候资料管理 针对年初天气气候异常的情况，气象服务与气候司于2月中旬下发了《关于认真做好今年气候监测、预测工作的通知》。4月24日向各省(区、市)气象局下发了《关于历史气候资料光盘系统建设的通知》，安排了专项投资。11月上旬在北京举办了光盘刻录技术培训班。10月下旬在北京举办了全国气象辐射资料审核学习班，推广了日射审核程序和日射资料信息化模式。

农业气象

农业气象观测改革试点 年内，制定了农业气象观测工作改革方案(初稿)，组织河北、湖北、宁夏、广东4省(区)继续进行农业气象观测方法改革试点。批复了4省(区)第二阶段农业气象观测方法改革实施方案。

农业气象业务质量 根据《农业气象业务质量考核办法》，首次对各省(区、市)所属的一级农气观测站的测报质量和省级农气情报、产量预报业务质量进行了通报。其中测报质量好的单位为：天津、宁夏、重庆、河南、云南、四川、青海、安徽、北京、新疆、江苏省(区、市)气象局；产量预报质量好的单位为：中国气象科学研究院、北京、河北、黑龙江、福建、河南、广西、四川、重庆、贵州、云南省(区、市)气象局；农业气象情报质量好的单位为：中国气象科学研究院、北京、河北、江苏、浙江、江西、山东、广东、广西、新疆、四川省(区、市)气象局。年内，分两次通报了1996、1997年两年的农业气象观测报表报送情况。

农业气象业务建设 年内，中国气象局下发了《关于完善国家一级农业气象基本观测站监测系统及配备部分设施的函》，正式启动农业气象监测系统建设基建项目，从配备用于农业气象观测的简易交通工具和更新、配备常规农业气象观测仪器方面加强农业气象监测系统建设。

中子仪业务试运行 3月组织河北省3个农气基本观测站开展土壤水分中子仪业务试验，重点解决测定过程中由于标定方法更换造成相邻土层土壤湿度测定值不连续等问题。

农业气象观测站点任务调整 全年共调整了24个农业气象观测站的观测任务，撤销了四川省茂县一级农业气象基本观测站，新增四川省平武县一级农业气象基本观测站和广西靖西县一级农业气象基本观测站。

气候变化与对策

我国关于全球气候变化问题的方针和对策 根据联合国气候变化框架公约第三次缔约方会议情况及出席会议中国代表团建议，国家气候变化协调小组办公室组织修改了“我国关于全球气候变化方针和对策”，于年初上报国务院。

全球气候观测系统中国委员会活动 由于国务院政府机构改革，8月份全球气候观测系统中国委员会办公室征询各成员单位的意见，形成新的全球气候观测系统中国委员会成员名单。11月全球气候观测系统中国委员会办公室批复专家组提出的开展中国区域优化气候观测系统和优化共享资料系统项目专题研究的报告。

编写履约信息通报 2月，国家气候变化协调小组办公室组织完成了征求各成员单位对《中国准备气候变化框架公约履约信息通报申请全球环境基金资助项目建议书》意见的工作，提出修改稿，经财政部送联合国开发计划署。

气候变化专题研究 1月，国家气候变化协调小组办公室组织启动有关联合国气候变化框架公约谈判急需的1998年专题研究工作，完成立项和下拨启动经费的工作。专题研究包括：我国二氧化碳、甲烷、氧化亚氮、氢氟碳化物、全氟化碳和六氟化硫的排放现状和排放构想；甲烷、氧化亚氮、氢氟碳化物、全氟化碳和六氟化硫的“全球增温潜势”的定量评估；巴西案文中“温室气体有效排放”的量化评价及温室气体排放指标体系的建立；我国温室气体吸收，尤其是“土地利用变化和森林”对二氧化碳吸收情况的综合分析；“国际排放贸易制度”对我国影响的分析及谈判对策建议；“清洁发展机制”对我国影响的分析及谈判对策建议；有关国际组织的温室气体排放构想及其对谈判影响的分析；气候变化框架公约附件——缔约方温室气体排放现状、趋势的分析及评审对策的建议；巴西案文的研究分析和关于“后阿根廷进程”对策研究。

2月，国家气候变化协调小组办公室编辑印发了气候变化专题研究论文集。论文集主要包括：《中国温室气体源排放和汇吸收研究结果的综合分析》等7个专题研究报告。

国家气候变化协调小组办公室活动 国家气候变化协调小组办公室于1月7日在中国气象局召开办公室主任扩大会议，传达了国家气候变化协调小组第八次会议精神，讨论了宣传有关气候变化问题，特别是宣传联合国气候变化框架公约第三次缔约方会议（京都会议）情况的问题，讨论确定了关于开展气候变化专题研究的工作安排。2月，组织完成了政府间气候变化专门委员会（IPCC ）第三次评估报告中国主要作者的提名工作。4月，组织进行了IPCC“航空与全球大气”专家评审工作。6月，组织召开了我国参与IPCC第三次评估报告编写的主要作者会议。8月，组织完成了IPCC“土地利用变化、森林与碳排放”特别报告中国主要作者的提名工作，组织提出了对IPCC拟成立温室气体清单计划专门小组、IPCC工作原则和议事规则的反馈意见。全年编发了6期《气候变化与对策》简报。

1998年组团或派员出席IPCC和联合国气候变化框架公约缔约方会议及附属机构会议，主要有：IPCC第一工作组第七次会议（9月30日，奥地利维也纳），第二工作组第五次会议（9月29～30日，奥地利维也纳）和第三工作组第四次会议（9月29～30日，奥地利维也纳），IPCC第十四次会议（10月1～3日，奥地利维也纳）；联合国气候变化框架公约缔约方会议第四次会议（11月2～13日，阿根廷布宜诺斯艾利斯），科技咨询附属机构第八次会议（6月2～12日，德国波恩）、第九次会议（11月2～13日，阿根廷布宜诺斯艾利斯），执行附属机构第八次会议（6月2～12日，德国波恩）、第九次会议（11月2～13日，阿根廷布宜诺斯艾利斯）。

国家气候变化对策协调小组成立 5月19日国务院外事办公室约请国务院15个部委局开会，研究气候变化对策协调机构问题。会议认为，成立国家气候变化对策协调小组是必要的。经国务院领导批准，成立了国家气候变化对策协调小组，其办公室设在国家发展计划委员会地区经济发展司。由国家气候变化协调小组办公室向国家气候变化对策协调小组办公室的移交，已完成了国家气候变化协调小组办公室文件目录、气候变化专题研究、履约信息通报、气候变化专项协调经费以及联合国气候变化框架公约会费等多项工作。 （王克煜）

附表 1

1998 年度全国优秀值班预报员名单

单位		姓名	备注
北京市	北京市气象台	伏建国	短期
	北京市气象局气候中心	马静仪(女)	长期
天津市	天津市气候服务中心	刘爱霞(女)	长期
河北省	河北省气象台	尤凤春(女)	短期
	承德市气象台	李学锋(女)	短期
	沧州市气象台	王淑云(女)	短期
	衡水市气象台	徐建芬(女)	短期
	河北省气象台	赵玉广	短期
	邢台市气象台	许新路	短期
	张家口市气象台	金玉梅(女)	中期
山西省	阳泉市气象局	李素敏(女)	短期
	运城地区气象局	高文华	短期
	山西省气象局	功爱梅(女)	短期
	晋中地区气象局	郭继奋	中期
	吕梁地区气象台	吴学玲(女)	长期
内蒙古区	内蒙古区气象台	孙永刚	短期
	巴彦淖尔气象台	吴瑞霞(女)	短期
	兴安盟气象台	侯丽萍(女)	短期
	内蒙古区气象台	卜素霞(女)	中期
	乌兰察布盟气象台	杨武杰	
辽宁省	沈阳市气象台	杨连秋(女)	短期
	营口市气象台	崔大海	短期
	阜新市气象台	王宪滨	短期
	铁岭市气象台	刘　敏(女)	短期
	葫芦岛市气象台	张宏秋(女)	短期
	辽宁省气象台	孙　欣(女)	中期
	丹东市气象台	于文革	长期
吉林省	吉林省气象局	王晓明(女)	
	白城气象局	董金莲(女)	短期
	延边气象局	韩光石	短期
	吉林省气象台	刘海峰	中期
	四平市气象局	李吉本	长期
黑龙江省	黑龙江省气象台	张志秀(女)	短期
	大兴安岭地区气象台	张广英(女)	短期
	牡丹江市气象台	伏建霞(女)	短期
	黑河市气象台	邱海龙	短期
	黑龙江省气象中心	刘艳华(女)	中期
	黑龙江省气象中心	宋丽华(女)	长期
上海市	上海中心气象台	姚建群	中短期
	上海中心气象台	戴新甫	长期
江苏省	连云港市气象台	姜有山	短期
	淮阴市气象台	卢　荻	短期
	江苏省气象台	尹东屏(女)	短期
	扬州市气象台	王秀祥	短期
	无锡市气象台	朱　玮(女)	短期
	江苏省市气象台	欧阳玫君	中期
浙江省	绍兴市气象台	陈晓平	短期
	丽水地区气象台	洪　毅(女)	短期
	金华市气象台	钱华峰	短期
	衢州市气象台	周良女(女)	短期
	舟山市气象台	曹美兰(女)	短期
	宁波市气象台	钱燕珍(女)	短期
	浙江省气象台	潘劲松	中期
山东省	烟台市气象台	矫卫兵	短期
	山东省气象台	黎清才	短期
	东营市气象台	候淑梅(女)	短期
	泰安市气象台	杨瑞峰	短期
	滨州地区气象台	赵建祥	短期
	威海市气象台	周淑玲(女)	短期
	济宁市气象台	马　杰(女)	短期
	临沂市气象台	王芙叶(女)	中期

续表：

	单位	姓名	备注
安徽省	安徽省气象台	郑媛媛(女)	短期
	阜阳市气象台	项　阳	短期
	淮北市气象台	高昌军	短期
	铜陵市气象局	曾宪明	短期
	滁州市气象局	李雪清	短期
	蚌埠市气象局	张晓红	短期
	巢湖地区气象台	刘汉武	短期
福建省	龙岩市气象台	廖义樟	短期
	南平市气象台	黄元森	短期
	福州市气象台	姚林塔	短期
江西省	江西省气象台	许爱华(女)	短期
	江西省气象台	李玉芳(女)	短期
	九江市气象台	王　伟(女)	短期
	九江市气象台	王维健	短期
	赣州地区气象台	林建国	短期
	江西省气象台	叶瑞珠(女)	中期
	江西省气象台	文绮新(女)	长期
河南省	驻马店地区气象台	于耀仁	短期
	信阳地区气象台	周　虞	短期
	驻马店地区气象台	袁春风	短期
	安阳市气象台	刘勤娣	短期
	河南省气象台	赵培娟	短期
	安阳市气象台	葛相英	中长期
湖北省	武汉中心气象台	宁清翠(女)	短期
	武汉中心气象局	王　丽(女)	短期
	宜昌市气象台	龙利民(女)	短期
	十堰市气象台	姚道强	短期
	黄岗市气象局	马春华(女)	短期
	武汉中心气象局	赵勤炳	中期
	武汉中心气象台	马福慧(女)	长期
湖南省	娄底地区气象局	匡方毅	
	常德市气象局	廖玉芳(女)	
	湖南省气象台	纪英惠(女)	
	郴州市气象局	田伟国(女)	
	湖南省气象台	陈耀湘(女)	中期
	湖南省气象台	罗伯良	长期

	单位	姓名	备注
广东省	广州中心气象台	苏百兴	短期
	江门市气象台	郑芙蓉(女)	短期
	惠州市气象局	崔少萍(女)	短期
	肇庆市气象局	何华庆	短期
	茂名市气象局	凌汉强	短期
	汕头市气象局	曾振文	短期
	广州中心气象局	曾　琮	中长期
广西区	广西区气象台	陈　见	短期
	桂林市气象台	王艳兰(女)	短期
	广西区气象台	黄永新(女)	短期
	南宁区气象台	何　慧(女)	中长期
	广西区气象台	钟利华(女)	长期
四川省	广元市气象台	刘传成	短期
	巴中地区气象台	苟铁龙	短期
	巴中地区气象台	樊明孝巴	短期
	乐山市气象台	黄通国	中期
	成都中心气象台	陈效孟	长期
贵州省	安顺地区气象台	甘文强	短期
	贵州省气象中心	武文辉	长期
云南省	红河州气象台	郑建萌(女)	中短期
	云南省气象台	李　英(女)	短期
	德宏州气象台	李　娟(女)	中短期
西　藏	西藏区气象台	唐叔乙	中期
	昌都地区气象台	仓　决(女)	长中短
陕西省	陕西省气象台	陶建玲(女)	短期
	汉中市气象台	鲁学忠	短期
	安康地区气象台	李玉文	短期
	咸阳市气象台	朱海利	短期
	铜川市气象台	孙田文	短期
	陕西省气象台	陶建玲(女)	短期
甘肃省	酒泉地区气象台	徐殿祥	短期
	兰州中心气象台	徐建芬(女)	短期
	平凉地区气象台	王若升	短期
	临夏自治区气象台	贾效忠	短期
	陇南地区气象台	樊　明	短期
	定西地区气象局	王立人	长期

续表：

单　　位		姓　名	备注
青海省	果洛州气象台	当周卓玛(女、藏)	短期
	青海省气象台	史津梅(女)	短期
	青海省气象台	郭英香(女)	中期
宁夏区	固原行署气象台	刘利华	短期
	石嘴山市气象台	周翠芳(女)	短期
	宁夏区气象台	陈豫英	短期
新疆区	新疆区气象台	向　鸣	短期
	哈密地区气象台	道然·加帕依(哈萨克)	短期
	克州气象台	玛依努尔(女、维)	短期
	阿勒泰地区气象台	丁　虎	长期

单　　位		姓　名	备注
海　南	三亚市气象台	黄萍(女、黎)	短期
	海南省气象台	陈　晖(女)	长期
国家气象中　心	中央气象台	高拴柱	短期
	中央气象台	许映龙	短期
	中央气象台	王桂萍(女)	短期
	中央气象台	鲍媛媛(女)	短期
国家气候中　心		杨义文	长期
		李维京	长期

附表 2

1998 年全国地面气象测报质量统计表

项目 地区	重大错情次数						观测		发报		合计	
	伪造涂改	丢损记录	缺测	缺报	迟测早测	合计次数	错情数	错情率‰	错情数	错情率‰	错情数	错情率‰
北京	0	0	0	0	2	2	5.1	0.1	21.5	0.4	30.6	0.2
天津	0	0	0	0	0	0	27.1	0.6	3.0	0.1	30.1	0.4
河北	1	1	0	6	0	8	74.4	0.1	176.6	0.5	331.0	0.3
山西	0	0	2	0	0	2	19.7	0.0	37.6	0.2	77.3	0.1
内蒙古	0	0	0	2	3	5	206.1	0.4	512.7	0.8	718.8	0.6
辽宁	0	0	0	4	7	11	138.2	0.5	161.2	0.4	335.4	0.5
吉林	0	3	0	4	2	9	64.8	0.3	109.2	0.3	243.0	0.4
黑龙江	0	1	1	0	2	4	36.7	0.1	64.6	0.2	130.3	0.2
上海	1	0	0	0	0	1	0.4	0.0	14.0	0.7	29.4	0.4
江苏	0	1	0	1	0	2	49.6	0.2	84.1	0.4	133.7	0.3
浙江	2	1	0	3	0	16	21.5	0.1	115.3	0.5	251.8	0.5
安徽	1	2	0	0	0	3	10.3	0.03	210.4	0.75	265.7	0.4
福建	0	1	0	0	5	9	36.4	0.1	294.7	0.7	371.1	0.5
江西	0	2	0	1	1	4	12.7	0.0	150.5	0.6	200.2	0.3
山东	0	1	0	2	2	5	78.3	0.2	84.1	0.3	191.4	0.3
河南	0	3	0	1	1	5	128.6	0.3	72.2	0.2	252.8	0.3
湖北	0	0	0	4	1	5	18.6	0.1	111.2	0.4	156.8	0.3
湖南	1	0	0	3	3	8	20.8	0.1	199.	0.6	271.2	0.4
广东	0	1	1	1	3	5	49.2	0.1	188.7	0.4	258.9	0.2
广西	0	0	0	2	2	4	17.4	0.0	230.0	0.4	261.4	0.3
海南	0	0	0	1	1	2	7.6	0.1	53.8	0.4	68.4	0.3
四川	0	1	0	2	6	9	91.5	0.1	324.2	0.5	452.7	0.3
重庆	0	0	0	0	1	1	8.7	0.1	24.5	0.3	35.2	0.2
贵州	0	0	0	1	2	3	32.5	0.1	182.1	0.7	228.6	0.3
云南	1	0	2	8	11	22	69.3	0.1	371.0	0.6	527.8	0.5
西藏	0	1	0	0	6	7	9.1	0.0	42.0	0.2	78.1	0.2
陕西	0	1	0	2	0	3	21.0	0.1	86.2	0.3	132.2	0.2
甘肃	1	1	0	1	1	4	105.2	0.3	12698	0.3	269.1	0.4
青海	0	1	1	1	7	10	45.4	0.2	96.5	0.4	190.9	0.4
宁夏	0	0	0	0	0	0	12.5	0.1	29.0	0.2	41.5	0.2
新疆	4	1	2	5	5	17	79.2	0.2	327.4	0.5	546.6	0.5
合计	12	23	12	65	74	186	1497.9	0.1	4524.2	0.5	7112.0	0.4

附表 3

1998 年全国高空气象测报质量统计表

地区＼项目	伪造涂改记录	记录缺测 次数	记录缺测 千分比	探空质量错情率 ‰	测风质量错情率 ‰	探空平均高度 M	探空球炸率 ‰	雷达测风高度 M	探空重放球次数 人为	千分比	非人为	千分比
北京				0.0	0.0	28825	1000	27784	0	0.0	1	1.4
河北		2	1.0	0.6	0.3	26695	967	25712	3	2.1	7	4.8
山西				0.2	0.0	27776	942	26694	2	2.7	1	1.4
内蒙古				1.1	0.3	27315	921	26165	14	1.6	7	0.8
辽宁				0.5	1.4	28088	1000	26988	0	0.0	10	6.8
吉林				0.1	0.0	26923	974	25805	0	0.0	5	2.3
黑龙江				0.3	0.0	27171	974	25805	5	1.7	4	1.4
上海				1.1	0.3	25907	1000	25161	0	0.0	0	0.0
江苏				0.6	0.5	25952	971	23091	4	1.8	8	3.7
浙江				0.3	0.3	28027	996	26920	2	0.9	10	4.6
安徽				3.2	0.3	25961	967	24871	12	8.2	3	2.1
福建				0.4	0.2	24644	834	21861	1	0.5	21	9.6
江西				0.6	0.4	26325	990	25210	2	1.4	7	4.8
山东				0.2	0.0	27984	995	26949	2	0.9	9	4.1
河南				1.7	0.3	26551	943	25432	14	9.6	31	21.2
湖北				0.1	0.2	26277	978	25159	0	0.0	23	10.5
湖南				0.5	0.1	26919	984	25888	5	2.3	9	4.1
广东				1.0	0.7	26799	954	24253	8	2.7	5	1.7
广西				1.2	0.4	26266	950	25199	24	5.5	45	10.3
海南				1.7	0.7	25382	957	23876	1	0.5	8	3.7
四川				0.4	0.2	26965	983	25653	4	0.8	18	3.5
重庆		1	1.4	0.7	0.9	28352	998	27106	3	4.1	4	5.5
贵州				2.4	0.4	17664	364	17250	0	0.0	6	4.1
云南				0.7	0.2	27009	948	25990	10	2.7	13	3.6
西藏		1	0.3	0.1	0.3	28777	989	27557	1	0.3	9	2.5
陕西				0.2	0.4	25789	964	24776	1	0.3	13	4.5
甘肃				0.6	0.3	28040	952	26952	15	2.3	15	2.3
青海	1			0.9	0.3	27878	982	26847	11	2.2	8	1.6
宁夏				0.5	0.3	27187	951	26276	0	0.0	0	0.0
新疆				1.1	0.3	27302	977	26292	22	2.2	25	2.4
总计	1	4							166		325	
平均			0.1	0.8	0.3	26692	947	25451		1.9		4.3
1998—1997	1		−0.3	−0.1	−0.4	−16	-19	−96		0.4		1.4

附表 4

1998 年全国太阳辐射观测质量统计表

地区＼项目	缺测次数		迟测早测次数	前四项折合错情数	其他错情个数	审核错情个数	错情总数	错情率%
	人为原因	仪器故障						
北京					0.8	0.3	1.1	0.11
天津		4		0.4		0.6	1.0	0.2
河北							0.0	0.0
山西							0.0	0.0
内蒙古						5.0	6.0	0.16
辽宁		51					5.1	0.26
吉林							0.0	0.0
黑龙江	5	1		0.6	0.7	2.5	3.8	0.10
上海		6		9.3			9.3	1.11
江苏		1		0.3			0.3	0.03
浙江	2	33	1	3.6	0.3		3.9	0.56
安徽			4	0.4	1.0	1.0	1.4	0.15
福建							0.0	0.0
江西							0.0	0.0
山东							0.1	0.1
河南	1	4		2.0		0.45	2.45	0.17
湖北					0.8	1.55	2.35	0.2
湖南	38	9		4.7		0.4	5.1	0.4
广东					0.7		0.7	0.0
广西					0.5		0.5	0.04
海南	1			0.1	2.1	0.8	3.0	0.17
四川							0.0	0.0
重庆		4					0.4	0.06
贵州						0.1	0.1	0.0
云南		6	2	0.8		0.2	1.0	0.0
西藏	20	136		15.6			15.6	0.84
陕西	2	2		1.2			1.2	0.09
甘肃					1.6	1.0	2.6	0.12
青海					8.2		8.2	0.4
宁夏						0.15	0.15	0.0
新疆					4.5	5.0	9.5	0.16
全国合计	69	257		39.0	21.2		84.85	0.17

附表 5

质量优秀测报员名单

单　　位	姓　名	备　注
北京市密云县气象局	王华英	女
北京市密云县气象局	张宝荣	女
河北省新乐市气象局	杨振民	
河北省磁县气象局	刘丽丽	女
河北省邢台市气象局	程晓晖	女
河北省栾城县气象局	吴文海	农气
河北省南宫市气象局	耿世明	农气
河北省滦南县气象局	牛俊喜	
河北省滦南县气象局	孟艳静	女
河北省唐海县气象局	王　川	农气
河北省深州气象局	李东桥	农气
河北省深州气象局	胡秋卷	农气
河北省深州气象局	郭炳香	农气
河北省蔚县气象局	张晓英	女
河北省蔚县气象局	王庆林	女
河北省围场县气象局	那福山	
河北省丰宁县气象局	王立海	
河北省丰宁县气象局	郑　克	
河北省丰宁县气象局	魏跃明	
河北省乐亭县气象局	张红军	2次　女
河北省乐亭县气象局	李兰英	女
河北省乐亭县气象局	贾云波	
河北省唐山市气象局	宋美儒	女
河北省怀来县气象局	封　莉	女
河北省怀来县气象局	姚太强	农气
河北省霸州市气象局	赵润涛	农气
河北省尚义县气象局	韩玉奎	
河北省迁西县气象局	王桂清	女
河北省迁西县气象局	孙秀环	女
山西省临汾地区气象局	郑峰彦	女
山西省侯马市气象局	苗银萍	女
山西省清徐县气象局	王春玲	女
山西省太原尖草坪气象局	贾素贞	女
山西省五寨县气象局	马	
内蒙锡林高勒气象站	孙志强	
内蒙宁城县气象局	陈　勇	女
内蒙敖汉旗宝图吐气象站	钟丽红	女
内蒙额济纳旗气象局	刘富义	
内蒙额济纳旗气象局	陈晓红	女
辽宁省新民市气象局	宋文堂	
辽宁省新民市气象局	高淑新	女
辽宁省新民市气象局	曹东辉	
辽宁省新民市气象局	李　强	
辽宁省大连市气象台	孙宪早	
辽宁省大连市金州区气象局	刘玉民	
辽宁省大连市金州区气象局	王永平	
辽宁省普兰店气象局	高　燕	女
辽宁省章党气象站	马　健	
辽宁省凤城气象局	姜甲平	
辽宁省东港气象局	刘桂兰	女
辽宁省营口市气象局	于秀丽	女
辽宁省建平县气象局	谭明军	农气
辽宁省本溪县气象局	何立宏	农气
辽宁省锦州农试站	刘景利	农气
辽宁省东港市气象局	陈京涛	农气
吉林省敦化市气象局	孙月环	女
吉林省临江市气象局	张克宁	
吉林省临江市气象局	耿寿福	
吉林省长春市气象局	王福香	女
吉林省长春市气象局	赵瑞琦	女
黑龙江省大兴安岭地区气象局	万里鹏	
黑龙江省气象台观测站	王义滨	辐射
黑龙江省气象台观测站	王盛坤	辐射
黑龙江省青冈县气象局	范淑芳	女
黑龙江省庆安县气象局	赵士彬	
黑龙江省肇东市气象局	梅　松	

续表：

单 位	姓 名	备 注
黑龙江省富裕县气象局	马繁东	日射
黑龙江省富裕县气象局	屈硬杰	
黑龙江省齐齐哈尔市气象局	王晓群	高空 女
黑龙江省气象台探空站	林 谦	高空
黑龙江省虎林市气象局	杨利英	女
黑龙江省绥化市气象局	张明利	
黑龙江省铁力市气象局	刘忠艳	女
黑龙江省宁安市气象局	李金云	
黑龙江省五常市气象局	贺尚义	农气
黑龙江省集贤县气象局	宋淑华	农气 女
黑龙江省五大连池市气象局	徐淑华	农气 女
江苏省淮阴国家基准气候站	贾延安	
江苏省淮阴国家基准气候站	盈祝勇	
江苏省淮阴国家基准气候站	张明生	
江苏省洪泽县气象局	李洪根	
江苏省高邮市气象局	赵 莉	女
江苏省高邮市气象局	殷春芳	女
江苏省高邮市气象局	刘素平	女
江苏省吴县东山气象站	何政华	
江苏省东台市气象局	张祖林	
江苏省东台市气象局	杨丽中	
江苏省南京国家基准气候站	申海军	
江苏省泗阳县气象局	罗雪林	
江苏省建湖县气象局	陈云虎	
江苏省建湖县气象局	张长庚	
江苏省徐州市气象局	魏爱华	高空 女
江苏省射阳县气象局	程申元	高空
浙江省石浦气象站	王玲萍	2次 女
浙江省慈溪市气象局	龚涛锋	
浙江省金华市气象局	陈 柏	
浙江省洪家国家基准气候站	潘兴法	
浙江省东阳市气象局	叶军芳	女
浙江省定海国家基准气候站	袁和通	
浙江省定海国家基准气候站	胡岳英	女
安徽省砀山县气象局	刘 胜	
安徽省宣城农试站	李敬义	农气

单 位	姓 名	备 注
安徽省农试站	张玉龙	农气
安徽省安庆市气象局	郑皖生	高空
安徽省安庆市气象局	孙建军	高空 女
安徽省安庆市气象局	吴福正	高空
安徽省马鞍山市气象局	陈锦绣	女
福建省松溪县气象局	曾福华	
福建省浦城县气象局	温明华	
福建省南安市气象局	黄少芬	女
福建省南安市气象局	尤竞飞	女
福建省长泰县气象局	叶进生	
福建省平潭县气象局	高诚良	
福建省邵武市气象局	张 梅	高空 女
福建省邵武市气象局	李平如	高空
福建省邵武市气象局	米能文	高空
福建省邵武市气象局	李泽华	高空 2次
福建省气象台	毛宝英	高空 女
福建省气象台	胡小宪	高空 2次
福建省气象台	刘祥金	高空
福建省气象台	高 青	高空 2次
江西省吉安地区气象局	周 艳	女
江西省气象台	宋裕根	
山东省泰山气象站	陈善炳	
山东省泰山气象站	刘景德	
山东省宁阳县气象局	卢西旺	
山东省定陶县气象局	马春艳	
山东省石岛气象台	孙玉强	
山东省石岛气象台	郭东兴	
山东省石岛气象台	张华梅	女
山东省石岛气象台	林均山	
山东省荣成市气象局	周秀丽	女
山东省文登市气象局	李秀芳	女
山东省乳山市气象局	宋宗虎	
山东省乳山市气象局	田咏梅	女
山东省龙口市气象局	张永才	
山东省龙口市气象局	姜延爽	
山东省龙口市气象局	孟令通	

续表：

单位	姓名	备注	单位	姓名	备注
山东省气象台	王广琪	高空	海南省西沙气象台	杜	高空
山东省气象台	邹玉玲	高空 女	海南省西沙气象台	黄辉军	高空
山东省青岛市气象台	葛泉君	高空 女	海南省西沙气象台	卢乾	高空
山东省青岛市气象台	金得法	高空	海南省西沙气象台	詹庆联	高空 女
山东省青岛市气象台	刘瑞泉	高空	四川省凉山州气象局	孙珍媛	高空2次 女
山东省成山头气象站	朱卫民	高空	四川省凉山州气象局	常仕华	高空2次
山东省成山头气象站	高玉岩	高空2次	四川省凉山州气象局	丘序太	高空
山东省成山头气象站	钱恒臣	高空2次	四川省凉山州气象局	赵耀	高空
山东省成山头气象站	吕习知	高空2次	四川省凉山州气象局	晏慧芬	高空 女
山东省成山头气象站	郭磊	高空2次	四川省会理县气象局	孙朴	女
山东省成山头气象站	曲维强	高空	四川省会理县气象局	周雪梅	女
河南省沁阳市气象局	郭秀琴		四川省会理县气象局	江国际	女
河南省濮阳县气象局	张运成	农气	四川省越西县气象局	辜义萍	女
湖北省恩施自治州气象局	李建平	高空	四川省木里县气象局	李朝富	
湖北省宜昌市气象局	吴道德	高空	四川省通江县气象局	何鸣章	辐射
湖北省宜昌市气象局	孙贤哲	高空	四川省攀枝花市气象局	刘梅	女
湖北省宜昌市气象局	孙文辉	高空	四川省米易县气象局	杨平芬	女
湖北省麻城市气象局	陶慧琴	女	四川省中江县气象局	曾永禄	
湖南省郴州市气象局	邓龙太		四川省中江县气象局	杨昌银	
湖南省邵东县气象局	王赛兰	女	四川省广汉市气象局	史丽明	女
湖南省邵东县气象局	贺捷颜	农气	四川省彭州市气象局	鲜琳	女
湖南省武冈市气象局	刘序林	农气	四川省都江堰市气象局	周思义	
湖南省常宁市气象局	宾素芝	女	四川省新都县气象局	郭秀莲	女
湖南省石门县气象局	文振栋		四川省小金县气象局	唐学彬	
湖南省宁乡县气象局	钟金莲	女	四川省小金县气象局	雍学珍	女
湖南省气象培训中心高空站	李戟	高空	四川省高县气象局	李勤	女
广东省增城市气象局	张桂峰		四川省天全县气象局	龚群	女
广东省徐闻县气象局	邓图松		四川省达川地区气象局	杨绍泉	高空
广东省高要市气象局	李年	女	四川省大竹县气象局	陈德琼	女
广东省阳江市气象局	黄连发	高空4次	四川省大竹县气象局	张英群	女
广东省阳江市气象局	曾纪昭	高空4次	四川省万源市气象局	朱成林	
广东省信宜市气象局	雷物瑞	农气	四川省旺苍县气象局	尚桂华	女
广东省南雄县气象局	戴润	农气	四川省巴中市气象局	张明	
广东省曲江县气象局	马路九		四川省巴中市气象局	张连英	女
广西凭祥市气象局	寥丽光	女	四川省巴中市气象局	马思春	
广西百色地区气象局	梁峰	高空	四川省武胜县气象局	文旭东	

续表：

单　位	姓　名	备　注
四川省武胜县气象局	毛西武	
四川省南充市气象局	谢国华	女
四川省南充市气象局	李　南	女
四川省南充市气象局	罗丹美	女
四川省蓬安县气象局	马玉瑛	女
四川省仁寿县气象局	徐正根	
四川省绵阳市气象局	胡　杰	
四川省绵阳市气象局	周志君	
四川省绵阳市气象局	张雪梅	女
四川省绵阳市气象局	陈春艳	女
四川省绵阳市气象局	何泽兰	女
四川省三台县气象局	唐　一	
四川省三台县气象局	谢天恩	
四川省安县气象局	徐剑英	女
四川省梓潼县气象局	周玉安	女
四川省梓潼县气象局	汤绍明	
四川省安岳县气象局	熊继东	
四川省泸州市气象局	叶小廉	
四川省甘孜县气象局	张　健	
四川省彭州市气象局	王　萍	女
四川省崇州市气象局	董一清	女
四川省简阳市气象局	吕炳钦	农气
四川省简阳市气象局	樊高远	农气
四川省乐山农气中心	梁克南	农气
四川省内江市东兴区气象局	李水明	农气
四川省广安县气象局	唐让成	农气
四川省邛崃市气象局	寥素芬	农气
贵州省修文县气象局	姜修萍	女
贵州省盘县气象局	钱文胜	
云南省元江县气象局	赵　薇	女
云南省元江县气象局	杨　红	女
云南省元江县气象局	白显明	
云南省牟定县气象局	李卫萍	女
云南省开远市气象局	杨菊仙	女
云南省开远市气象局	王丽秋	女
云南省开远市气象局	严　梅	女
云南省腾冲市气象局	李金莲	女
云南省腾冲市气象局	杨登才	
云南省腾冲市气象局	陈云国	高空
重庆市沙坪坝区气象局	吴绍玉	女
重庆市江津市气象局	田文全	2次　女
重庆市江津市气象局	唐树生	
重庆市永川市气象局	吴立祥	
甘肃省乌鞘岭气象站	赵尔建	
甘肃省敦煌基准气候站	王忠林	
甘肃省敦煌基准气候站	孟汉军	
甘肃省敦煌基准气候站	陈进发	农气 2次
甘肃省天水市北道区气象局	张华兰	女
甘肃省张家川县气象站	姚新琪	2次
甘肃省景泰县气象站	康永学	
甘肃省景泰县气象站	康志礼	
甘肃省会宁县气象站	南炳江	
甘肃省会宁县气象站	芦旭东	
甘肃省静宁县气象局	孔德显	
甘肃省泾川县气象站	刘慧琴	女
甘肃省民勤基准气候站	刘　蓉	女
甘肃省民勤基准气候站	王荣基	高空
甘肃省民勤基准气候站	胡崇德	高空 2次
甘肃省民勤基准气候站	薛新玲	高空2次　女
青海省芒崖气象站	王云琢	高空　女
青海省达日国家基准气候站	刘宝成	高空
青海省达日国家基准气候站	雷生栋	高空
青海省达日国家基准气候站	李　卫	
青海省民和国家基准气候站	王中花	女
青海省民和国家基准气候站	马万才	
青海省民和国家基准气候站	治延华	女
青海省格尔木国家基准气候站	武海英	女
宁夏银川国家基准气候站	朱学义	
宁夏银川国家基准气候站	钮海全	
新疆吐鲁番气象站	贺新虹	高空　女
新疆石河子炮台气象台	刘学峰	

附表 6

1998 年全国国家基本站天气电报传输时效统计表

统　计　单　位	总份数	及时报	及时报百分率	逾限报	逾限报百分率	过时报	过时报百分率	缺报	缺　报百分率
北京市气象台	10145	10145	100						
天津市气象台	2648	2648	100						
河北省气象信息网络中心	26714	26684	99.89	22	0.08	8	0.03		
山西省气象台	7182	7182	100						
内蒙古区气象通信台	101224	100384	99.17	710	0.7	124	0.12	6	0.01
沈阳区域中心	30912	30862	99.84	2	0.01	23	0.07	25	0.08
吉林省气象台	2617	2614	99.89					3	0.11
黑龙江省气象台	20075	20038	99.82	3	0.01	12	0.06	22	0.11
上海区域中心	123625	123364	99.79	216	0.17	1		44	0.04
江苏省气象台	12103	12103	100						
浙江省气象台	7970	7966	99.95	1	0.01	3	0.03		
安徽省气象台	28105	28103	99.99	2	0.01				
福建省气象台	12411	12379	99.74	31	0.25			1	0.01
江西省气象信息网络中心	2190	2190	100						
山东省气象台	5479	5473	99.89	6	0.11				
河南省气象台	4438	4438	100						
武汉区域中心	88560	88413	99.83	96	0.11	20	0.02	31	0.04
湖南省气象台	8090	8078	99.85	12	0.15				
广州区域中心	127776	126834	99.26	885	0.69	54	0.04	3	
广西区气象台	26280	26218	99.76	62	0.24				
海南省气象台	24321	22549	92.71	537	2.21	201	0.83	1034	4.25
成都区域中心	216995	208208	95.95	5060	2.33	1773	0.82	1954	0.9
重庆市气象台	22923	22923	100						
贵州省气象台	3780	3774	99.84	6	0.16				
云南省气象台	3710	3708	99.45	2	0.05				
西藏区气象台	211362	210837	99.75	328	0.16	174	0.08	23	0.01
陕西省气象台	4259	4255	99.91	3	0.07	1	0.02		
兰州区域中心	252304	251321	99.61	931	0.37	34	0.01	18	0.01
青海省气象台	114307	113736	99.50	557	0.49	11	0.01	3	
宁夏区气象台	17407	17407	100						
新疆区气象业务中心	17376	17014	97.92	362	2.08				
信息网络部	250390	250318	99.97			60	0.2	12	0.01
总　　　计	1787678	1772166	99.13	9834	0.55	2499	0.14	3179	0.18

附表 7

1998 年 10 月 1—15 日参加全球交换的国家基本站天气电报时效统计表

统 计 单 位	总份数	及时报	及时报百分率	逾限报	逾限报百分率	过时报	过时报百分率	缺报	缺报百分率
北京市气象台	92	92	100						
天津市气象台	210	210	100						
河北省气象信息网络中心	1095	1095	100						
山西省气象台	270	270	100						
内蒙古区气象通信台	6554	6547	99.89	5	0.08	2	0.03		
沈阳区域中心	1830	1822	99.56	5	0.24	3	0.2		
吉林省气象台									
黑龙江省气象台	420	415	98.81	3	0.71	2	0.48		
上海区域中心	1441	1440	99.93	1	0.07				
江苏省气象台	399	399	100						
浙江省气象台	90	89	98.89	1	1.11				
安徽省气象台	660	660	100						
福建省气象台	122	120	98.36					2	1.64
江西省气象信息网络中心	91	91	100						
山东省气象台	90	90	100						
河南省气象台	352	352	100						
武汉区域中心	2460	2412	98.05	47	1.91			1	0.04
湖南省气象台	305	300	98.36	5	1.64				
广州区域中心	5280	5260	99.62	19	0.36	1	0.02		
广西区气象台	1080	1077	99.72	3	0.28				
海南省气象台	1005	972	96.72	8	0.8	1	0.1	24	2.38
成都区域中心	1254	1235	98.49	13	1.04	2	0.17	4	0.3
重庆市气象台	968	968	100						
贵州省气象台	379	377	99.47	2	0.53				
云南省气象台	135	135	100						
西藏区气象台	3664	3650	99.62			14	0.38		
陕西省气象台	1824	1816	99.56	8	0.44				
兰州区域中心	4980	4962	99.64	18	0.36				
青海省气象台	4651	4631	99.57	20	0.43				
宁夏区气象台	901	901	100						
新疆区气象业务中心	2850	2844	99.79	6	0.21				
信息网络部	15826	15751	99.53					75	0.47
总 计	61278	60983	99.52	164	0.27	25	0.04	106	0.17

附表 8

全国气象信息网络优秀业务人员名单

称　　号	姓　名	性别	单　　位
优秀值机员	沈　静	女	北京市气象信息网络中心
优秀值机员	邢惠琴	女	天津市气象局气象台
优秀值机员	杨庆红	女	河北省承德市气象局
优秀系统管理员	郭树军	男	河北省气象信息网络中心
优秀系统管理员	薛双青	男	山西省临汾地区气象局
优秀系统管理员	张满山	男	内蒙锡盟气象局
优秀值机员	梁凤娟	女	内蒙巴彦淖尔盟气象处
优秀维护与开发员	李福军	男	辽宁省沈阳市气象局
优秀系统管理员	程学清	女	辽宁省丹东市气象局
优秀系统管理员	谢国权	男	浙江省气象局气象台
优秀系统管理员	汤向东	男	浙江省丽水地区气象局
优秀维护与开发员	江双五	男	安徽省气象局气象台
优秀系统管理员	张　苏	男	安徽省安庆市气象局
优秀维护与开发员	朱克备	男	福建省气象局气象台
优秀维护与开发员	陈玉森	男	福建省气象局气象台
优秀值机员	胡　伟	女	江西省气象信息网络中心
优秀值机员	熊凌云	女	江西省气象信息网络中心
优秀值机员	王志利	女	山东省烟台市气象局
优秀值机员	陈叶婷	女	山东省泰安市气象局
优秀值机员	张　颖	女	河南省气象局气象台
优秀值机员	王参美	女	河南省驻马店地区气象局
优秀系统管理员	邢丽平	女	武汉气象中心
优秀值机员	李国华	女	湖北省黄冈市气象局
优秀维护与开发员	傅承浩	男	湖南省气象台
优秀系统管理员	方毓萍	女	广东省气象电信台
优秀系统管理员	涂宏兰	男	广东省清远市气象局
优秀值机员	耿晋玲	女	广西区气象台
优秀系统管理员	沈晓军	男	广西区气象台
优秀系统管理员	张志明	男	四川省气象通信台
优秀系统管理员	于　刚	男	四川省凉山州气象局
优秀值机员	杨翠英	女	陕西省渭南市气象局
优秀值机员	雷　燕	女	陕西省延安市气象局
优秀值机员	陈　莉	女	宁夏区气象台
优秀系统管理员	张　晋	男	新疆石河子气象局
优秀系统管理员	游启华	女	新疆巴州气象局

气象服务工作

公益气象服务

春季气象服务 1998年入春以来我国南方持续异常多雨，部分地区出现春汛；风雹天气频繁，是建国以来罕见的；北方冬麦区普遍降雨，大部地区旱情得到解除或缓解，但东北旱情仍较严重；3月中下旬出现强冷空气由北向南影响我国大部地区，西藏、青海及新疆部分地区出现雪灾。中国气象局1月7日发出了《关于做好抗旱气象服务的通知》，2月13日召开了《全国气象部门春耕备耕气象服务电话会议》。在北方持续干旱，南方出现多年不见的春汛、低温阴雨、强对流天气以及春耕春播的时刻，中国气象局组织部门内外专家进行多次会商，及时向党中央、国务院及有关部委汇报天气气候情况及未来趋势。国家气象中心对南方出现的大范围强降温雨雪天气过程提前做出了较准确的中短期预报；山东、江苏、上海、浙江、安徽、江西、湖北、湖南、贵州等省(市)气象台均提前24～48小时预报出了1月17～19日、21～22日大雪到暴雪和冰冻天气过程；江西、江苏、四川、湖南省气象台对4月22～23日出现的强对流天气均作出预报；5月7日～29日，湖南、四川、福建、新疆、陕西、甘肃、宁夏、广东、黑龙江、吉林等省(区)先后出现了中到大雨天气过程，部分地区损失严重，大部分省(区)气象台均提前24小时报出本省(区)出现的降雨天气过程，其中，甘肃省、宁夏自治区气象台对5月20日降雨天气过程量级预报偏小，各地气象部门及时向当地政府汇报，使损失降低。黑龙江、吉林省抓住有利时机，进行人工增雨作业，使旱情基本解除。四川省气象台从1997年9月至1998年3月先后4次发出春旱预报；在为省水利厅都江堰管理局召开的全省春季用水会议提供的预报中，预测春旱主要发生在4月份，并有可能发生春夏连旱，旱象明显；省政府和有关部门根据气象部门的预报和建议，决定以广汉机场为基地，在盆地旱区实施飞机人工增雨作业，增雨效果较显著。

我国林区进入4月份以来，由于天干物燥，火险等级急剧升高。内蒙古、新疆、黑龙江等省(区)相继发生了多起重大森林(草原)大火，部分城市也发生多次火灾，损失严重。中国气象局于4月23日、5月21日先后发出《关于进一步做好春季森林防火气象服务的紧急通知》《全面做好当前防火气象服务工作的紧急通知》。中国气象局所属业务单位及各级气象台站，尤其是重要林区的各级气象台站，密切监视森林和草原火灾情况，制作火区天气预报，为国务院、国家林业局及当地政府和防火指挥部门服务。5月13日，国家卫星气象中心、内蒙古自治区和黑龙江省气象局，分别监测到内蒙古呼伦贝尔盟和黑龙江黑河地区及大兴安岭境内火情后，国家卫星气象中心立即将火情遥感信息报告国家林业局和农业部草原防火办。内蒙古自治区和黑龙江省气象局也分别向当地政府和森林防火部门汇报，及时进行监测和服务。中央气象台与内蒙古自治区、黑龙江省气象局加强会商，重点做好火场上空的天气预报，为实施人工增雨作业，扑灭火灾，提供了科学的决策依据。

汛期气象服务 1998年汛期，我国天气气候十分异常。长江发生了1954年以来全流域性特大洪水；嫩江、松花江流域发生了超记录的特大洪水；闽江、珠江流域也一度发生洪水。洪水来势之猛、持续时间之长、水位之高、洪峰次数之多、形势之险恶，均为历史所罕见。中国气象局对1998年的防汛气象服务工作，部署早，动员早，落实早。在1月召开的全国气象局长会议上要求各级气象部门要做好防大汛、抗大旱的充分准备，力争做到大范围重大灾害性、关键性、转折性天气不错报、不漏报。3月中下旬，由中国气象局气候司、天气司、办公室及局直属事业单位组成3个调研组，分赴云南、贵州、四川、重庆、广东、福建、上海等省市气象局，对汛期气象服务准备情况进行调研、检查。针对1998年天气气候异常的特殊情况和防汛抗旱形势的严峻性，中国气象局于5月14日召开了“全国汛期气象服务电话会议”，提出了汛期气象服务要突出做到四个到位：思想认识到位、技术到位、责任到位，装备到位，确保汛期气象服务工作万无一失。

在主汛期(6～8月)，中国气象局2次召开全国防汛气象服务电话会议，贯彻落实党中央、国务院和国家防汛抗旱总指挥部关于防汛抗洪的有关部署。在抗洪抢险最艰难、最关键的时刻，中国气象局连续5次发出紧急通知，及时派出雷达、预报专家和管理人员到第一线参与、指导抗洪抢险决策气象服务工作。组织摄制抗洪第一线气象服务专题节目，在通往中南海的气象信息节目中播出，使党中央、国务院及时了解灾区的情况。在抗洪抢险决战阶段，中国气象局派出4个工作组，分赴湖北、湖南、江西和黑龙江省，慰问在抗洪抢险气象服务第一线和灾区的气象职工，指导气象台站做好防汛抗洪抢险的气象服务。5月29日和8月19日，中国气象局先后下发了《关于进一步做好汛期气象情报上报工作的通知》《关于做好汛期气象情报上报工作的补充通知》。

在国家防汛抗旱总指挥部、人事部、解放军总政治部表彰1998年抗洪先进集体和抗洪模范活动中，中央气象台等9个单位荣获"1998年抗洪先进集体"称号及唐惠芳等9人荣获"1998年抗洪模范"称号(见本文后附表1)。10月28日中国气象局召开了1998年防汛抗洪气象服务总结表彰电视电话会议，授予80个单位为"1998年防汛抗洪先进集体"和53人为"1998年防汛抗洪先进个人"(见本文后附表2)。

重大灾害性、关键性、转折性天气预报服务 短期气候趋势预测总体准确。1998年3月31日—4月3日，国家气候中心与水利部水利信息中心联合组织召开了"1998年全国汛期旱涝趋势预测会商会议"。明确提出：今年我国多雨的范围将比去年大，部分地区的洪涝可能较重。夏季有两条主要雨带，一条位于长江流域至江南地区，一条位于华北中北部至黄河中上游地区。初夏，长江中下游和江南地区降雨可能比较集中，部分地区可能发生较严重洪涝。6月3日、7月6日国家气候中心先后组织了2次补充会商会，均坚持第一次会商会的预测意见。预报结论与实际基本一致。在全国汛期气候预测会商结论中，虽然指出北方有雨带，但未明指出位于东北。而黑龙江省气象局5月份的短期气候预测意见中明确指出：今年夏季嫩江流域降雨比常年偏多3～4成，并建议省政府把嫩江作为全省防汛重点。7月初的预报再次强调，嫩江降雨偏多3～4成，7月下旬至8月上旬降雨集中，汛情严重。黑龙江省气象局的预测意见起到了弥补作用。

中短期天气预报服务准确、及时。中央气象台和全国各级气象台对1998年出现的重大灾害性、关键性和转折性天气过程，基本上提前作出比较准确的预报，中短期天气预报与短期气候预测的配合较好，起到了相互补充、滚动订正的作用。6月12～27日出现了长江中下游、江南、华南西部及西南地区东部一带的持续性暴雨，中央气象台从6月10日开始预报江南大部的局部地区有大到暴雨；6月15日，在中国气象局呈党中央、国务院的专题报告中明确指出：长江中下游将进入多雨期。6月25日，中国气象局再次向党中央、国务院呈送了《关于江南、华南等地降雨将结束，主要雨带将北抬至黄淮等地的报告》，预报6月29日至7月5日，主要雨带将位于华北东部、黄淮、汉水中上游及长江上游一带。8月6日荆江水位高达44.48米，有关部门预计第4次洪峰将于7日前后到达宜昌，中央气象台和武汉中心气象台作出了7～8日降雨量为15～25毫米的预报，为政府的正确决策提供了准确的气象信息。根据防汛抗洪的特殊需要，中央气象台从7月15日起开展了流域面降雨量的预报。从8月19日开始，开展了长江、嫩江和松花江流域面的降雨量预报。

为领导决策服务 6月份以来，中国气象局向党中央、国务院及有关部门报送专题气象报告60余份。7月26日～8月31日，每天向江泽民总书记、李鹏委员长、朱镕基总理，李岚清、温家宝副总理和国家防总提供气象专报。

为加强汛期决策气象服务的针对性，国家气象中心制作了5期传往中南海的特别气象信息节目，主要内容为灾区雨量、洪水实况和灾区群众受灾情况。制作了《趋利避害话暴雨》《副热带高压与长江洪水》《气象参谋》等节目。

秋冬季气象服务 1998年入秋以来，全国大部地区降水持续偏少、气温异常偏高，北方冬麦区出现秋旱。中国气象局10月5日下发《关于认真做好1998年防汛抗洪气象服务总结工作的通知》，要求在做好总结工作的同时，做好当前防台、防寒、救灾和秋冬季气象服务工作。11月21日，内蒙古中西部的部分地区、河北东北部和东部、京津地区和辽宁西部出现了小到中雪，其中北京中东部、天津西南部、河北东北部的部分地区出现了大雪，北京市的局部地区出现了暴雪，这场降雪对缓解冬麦区的旱情十分有利。对此，有关气象台站开展了预报服务。11月30日至12月3日，我国大部地区出现了强降温天气过程，黄淮、江淮大部地区还伴有大风和小雨雪，江苏淮北地区大部县市达到寒潮标准。浙江出现了入冬以来最强的一次大风降温降水天气过程。中央气象台和江苏、浙江等省气象台都提前作出了准确的预报。这次降温降雪天气过程对前期温度高、降水少的华北地区利大于弊，部分地区缓解了旱情。

电视天气预报服务 1998年10月19～23日，中国气象局在北京举办了第二届华风杯全国电视气象节目观摩评比活动(详见本文后专题)。

气象服务管理 5月12～14日,中国气象局在北京召开了全国决策气象服务工作研讨会。5月19～21日,中国气象局气象服务与气候司与国家气象中心联合召开了全国气象情报工作研讨会;22～23日举办了“全国气象情报及灾情收集处理评估录入系统”培训班。9月15日,中国气象局召开了“1998特大气象灾害与防灾减灾专家座谈会”。

农业气象服务

农业产量预报 5月和8月中国气象局分别召开了“北方14省(区、市)冬小麦产量预测会商会”和“全国粮棉作物农业气象条件分析和全年粮食产量的预测会商会”,向国务院提交了《关于1998年全国冬小麦农业气象条件分析和产量预测的报告》和《关于1998年全年粮食产量预测和粮棉作物农业气象条件分析的报告》,预报1998年全国粮食总产为9800～9860亿斤。

农业气象情报预报服务 各级气象部门向各级政府和有关部门提供了定期和不定期的农业气象情报预报服务产品,针对农业生产中存在的气象问题提出措施建议。中国气象科学研究院农业气象中心年内完成了全国农业气象旬报、月报、季报共52期,1998年度气象条件对农业生产的影响1期,1998年主要农业气象灾害综述1期,产量预测报告15期,为新华社提供新闻专稿36期。

各地气象部门利用各种高科技手段开展为农业服务。入汛后,长江、松花江流域发生特大洪涝灾害,江西、黑龙江等省气象局利用卫星遥感、地理信息系统和全球定位系统对洪水淹没农田的面积进行了动态监测,为各地政府及有关部门抗洪抢险救灾、指挥农业生产提供了准确的信息。中国气象局气象服务与气候司和河北省气象局农业气象中心于1998年9月出版了《农业气象科技适用技术选编》第五册,该书共编入在近几年取得较好社会、经济效益的各类农业气象适用技术57项。

气象科技扶贫工作

气象科技扶贫协作 6月,陕甘宁老区气象科技扶贫协作组在延安召开了第七次协作会。会议邀请大别山、井冈山、晋冀蒙、黔桂四个协作片以及中国气象局驻朝阳第五期定点扶贫工作组和中国气象局扶贫办的同志参加。11月,中国气象局下发了《关于认真学习温家宝副总理的重要讲话,进一步做好定点气象科技扶贫工作的通知》。

继续开展跨省区气象科技扶贫协作。大部分协作片召开了会议,确定了下一阶段工作的思路。1998年各地气象部门围绕优良品种的引种和制种、大棚CO2施肥、集水工程、中低产茶园的更新改造、抗旱剂的运用,实施了一批扶贫项目,广泛开展了扶贫济困活动。据不完全统计,1998年全国各级气象部门开展气象科技扶贫工作的县达696个。有18个省(区、市)气象局在政府指定的扶贫点开展了定点扶贫工作。实施气象科技扶贫项目527个,投入扶贫经费433万元;从各级政府扶贫办争取156个项目,经费总额474万元;支援扶贫物资折款325万元;为贫困地区或扶贫点引进技术275项,举办培训班752个,培训农民7.7万多人(次);到基层蹲点扶贫的干部715人,到贫困地区考察、指导工作的干部2298人(次),其中厅局级干部69人,处级干部425人。

气象科技定点扶贫 中国气象局在辽宁省朝阳市继续开展定点扶贫工作。第五期扶贫工作组由中国气象局和辽宁省气象局派员组成,分别挂职朝阳市科委副主任、市气象局副局长和市气象局局长助理。年内,气候资源开发利用项目取得进展,为朝阳市政府有关部门举办计算机网络和互联网技术培训班,建立了政府气象信息远程终端和政务信息系统,支持了农业气象适用技术研究,向贫困山区学校赠送了一批图书。

气象科技服务

1998年,全国气象科技服务毛收入比1997年增长约16.7%,其中湖南、江苏、天津、浙江、安徽、广西等省(区、市)气象部门年增长率超过30%。按气象科技服务项目创收额排序为:电视天气预报广告服务、专业专项气象服务、避雷检测、施放氢气球、气象信息电话服务、无线寻呼、大气环评。1998年,从事气象科技服务的人员为16434人,其中,专、兼职人员分别为9658人和6776人,与1997年相比,总数大体持平,专职人员增加约2000人,兼职人员减少约2000人。本年度共签订气象科技服务合同约

10万余个。

气象科技服务现代化建设 1998年中国气象局对天津、河北、吉林、黑龙江、江西、安徽、湖南等16个省(区、市)气象局的“九五”建设项目“省级城市专业气象服务系统”进行投资建设。至年底,全国已建立了15个省级专业气象台。

气象综合技术服务 1998年,全国全部省会城市和计划单列市城市、252个地(市)级城市、725个县级城市开展了电视天气预报广告服务,创收额较1997年增长约22.6%;在气象信息电话服务方面,至1998年底,27个省会城市、228个地(市)级城市、1216个县级城市开通了气象信息电话自动答询系统,开通面达76%以上,较1997年增长162.6%。

气象科技服务技术开发 中国气象局气象服务与气候司下发了《气象科技服务应用技术开发项目指南(1998～1999年)》,确定了18个效益突出、具有区域性推广价值的气象科技服务技术开发项目。

工作与信息交流 5月,在天津市举办了京、津、沪、穗、渝城市气象服务研讨会;10月,在内蒙古召开了华北区域科技服务与产业发展处长会议;10月,在辽宁省召开了第三届全国气象部门环境影响评价协作网网员会议暨学术交流会。

中国气象局气象服务与气候司主办的《气象科技服务信息》年内出刊6期,刊登信息约90条,共计约7万字。

人员培训 年内,气象服务与气候司举办了“省级城市专业气象服务系统”软件培训班,21个省(区、市)局和计划单列市局的40多名学员参加了培训。

重点工程建设气象服务

长江三峡二期工程气象保障服务 4月14～16日中国气象局气象服务与气候司在湖北省宜昌市召开了大江截流气象保障服务工作总结会议,国务院移民开发局、三峡总公司及三峡工程气象保障服务课题开发单位共40余人参加了会议,会议讨论了三峡二期工程建设(1998～2003年)的气象保障服务。中国气象局李黄副局长对大江截流气象保障服务工作做了总结。

5月22日,中国气象局下发了“长江三峡二期工程气象保障服务组织方案”,要求在1998年汛期开始实施。为配合“方案”的实施,由局三峡办和科教司组织,国家气象中心牵头开展了长江三峡工程二期气象保障服务技术开发工作。6月拟定并下发了“长江三峡二期工程气象保障服务技术开发方案”,课题负责单位与各承担单位签订了专题研究合同书,研究工作已经开展。

长江三峡工程汛期气象保障服务 4月13日,中国气象局在北京主持召开了有长江三峡工程开发总公司、国家气候中心、中国气象科学研究院、中国科学院大气物理研究所和地理所、北京大学、武汉中心气象台、成都中心气象台、宜昌市气象局以及长江水利委员会等12个单位、20多位专家参加的会商会,对三峡地区汛期的降水趋势进行了会商。7月13日,三峡雨情汛情紧张时,中国气象局下发了《关于做好三峡坝区气象服务保障的紧急通知》。7月14日,中国气象局委托国家气象中心裘国庆主任签发了三峡工程气象服务紧急令,并派预报专家赴宜昌气象局进行技术指导。国家气象中心还专门制作了三峡上游分段面雨量预报,对长江第3次洪峰到达三峡坝区时的降雨量及流量预报做得比较准确,预报意见被工程建设部门采纳,避免了工程可能因停工造成的巨大损失,同时也为工程建设赢得了时间。

长江三峡工程气象保障服务系统建设 1998年1月,国务院领导批准了中国气象局,湖北省委、省政府领导关于建设三峡工程气象保障服务系统的建议。2月22日,中国气象局向国家计委上报了《长江三峡工程气象保障服务系统专项设计报告》。之后,根据国家计委和三峡办的要求,重新编制并上报了《专项设计报告》(总概算为1.34亿元)。4月2～5日国家计委委托中国国际工程咨询公司,组织对该专项设计报告进行了审查,与会的27位专家一致肯定了专项设计报告。

4月15日,中国气象局李黄副局长与国务院三峡总公司领导就长江三峡水利工程气象保障服务系统坝区部分建设问题进行了商谈。年内,组织编制了《长江三峡水利工程气象保障服务系统坝区部分建设方案》。7月26日,三峡总公司邀请中国气象局领导商谈在坝区建设气象保障服务天气雷达系统问题,系统建设协议书于年底前正式签订。

长江三峡工程生态环境保护气候监测子系统 年初,中国气象局与三峡总公司和三峡办签订了1998～2003年局地气候监测子系统专题合同书,2月底前按合同书要求,按时上报了库区10个站点的气温、降水等10个项目的月值资料和2个酸雨站各月酸度值、导电率等监测资料、分析报告及全年总结报告。年内完成了原由四川省气象局管理的6个站转为重庆市气象局管理的交接工作。12月22～24日，在重庆市召开了“长江三峡工程生态与环境保护局地气候监测子系统”总结经验交流会议。对两年来开展的监测工作进行了总结，修改了《长江三峡工程生态与环境监测系统局地气候监测子系统实施方案》。

附表 1

1998 年抗洪先进集体和抗洪模范名单

先进集体：

中央气象台
湖北省气象局
湖南省气象局
江西省气象局
江西省九江市气象局
黑龙江省气象台
安徽省气象局
广西壮族自治区气象台
内蒙古自治区气象局

抗洪模范：

唐惠芳　国家气象中心
李维京　国家气候中心
郑启松　湖北省武汉中心气象台
纪英惠　湖南省气象台
孙永罡　黑龙江省气象台
陈立亭　黑龙江省气象局
胡辛陵　江苏省气象局
林启星　广东省三水市气象局
刘孝昌　安徽省气象防灾减灾中心

附表 2：

1998 年全国气象部门防汛抗洪气象服务先进集体和先进个人名单

先　进　集　体

湖北省
　武汉中心气象台
　荆州市气象局
　宜昌市气象局
　黄冈市气象局
湖南省
　省气象台
　岳阳市气象局
　益阳市气象局
　安乡县气象局
江西省
　省气象台
　九江市气象局
　鹰潭市气象局
　瑞昌市气象局

安徽省
　省气象台
　安庆市气象局
　池州地区气象局
江苏省
　省气象台
　扬州市气象局
黑龙江省
　齐齐哈尔市气象局
　省气象台
　泰来县气象局
　哈尔滨市气象局
吉林省
　白城市气象局
　镇赉县气象局

内蒙古自治区
　自治区气象台
　呼伦贝尔盟气象局
　哲里木盟气象局
北京市
　市气象台
天津市
　塘沽区气象局
河北省
　省气象台
　唐山市气象局
山西省
　省气象台短期预报科
　晋中地区气象局
辽宁省

葫芦岛市气象局
营口市气象局
上海市
上海中心气象台
浙江省
舟山市气象台
丽水地区气象台
省气象台
福建省
省气象台短期科
南平市气象台
光泽县气象局
山东省
省气象台
费县气象局
河南省
省气象台
驻马店地区气象局
台前县气象局
广东省
广州中心气象台
封开县气象局
佛山市气象台
广西壮族自治区
区气象台
梧州市气象局
桂林市气象局
海南省
保亭黎族苗族自治县气象局
重庆市
市气象台
万州移民开发区气象局
四川省
省气象台
成都市气象局
北川县气象局
沐川县气象局
贵州省
贵阳市气象局
安顺地区气象台
云南省
省气象台
昭通地区气象局
西藏自治区
拉萨市气象局
陕西省
汉中市气象局
省气象台
甘肃省
陇南地区气象台
青海省
海南藏族自治州气象局
海东地区气象局
宁夏回族自治区
石嘴山市气象局
新疆维吾尔自治区
区气象局业务中心
阿克苏地区气象局
国家气象中心
天气预报室
数控室图形系统科
国家气候中心
气候预测室
气候诊断室
国家卫星气象中心
静止气象卫星中规模利用站接收处理系统改造和设备维护组
中国气象科学研究院
中尺度所
中国气象局行政管理局
保障部
中国气象局机关
气象服务与气候司
公益服务处

先 进 个 人

湖北省
谭建民(土家族)
杨成松
陈淑媛(女)
湖南省
纪英惠(女)
张训辉
卜盛林
江西省
邱小平
叶瑞珠(女)
刘水胜
安徽省
许泽均
徐竞平
江苏省
严明良
濮梅娟(女)
黑龙江省
孙磊石
张文旭
吉林省
曲长波
朱其文
董礼仁
内蒙古自治区
陈光明
刘子英
北京市
孙继松
天津市
赵 刚

河北省

张宝贵

山西省

李楦峰

辽宁省

曲晓波

上海市

宋声平

浙江省

钮学新

福建省

官秀珠(女)

杨善恭

山东省

薛斌喜

广东省

林启星

陈明先

广西壮族自治区

李金能

李化恒

海南省

羊红真

四川省

罗 琴(女)

贵州省

冉菊华(女,土家族)

云南省

宗德孝

西藏自治区

许建华(女,藏族)

顿珠次仁(藏族)

陕西省

许新田

甘肃省

李荣庆

高振荣

青海省

张 茂

宁夏回族自治区

陈豫英(女)

新疆维吾尔自治区

毛炜峄

国家气象中心

唐惠芳(女)

马德贞(女)

国家气候中心

李维京

国家卫星气象中心

刘 诚

中国气象科学研究院

许继武

中国气象报社

魏景云

中国气象局机关

张钛仁

专题

第二届华风杯全国电视气象节目观摩评比活动在京举行

1998年10月19~23日,全国各省(区、市)气象局、计划单列市气象局、部分地市和县市级气象局的代表约250余人,在北京市延庆县国家气象中心华风温泉大城堡举行了第二届华风杯全国电视气象节目观摩评比活动。

本届观摩评比活动的任务是:观摩交流省、地、县三级电视气象服务节目制作技术,总结首届观摩评比以来的电视气象服务工作经验,评选奖励优秀节目和工作成绩显著的单位。

在开幕式上,中国气象局副局长、本届活动组委会主任颜宏讲了话。此次观摩评比特邀请世界气象组织(WMO)天气监测司司长R.C.Landis先生、香港天文台科学主任李细明先生参加,他们在开幕仪式上讲了话。

这次观摩评比活动有35个省(区、市)和计划单列市气象局、25个地(市)、23个县(市)级气象局上报了参评节目。经过资格审查、初评,共有134个节目参加了观摩评比。其中省级有节目主持人的节目24个,无节目主持人的11个,专业节目29个,地市级节目25个,县市级节目23个,22个单位上报了创意观摩节目。

自1996年首届全国电视天气预报节目观摩评比活动后，各地电视天气预报节目制作的内容不断丰富，技术不断创新，水平不断提高。到1998年6月底为止，全国35个省(区、市)气象局和计划单列市气象局已全部独立制作节目，其中有24个省级气象部门上了节目主持人。232个地市局和507个县局已制作节目，分别是两年前的2.2倍和11.3倍，还有6个地县电视气象节目上了主持人。这次参评节目的整体水平比1996年首届观摩评比时有了较大提高。

本届观摩评比活动设全部奖项60个。由中央电视台、北京广播学院、中国气象局有关职能司、国家气象中心的领导、专家及教授组成了专家评委一组和评委二组，对各类节目进行评比。评比采用专家评比和群众评选相结合的方式。经过3天的评比，从参评节目中评选出团体优胜奖1个，从有主持人节目、无主持人节目、专业节目、地市级和县市级节目5种节目中评比出一、二、三等奖共27个，省级和地县级单项奖各4个，主持艺术奖一、二、三等共4个，优秀奖10个。经过参评代表团为单位进行的群众投票评选，从22个创意节目中评选出最受欢迎的创意节目5个。观摩评比组委会评出省级组织发展奖5个。

中国气象局局长温克刚、副局长颜宏和专家评委为获奖单位和个人颁发了奖杯、奖匾和证书。温克刚局长在闭幕式上发表了讲话，国家广播电影电视总局新闻中心副主任李春武及中央电视台的领导也出席了闭幕仪式并致词。观摩评比组委会主任、中国气象局副局长颜宏对本次活动进行了总结，并对电视气象服务工作的发展提出了要求。

观摩活动评比结束后，中国气象局召开了由省(区、市)气象局领队参加的电视气象服务工作座谈会。分析了当前电视气象服务工作面临的形势，对今后的发展和对策进行了讨论，颜宏副局长在座谈会上讲话。

在这次观摩评比活动中，世界气象组织(WMO)的R. C. Landis先生、香港天文台科学主任李细明先生向与会代表报告了有关电视公众服务的现状和发展方向。美国天气服务公司(WSI)、日本天气新闻公司(WNI)、国内厂家公司作了技术设备和产品软件演示介绍。

此前，于1996年10月22～24日，中国气象局在北京举办了首届全国电视天气预报节目观摩评比活动。全国30个省(区、市)、5个计划单列市气象局和20个地市气象局的领导、管理人员和技术人员，以及中国气象局有关职能司(室)和直属单位的代表共104人参加了观摩评比活动。全国有27个省级、3个计划单列市和20个地市级共50个单位上报了80个节目参加观摩评比。聘请中央电视台、北京广播学院、中国气象局有关职能司、国家气象中心的领导、专家、教授和节目主持人组成了专家评审委员会。从80个节目中分5种节目类型(有节目主持人带、无节目主持人带、专业节目带、地市级节目带、设想创意带)评选出一、二、三等奖20个，单项奖和优秀奖各5个，共计30个。中国气象局温克刚局长、邹竞蒙名誉局长、颜宏副局长及广电部、中央电视台领导出席了颁奖闭幕仪式，为获奖单位颁发奖杯和证书并发表了讲话。颜宏副局长作了题为"抓住机遇、加速发展全国电视天气预报工作"的总结报告。中央电视台、新华社、人民日报、科技日报、经济参考报、农民日报、光明日报、中国国有资产新闻报、中国气象报等9家新闻单位的记者出席闭幕式并进行了采访。1996年10月24日晚中央电视台《晚间新闻》对电视天气预报的发展过程及此次活动进行了报道。

第二届华风杯全国电视气象节目观摩评比获奖单位

团体优胜奖

江苏省气象局

第一种(有主持人)节目带

一等奖　江苏省气象局

二等奖　浙江省气象局

安徽省气象局

三等奖　广东省气象局

湖南省气象局

湖北省气象局

第二种(无主持人)节目带

二等奖　海南省气象局

三等奖　青海省气象局

宁波市气象局

第三种(专业)节目带

一等奖　北京市气象局

二等奖　上海市气象局

陕西省气象局

三等奖　江苏省气象局

甘肃省气象局

云南省丽江市气象局

第四种(地市级)节目带

一等奖　江苏省盐城市气象局

二等奖　浙江省杭州市气象局

山西省大同市气象局

三等奖　安徽省马鞍山市气象局

江西省鹰潭市气象局

山东省德州市气象局

第五种(县市级)节目带

一等奖　浙江省富阳市气象局

二等奖　江西省庐山市气象局

河南省滑县气象局

三等奖　安徽省肥东县气象局

山东省安丘市气象局

福建省晋江市气象局

主持艺术奖

一等奖　浙江省气象局　段永明

二等奖　江苏省气象局　徐　馨

三等奖　安徽省气象局　刘　彬

广东省气象局　古　德

单项奖

省　级

最佳科学信息奖　海南省气象局

最佳图形图象奖　北京市气象局

最佳解说词奖　浙江省气象局

最佳综合艺术奖　江苏省气象局

地县级

最佳科学信息奖　浙江省富阳市气象局

最佳图形图象奖　江苏省盐城市气象局

最佳解说词奖　浙江省杭州市气象局

最佳综合艺术奖　河南省滑县气象局

组织发展奖

安徽省气象局

江西省气象局

河北省气象局

湖北省气象局

宁夏回族自治区气象局

优秀奖

天津市气象局

河北省气象局

内蒙古自治区气象局

黑龙江省气象局

广西壮族自治区气象局

四川省新都市气象局

贵州省气象局

西藏自治区气象局

新疆维吾尔自治区巴州气象局

大连市气象局

最受欢迎的创意节目

北京市气象局制作的

《气象导游》

国家气象中心制作的

《副热带高压与98长江大水》

湖北省气象局制作的

《每日新气象·暴雨》

国家卫星气象中心制作的

《观云测天话风云－中国气象卫星》

黑龙江省气象局制作的

《秋高气爽》

补遗：首届全国电视天气预报节目观摩评比获奖单位

第一种(有主持人)节目带

一等奖　安徽省气象局

二等奖　广东省气象局

三等奖　上海市气象局

山西省气象局

第二种(无主持人)节目带

一等奖　甘肃省气象局

二等奖　海南省气象局

三等奖　青海省气象局

内蒙古自治区气象局

第三种(专业)节目带

一等奖　广西壮族自治区气象局

二等奖　宁夏回族自治区气象局

三等奖　河北省气象局

湖北省气象局

第四种(地市级)节目带

一等奖　江苏省盐城市气象局

二等奖　山东省泰安市气象局

三等奖　山西省临汾地区气象局

青海省海西州气象局

第五种(设想创意)节目带

一等奖　上海市气象局

二等奖　江苏省气象局

三等奖　北京市气象局

河南省气象局

单项奖

最佳科学信息奖　江西省气象局

最佳图形图象奖　北京市气象局

最佳解说词奖　广西壮族自治区气象局

最佳主持表演奖　广东省气象局

最佳综合艺术奖　安徽省气象局

优秀奖　西藏自治区气象局

陕西省气象局

浙江省宁波市气象局

辽宁省铁岭市气象局

云南省楚雄彝族自治州气象局

气象科研工作

概　述

1998年科技体制改革工作重点是组织改革试点工作和加强对气象科研大院大所改革的促进工作。各省(区、市)气象局与地方政府共建气象科学研究所的工作取得突破性进展。在国家重大基础研究项目和国家计委高技术产业发展项目的申报、四大气象科学试验的组织实施、国家重中之重科技项目和攻关项目以及部门科研项目的检查评估管理等方面做了大量工作,取得显著成绩。

完成了1998年度中国气象局气象科学奖及科技进步奖的评审工作和国家科技进步奖的推荐工作,有2项成果获中国气象局气象科学奖,17项成果获中国气象局气象科技进步奖。其中,《中国西北地区干旱气候成因、预测和对策研究》推荐申报国家科技进步奖。

年内,开始进行气象科技体制改革试点工作,制定了《气象科研院(所)改革试点方案》,确定辽宁、湖北、北京、湖南、宁夏气象科学研究所和气科院大气探测所是第一批改革试点单位。

与地方政府共建气象科学研究所的工作取得较大的进展。宁夏自治区科委已批准在宁夏气象局科研所的基础上共建"宁夏气象防灾减灾重点实验室"。中国气象局和北京市政府在北京市气象科学研究所的基础上共建"城市气象工程技术研究中心"也取得实质性的进展。安徽省气象科学研究所,经安徽省科委批准,已正式成为"安徽省大气科学与卫星遥感重点实验室"和"安徽省卫星遥感中心"。河北气象科学研究所与河北省农林科学院共建,挂上该院农业气象科学研究所的牌子,以实现优势互补。

吉林、江西气科所经省政府推荐,被科技部授予科技界抗洪救灾先进集体。

科研项目

组织申报国家重大基础研究项目　中国气象局和中科院联合申报的"我国重大气候和天气灾害形成机理与预测研究"项目被列入1998年国家重点基础研究发展规划首批项目。本项目从我国所处的东亚季风区独特的气候特征出发,通过必要的观测、理论分析和数值模拟来研究气候系统(包括大气、海洋、陆地与冰雪等)相互作用的动力、热力过程,特别是从亚洲季风与厄尔尼诺相互作用和青藏高原的影响,来揭示亚洲季风系统的年际变化规律和成因以及我国重大气候灾害发生机理。在此基础上创建"东亚重大灾害气候的海—陆—气相互作用过程的数学物理模式和年度预测理论",提出具有我国特点和创新的气候灾害年度预测的模式和方法。在上述气候研究基础上,继承和吸收有关中国暴雨和中尺度系统已有科研成果,充分利用1998年5个气象科学试验的资料和成果,并依靠正在建立的具有较先进设备的中尺度监测基地,进一步实施野外观测试验,通过对观测资料的诊断研究、理论分析和数值模拟,集中研究引发特大暴雨的强对流系统发生、发展,以及天气尺度系统和大尺度系统,如副热带高压的短期异常变化规律、机理,及其与中尺度强暴雨系统的相互作用和相互影响和预报理论。

申报国家高技术产业发展项目　按国家计委和财政部对科技3项费由部门切块改为项目管理的要求,组织申报4个项目获批准:

"新一代气象卫星资料接收处理设备研制及气象卫星资料的应用研究"。为适应新一代静止气象卫星转星需要,进行相应接收处理设备的研制,并利用新增通道资料进行积雪、海温等反演及其动态监测,开发卫星资料进行应用研究。

"天气预报新技术新方法研究、集成及综合应用"。重点研究气象雷达和卫星产品继续开发和业务应用,建立产品格式的标准和质量检验,研究台风、暴雨等探测资料及预警产品高效、实时传输,进行其预报方法的改进完善和诊断、预报技术业务化及推广,加强特大极端灾害性天气的预报方法研究,运用计算机集成,开发综合预报平台。

"大城市气象服务关键技术研究"。进行城市气象边界层探测技术研究,进行能见度、紫外线和闪电监测及其分析,开发针对大城市的气象应用研究,包括雾、大气清洁度和疾病突发气象指数等的预报技术,进行城市灾害评估和对策研究。

"长江、嫩江流域特大暴雨预报预测服务研究"。建立1998年长江流域、嫩江流域持续性大暴雨资料库,分析大暴雨雨情特征、气候背景以及不同物理因子的相互作用,研究1998年夏季特大持续性暴雨发生的天气过程和物理成因，建立真实反映’98 特大暴雨形成的天气一物理模式，进行 1998 特大暴雨过程的物理学与动力诊断分析的敏感性数值模拟试验。

组织《2116 工程》(国家科技部发起的〈中国 21 世纪养活 16 亿人口食物安全关键技术〉)项目前期筹备工作 由中国气象局建议的《农业生产气象保障和调控技术》已通过科技部组织的可行性报告专家论证。本研究项目的总体设想就是依托气象部门高科技手段和各类研究成果，计算机信息网络设施，包括国家级——区域级卫星通讯网，紧紧围绕《2116 工程》农业生产环境对气象保障和人工增雨调蓄水资源的需求为目标，对各类气象服务信息产品进行再加工、处理、集成，研建可供业务运行的国家——区域级农业生产环境气象保障和调控技术系统。

组织申报国家“九五”攻关增补专题 “中国历史气候基础资料系统及其应用前景的研究”、“南极大气和空间物理过程对全球变化的响应研究”两项攻关增补专题获批准。此外在国家高新技术项目有关专题及人事部非教育系统回国留学人员择优资助项目的申报工作，也取得一定的成绩。

“九五”气象科研计划的组织实施 编制“九五”第三批项目计划，新批准“我国气象科学技术发展 15 年规划”、“安徽省淮河流域(梅雨期)中尺度天气系统发生发展研究及应用”、“非常规探测资料在汛期强降水天气预报中的应用研究”、“人工增雨潜力综合技术研究”、“低层大气风、温、湿度廓线预报方法研究”等。完成中国气象局“九五”青年气象科学基金第二批共 46 个项目的下达和拨款。

研究工作进展及成果应用

四大试验外场观测圆满完成 对南海季风试验、青藏高原试验、华南暴雨试验以及淮河流域能量和水份循环试验 4 个“九五”国家大气科学领域重大基础研究项目外场观测试验，组织召开各试验首席科学家协调会，协调各试验的观测内容、布点及联合观测的有关事宜。同时通过外部协调，得到各参试国家、地区和国内有关部门的支持和帮助，保证了试验的顺利进行。综合各试验的观测任务，编制联合观测计划。四大试验观测任务涉及 29 个省、区、市、单列市气象局的 500 多个台站，且加密站点、时间、次数各不相同。通过多次召开各项目观测组和各有关省局业务处长会议协调观测计划，将观测任务落实到各省局，并签订观测协议，保证观测人员、仪器切实到位。1998 年 5～8 月四大试验联合进行了包括大气、海洋以及水文的外场观测，共进行了地面、高空、雷达观测以及水文、通量和其它多种特种项目观测，取得大量资料，完成了加密观测任务。

同时加强试验的宣传报道。在广州举行的四大试验新闻发布会、作业运行中心揭牌仪式及海洋考察船的出船仪式；联系新闻单位对有关领导进行专题采访，并和中国气象报联合发布四大试验专栏。据不完全统计，各类报纸共编发有关试验报道 15 篇。采访有关人员 10 人次以上，中央电视台及有关省电视台播发了有关试验的专题报道。

外场观测结束后，组织表彰了 6 个先进司局级单位，31 个先进处级单位和 67 名先进个人。

我国短期气候预测系统的研究 配合科技部评估中心组织进行了项目的中期评估，在评估中心负责评估的 22 个项目中列前 10 名。

从气候和前兆环流条件出发，概括出了影响我国汛期气候异常的主要因子。根据最近 50 年资料的综合分析，对于中国的降水和温度异常，最强的气候信号是厄尔尼诺事件、高原积雪和季风。尤其是厄尔尼诺次年，长江流域以南的降水有明显偏多的趋势；高原前冬和春季积雪偏多，汛期在长江以南地区降水也明显偏多。这种情况下季风偏弱、偏南，降水区也偏南。1998 年长江流域特大暴雨洪涝就是利用了这些信号及其相关关系作出了正确的预报。研究还发现，极区发生的日食次数与厄尔尼诺的发生和强度有很好的统计关系，因此也可作为预测我国旱涝火害的前期因子。

基本上完成了气候模式系统各分系统的工作，为建立我国第一个气候模式系统准备了条件。在原中期数值预报模式 T63 的基础上，通过改进气压梯度的计算，增加质量守恒方案，克服原模式的气候漂移问题；改造对流参数化方案陆面过程及边界层计算方案，形成了我国自己的初步模式版本。建立了 T63 月动力延伸预报产品的输出系统和预报结果的检验系统，完善了 30 层全球海洋环流模式，对区域气候模式 RegCM2 中陆面过程、积云对流过程、边界层等方面结合我国特点作了改进，还用发展的简单海气藕合动力学模式作了 ENS0 预测，成功地预报出 1997～1998 年的 ENSO 事件的发生、发展与消亡。

初步研制了气候变化对国民经济主要部门影响的评估模式，并考虑了与气候预测模式的连接。基本完成了气候异常对我国江南双季稻、华北冬小麦、东北春玉米和新疆棉花等农业生产影响的评估模型；初步研制了气候异常对我国水资源影响的评估模型，包括黄河中下游、海河流域、淮河流域和长江中下游的分布式水文模型；初步研究了气候异常对国民经济影响的综合业务评估系统，包括对能源、交通和长江三峡工程建设以及土地覆盖类型影响的诊断分析，构建了相应的影响评价结构模型和数据库。

初步建立了厄尔尼诺监测与预测、重大旱涝灾害预测和年际气候预测分系统。初步建立了有一定物理基础的汛期降水和年际气候异常的预测模型和方法，在业务使用中，比较准确地预报了1998年长江全流域性的多雨洪涝。研究了短期气候预测的评估方法和综合技术，提出了几种有一定数学基础的客观的集成、决策方法。研究了短期气候监测、预测、评估和服务系统的总体框架和总装方案，为形成新一代具有一定物理基础和较强预测能力的动力与统计相结合的国家级短期气候预测综合业务系统奠定了良好基础。

初步研制了针对我国不同气候和灾害特征的7个区域级短期气候预测系统，在数据库建设、短期气候预测因子优化和预测方法的完善、完善异常气候指标、开展动力产品解释应用、短期气候预测集成与评估方法、气候影响评估中取得了很多成果。完成了各区域短期气候业务系统的结构设计。

据不完全统计，项目已完成研究论文和技术报告307篇，出版专著3本，学报级专刊2本，部门或省级学术专刊4本。

农业气象灾害防御技术研究 秸秆覆盖麦田保墒增效技术：对不同土壤水分麦田进行秸秆覆盖，其保墒增效（即提高水分利用效率）效果不同。以55%～70%土壤相对湿度覆盖效果最佳，可增产18%，水分利用效率提高22%。通过选择适宜的覆盖量和覆盖期，在保护地和试验示范区应用，取得明显效果。

冬小麦有限水分胁迫增产技术：经有限水分胁迫处理后的冬小麦，产量可增加3%～7%，水分利用效率可提高9%～20%。该成果具有较好的增产节水效应，可操作性强，在华北地区具有良好的推广前景。

底墒利用技术：进行隔断自然降水和无人工补水试验，揭示了华北地区冬小麦底墒的特征，研制了不同土层厚度的冬小麦底墒量的推定方法，并推定了1997年华北地区40个站点的冬小麦底墒量。

华北农业干旱识别技术：通过建立冬小麦生长发育模式、作物干旱识别模式、土壤干旱识别模式，并将它们集成为华北农业干旱识别系统。为指导抗旱提供依据，该技术建立在土壤—作物—大气系统理论基础上，具有综合性、可操作性、实用性和可调节性。

层状云识别和对流云人工增雨技术：提出了识别层状冷云潜力区的综合技术指标包括云况、降水、雷达回波、卫星、闪电定位等；研制了对流云人工增雨的雷达监测、识别、决策、指挥技术方法和对流云人工增雨数值模式，能实时预测对流云的发展、增雨潜力、人工催化的最佳部位、时机、剂量及产生的物理效应和人工增雨量的时空分布等，为对流云人工增雨作业设计和指挥提供科学依据。

国家计委下达的专项研究 “地面气象自动观测系统”完成了中尺度自动气象站、地面综合有线遥测仪的研制和现场考核，均已通过设计定型，开始业务布站。“雾探测器的研制”完成了一台性能样机，并进行采样，与粒子测量系统进行比较，为准确定标积累数据。“气象台站雷电防护技术研究”和“GPS高空探测系统研究”进行了任务分解和协作招标，并开展了分设备和关键元器件的设计和研制。

人工影响天气

成立人工影响天气联合开放实验室 中国气象局和吉林省人民政府于1998年6月5日批准成立“中国气象局和吉林省人民政府人工影响天气联合开放实验室”，实验室由吉林省人工降雨防雹办公室和中国气象科学研究院人工影响天气研究所两部分联合组成。实验室挂牌仪式于6月10日举行，省政府王立英副秘书长主持仪式，中国气象局科教司萧永生司长宣读中国气象局《关于同意成立人工影响天气联合开放实验室的批复》，刘淑莹副省长和中国气象局马鹤年副局长先后讲话，中科院赵柏林院士赋诗表示祝贺。吉林省政府有关部门的领导、吉林省气象局和中国气科院的领导以及部分省气象局和人影办的领导出席了挂牌仪式。

人工影响天气管理工作 1998年6月6日，温家宝副总理在听取气象工作汇报时明确指示“保留人工影响天气协调会议制度”。鉴于国务院有关组成部门和直属机构有很大调整，经商“全国人工影响天气协调会议”各成员单位，对参加“协调会议”的成员和联络员做了调整。

6月10～13日，中国气象局科教司在长春召开省级人工影响天气基地建设研讨会，15个省(区、市)人影办的负责人和中科院、中国气象科学院等科研单位的有关专家出席会议。专家们结合一些省人影基地目前建设的情况，就省级人影基地建设的目的、任务，建设目标和发展方向等问题进行了深入研讨，对今后进一步开展省级人影基地建设提出了意见和建议。

11月10～14日在福建省举办“人工增雨防雹效果评估方法研习班”，各省60余人参加。福建、山东和湖南三省专家分别讲授、演示所研究的效果评估方法，学员通过上机操作具体了解几种方法的思路及其技术方面的优缺点，并提出改进意见。各省代表还就如何结合本省实际情况开展人工增雨防雹效果评估工作进行了研讨。

对云南866厂HJY—74型增雨防雹子母焰弹火箭的技术鉴定，航天工业总公司WR型增雨防雹火箭1998年应用试验工作总结会，以及江西9394厂火箭的试验研制等工作进行了协调和指导。

获气象科学奖及气象科技进步奖项目

获1998年中国气象局气象科学二等奖

项 目 名 称：冰晶粒子光散射、卷云参数的卫星遥感反演和水云短波辐射参数化的研究

主要完成单位：成都气象学院大气辐射与卫星遥感研究室

主要完成人员：许丽生　张建云　张国栋　陈宏滨

本项目研究涉及云、冰粒子对太阳辐射散射和卷云卫星遥感反演前缘问题。研究了非球形冰晶粒子的吸收，发展了冰晶衍射计算方法，改进了冰粒子射线光学理论。

获1998年中国气象局气象科学三等奖

项 目 名 称：非均质轴对称形状气象粒子电磁散射理论研究(含实验)

主要完成单位：南京气象学院

主要完成人员：王宝瑞　张培昌　嵇驿民　王庆安　忻翎艳

本项研究通过散射理论分析，建立了大气粒子简单分类的散射模型。采用分离变量和积分方程方法，得到了单粒子散射特性的理论公式及相应数值计算程序，研究计算了降水粒子对雷达波长的散射特性。进而研究了粒子群的散射特性。并在国内二种精密微波暗室对扁椭球降水粒子进行了理论计算值与实测值比对。

获1998年中国气象局气象科技进步二等奖

项 目 名 称：中国西北地区干旱气候成因、预测和对策研究

主要完成单位：甘肃、陕西、新疆、青海、宁夏省(区)气象局、南京气象学院

主要完成人员：孙国武　罗哲贤　李兆元　桑修诚　吴永森　许朝斎　周陆生　马镜娴　杨文峰

该项目在研究中建立了西北干旱资料数据库，收集了气象、水文、人文等20类181项统计资料。对气候变化趋势和跃变等进行了较详细的分析，并探讨与中东、非洲干旱气候之间的联系。该项目研究了干旱期的大气低频遥相关型及其低频波列，建立了预测方法，并于1994～1996年应用于业务。

项 目 名 称：长期预报理论和方法研究

主要完成单位：南京气象学院、中国气象科学研究院、国家气象中心、国家气候中心

主要完成人员：章基嘉　孙照渤　郑庆林　李小泉　王盘兴　张先恭　赵振国　陈兴芳　吴洪宝

该项目是研究解决我国大范围旱涝成因及发生机理，月、季长期预报的物理基础与预报方法的改进，建立长期数值预报。主要成果有：1.将观测分析、数值试验和动力学相结合，研究影响我国月、季长期预报的物理过程。2. 建立了3种月尺度大气环流的预报方法(统计、动力和选相似)。3.揭示了气候年际震荡的许多事实。4.建立了长期NMP的模式、普模式。

项 目 名 称:国家级气候资料处理及应用服务系统

主要完成单位:国家气象中心气候资料中心

主要完成人员:宋连春 王伯民 刘小宁 钱玉英 张德宽 许 松 李集明 花灿华 马有哲

该系统采用分布式数据库技术,建立和完善了气候资料收集—处理—存档应用的自动化业务流程。实现了气候资料的科学管理和分布式检索,促进了气候资料的使用。该项目的完成对我国省级气候资料业务系统建设具有很强的指导作用,具有广泛的推广应用前景。

项 目 名 称:静止气象卫星中规模利用站处理系统和信号接收、摄入一体化卡 研制

主要完成单位:中国气象局国家卫星气象中心

主要完成人员:吴蓉璋 杨国弘 杨 军 岳江水 郭 明 施 岩 陈伟荣 龙向荣 张运刚

中规模利用站处理系统在微机主流系统平台上,采用了先进的编程技术,设计中充分考虑了气象业务需求。系统功能全面、自动化程度高,具有实时采集和处理 FY—2 和 GMS 静止气象卫星展宽云图数据的能力。软件还较好地解决了多任务作业,前后台运行等技术。本项目的成果已在国内外近百家用户单位投入业务运行。

项 目 名 称:微型无人驾驶飞机气象探空系统

主要完成单位:江西省气象科学研究所

主要完成人员:马舒庆 刘祖仑 汪 改 潘 毅 王毅祥 吴圆甫 徐 明

该项目采用 GPS、自动控制、数字通信及大气探测等技术的结合,研制成功微型无人驾驶飞机气象探空系统,并进行了野外观测试验,取得了成功的结果。该项成果不仅为我国气象观测提供了一个新工具,同时在环境评价、地球环流遥感及空中摄影等方面具有广泛的应用价值。

项 目 名 称:气象服务效益评估研究

主要完成单位:中国气象局总体规划研究设计室、中国气象局气象服 务与气候司

主要完成人员:颜 宏 章国材 周曙光 高兴龙 陆 楠 张钛仁 张方范 郑长贵 史国宁

该课题主要是根据气象服务效益的多元性、开放性和难度量性,采用社会调查和专家评估及自愿付费、节省费用、影子价格和综合个例分析等方法,分别对公众和行业气象服务效益进行了定量评估,同时建立了一套比较科学实用的评估方法和计算机应用软件系统及一批软科学研究成果,这些成果被广泛采用和推广。

获 1998 年中国气象局气象科技进步三等奖

项 目 名 称:东北冷涡研究

主要完成单位:辽宁省、吉林省、黑龙江省气象局

主要完成人员:毛贤敏 白人海 孙 力 朱其文 李用左

该项目根据 30 多年的资料统计分析了东北冷涡的基本状况和活动规律及灾害性天气的时空分布特征;对东北冷涡与周围大型环流系统和下垫面强迫作用的关系、东北冷涡的发展和加强、东北冷涡暴雨的机制和特点、东北冷涡诱发中尺度系统的环境条件和特征等方面作了较为系统的理论研究,并对其进行了数值模拟及预报试验;建立了基于位涡守恒原理的诊断模型;建立了“中期降水降温、短期冷涡加强或减弱、冷涡暴雨出现概率、中尺度天气发生的可能性、冷涡形势要素等五种预报方法。

项 目 名 称:应用 T106 数值预报产品做基本要素预报方法研究

主要完成单位:河北省气象局

主要完成人员:张守保 杜青文 张迎新 史风兰 康西言

该项目利用 T106 数值预报产品,开发了一套适应河北省天气特点的要素预报系统,包括资料调入、资料预处理、产品生成、产品输出、产品发送存档及历史各要素查询全自动数值预报产品应用系统。预报系统能逐日滚动做出时效为 1～7 天的全省 146 个站的降水量、最高最低气温、最大最小相对湿度、风向风速预报,寒潮分片预报及石家庄 24 小时天空云量预报。研究成果已推广到省局十多个市局应用,部分要素预报在省台正式投入业务运行,并作为指导预报产品下发。

项 目 名 称:多元分析及短期气候异常诊断、预测理论方法的研究

主要完成单位:南京气象学院、广西省气象局

主要完成人员:施　能　丁裕国　屠其璞　王建新　江志红

该项目主要研究成果有,分析研究了 EOF 展开的失真性及其改进方法,应用奇异值分解法(SVD)和最优气候预测模型于中国夏半年长江和黄河汛期降水预报和 SST 诊断研究,提出了一个确定气候转折点的非线性模型;研究了大气环流遥相关异常特征及其与 ENSO 的关系及其诊断和预测方法。

项 目 名 称:热带西太平洋海气相互作用考察(TOGA-COARE)及诊断和模拟研究

主要完成单位:国家气候中心、中国气象科学研究院

主要完成人员:李　骥　赵其庚　杨梅玉　姚华栋　刘屹岷

该项目主要成果:1. 在国家海洋局的两艘考察船上进行了海表辐射量·ISS 综合探空系统,多普勒雷达、探空等专项观测,收集了实时观测资料,与兄弟单位交换了资料,整理了西太平洋的海洋大气资料。2. 用大气和海洋环流模式进行了敏感性试验,模拟了热带太平洋海温对我国降水的影响及厄尔尼诺与热带太平洋海表风力异常的关系,为海气相互作用参数化提供了依据。3. 在引进 GFDL 海气模式的基础上发展了一个以模拟和预测热带太平洋季到年际变化为主要目标的高分辨率太平洋海洋环流模式。

项 目 名 称:短期气候预测理论和预测方法的研究

主要完成单位:中国气象科学研究院、南京气象学院、北京气象学院

主要完成人员:丁一汇　王馥棠　曹鸿兴　赵宗慈　陈菊英

该项目主要在我国气候变化规律与成因、气候预测数值模式、气候变化对我国农业生产影响、气候变化特征与预测物理方法等 4 个方面进行了预研究,主要成果内容有:1. 从多要素、多角度研究了近百年来尤其是近 40 年来我国冷暖、干湿气候变化特征,揭示了一些气候变化的新事实。2. 引进、移植、开发了多个气候模式,并进行了初步模拟试验。3. 建立了江淮地区 500 年农业丰歉——旱涝序列,设计了适合于我国的双季稻模式,进行了二氧化碳倍增对农作物生长的影响试验。4. 分析了近 45 年(1951～1995 年)我国汛期旱涝、温度距平的分布特征以及夏季雨带的分布类型,自 1993 年以来,每年运用所总结出的成果制作汛期旱涝预报。

项 目 名 称:江苏省连云港市云台山气候资源考察和分析及其开发利用研究

主要完成单位:江苏省连云港市气象局

主要完成人员:冯家沛　张顺成　张　勇　段良武　孙守功

该项目对云台山区热量资源、降水资源作了较深入地分析,阐明该山区作为温带和北亚热带的过渡区对各种名、特经济林果和珍贵药材的南移北引所具有的特殊地位。该项目对云台山区综合开发提出具体建议,并已在业务中应用。

项 目 名 称:黑龙江省城镇火险预报及火灾防御对策研究

主要完成单位:黑龙江省气象局

主要完成人员:朱慧斌　李世文　高煜中　沈立君　白人海

该课题在 3 个方面进行了研究:1. 城镇火灾资料库和资料库管理系统;2. 城镇火险等级预报系统;3. 城镇火险警报系统及火灾预防对策。取得了建立资料库、提出新的火险等级标准、新的火险等级预报方法等 7 项主要科研成果。

项 目 名 称:西北地区沙尘暴研究

主要完成单位:国家卫星气象中心、中国科学院兰州高原大气物理所、甘肃省气象局、中国科学院兰州沙漠所、中国气象科学研究院

主要完成人员:方宗义　钱正安　江吉喜　陈永卫　夏训成

该课题主要研究内容为:1. 西北地区沙尘暴的成因研究(强风、沙源和不稳定的大气层结);2. 沙尘暴监测和预报方法研究(卫星图像上鉴别出沙尘暴、初步设计出由 6 个分系统组成的沙尘暴监测和预报系统);3. 编写了科普读物(黑风暴)和研究文集汇编(中国沙尘暴研究)。

项 目 名 称:甘肃省旱作农业区土壤水库储水规律及其监测应用研究

主要完成单位：甘肃省气象局业务发展处、兰州干旱气象研究所

主要完成人员：邓振镛　仇化民　方德彪　万　信　邓国伦

该课题根据 0—200CM 深度土壤水分监测数据（达 43 万个），建立了小麦生长与土壤水分监测服务系统。以此为基础，分析了土壤水分补给量、土壤储水能力、时空变化、对小麦产量的影响，开展了提高土壤水分利用途径的示范试验。

项　目　名　称：在农业上大规模开发利用二氧化碳的试验研究

主要完成单位：河南省气象科研所、河南省科学院地理所、中国气象科学研究院、桐柏县气象局、商邱县气象局

主要完成人员：汪永钦　周克前　刘荣花　王良启　王信理

该项目论证了工厂尾气二氧化碳用于温烟作物的可能性，分析了增施二氧化碳对农作物苗期、生长期产量的影响。提出了适合我国温烟特点的相应技术指标（施放方式、时间、数量等）。研制了简易测量二氧化碳浓度的仪器。增产效果显著，积累的增施温烟数据达 26 万多个。该项目在增施二氧化碳技术，指标及仪器研制上有特色。

项　目　名　称：气象工程中高级技术资格评审条件

主要完成单位：中国气象局人事劳动司科技干部处

主要完成人员：孔佑坤　邓　强　王祖亭　李振宽

该课题的框架结构合理，涵盖面较广，专业划分合理，符合气象行业的实际，标准的设置比较科学，科技水平的要求适度，有较强的可操作性。1996 年试行后，规范了技术职称的评审工作，为科学、公正地评价气象工程专业技术人员的学术、技术水平提供了依据。

气象教育工作

概　述

1998 年气象高等教育在局属高校管理体制改革、加强高层次人才培养、重点院校建设及高校筒子楼改造方面取得了积极的进展。

中等教育在中专教育管理体制改革，省、地气象台短期预报岗位培训，试点持证上岗、岗位适应性培训，继续教育和机关在职人员培训等方面开展了工作。

普通教育

普通高等教育　1998 年，南京气象学院和成都气象学院共招收普通本、专科生 1803 人（其中本科生 1207 人，专科生 596 人），毕业普通本、专科生 1352 人（其中本科生 488 人，专科生 864 人）。在校普通本、专科生 5357 人（其中本科生 3614 人，专科生 1743 人）。年内，南京气象学院和中国气象科学研究院共招收研究生 78 人（其中硕士生 67 人，博士生 11 人），毕业研究生 45 人（其中硕士生 43 人，博士生 2 人），在学研究生 198 人（其中硕士生 169 人，博士生 29 人）。

科教司按照 1998 年版《普通高等学校本科专业目录》，对各校的本科专业进行清理。至 1998 年底，南京气象学院共设本科专业 8 个：英语、信息与计算科学、大气科学、应用气象学、计算机科学与技术、信息工程、会计学、行政管理等；成都气象学院共设本科专业 5 个：大气科学、电子信息工程、通信工程、计算机科学与技术、会计学等。

南京气象学院申报备案新增本科专业 3 个：环境科学、资源环境与城乡规划管理和物理学，已列入 1999 年招生计划。

国务院学位委员会 1998 年 6 月批准，南京气象学院大气物理学和大气环境专业为博士学位授权学科（专业）。南京气象学院系统分析集成专业为硕士学位授权学科（专业）。

经中国气象局组织遴选并报国务院学位办备案，南京气象学院 1998 年博士生导师为：孙照渤、丁一汇、朱乾根、陈联寿、何金海、郑庆林、陆维松、方宗义、屠其璞等 9 人。

经中国气象局党组研究决定，并报教育部和中编办同意，北京气象学院转建为南京气象学院北京分院和中国气象局培训中心，实行一个机构，两块牌子。

4 月，由温克刚局长带队，中国气象局调研组到

南京气象学院进行调研，并组织专家对该院 5～10 年现代化建设规划要点进行论证。而后，中国气象局印发了《关于南京气象学院现代化建设规划的批复》。

8 月，李黄副局长在京主持召开了局属高校筒子楼改造会议，会后，各校均成立了由主管领导任组长的筒子楼改造领导小组，筒子楼改造进入实施阶段。

普通中等教育 普通中专招生 4305 人（其中本部门任务招生 345 人），毕业 3106 人，在校生数为 13270 人。

经调研论证，制定了气象中专学校多媒体教室建设和校园网暨办公自动化系统建设方案。

成人教育

成人高等教育 1998 年，局属高校共招收成人专科生 1475 人（其中，函授 463 人，夜大 84 人，成人脱产班 928 人），毕业成人专科生 1043 人（其中函授 271 人，夜大 167 人，成人脱产班 605 人）。成人在校生 3498 人（其中函授 1234 人，夜大 257 人，成人脱产班 2007 人）。

科教司组织局属高校制订了函授气象学和计算机及应用两专科专业指导性教学计划。完成了函授本科专业（南京气象学院：大气科学和计算机科学与技术）的申报工作和新增成人专科专业（成都气象学院：计算机信息管理和金融保险）的审批备案工作。

1998 年，中国气象局在外国文教专家的聘请和引进国外智力、派出培训工作中，共获批准项目 14 个，争取经费人民币 77.9 万元，请进外国专家 26 人，派出培训 17 人。

成人中等教育 气象成人中专招生 47 人，毕业 181 人，在校生 480 人。

7 月和 9 月，马鹤年、颜宏副局长先后到兰州气校视察。9 月，兰州气象学校接待了世界气象组织多国别考察团到校考察。中国气象局人事司和科教司组成考核小组到湛江气象学校考核校级领导班子。10 月份，河北省气象学校加挂“河北省气象培训中心”牌子。6 月份在南昌组织举办了气象教育培训工作研讨班，10 月份在成都组织举办了气象中专学校教育改革研讨班。

继续教育和岗位培训 中国气象局机关各职能单位举办对口培训班 24 期，培训人数 2000 多人。局机关本年送外培训 31 人，其中参加学历教育 25 人（含攻读博士学位 2 人，硕士学位 1 人，研究生课程班 8 人，本科 9 人，专科 5 人），参加短期培训 6 人。

为时两年的《全国气象部门计算机知识普及培训》全部结束，全国共有 3.9 万气象专业技术人员和管理人员参加了培训，占应培训人数（≤50 岁的专业技术人员和管理人员）的 83.8%，笔试考试成绩平均 89.3 分，上机考试合格率为 99.8%。参加“普训”人员中，有司局级领导 39 人，具有高级职称的人员 789 人，还有 212 名 50 岁以上的老同志也积极自愿参加了培训。本次“普训”评出了 9 个组织管理优秀单位，10 名组织管理先进个人和 8 名优秀学员，分别给予奖牌、奖状和物质奖励。

组织各省局机关处以上领导干部、管理人员收看厉以宁教授关于“国企改革与股份制”录像讲座，共有 4700 余人收看，其中处以上干部 500 多人。

印发了《关于开展省地气象台短期预报岗位培训的通知》，对培训对象、要求和进度作出了具体的规定和部署。举办了第二期“省地气象台短期预报岗位培训师资培训班”，全国有 31 个省（区、市）气象局派员共 31 人参加了培训。出版发行了《省地气象台短期预报岗位培训教材》，同时，抓紧制作与教材相配套的教学录像带。11 月份印发了《关于开展省地气象台短期预报岗位培训的意见》，并在河北省气象局举办了省地气象台短期预报岗位试点培训，参加培训 57 人，53 人参加了笔试考试（闭卷），成绩全部合格，平均分 87.5 分。

部分省级培训中心建立了多媒体教室。

计划财务工作

概　述

1998 年计划财务工作以气象事业发展规划、重点建设项目、争取国家财力支持和规章制度建设为重点，完成了年度各项工作计划。

气象事业发展计划抓住国家加大基础设施建设投资的机遇，加大业务现代化建设和基层台站基础设施建设的投资力度，1998 年气象事业费和基本建设投资(含专项)总额均超过7亿元;气象事业单位实行新的财务会计制度,会计电算化网络投入运行;在财务、统计、国有资产等管理工作中,制定了一批规章制度;中国气象局出售公有住房工作开始实施。

中长期气象计划的制定和实施

计划编制 完成了省级气象事业发展“九五”计划的审批工作。进行了业务现代化和基础设施建设项目的批复。组织编写了《大气监测自动化系统(一期)项目建议书》,并按要求报送国家计委。配合中国国际工程咨询公司,组织完成《长江三峡工程气象保障服务系统专项设计报告》的评估论证工作。发行了《中国21世纪议程气象行动计划》。

基本建设项目投资计划及执行情况

基建投资 1998年国家计委安排中国气象局非经营性基建投资3.9亿元,国家财政预算内专项资金3亿元,合计6.9亿元,是历年来国家对气象部门安排投资最多的一年。自有资金计划0.6亿元,为1997年的3倍,实际执行0.54亿元,完成计划的91.2%。此外,财政部安排气象卫星专项资金0.4亿元。

计划编排上,优先保证重点工程项目和科研业务项目的投资需求,年度投资比重达到46.2%。加大了职工住宅建设的投资比重,占基础设施建设年度投资的82%以上。对国家财政预算内专项资金,按专款专用原则,全部用于新一代雷达系统和9210扩展工程的建设。

大中型建设项目 1998年安排投资1.5亿元(含气象卫星专项资金)。气象卫星综合应用业务系统(9210工程)基本建成并投入试运行,已在1998年汛期气象服务中发挥重要作用。“风云一号”02批气象卫星的研制生产,其地面应用系统按计划进行建设。我国第一个遥感卫星辐射校正场的建设顺利进行,短期气候预测业务系统和大气监测自动化系统的前期工作已投入部分资金,进行了部分前期试验、设备研制和大气本底站的建设。国家气象中心高性能计算机的引进工作进展顺利。

小型建设项目 1998年安排投资2.8亿元,其中业务、科研教育投资0.8亿元,对基础设施建设投资2亿余元,主要用于职工住宅建设,配套设施建设,基层台站、受灾台站和艰苦台站的基础设施建设,继续为艰苦地区台站购置汽车等。

财　务

财务预决算 1998年各项经费的财政补助收入中,气象事业费7.4亿元,教育事业费0.45亿元,均比上一年有较大增加。此外,科学事业费为0.4亿元,科技三项费用为0.1亿元,住房改革支出0.3亿元(含科学事业单位住房公积金90万元),外交支出0.06亿元,国际组织支出和偿付外国资产支出0.06亿元。

按照新财务会计制度的口径,编报完成1997年度气象事业费、教育事业费、基本建设财务、科学事业费、预算外资金收支、科技三项费、外交支出、住房改革支出等项经费的决算报表,并布置了1998年度各项经费的决算工作。及时批复了各下属单位的年度经费决算。1997年度基本建设财务和科学事业费决算分别获得财政部、科技部奖励。

根据国家下达的预算指标,拟定1998年各项经费的分配方案。编制上报1999年度气象部门科研单位房改经费预算(草案)。汇审上报了在京直属单位1998年副食品价格补贴计划,并向北京市财政局报送相关的季度报表

财务改革与财务管理 根据国家行政事业性收费的改革精神,协同有关部门就气象有偿专业服务收费的内容、价格等,进行了调查研究。向财政部报送气象部门1997年度行政事业性收费统计表,完成了在京单位行政事业性收费票据的申领、发放工作。

进一步加强预算外资金的管理,做好预算外财政专户资金的上缴、返还工作,修订下发《气象部门预算外资金管理暂行办法》。根据国家制定的科学事业单位新的财务制度及会计制度,初步拟订《气象部门科学事业单位财务管理办法》。

实施会计电算化,为省级气象局配备了会计软件和计算机,进行会计电算软件培训。计财司与各省(区、市)气象局及京外直属单位之间开通会计电算化网络系统,多数单位1998年气象事业费决算草案

的数据实现网上传输。加强会计基础工作，举办省级气象局基建财务管理人员培训班。与有关省局合作编写了《气象部门基本建设财务管理手册》。

财务清查 继续开展气象部门财务清查和检查工作，向财政部报送了气象部门“1997年财务大检查工作总结”。配合国家审计署完成对1996年、1997年科学事业费及科技三项费预算执行情况的延伸审计工作。

统 计

统计业务 审核汇总了气象部门1997年综合统计年报、固定资产投资和现有房屋统计年报数据，编制了统计公报，编辑了1997年《气象统计年鉴》。修订1998年统计报表制度并组织实施。完成了“八五”期间气象事业统计资料的出版发行任务。向国家主管部门报送了固定资产投资定期统计报表、部委办公楼基本情况统计表，以及《1998年国民经济和社会发展统计公报》(气象) 等各类专项统计资料。各省(区、市)、计划单列市气象局和各直属单位、院校，完成了部门统计任务、地方政府组织实施的基本单位普查和专门调查及定期报表的报送工作，参加了地方政府组织的统计检查活动。在对1997年度气象部门统计报表的质量考评中，综合统计获优秀等级的单位占60.7%，获优良等级的单位占12.5%；固定资产投资和房屋统计获一等奖的单位占47.2%，获二等奖的单位占22.6%。1998年气象部门跨省区建设项目投资统计报表质量被评为特等奖。

统计管理 根据《中华人民共和国统计法》，修订印发了《气象部门统计工作管理办法》。贯彻中央办公厅、国务院办公厅《关于反对和制止在统计上弄虚作假的通知》精神，开展了气象部门统计检查工作，并按“通知”要求向中央和国务院报告了有关情况。

国有资产管理

国有资产 完成气象部门1997年度国有资产统计报表和产权登记年检工作。向国家国有资产管理局报送了国有资产年度报表汇总表及全部基层报表数据和行政事业单位年检总结、企业年检汇总报表及国有资产经营及变动分析报告。1997年气象部门企业统计户数为371户，资产总额为6.7亿余元，负债4.1亿余元，国有资产总额2.2亿元。1997年气象部门行政事业单位统计户数为1854户，资产总额为47.9亿元，其中国有资产总额43.9亿元，1997年气象部门建设项目(单位)统计个数980个，资产总额15.7亿元，其中国有资产总额13.1亿元。

1997年气象部门国有资产年报工作先进单位26个，产权登记工作先进单位25个，其中“双先”单位21个。

气象部门城镇集体企业清产核资工作全面开展。各省(区、市)气象局和直属单位配合地方政府清产核资机构，完成了清产核资各项任务，并进行了“挂靠”集体企业的清理甄别工作，完成本系统集体企业清产核资数据汇总工作。

提出《关于加强气象部门国有资产管理工作的意见》，印发《气象部门事业单位国有资产管理暂行办法》。

住房制度改革 1998年共计审批15个省(区、市)气象局和直属单位、院校的出售公有住房方案。转发《国务院关于进一步深化城镇住房制度改革加快住房建设的通知》(国发[1998]23号)。按照国务院机关事务管理局的要求和北京市政府的房改政策，中国气象局及其在京单位启动售房。

(赵德强)

人事工作

概 述

1998年人事工作继续以加强领导班子建设为重点，积极稳妥地完成了中国气象局的机构改革工作，职称改革进一步深化，职工队伍总量得到严格控制，各省(区、市)气象局推行公务员制度工作基本完成。

领导班子建设

干部任免 考核调整司局级领导班子14个，任命司局级领导干部33人(含非领导职务9人)。其中，新提任的5名正司局级领导干部平均年龄50.8岁，45岁以下的1人；新提任的19名副司局级领导干部平均年龄42.5岁，45岁以下的13人。

15名中国气象局党组管理的干部办理了退休手续，其中，司局级干部13名，处级干部2名。

干部管理 1998年中国气象局机关、国家气象中心共选派2名处级干部参加扶贫工作；全国气象部门有4名司局级干部分别到中央党校、国家行政学院进修。

年内，对气象部门贯彻执行《党政领导干部选拔任用工作暂行条例》情况进行检查。向中组部上报了《中国气象局党组关于〈党政领导干部选拔任用工作暂行条例〉执行情况的报告》。

机构编制

机构改革 经国务院批准，国务院办公厅印发了《中国气象局职能配置内设机构和人员编制规定的通知》(国办发[1998]137号)。年内，中国气象局完成了机构改革工作，制定印发了《〈中国气象局职能配置、内设机构和人员编制规定〉实施办法的通知》(中气人发[1998]49号)、《中国气象局内设机构职能配置和机构编制方案的通知》(中气人发[1998]60号)。根据职责任务，中国气象局内设办公室、监测网络司、预测减灾司、科技教育司、计划财务司、人事劳动司、政策法规司、外事司8个职能司(室)、机关党委和监察审计机构。

机构管理 批准了国家气象中心机构编制调整方案；成立了北京气象高新技术培训中心；经中央机构编制委员会办公室批准，北京气象学院更名为中国气象局培训中心。

在原松花江地区气象局和哈尔滨市气象局合并的基础上，重新组建了哈尔滨市气象局。重庆市气象局，河南、四川、贵州省气象局和中国气象局培训中心成立了人才交流中心。四川省眉山地区因当地行政区划调整，其气象机构由县(市)局级升格为地(市)局级。

印发了《关于省局一级气象机构不设置总工职位的通知》(中气人发[1998]10号)，通知规定：省(区、市)气象局一律不设总工、副总工职位。已经任命的总工、副总工，要在现有职位和职数内尽快调整。印发了《关于进一步加强机构编制管理的通知》(中气人发[1998]23号)，通知要求各单位要严格按照中国气象局审批的机构编制方案与有关规定设置机构和配备领导干部，凡未按规定程序报批增设的机构，擅自增核领导职数或超职数配备干部的，都要认真进行纠正。

机构数量 截止1998年底，气象部门机构设置为：中国气象局机关内设机构9个，处级机构43个(含监察、审计室)，直属单位21个；省(区、市)气象局30个(不含海南省)，机关内设机构282个；计划单列市气象局4个；地(州、市)气象机构327个。

科技干部管理

职称评聘 人事部给气象部门增补了1997年度高级专业技术职务岗位数额400个，中级专业技术职务岗位数额1500个。人事司完成了气象部门1997年度中、高级专业技术职务岗位数额的下达工作，并组织了高级职称外语考试。

科技干部工作 1998年，14人被国务院批准享受政府特殊津贴；国家气象中心的董立清、上海市气象局的姚祖庆被人事部批准为有突出贡献的中青年科学、技术、管理专家；江苏省气象局的孙涵当选为全国“百千万人才工程”1997年度第一、二层次人选。

人事部、全国博士后科研流动站管理协调委员会批准，在南京气象学院设立博士后流动站。

审查批准了64名高级专家提高退休费比例，18名高级专家延长退休年龄。

印发了《省和省以下气象部门基本气象系统岗位设置意见》(试行)、《省和省以下气象部门基本气象系统岗位规范》(试行)。

劳动工资

工资管理 组织完成了中国气象局机关和在京直属单位工作人员调整工资标准工作。审批了江苏、江西、山东3个省9个县气象局的科技人员浮动工资待遇。

劳动工资计划 编制下达了1998年全国气象部门职工人数和工资总额计划。全年共下达招工招干指标75名；审核下达了聘干指标122名。截止年底，全国气象部门正式职工总数63382人，比上年减少 2140 人。

干部录用调配

毕业生分配 1998 年，中国气象局直属院校共有各类毕业生 1098 名。其中，博士生 2 名，研究生 46 名，本、专科生 547 名，中专生 503 名。除 1 人外，均落实了接收单位。1998 年全国气象部门共接收毕业生 982 人，其中，研究生 41 人，本、专科生 409 人，中专生 532 人。

人员调配 1998 年度从外部门调入本部门 122 人，从本部门调出 214 人。

完成了中央第 3 次西藏工作座谈会以来的第一批干部援藏任务，21 名援藏干部于 7 月返回各自工作单位；下发了《气象部门关于做好第 2 批为西藏气象部门选派干部工作的通知》(中气人发[1998]6 号)，选派了 15 名干部援藏；召开了全国气象部门援藏工作经验交流会；人事司建立了 1982 年以来援藏干部数据库。

公务员制度建设

公务员管理 除重庆市气象局外，全国气象部门省(区、市)气象局完成了推行公务员制度工作。

干部奖惩

中国气象局授予国家卫星气象中心总体技术处静止总体室、研究所、运行控制处、北京气象卫星地面站、业务处系统工程科 5 个单位为“《风云二号》静止气象卫星应用系统建设先进单位”称号；对做出重要贡献的李希哲、邱康睦、张青山、许熙、施进明、钱云、王荣敏、孙自余、张志清、彭晓娟、赵深明、王大昌 12 名同志给予通令嘉奖。

国家民委授予宁夏回族自治区西吉县气象局、新疆维吾尔自治区和田地区气象局民族团结进步模范单位称号；授予四川省甘孜藏族自治州气象局的嘎玛扎西、西藏自治区米林县气象局的孔庆莲民族团结进步模范称号。

印发了《关于规范气象部门各类奖惩工作的通知》(中气人发[1998]22 号)。

人事信息统计

截止 1998 年底，除海南省外：

全国气象部门职工总数 63382 人，其中，正式干部 46916 人，聘用制干部 6370 人，固定合同制工人 6818 人，临时工和计划外用工 3278 人。

正式职工的学历结构：研究生 762 人，本科生 10162 人，大专生 12062 人，中专生 22834 人，高中生及其以下 14282 人。

正式职工的专业技术职称结构：高级职称 3259 人，中级职称 19882 人，初级职称 28125 人。

正式职工的行政级别结构：正司、局级及以上(含享受待遇，下同)人员 79 人，副司、局级 179 人，正处级 1241 人，副处级 2276 人，正科级 7884 人，副科级 6242 人。

(王 飞)

气象技术装备工作与产业发展管理

概 述

1998 年气象技术装备与产业发展工作继续以技术装备保障和促进全国气象科技产业发展为重点，狠抓装备质量管理，推进大气探测装备和技术装备保障的现代化建设。组织了深化产业、装备工作改革专题研讨。优化气象科技产业发展的政策环境，加强了产业管理，推动中国气象局直属华云、华奥公司的运作。

装备综合管理

装备改革 年内，中国气象局组织了 5 个调研组，到海南、安徽、贵州、湖南等 12 个省(区、市)气象局和台站，对装备、产业和汛期装备保障工作进行了调研。组织了装备、产业的分项专题研讨，就技术装备工作在气象部门的定位，以及作为基本业务组成部分如何适应改革、增强活力和新形势下机构职能设置等提出了改革意见。年底，根据国务院批准中国气象局机关的“三定”方案，气象技术装备管理工作与大气探测、气象通信网络业务管理工作合并重组为监测网络司。

供应管理 晶体管回答器的推广工作历时两年，产品质量趋于稳定，于年内基本完成。制定下发了《高空消耗器材结算规定》，核定了各省（区、市）气象局高空消耗器材经费定额，理顺了器材经费运行关系。完成了《人工增雨弹的安全使用》录像片的制作。

年内，组织供应高空、地面气象技术装备价值达3120万元，供应人工增雨弹60万发。

技术保障

系统建设 1998年技术装备基建计划安排投资1135万元。组织16个省（区、市）气象局继续进行维修系统建设。进行了西藏、内蒙古自治区气象局通信供电和甘肃省气象业务系统防雷等环境支持系统的建设。完成了天津、江西、吉林3省（市）装备仓库建设。为湖南等8个省配备了气象工程车。举办了2期电子测量仪器技术培训。

保障业务 各省（区、市）气象局在汛期前进行了装备巡检。北京、上海物管处动用特殊储备向多灾地区运送了650万元的各类地面仪器、高空气象消耗器材。

技术装备开发与改造

技术装备开发 组织了新一代L波段二次测风雷达—电子探空仪系统的生产，制订了系统考核试验的总体方案和8个分方案，完成了设备静态验收、探空仪静态测试。

完成了有线遥测气象站（I型）性能考核试验方案的制订，设备考核试验工作按预定计划进行。参与组织并完成了有线遥测气象站（II型）定型工作。完成了大气监测自动化系统（地面）维修保障方案（初稿）的拟订，征求了专家意见。

组织并完成对华云公司和北京市气象局合作研制的中尺度用四要素自动气象站第二次考核试用和资料评估工作，考核结果已提交组织定型。确定了华云公司为ENI型自动测风仪总成单位，并完成首批15套仪器的总成和培训工作。

组织了从芬兰VAISALA公司引进5套自动气象站的测试验收、台站技术人员培训、设备安装调试及试用工作。完成了该自动气象站符合我国业务应用软件的开发并通过专家审定。

完成了利用芬兰政府贷款在青海省建设西北地区灾害性天气监测系统的项目建议书，并通过国家有关部门的立项审批。组织中外专家对青海部分气象台站进行了实地考察，完成了小网建设总体实施方案（初稿）的拟订。

技术装备维修改造 实施了4部天气雷达大修和技改，2部测雨雷达中修，14部测风雷达大修，更新了13个电解水制氢站的设备。

气象计量与质量监督

计量系统建设 为6个省配备了新型温度表检定设备，更新了10个省的温度计检定设备，为25个省订购了气压温度系数检定箱，为青海、甘肃、湖北3省局配备了新型风洞。

质量监督 与国家技术监督局卫星地面站设备认证委员会合作，完成了气象卫星云图接收与处理系统使用许可证管理有关的通用规范、测试方法和软件评估方法3个标准的制订，并进行了培训。完成了2个工厂生产的晶体管回答器和气象卫星数据收集平台使用许可证的测试、审批及发证工作。对业务用辐射仪器及检测设备进行了质量调查。加强了对物管处的管理，建立并试行了产品质量标识制度。

进出口、援外和国际合作

召开了气象部门机电产品进出口座谈会，制订并实施了《中国气象局机电产品进出口管理实施办法》和《机电产品进出口工作程序》，建立了联络员制度。

对外援助8个国家共71万元的气象技术装备。协助工厂做好大型装备（电解水制氢设备）首次援外的生产、验收及外运等工作。

完成了亚洲区域仪器中心（RIC）工作计划的制定，部分工作开始启动。

组织基层艰苦台站配备进口汽车的进口指标申请、车辆选型、进口及供应等工作，先后两批申请到40辆进口汽车指标。

产业发展与管理

产业发展 中国气象局制订了推动气象寻呼业发展的工作方案，对全国气象寻呼业发展状况进行了书面调研，汇编并下发了国家对寻呼业有关的政策文件。与信息产业部协商了气象寻呼全国联网工作，召开了全国气象寻呼协会工作会议，交流了气象寻呼技术与管理工作。

年初，中国气象局下发了防雷工作座谈会纪要，对加强防雷管理工作提出了指导性意见。拟订了《防雷减灾管理办法》，广泛征求了各省(区、市)气象局的意见。制订并实施了《防雷工程专业设计资质管理办法(试行)》《防雷工程专业施工资质管理办法(试行)》，按此《办法》评审通过了湖北省防雷中心申请的甲级资质。中国气象局与公安部联合，到安徽、江西省调查了计算机信息系统防雷工作开展情况，协商了双方合作加强防雷工作的意见。有近15个省气象局和公安厅联合下发文件，对做好计算机信息系统防雷工作提出了要求。拟订了《计算机信息系统防雷规范》，与国家技术监督局联合下发文件，对各级气象部门所属的防雷检测机构进行计量认证工作提出了要求。与中华棉花总公司合作考察了不同类型棉库的防雷工作，提出了整改方案。对国家计委下达的《气象台站雷电防护技术研究》国家重点研究课题，通过招标落实了课题和承担单位。湛江气象学校新增设了中专"气象与防雷"专业。印发了2500本《1997年全国雷电灾害典型实例汇编》。

产业管理 制订了《中国气象局主管企业及直接投入的经营项目资金回报实施意见》。10月底，中国气象局与国家气象中心签订了3年内每年上交1000万元投资回报的协议。加强了产业发展资金的管理，严格对财政周转金的发放、回笼管理，建立了周转金管理数据库，截至10月底归还周转金475.6万元，借出周转金650万元，支持了16个气象科技产业项目的发展，用经营性资产回报为莲花池高新技术培训中心筹集了近千万元的建设资金。完成了部门贷款承办银行的转移工作。

加强了对中国气象局直属华云公司及与外商合资兴办的华奥公司的管理。召开了华奥公司第六次董事会。推动华奥公司加快完成第一部新一代雷达的生产任务，处理了华奥公司生产的CINRAD与国内招标生产的多普勒天气雷达的关系，核定了CINRAD价格，确定了产品系列。继续推进华云公司加快形成主营方向和强化内部管理。完成了局高新技术培训中心大楼(气象宾馆)的建设和开业前的有关工作，大楼总投资5500万元，历时5年，年内已投入试营业。

按照国家经贸委要求，填报了全国气象部门企业基本情况统计报表。截至11月30日，全国气象部门共办各种企业(公司)521个。

首次对全国气象科技产业统计报表(1997年度)进行了全面的书面汇总分析，组织了综合经营统计报表研讨培训活动，对1997年统计报表进行了汇审评比，评选出10个先进单位，其中一等奖1名，二等奖3名，三等奖6名。

中国气象局产业发展与装备部编辑发行了18期"产业与装备"信息，编发了95条各地装备、产业工作信息。 (杨维林)

政务与信息

概　　述

1998年，中国气象局办公室围绕气象部门的工作重点，加强为领导和机关的服务。加强科学管理，在全国气象部门试行了目标管理。加强气象信息和宣传工作，改进机关会议和文风，提高了工作效率。

值班与信访

值班工作 汛期，长江、嫩江、松花江流域发生特大洪水，为贯彻落实江总书记"三个确保"的指示精神，中国气象局总值班室承担了为党中央、国务院领导和有关部委传送天气预报和重大天气情况的服务工作。从7月26日至8月31日，每天向江泽民总书记、李鹏委员长、朱镕基总理，李岚清、温家宝副总理，国务院值班室和国家防汛抗旱总指挥部及有关部委传送《气象专报》，共传送了352份。全年共处理中央、国务院和有关部委重要事项205件，传送雨情、灾情490件，办理各类文件和有关材料1538件。

提案和信访工作 年内承办了3项全国人大代表建议：关于请求国家在海南省琼海市潭门港建立

南沙渔业后勤保障基地的建议,关于个人发布专业有偿天气预报的建议,关于基础资源数据共享的建议。办理了1项全国政协委员提案:关于气象是社会公益事业应由国家保证供给促进发展的提案。于8月底完成了上述建议和提案的办理工作。

年内受理人民群众来信205件,接待上访28人(次),接上访电话19次。反映较为突出问题是医疗费、住房、基层领导作风问题和人民群众对天气预报的意见和建议。

文　秘

会议工作　1998年局办公室组织或与有关单位共同筹办了6次全国性会议:1月13～15日的全国气象局长会议,11月1～13日的全国气象部门邓小平理论学习研讨班5月、7月、8月召开的3次全国防汛气象服务电话会议,7月召开的全国气象部门援藏工作经验交流会议,10月召开的全国气象部门防汛抗洪气象服务总结表彰电视电话会议。还组织了1998年特大气象灾害专家座谈会议。

年内,中国气象局召开党组会45次、局务会7次、局长办公会12次、协调会30次,印发纪要70期。

重要文件拟稿　局办公室负责起草了全国气象局长会议工作报告和会议总结。起草了总结气象部门改革开放20年成就与基本经验的文章,组织编辑了《中国气象事业在改革开发中前进》一书,为新闻单位撰写了一批反映气象事业发展20年成就的文章。草拟了向温家宝副总理和宋健国务委员的汇报提纲及温家宝副总理听取气象工作汇报时的讲话代拟稿。

文电办理　年内加强了公文的审核和会议事项的协调工作。全年公文数量比1997年减少20%。全年审核、运转公文2614件,其中请示1482件,局发文643件。承办中共中央和国务院文件8107件,办理各部委局文件923件。

目标管理　1998年起,中国气象局对全国各省(区、市)气象局、计划单列市气象局,中国气象局直属事业单位的工作实行目标管理(1998年为试行)。年初共下达18条目标,终实行积分考核。7月份组成了7个调研组,对6个省气象局和中国气象局6个直属单位上半年目标完成情况进行抽查。11月开始,进行年终考核。组成目标考核领导小组和考核工作组。经考核,参加目标管理的全国42个单位全部达标,中有32个单位为优秀达标单位。中国气象局对优秀达标单位的前5名:湖北、河南、江西、山西、安徽省气象局给予了通报表扬,并分别发给奖金10万元。

督查工作　年内,对全国气象局长会议贯彻情况组织了3次督查,分别写出督查报告。对局领导批示、局党组会议、局务会议、局长办公会议部署的工作事项,每一季度进行督查。

保密工作　4月份对中国气象局定密情况开展了一次普遍调查。局办公室组织局各单位参加了国家保密局举办的全国保密知识竞赛。12中旬,举办了首届全国气象部门保密工作培训班。年内,审查批准了8项对外提供资料合作项目。

接待工作　全年共接待各级参观人员21批700多人次,其中省部级领导12人。

信　息

信息编发　局办公室全年上报国务院办公厅信息33条,被采用15条。全年编发《气象工作信息》64期,增刊1期。全年共收到信息1662条,采用692条,采用率为42%;编发《内部情况通报》44期,全年共收到稿件50份,采用44份,采用率为88%。

信息管理　建立了14个地市级气象部门基层信息直报点。全年基层上报信息191条,采用20条。

年内,开展了“十佳”信息和优秀信息员评选活动,30个单位参加评选,共评出10条最佳信息和16名优秀信息员。

“十佳”信息:

1、开展避雷装置检测存在的问题与思考

（北京市气象局　曹冀鲁）

2、温克刚局长指出改革是气象部门走出困境的根本出路　（浙江省气象局　谢　慷）

3、对制约气象科技服务发展因素的探讨

（中国气象局气象服务气候司　金淑萍）

4、加强气象行政执法队伍素质建设不容忽视

（中国气象局政策法规司）

5、洛阳市人大检查减轻企业负担,不少企业对避雷检测收费提出异议

（河南洛阳市气象局　王林香）

6、内蒙古扑火气象服务亮相中央电视台《焦点访谈》　（内蒙古自治区气象局　王静达）

7、广西区局机关和直属单位事业结构战略性调整方案开始实施（广西自治区气象局　吴艳莲）

8、广西区局首次公开选拔9名副处级领导干部（广西自治区气象局　卢　笙、吴艳莲）

9、新疆举办测报技术比赛，气象基础业务质量下降应引起重视（新疆自治区气象局　渠新明）

10、湖北省局总结汛期服务工作认为，进一步提高业务现代化水平仍是当务之急

（湖北省气象局　陈贤）

获“十佳”信息推荐奖单位：

一等奖　湖北省气象局办公室

二等奖　新疆自治区气象局办公室

　　　　厦门市气象局办公室

三等奖　安徽省气象局办公室

　　　　甘肃省气象局办公室

　　　　河北省气象局办公室

优秀信息员（16人）：

陈贤（湖北省局办公室）、曾晓伟（安徽省局办公室）、周云萍（新疆区局办公室）、王静达（内蒙古区局办公室）、孙爱华（山西省局办公室）、吴艳莲（广西区局办公室）、谢慷（浙江省局办公室）、毛翠辉（河北省局办公室）、王建忠（河南省局办公室）、颜家蔚（福建省局办公室）、祝旗（宁波市局办公室）、陈家奎（湖北十堰市局）、李永强（四川甘孜州局）、李祖茂（河北保定市局）、王林香（河南洛阳市局）、袁长焕（黑龙江齐齐哈尔市局）。

气象编史《大纪录·气象卷》交付印刷，全书20万字。继续编辑《涂长望文集》。《新中国气象事业回忆录第四集．中国近代史资料续编》（合订本）出版发行，全书共25万余字。

年鉴工作　编辑出版发行了《中国气象年鉴》（1998年卷），全书55万字，共发行3982本。

1998年评出《中国气象年鉴》优秀稿件一等奖1名，二等奖2名，三等奖3名；优秀照片二等奖1名，三等奖1名。

优秀稿件：

一等奖：袁兆森　青海省气象局

二等奖：谢　慷　浙江省气象局

　　　　王　飞　中国气象局人事司

三等奖：张　锦　国家气候中心

　　　　吴大成　河南省气象局

　　　　陈月娥　大连市气象局

优秀照片：

一等奖：空缺

二等奖：冯　磊　上海市气象局

三等奖：江　洪　中国气象局办公室

宣　传

气象新闻报道　1998年，接待报刊社、广播、电视等新闻媒体记者300多人（次）。中央各大报刊、电视、广播全年发表的气象类消息、通讯、图片等700多篇（幅），约50万字。组织《经济日报》《中国人口报》《人民政协报》《工人日报》和《中国妇女（英文版）》《中华锦绣》杂志编发了气象专版。年内，中国大气科学“四大气象科学试验”开始启动。部分新闻记者采访了中国气象局，并对“四大气象科学试验”进行了报道。

围绕“3.23”世界气象日“天气、海洋与人类活动”的主题，组织编写了气象日宣传册发全国气象部门。中国气象局与国家海洋局联合举办了世界气象日纪念座谈会，在首都体育馆广场开展了气象科技咨询活动。邀请首都20多家新闻单位进行采访报道，广播、电视、报刊等新闻媒体发表稿件和照片50多篇（幅）。

汛期，我国长江、嫩江、松花江流域发生特大洪水。新华社等10多家新闻单位采访报道了中国气象局汛前召开的2次“全国汛期气象服务电话会议”。7月29日，新华社根据中国气象局提供的信息，编发了《江总书记关注长江中下游天气变化》的通稿，全国各地主要新闻媒体转发。7月30日，中央电视台晚间新闻联播分别报道了江泽民总书记给中国气象局局长温克刚打电话了解长江中下游天气变化情况和气象部门会商天气的消息。9月5日《人民日报》发表了长篇通讯《一江风雨共斟酌》，《工人日报》发表了长篇通讯《用智慧筑起又一道长城》。6～8月份，中国气象局接待各报刊记者达100多人次接待中央电视台、北京电视台及国外有关电视台的电视记者近百人次。

气象影视宣传　年内，组织中央电视台、北京电视台摄制了《江总书记关心长江中下游天气》《中国气象局组织大会商》《采访中国气象局专家组（1998年洪涝灾害）》《四大气象科学试验》《天气预报是怎

样做出来的》《中亚季风》《华南暴雨》《淮河水循环》《青藏高原》等气象专题片10余部。组织中央电视台、华风声像室摄制了2部《副热带高压与1998长江大洪水》科普片。

办公自动化

网络建设 装修改造了中国气象局机关信息管理中心机房。改造后的机房信号线和电源线完全分开，有标准的地线，并且安装了烟雾报警系统，符合机房标准。改造了局机关办公楼网络线，由明线改为暗线，全部采用五类双绞线，各办公室全部配备标准的网络插座，局机关布线完全符合100M以太网传输标准。

管理工作 1998年提出了全国气象部门办公自动化系统的投资建议，安排了湖北等11个省(区)气象局和1个计划单列市气象局、中国气象局部分直属单位的建设经费。对局机关气象业务显示系统的软件进行了改进，在局总值班室安装了MICAPS系统。对中国气象局直属各单位网络进行了检查，增加了网上信息。

档　案

档案管理 1998年落实"九五"计划档案工作经费310万元，下达档案馆建设经费200万元。云南省气象局档案晋升国家一级，中国气象局对安徽、广东、山西省气象局晋升国家二级的档案进行了考评验收。举办了气象档案分类表培训班。

档案制度、技术标准建设 完成了《气象档案的鉴定标准》申报国家档案行业标准的申报工作，已报国家档案局审批。

局机关档案 完成了1997年立卷归档工作检查评比，案卷质量合格率达96%。局办公室、人事司归档工作被评为二等奖(一等奖空缺)。全年共接收机关各职能单位档案541卷，会计档案240盒，声像档案18盒。录入案卷、卷内目录3606条目，接待借阅服务146人次，431卷册。

(张安芹)

政策法规工作

概　述

1998年，气象立法工作取得了新的进展。全国气象部门继续加强气象法规建设，推进气象事业结构战略性调整，开展软科学研究和气象行业管理工作。

政策调研

软科学研究 1998年，增补了《新一代气象服务体系研究》《气象服务收费政策研究》《气象部门事业单位机构改革思路和实施方案研究》《中国气象局机构改革专题研究》4个软科学研究课题，分别由中国气象局有关职能司和总体规划研究设计室承担。完成了《关于气象事业单位列入国家财政拨款与支持的政策法规方面的理由和依据》《简论气象部门事业单位机构改革的政策选择》等一批专题报告。上报国家科委的"台湾气象事业的现状与发展以及推进海峡两岸气象交流合作的对策研究"课题通过立项。

软科学管理 政策法规司组织了对全国气象部门党政干部优秀调研报告的评选活动。下发了《关于评选优秀调研报告的通知》及《全国气象部门党政干部优秀调研报告评选实施办法》。对全国气象部门上报的53篇参评调研报告进行了初审，选出其中30篇参加终评。

年内，组织有关专家和领导对《气象事业适应和实现两个根本性转变的对策研究》课题进行了结题评审，出版了论文汇编。对《气象部门企事业单位负责人离任经济责任审计研究》课题进行了结题验收。

5月，中国气象局派员参加了中国软科学研究会召开的"中国软科学研究理事会会议"，通报了本局软科学研究和管理工作的情况。

政策制定 3月，下发了《推进西部欠发达地区气象事业改革与发展的若干支持性政策》。11月，下发了《气象部门事业结构战略性调整的指导性意见》。提出了事业结构战略性调整的总体目标、重点任务和支持性政策。

结构调整

由单位“小三块”向部门“大三块”转变 1998年，各省(区、市)气象部门积极探索由单位“小三块”向部门“大三块”转变的有效途径(三块：基本业务、科技服务、综合经营)。湖南、湖北、江西、安徽、黑龙江、吉林、宁夏、贵州、广西、上海、天津、重庆等省(区、市)气象部门经过调整，初步形成了“大三块”格局。北京、大连和厦门市气象部门在事业结构调整方面取得较大进展。

调查研究 年内，组织人员对湖北、江西、江苏、安徽、黑龙江等省气象部门进行事业结构战略性调整情况进行调研。5月，对湖北恩施等经济欠发达地区气象部门进行了调研，总结了经济欠发达地区气象事业改革和发展的经验。

5月，在湖北省宜昌召开了“气象部门事业结构战略性调整研讨会”。北京、湖南、湖北、江西、江苏、安徽、上海、浙江8省(市)气象局有关领导与会。会议重点交流了经验，征求了对中国气象局《关于气象部门事业结构战略性调整的指导性意见》的修改意见。

法规工作

《气象法》起草 继续与国务院有关部门就《气象法》涉及职权交叉问题进行协调。根据协调结果以及专家论证会的意见，修改形成了《气象法(送审稿)》及其起草说明，于11月5日正式上报国务院审议。国务院法制办公室(下称国务院法制办)将《气象法(送审稿)》发给国务院29个部门、31个省(区、市)人民政府以及军委法制局、最高人民法院、中国科学院、北京大学、南京气象学院共65个单位征求意见。截至1998年底，共有51个单位反馈了意见。政策法规司编发了《气象立法进展情况通报》。中国气象局将各单位修改意见上报了国务院法制办。

法规制定 1998年，山西、安徽、福建、云南和贵州5个省人大常委会通过了与《中华人民共和国气象条例》相配套的地方性气象法规。河北、黑龙江、新疆等省(区)分别出台了《河北省气象探测环境保护办法》《黑龙江省人工增雨防雹管理条例》《新疆维吾尔自治区人工影响天气工作管理办法》。中国气象局与国家技术监督局联合下发了《关于对各级防雷检测机构开展计量认证工作的通知》。中国气象局制定了《气象部门计算机资源管理暂行办法》《气候资源开发利用项目管理办法》《全国气象部门人事档案管理办法》《气象科学技术进步奖(科技著作类)申报评审办法》《气象部门事业单位国有资产管理暂行办法》《气象部门企事业单位负责人经济责任审计工作暂行规定》《防雷专业设计资质管理办法》(试行)《防雷专业施工资质管理办法》(试行)等20个部门规章。

执法监督 据统计，河北、辽宁、吉林、黑龙江、上海、江苏、浙江、安徽、福建、江西、河南、湖北、湖南、广东、四川、云南、新疆、海南等18个省有近1800人领取了气象行政执法证或执法监督证。河北、四川、新疆等省(区)气象局制定和颁布了统一的司法文书和气象行政执法程序。河北省气象局经省政府批准，颁布实施了《河北省气象部门错案和执法过错责任追究暂行办法》。

依据《中华人民共和国气象条例》，天津、河南、新疆等省(区、市)处理了影响气象探测环境的事件；广东顺德查处了一皮衣厂发布虚假天气预报的事件；黑龙江省、广西自治区处理了日本国际协力事业团、日本专家违法建气象观测站的事件。广东省人大农村农业委员会与省气象局联合组成执法检查组，对粤东3市执行气象法规的情况进行了检查。

年内，政策法规司组织了河北、黑龙江省气象局进行气象行政执法工作试点。6月，举办了全国气象部门立法知识培训班，27个省(区、市)气象局、计划单列市气象局共31人参加。

普法教育 年初，中国气象局下发了《1998年气象部门法制宣传教育工作要点》。年底，赴四川、云南省气象部门进行了普法工作调研和阶段性检查。

行业管理

工作会议 年初，政策法规司组织召开了气象行业管理工作座谈交流会。水利部、农业部、国家海洋局、中国民航总局、军事部门以及新疆生产建设兵团派人参加。

行业管理试点工作验收会 11月，中国气象局在天津塘沽盐场召开西渤海湾地区盐业气象行业管理试点验收会议。对天气雷达联网和盐场气象台站的技术业务等进行检查验收，中国气象局副局长马鹤年到会讲话。参加这次试点的有天津塘沽盐场、汉沽盐场，河北南堡盐场、大清河盐场和黄骅盐场。截至11月底，塘沽盐场、南堡盐场和大清河盐场气象台已完成与气象主管部门所属气象台的联网任务。参加验收的有中国气象局、天津市气象局、河北省气象局的领导以及河北省、天津市的盐务部门和盐场的领导，同时还邀请黑龙江省、新疆自治区气象局，山东省莱州市气象局和福建省莆田市气象局有关领导到会交流经验。

行业调研 10月，政策法规司等单位组成联合调研组，对新疆生产建设兵团气象工作的机构，气象服务工作进行了调查研究，并对兵团气象事业的发展规划、台站网络建设、大中型建设项目、人工影响天气以及人才培训等工作提出了建设性意见。

思想政治工作

概　述

1998年，全国气象部门继续贯彻党的十四届六中全会和十五大精神，按照《中国气象局党组关于加强精神文明建设的若干意见》和全国气象局长会议精神，普遍加大了精神文明建设的力度，创建文明气象行业取得了较大进展。

思想政治工作

中国气象局党组举办了由各省局、各单位主要负责人参加的邓小平理论研讨班，推动了各省(区、市)局中心组的学习，甘肃、四川等省局举办了学习理论读书班，研讨改革等问题。安徽省局处级以上干部每周学习时间不少于3～4小时，每年读书不少于80万字。湖北省局处以上干部在学习的基础上结合工作实际撰写学习论文，河北省局党组针对下岗分流等热点难点问题组织职工学习理论，增加了职工对改革的心理承受能力，省局在省直机关青年“五学”知识竞赛中获得一等奖。

加强了职业道德建设。汛期前，各省局普遍进行了职业道德教育。江苏省局制定下发了《全省气象工作人员职业道德规范》。湖北省局按照“早、细、实”的要求，认真做好汛期的思想政治工作。福建省局开展了向老模范—明溪县气象局长陈振贤学习活动。长江和松花江、嫩江流域发生特大洪灾后，气象职工坚守岗位，舍小家为大家，表现出了高尚的奉献精神。灾情发生后，中国气象局领导分头带领4个组分赴湖北、湖南、江西和黑龙江四省气象部门进行检查、指导和慰问。全国气象部门发扬“一方有难八方支援”的传统作风，纷纷向灾区和灾区气象部门捐款捐物。共向灾区捐款35.45万元，捐衣物1.85万件(863包)，捐款人数近4000人(次)，是历年捐助活动中捐款捐物规模最大、参与人数最多的一次。有的省局开展了向抗洪英雄学习的活动。河北省局邀请九江堵口英模做事迹报告，组织职工学习英模事迹。中国气象局文明办编辑出版了《创建文明气象行业的实践与思考》《1998中国大洪水与气象人》两书。

中国气象局和各省(区、市)气象局组织了纪念十一届三中全会20周年各种类型的纪念会、座谈会，畅谈20年来气象事业发生的巨大变化。天津市局结合毛泽东题词“向雷锋同志学习”35周年、周恩来诞辰100周年等纪念日，举办了各种活动，并组织职工参观。吉林省局进行了“三观”(世界观、人生观、价值观)、“三义”(爱国主义、集体主义、社会主义)、“三德”(社会公德、职业道德、家族美德)教育，并进行了知识竞赛，以社会公德为主题组织了文艺演出。

3月份，“全国气象部门革命传统教育基地”在江西省井冈山气象局挂牌运行。

党的基层组织建设

1998年，气象部门党的基层组织建设继续得到加强。天津市局坚持“三会一课”制度，党组书记、局长曾凡喜讲的《坚持三讲教育，建设高素质的党员队伍》，党课被市直机关工委评为二等奖，受到通报表彰。截至1998年10月底，全国气象部门在职职工党员总数为23555人，占部门职工总数的38.18%，比上一年提高了1.6个百分点。全年共发展党员1090人，无党员台站由上一年的42个减少为27个。台站建立党支部总数为2400个，其中北京、天津、山西、辽宁、上海、江苏、山东、安徽、江西、湖北、湖南、宁夏、重庆、大连、青岛、宁波、厦门17个省(区、市)气象部门所属台站全部建立了党支部。全国气象部门1998年被地方党委评为先进党支部423个，评为优秀党员1364人(次)。

文明单位创建活动

1998年，创建文明气象行业工作列入全国气象部门目标管理项目进行考核。5月，全国气象部门文明服务示范单位经验交流会在山东省威海市召开。温克刚局长在讲话中分析了创建文明气象行业的形势，总结了气象部门的创建经验，要求各级气象部门加大力度，加快步伐，争取早日建成文明气象行业。

会后，华东片气象部门于7月7～11日在福州市召开了“创建文明气象行业交流会”，南方地区气象部门于9月7～10日在成都市召开了“创建文明气象行业研讨会”。四川、浙江、辽宁、上海等省(市)局召开了地市局长会议。山西省局组织地市局和直属单位领导赴湖北、河南和吉林等创建工作先进省局学习。海南省局召开了全省气象台站环境改善观摩会。内蒙、江苏、海南、西藏、湖南等省局举办了政工干部培训班，研讨创建工作。甘肃省局在对地市局精神文明建设调查研究的基础上，开展了“优质服务、优良站风、优美环境和文明单位”的局站建设活动。河南省局完善创建工作的奖惩机制，在目标考核中加大了省地级文明单位的力度，至年底，全省121个创建单位全部建成文明单位。浙江省局主要领导分别带队到基层台站检查、指导创建工作，研究存在的问题和不足，并进行协调解决。安徽等省局将创建工作目标逐级分解，分类指导。

在创建活动中，各省局加强了文明服务示范点建设。中国气象局对20个文明服务示范单位进行了检查，并经中央文明办复查全部合格。各省(区、市)局还分别推出了本单位的文明服务示范单位。福建省局每年投入10万元用于示范点建设和创建工作奖励等。

机关作风建设

截至12月底，全国气象部门文明单位总数已达1693个，较上年增长了293个，增幅达21%。宁夏自治区气象部门被自治区党委、政府命名为“文明行业”，江西省气象部门被省文明委和中国气象局联合命名为“创建文明行业工作先进系统”，天津市气象部门被市文明委命名为“文明行业”。中国气象局征得厦门市精神文明建设办公室同意，授予厦门市气象部门文明系统称号。湛江气象学校获得省级文明单位称号。1996年获得文明系统称号的湖北省气象部门再次被省委、省政府命名为文明系统。

年内，中国气象局机关结合机构改革和办公楼改造工程，深入开展“三优一满意”活动，局直属机关党委获中央国家机关工委优秀工作奖。山西省局按照省委、省政府的统一部署，在全省气象部门进行了一场反对官僚主义的斗争教育活动。黑龙江省局进行了“四好三优一满意”(好班子、好干部、好党员、好队伍；优质服务、优良秩序、优美环境；让群众、基层满意)活动。重庆市局制定了“抓机关作风，树立表率形象；抓基层创建活动，打好基础；抓职工素质教育，重在建设一种精神；抓载体活动，和谐氛围”等加强精神文明建设的思路，加快了创建步伐。

(李德善)

审计工作

概　　述

按照国务院政府机构改革的要求，审计署在1998年6月份撤消了派驻中国气象局审计局，各单位内审工作由中国内审协会指导，实行行业管理。驻局审计局4名同志抽调到审计署派出局工作。

中国气象局党组在局机关机构改革中，根据气象部门实际情况，于1998年12月22日重新设立中国气象局审计室。审计室为局直属处，与驻局纪检组办公室合署办公，具有专门的机构名称和印章，并按照审计工作职责独立开展工作。审计室由3名同志组成。

审计业务　审计署驻中国气象局审计局按审计署机构改革步骤和要求，完成了上半年工作任务，下半年工作基本停止。气象部门各单位审计机构和人员较好地完成了1998年审计工作。

驻中国气象局审计局上半年完成了2个单位(含延伸单位)年度审计项目计划任务。全国气象部门已设立处级审计机构35个，配备专职审计人员71人；审计单位(项目)672个，其中：财务收支审计510个，经济责任审计56个，经济效益审计31个，基本建设审计34个，其他方面审计41个；审计金额74292万元；查出违规行为金额2730万元，已纠正违规行为金额1057万元，其中增加上缴43万元，其他1014万元；查出损失浪费金额117万元；促进增收节支193万元，提出审计建议被采纳869条。

专项审计　根据审计署下达的工作计划，对四川省气象局气象科学研究所、北京市气象局气象科学研究所两个单位1997年科技经费预算执行情况进行了审计。

对中国气象局大院南区16、17号住宅楼和东区5号住宅楼进行开工前审计。对成都气象学院教职工住宅楼进行开工前审计。

业务指导　5月份在安徽省气象局举办了新会计制度培训班，学习贯彻新的事业单位财务规则和事业单位会计制度。

审计局先后派人到5个省、直辖市调查研究，调查了解各单位落实《关于进一步加强气象部门内部审计工作的意见》(中气审发[1996]21号)情况；检查审计工作规章制度执行情况和审计工作质量并给予指导。为召开气象部门审计工作会议做准备。

审计局针对气象部门事业单位往来帐款专项调查的有关情况和存在的问题，专题撰写了气象部门往来帐款中一些应当重视的现象与问题，并在1998年内部情况通报第23期刊登。

上半年向中国气象局递交审计工作报告及信息7篇，其中国务院各部门采用3篇，新闻单位采用4篇。

法规建设 1998年上半年出台了3个部门审计法规文件，1998年2月19日下发《气象部门企事业单位负责人经济责任审计工作暂行规定》(中气审发[1998]4号)。1998年3月25日下发《关于修订气象部门内部审计统计报表制度的通知》(气审发[1998]9号)。1998年7月21日下发《关于气象部门内部审计档案管理暂行办法》和《关于印发气象部门内部审计档案保管期限表的通知》(气审发[1998]16号)。

(徐卫建)

纪检监察工作

概　　述

1998年,继续贯彻《中共中央国务院关于党政机关厉行节约、制止奢侈浪费行为的若干规定》,其中,贯彻清理通信工具、严格控制会议和制止公款吃喝玩乐的三项规定取得较为明显成效。

规章制度建设

年初,中国气象局党组下发了《关于1998年推进气象部门党风廉政建设深入开展反腐败斗争的意见的通知》,气象部门各级党组(党委)、纪检组(纪委)结合本单位实际,进行了具体安排和落实。驻局纪检组加强了监督检查,先后下发了《关于重点落实制止奢侈浪费行为三项规定的通知》等6个文件,并对全国气象部门清理通信工具情况进行了统计和通报。中国气象局和机关先后制定和下发了7个制度或管理办法。各省、自治区、直辖市气象局、院校均制定了切实可行的办法,做到有章可循。

进一步加强党风廉政建设责任制,加强对反腐倡廉工作的领导。气象部门均建立由一把手任组长,分管领导抓常务,各级职能部门各司其职、各负其责,纪检部门组织协调的反腐工作领导小组。

自查自纠工作

1998年继续安排重点清理通信工具、登记造册。截止1998年10月底,全国气象部门通信工具的清理基本情况为:住宅电话,由清理前4793部减为3003部(减幅37%),收回初装费118.7万元;电话费减少3.76万元。移动电话,由清理前1168部减少到687部(减幅41%),收回过户手机费47.35万元;月通话费减少3.18万元。BP机,由清理前3784个减为2465个(减幅35%),收回过户机费6.95万元;月话费减少3.59万元。气象部门共收回电话初装费、手机费等173万元,全年可节约话费126.36万元。

从严控制会议和庆典活动,年内,局机关计划召开会议17个,实际召开会议12个(包括全国性会议)。局各直属单位与1997年相比,会议减少18个,预算经费减幅为27.7%。

中国气象局机关和各单位均已实行接待费在财务上单独列支,制定了公务接待用餐标准和审批办法。1998年,中国气象局机关公务接待用餐共64次,支出46435元,与1997年相比,略有下降。

据不完全统计,1998年气象部门减少话费开支、压缩会议预算和接待费支出在1997年的基础上又节约380万元。

信访和案件查办

1998年,全国气象部门纪检监察机构共收到来信811件,来访116次,电话举报28次,共计955件(其中重复件203件),比1997年信访增加49件,增加率为5.4%。

年内,初查核实线索共327件,其中上年度遗留12件,比1997年减少136件,减少29.3%;已初查了结299件,了结率为91%;初查了结批评教育158人,其中涉及县处级干部72人,地厅局级干部3人。

年内立案30件,比1997年增加9件,1998年共办案26件,结案21件,办结率81%。挽回经济损失5.0856万元。

年内受党纪处分11人,政纪处分29人,其中受双重处分3人,共处分36人,比1997年减少10人。受处分人员中,司局级干部1人,处级干部3人。受刑事处分5人。

队伍建设

中纪委驻中国气象局纪检组于1998年10月13～17日,在山东威海召开了全国气象部门纪检监察干部工作座谈会暨业务培训班。会议以班会合一的形式进行。驻局纪检组先后有2人参加了中纪委、监察部举办的金融知识和会计业务培训。气象部门各级纪检监察机构也都积极派人参加地方纪委和党校组织的业务培训,有8个省(区、市)气象局还召开和举办了纪检监察干部会议和业务培训。

结合中国气象局查处的典型案例,摄制完成了电教片《警示》,并组织全国气象部门干部职工收看;气象部门各级纪检监察机构组织安排《行政监察法》的学习和知识竞赛活动,驻局纪检组也组织局机关全体干部和直属单位党员领导干部参加,通过竞赛答题,增强了学习效果。

截止1998年12月,全国气象部门38个单位中(不含有海南、厦门),已配专职纪检组长(纪委书记)

16 人，兼职纪检组长 19 人；专职副组长（纪委副书记）27 人，监察室（纪委）负责人 8 人。

（罗厚梅）

离退休干部工作

概　述

中国气象局离退休干部办公室编制 15 人，12 月赵东儒同志任室主任，年底实有 13 人。

1998 年离退休干部工作，以局大院离退休干部管理服务为重点，开展有益于老同志身心健康的活动。全国气象部门离退休干部工作，主要抓离休干部的“离休费、医药费”的落实，对离退休干部工作人员进行政策业务培训，做好离退休干部来信来访工作。

综合工作

9 月，在北京气象学院举办了全国气象部门退休干部信息管理系统软件培训班。各省（区、市）气象局、计划单列市气象局、各直属单位、院校共 46 人参加了培训。

10 月，在陕西省气象局召开了气象部门老干部工作研讨会。陕西等 17 个省（区、市）气象局离退休干部处的负责同志参加了会议。会议主要围绕如何落实离退休干部政治、生活待遇，解决离休干部离休费、医药费拖欠，对离退休干部易地安置工作进行了研讨。

编辑出版了中国气象局《老干部工作文件汇编》（1984——1996 年）和《中国气象局离退休干部办公室大事记》（1982——1996 年），并编辑出版了以中国气象局大院离退休干部绘画书法为内容的 1999 年台历。

接待因政治生活待遇、易地安置、住房、看病等问题来京的离退休干部 100 多人次，处理各种来函 50 多件。

离休干部工作

年内，中国气象局两次下发《关于填报拖欠离休干部离休费、医药费情况统计表的通知》，转发了中央组织部《关于认真贯彻党中央、国务院要求进一步落实离休干部离休费、医药费的通知》。经统计，1 月，全国气象部门拖欠离休干部医药费 92.23 万元。6 月，全国气象部门尚拖欠离休干部医药费 63.91 万元。7 月上旬，中国气象局党组书记、局长温克刚给存在拖欠问题的省（区）气象局的主要领导写了信，提出了具体要求。年底前全国气象部门基本解决了离休干部医药费的拖欠问题。

全年慰问离休干部 170 人（次）。开展了多种文体活动。进一步装修了离休干部活动室，安装了空调，添置了台球等活动设施。请医疗专家义务为老同志检查心脑血管等疾病。

退休干部工作

组织退休干部春游、秋游、开运动会。开展了“迎国庆、学抗洪精神”的义务服务日活动。扩建装修了退休干部活动室，安装了空调。　（刘凤进）

山西气象科技产业长足发展

近年来，山西省气象局响亮提出“深化改革，抢抓机遇，自加压力，超常发展”的工作方针，全省气象事业呈现出持续、快速、健康发展的良好态势。气象现代化建设取得重大进展，总体水平又向前迈进了一大步；气象为国民经济建设和社会发展服务的能力继续增强，气象工作越来越受到社会的重视，影响更加广泛，地位不断提高；改革进一步深化，新型事业结构框架基本形成，部门活力明显增强；气象管理体制日趋完善，地方气象事业蓬勃发展；气象法制建设和精神文明建设硕果累累；科技产业方兴未艾，以电视天气预报制作、防灾减灾寻呼、“121”天气预报自动答询、防雷工程和避雷检测等为支柱的科技产业项目，有力地支持了气象事业的发展。

山西省气象局局长 **霍成福**

繁忙的气象寻呼台机房

环评人员进行城市污染气象观测

整装待发的人工增雨火箭车队

山西气象科技大楼

西藏金牛物贸有限公司

总经理　**拉巴**

西藏金牛物贸有限公司成立于1997年2月，是隶属西藏自治区气象局的集科工贸为一体的有限责任公司。公司以物业管理为龙头，依托科技和地域优势，针对西藏市场情况，积极开发经济效益稳定增长的项目，并不断加大经营项目的科技含量，集中整体优势，逐步形成规模经营，带动西藏气象科技产业全面发展。

公司以人为本，以高科技为先导，恪守信用，遵守合同，用优质服务开启薄利经营，开展短平快的业务项目。

董事会讨论公司长远发展规划

经理会正在研究新的业务项目

与工商部门合办的农贸市场效益显著

西藏金牛物贸有限公司外景

趋利避害 造福社会

1990年，河北省政府决定恢复人工影响天气工作。10年来，河北省人工影响天气办公室遵照省政府“依靠科技进步，高起点，高标准”的指导方针，积极开展人工增雨、防雹作业，共组织实施飞机人工增雨作业和大气物理探测飞行320架次，累计飞行539小时。开展防雹的县已达80多个，拥有作业高炮280门，保护农田面积约600万亩。人工影响天气工作的开展为河北经济建设、农业连续丰收、补充水资源起到了重要作用。

1997年10月，全国人工影响天气科技咨询评议委员会对省人影办进行评估，认为达到全国人影系统领先行列。

载有国际先进探测仪器——PMS粒子测量系统的人工增雨专用飞机

太行山某县高炮点

河北省气象影视中心（河北银图广告公司）

河北省电视天气预报制作工作始于1988年，经过10多年的努力，从原来的一家电视台每天一套节目发展到向5家电视台每天提供9套节目，形成了全方位、多层次的电视气象信息服务格局。气象节目主持人于1994年8月1日在全国省级台首家走上屏幕。

在做好天气预报节目的同时，积极发挥人才和技术优势开展影视广告制作业务。银图公司已发展成为以电视天气预报广告为主，集广告策划、创意制作为一体的专业影视广告公司。

制作电视天气预报节目

为客户制作三维电视广告

上海气象影视中心稳步发展

上海气象影视中心主任　**徐锁兆**

上海气象影视中心是上海市气象局下属事业单位。自1996年7月1日以来，主要承担上海电视台、上海卫视台、东方电视台和上海有线电视台的早、晚新闻中共8套电视天气预报节目的制作任务。最近，在东方电视台又增加了空气质量预报和空气质量实况报告节目。同时，还承担了向各级领导专题汇报及各类声像带的制作工作。中心拥有一支比较精良的技术队伍，对三维动画制作和非线性编辑等的技术开发，都取得了较好的成果，如开发的“索宝视”数字视音频非线性电视天气预报编辑系统已被浙江、安徽、江苏等7省市的40多个地、市、县气象局引用，取得了明显的社会效益和经济效益。

上海气象影视中心全体职工决心立足本职、励精图治，不断提高电视天气预报制作质量，为更有效地做好气象服务而不懈努力！

上海市委常委、副市长韩正，在上海市气象局领导陪同下视察市气象影视中心。

技术人员正在紧张地制作电视天气预报节目

1998年12月3日，以色列气象局局长在上海市气象局领导和中国气象局有关单位领导陪同下参观上海气象影视中心。

技术人员正在进行图形图像的开发与制作

北京凌亨科技发展有限责任（总）公司

北京凌亨科技发展有限责任总公司是中国气象科学研究院（简称气科院）科技开发、综合经营的实体。总公司的主要任务是对气科院投入到企业的资本进行运作，对下属企业的经营创收进行垂直管理与监督；落实气科院院属企业中的国有资产保值增值和企业创收任务；完成气科院科技成果转化后的产业工作。目前，总公司下属企业有：北京步步高饮料公司、富瓷彩印公司、庐山人才培训中心、赛科隆电子技术公司、固城农业气象试验基地。总公司将以现代化企业的管理模式，集中资源，整体经营，使气科院的产业形成整体优势，取得规模经济效益，开创中国气象科学研究院科技产业的新局面。

中国气象科学研究院院长、总公司董事长

倪允琪

C 波段电子探空仪生产线

中国气象局温克刚局长在北京步步高饮料公司开业典礼后，视察罐装车间并亲自上机操作。

中国气象科学研究院庐山人才培训中心位于江西庐山风景区。

富瓷彩印公司正逐步发展成一个在印刷行业比较全面、新型的企业。

广东省气象科技产业快速发展

在气象科技产业领域中，除为社会各经济生产部门做好防灾救灾气象专业、专项服务外，在防雷减灾、开发农业气候资源、开展气象影视服务经营等方面取得了较大发展。近年来，继开辟以汕头多普勒雷达站为阵地的气象科普教育园地之后，又在风景秀丽的阳江海陵岛建立了气象村，供气象科技培训和气象职工旅游渡假使用，深受社会各届欢迎。

广东气象影视中心技术人员正在制作电视天气预报节目

阳山县气象局利用山区气候条件，试验培育灵芝成功，并打开销路。

广东省防雷中心积极开展各类防雷减灾宣传活动，提高社会防雷意识。

省气象科技培训中心分中心，设在阳江市海陵岛旅游胜地。

兰州中心气象台

兰州中心气象台台长　**岳虎**

兰州中心气象台开展常规大气探测、天气预报、气象通信、气候分析以及气象情报资料等基本业务，承担气象科研和气象业务现代化建设任务，负责本省区天气预报服务及对台站的预报指导。兰州中心气象台面向市场，开展多种形式的气象信息、专业专项气象服务、电视天气预报节目制作、计算机通信及网络工程的设计施工等服务。目前台所属影视中心制作的电视天气预报节目，每天有5套，其中4套有主持人。节目分别在甘肃省电视台、甘肃有线台和甘肃卫视台播出。影视中心还承担广告创意制作、科普宣传等任务。

预报员正在进行天气诊断

台领导班子在现场研究工作

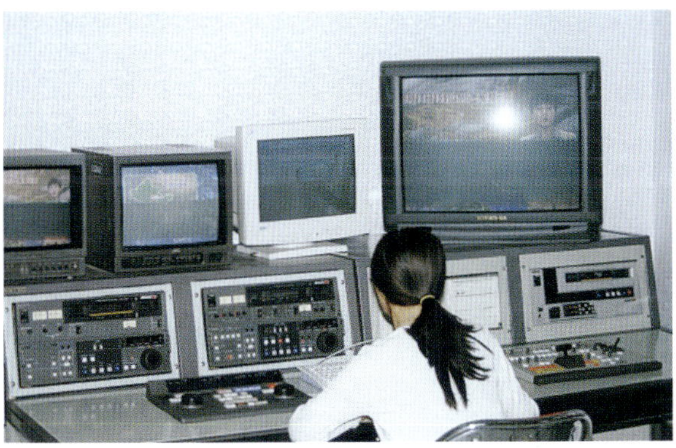

台属气象影视中心工作人员正在制作电视天气预报节目

天气预报大屏幕工作台

广西壮族自治区气象局

广西自治区党委副书记杨基常在自治区气象局领导陪同下视察气象工作

近几年来，广西区气象局依靠先进科学技术，大力推进气象事业的快速发展，取得显著成就。1995年全面建成了计算机通信为核心的区、地、县气象通信信息网络——广西减灾防灾天气预警系统。1997年建成了区-地-县三级联网办公自动化网络。对1994、1996、1998年桂中桂北特大洪涝，均提前作出准确预报。对近年里正面袭击或影响本区的所有台风准确预报，把灾害损失减少到最低限度。自治区人民政府连续5年向中国气象局致函要求予以表彰奖励。1994年被国家防汛抗旱总指挥部、人事部、水利部和解放军总政治部授予抗洪抢险先进集体荣誉称号。1999年被南宁市评为文明单位。

自治区副主席孙瑜看望飞机人工增雨工作人员

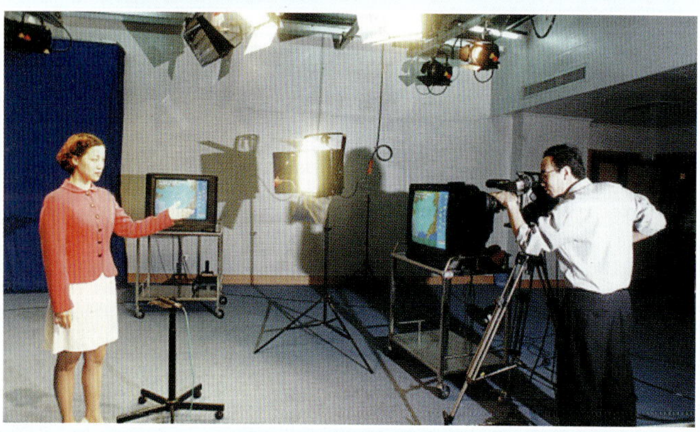

准备电视天气预报节目

广西自治区气象大厦

北京气象宾馆

北京气象宾馆（北京高新技术培训中心）是由中国气象局投资兴建的二星级宾馆。交通便利，东近广安门火车站货场，西接六里桥北京－深圳（原京石）高速公路，南临丽泽桥长途汽车站，北靠莲花池，与北京西站相毗邻。

宾馆内设豪华套间11套，标准客房188间，有风格各异的大、中、小型会议室和可容纳150人就餐的餐厅和雅间及为方便顾客而设置的多功能厅、商务中心、商品部、美容美发、桑拿、健身、中医按摩等。宾馆整体装修格调典雅、气派脱俗。客房内各种设备设施齐全，24小时热水供应，卫生间整洁并有良好的通风系统；宾馆还有大开间写字间3200平方米及与宾馆、写字间相匹配的专职物业管理人员和保安人员，是地方政府、公司、企业设立办事机构的理想场所。

宾馆旨在建成国内气象工作者大型活动基地，愿为全国气象界的业内人士学术交流、商务洽谈、朋友聚会、举家旅游、国内外考察等提供便利条件。

北京气象宾馆总经理

邹本俊

标准间典雅舒适

中餐厅以川菜为主，内附卡拉OK厅房11个

独特风采的宾馆大堂

各种类型的会议室宽敞明亮

康乐中心设有健身房、冲浪、桑拿、中医按摩等娱乐保健设施

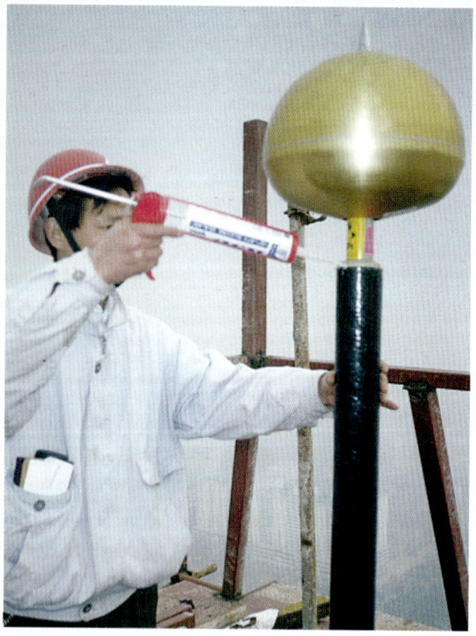

防雷工程技术人员在武汉市最高建筑物－佳丽广场楼顶安装的避雷装置

湖北省防雷中心

湖北省防雷中心由从事防雷工作多年的省气象局避雷检测所和防雷工程安装所成建制转轨合并而成。对社会开展避雷装置安全性能检测，对大型防雷工程设计进行监审和工程验收以及雷灾保险鉴定等，先后与法国、德国等多家国外防雷公司及国内十几家防雷公司建立了业务联系与合作，引进了大量国外先进防雷产品，经其设计安装的防雷工程无一遭雷击，中心被誉为“雷灾克星”、“防雷尖兵”。

走向社会的防雷中心

工程技术人员在测量避雷针高度及防雷覆盖面积

技术人员正在检验防雷产品的质量

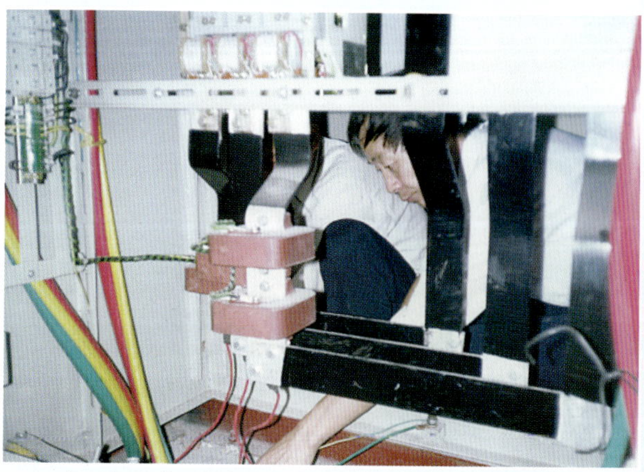

武汉市电信局桥梁村基站低压配电柜进线被雷击

防雹减灾 服务农业

新疆阿克苏地区人工影响天气办公室雷达一站全体职工

新疆阿克苏地区地处天山南麓，塔克拉玛干沙漠的北缘。地势西北高、东南低，海拔高度在950-6000米之间，地形比较复杂。各种气象灾害，尤其是冰雹灾害频繁出现，对农业生产危害很大。为了防御和减轻冰雹灾害对地区农牧业生产造成的危害，1988年地委、行署决定成立地区人工影响天气办公室。11年来，在地委、行署和各级党政部门的关心支持下，人工影响天气工作得到了快速的发展，到1998年全地区8个县1个市全部建立了防雹队。现在全地区拥有防雹数字化雷达3部，实现了雷达观测、资料采集、实时分析、作业指挥自动化。并拥有用于防雹作业的37高炮122门，火箭发射架21部，通讯电台127部，防雹人员达600人；可保护耕地面积520余万亩，基本形成了雷达监测指挥网，通讯联络网，作业火力网，气象预报服务网等为主的现代化作业体系。人影工作为地区的粮棉连年丰收做出了积极贡献。

阿克苏地区WR-IB型火箭防雹增雨火箭操作培训班

阿克苏市防雹队401炮点作业人员正待命发射

我国第一个用于人工影响天气工作的多普勒雷达站在阿克苏地区沙雅县建成

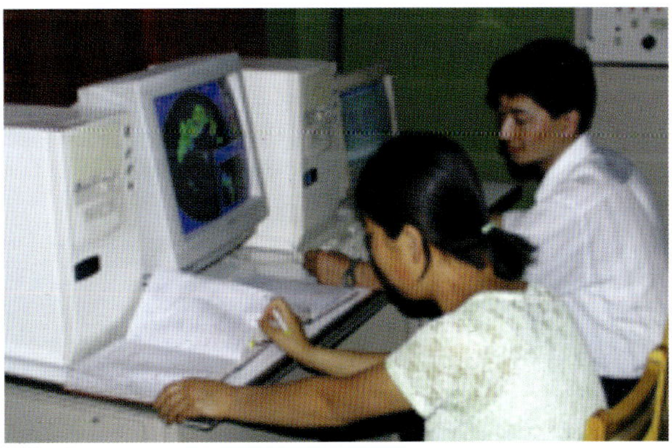

沙雅雷达站运用先进的自动防雹作业指挥系统进行指挥作业

台安县气象局在改革

台安县气象局局长 **李少云**

辽宁省台安县气象局，1992年以来，在新一届领导
地方经济建设特别是为当地农业生产和粮食储运等领域
气象服务赢得了地方党政领导和广大用户的大力支持和
台安县气象局在短短7年时间里，投资200余万元
改造，兴办综合经营实体。他们在稳定发展地方 气象事
合经营，取得了明显的社会经济效益。仅综合经营一项
昂的精神面貌和工作热情奋战在各个岗位上，决心为台安

县局以严格的规章制度规范职工的行为,不定期召开职工大会,使全局工作紧张而有序。

县局电视天气预报制作室一角

县局紧紧围绕春晒，主动开展为粮库的气象服务。

县气象局雄姿

中蓬勃发展

下，广大干部职工苦干实干，为
要贡献，以丰富的产品和优质的

楼、进行气象现代化建设和环境
不断拓宽科技服务领域，发展综
达 50 万元。台安气象职工正以高
的可持续发展做出更大的贡献。

团结务实、精干高效的县局领导班子

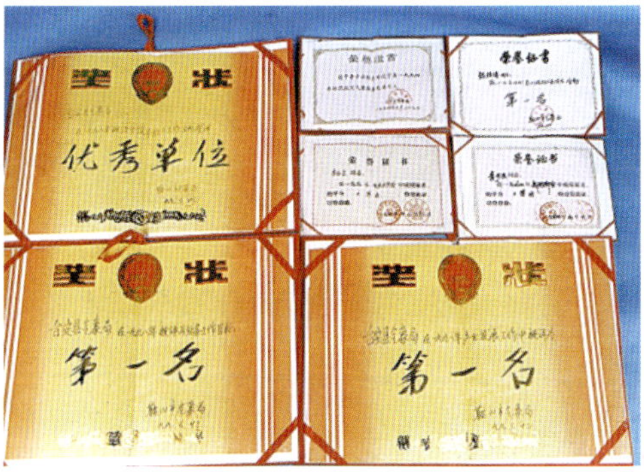

县局连续多年被评为县卫生红旗单位、花园式单位；连续两年被评为县级文明单位

县局综合经营项目——云雾大酒店和液化气公司

前进中的河南气象科技产业

河南省气象局紧紧依托部门优势，大力推进全省气象科技服务和科技产业的发展，坚持把信息产业放在首位，狠抓气象寻呼服务、计算机网络工程服务、气象信息电话（121）服务、气象影视广告服务、气象防雷服务及专业气象服务等6大支柱项目的建设与发展。目前，气象寻呼台已覆盖全省70%的县乡，实现了全省联网；主要从事计算机网络工程服务的省图灵信息技术有限公司呈现着良好的发展势态。所有市地级城市、90%的县级城镇建立了气象信息电话服务系统；所有市地局、56%的县市局独立制作电视气象服务节目；所有市地局和县局开展了防雷检测服务，67%的县局开展了防雷安装服务，49%的县局开展了防雷工程设计。

省气象台121气象信息服务中心

风云寻呼台一隅

河南省气象局局长 **张绍本**

省气象台714CD雷达工作站

省气象局图灵信息技术有限公司一隅

各省、自治区、直辖市、计划单列市气象工作情况

北京市

概况 9月，中国气象局党组任命谢璞为北京市气象局副局长、党组成员；胡荷任局党组纪检组组长、党组成员。市气象局机关设：办公室、人事劳动处、计划财务处、业务发展处、科技教育处、产业发展与装备处、直属机关党委(与思想政治工作处合署办公)、监察审计处、离退休干部处。直属事业单位有：市气象台、气象科学研究所、专业气象台、观象台、气候中心(气象档案馆)、信息网络中心、技术装备中心、后勤服务中心(行政管理处)。经市编委批准，设立北京市避雷装置安全检测中心(处级单位)。按照事业结构调整需要，组建了万云科技开发有限公司。全市气象部门在编人员总数639人，其中干部570人、工人69人。职称结构：高级工程师54人，工程师207人，助理工程师及技术员268人。学历结构：研究生20人，本科生94人，大专生213人，中专生153人。

1月26日，中国气象局颜宏副局长到大气探测综合试验基地(南郊观象台)、通州气象局和通州永乐店气象站看望慰问干部职工。1月27日，李黄副局长到大气探测综合试验基地慰问气象职工。2月13日，中国气象局颜宏副局长参加国家气象档案馆延庆分馆揭牌仪式。2月20日召开全市气象工作会议。3月21日市气象局与中国气象局、国家海洋局在首都体育馆前联合举办世界气象日宣传咨询活动。3月22日市气象台、专业台对外开放，近3000市民参观。3月30日中国气象局副局长刘英金出席市气象台为全国文明服务示范单位授牌仪式。4月23日召开了北京气象学会第16届会员代表大会，选举产生了新一届理事会。5月6～7日，中国气象局副局长马鹤年到市气象部门调研指导工作。6月15日中国气象局局长温克刚到市气象局检查汛期气象服务工作。6月30日温克刚局长在市局上报的6月29日暴雨"天气情况"上作批示。7月16日，中国气象局副局长李黄率员到大气综合探测试验基地参观。7月27日，市政协副主席、致公党中央副主席杜宜瑾率市政协委员到市气象局视察工作。7月31日，全市气象系统精神文明建设工作会议在怀柔县召开。8月10日市政府副秘书长柳纪刚到市气象局了解汛期天气情况。11月12日，全国政协常委、中国气象局名誉局长邹竞蒙到市气象局听取北京空气污染气象条件科研业务工作情况汇报。12月8日，市气象局万云科技开发有限责任公司成立。12月9日，召开全市气象部门创建文明行业规范化服务达标工作会议。12月24日，在第12次市政府常务会议上，市气象局局长恽耀南就《落实控制北京大气污染紧急措施责任书》与北京市市长贾庆林签约，市政协城市建设委员会主任陆道洽、副主任聂桂生、王耀荣率市政协委员到市气象局参观视察。

气候评价 年内气象特点：大部分地区气温偏高，降水偏多，特点是春季降水频繁，而"七下八上"的主汛期降水却比常年同期显著偏少。日照接近常年略偏少。本年度未出现春寒和倒春寒灾害，干旱和洪涝不明显，大风、暴雨灾害少而轻。

年平均气温平原地区为11.9℃～13.5℃，大部分区县比常年偏高1℃以上，但冷暖变幅较大。年降水量在587～920毫米之间，东北部多，西部和西北部少，与常年相比除上甸子偏少外，其它地区均不同程度偏多。冬、春季节降水量明显偏多0.5～3.5倍，特别是2月份有9个观测站的降水量是历史同期的最多值；4月份全市除昌平县外，比常年同期偏多4

成左右，平原地区甚至偏多1倍；5月份全市降雨量比常年偏多7～8成；“七下八上”主汛期却比常年同期显著偏少了5～8成。8月上旬城近郊和京西地区降雨特少，降水量不足10毫米。年日照时数在1981～2710小时之间，除霞云岭与常年持平外，其它地区均比常年偏少1～2成。

主要天气事件及其影响。全年共出现22个雹日，以4、5、6月雹灾为重。6月14日延庆县7个乡遭风雹袭击，冰雹最大直径40毫米，受灾面积3.2万亩，直接经济损失1200余万元。年内出现雷暴日38天，造成重大雷击灾害事故40余起，尤其是7月25日凌晨月坛发射台发射塔落雷，损坏发射装置及微机、电话机等设备，使8个寻呼台中断工作60小时。8月31日密云县境内司马台长城落雷，一英国游客遭雷击身亡，另一外国游客和数名躲雨的农民受伤。4月16日本市出现黄泥雨天气，天空一度昏黄。6月30日全市普降暴雨，部分区县出现特大暴雨，通州区当日降水量为281毫米，创历史极值。暴雨造成城市部分地段严重积水，交通一度受阻，八达岭高速公路东辅线清河桥路段发生大面积塌陷，1农民溺水身亡。11月21日全市普降中～大雪，部分地区暴雪，首都的高速公路和国道等交通干线相继被迫关闭；首都机场关闭5小时，200多次航班延误或迫降其它机场，近万名旅客滞留机场。

年内天气气候条件有利于粮食作物生产，属偏好年景；蔬菜生长期的气候条件为正常偏差年景。春、夏频繁的降水，使全市地下水位有所回升，8月31日密云水库水位高151.17米，比1997年同期增高0.38米，蓄水量为29.07亿方，比1997年同期增加0.59亿方，其它中型水库蓄水量均比1997年有所增加。

气象服务　九届全国人大、政协会议期间，共提供重要天气报告11期，专题气象预报21期；为中央领导到玉渊潭公园植树、北京大学百年校庆等活动做好气象保障服务。在6月下旬美国总统克林顿访华期间，从6月25～29日，共向外交部礼宾司以及北京市有关部门领导发送8期天气专报，并进行电话跟踪预报服务。对此，外交部长唐家璇对气象服务给予了较好评价。进入汛期，对3次大雨或暴雨天气过程，都做出了准确预报，特别是对7月5日出现的特大暴雨天气，提前24小时做出了预报。春秋两季与市农业局联合召开了气候与农情会商会，为市领导指挥生产提供参谋决策依据。市人影办抓住有利天气时机，在6个区县开展人工增雪、增雨作业7次，开展高炮防雹作业34次。自11月12日起每日向市政府报送24小时空气污染气象条件预报。

公众和专业气象服务。1月1日起市气象局通过“221”气象电话声讯台向社会发布空气污染预报。密云县气象局于3月开通了“221”气象答询服务电话。市气象局在海淀、丰台、朝阳、石景山、昌平、顺义建立了6个花粉观测站，4月1日起开展花粉观测，通过“221”声讯台和电视台节目对公众播发花粉浓度实况。5月4日起在北京电视台第一套节目开播《都市气象》，内容包括大气清洁度、紫外线照射强度、花粉浓度、空气舒适度及下午下班期间天气等。市专业台与《生活时报》合作，7月份起在该报刊发啤酒、冷饮指数和霉变指数预报。先后在《北京晨报》、《北京广播电视报》等5家报刊上开辟了气象内容专栏。11月16日与市公安局联合下发了《北京市计算机系统防雷安全技术检测规定》的通知。

气象业务与现代化建设　2月中旬，市气象局对无线数传网络进行改造，更换了调制解调器设备和改进了通信软件。3月底完成各区、县气象局的通信设备和软件程序安装调试，无线数传网于4月1日恢复业务使用。改造后的无线数传网性能稳定，通信传输速率提高了1倍，由过去的2400BPS提高到4800BPS，且软件界面全部汉化，便于操作人员掌握。无线数传网与有线数传网一起互为备份，作为市局与各区县气象局的业务信息通讯网使用。

市气象局业务楼扩建工程3月初动工；大气探测综合试验基地地面试验观测场，于4月15日建成启用。

市局观象台完成了“淮河流域能量与水分循环试验”课题中北京地区高空探测任务。市人影办研制了人工影响天气工作站，进一步提高了人工影响天气指挥、效果检验等方面现代化、自动化水平。海淀区人影指挥中心建成了全区800兆周二级通讯网，使区人工影响天气指挥作业有了可靠的通讯保障。市局大气探测自动化研究室在西直门、四元桥、紫竹院公园自动站增加了特种温度观测。会同气候中心完成了北京地区6个代表站（顺义、密云、昌平、丰台、房山、观象台）的气压、气温、湿度、风、降水五大要素，自1961年1月1日～1996年12月31日期间资料检索系统共享光盘的开发工作。延庆县利用地方财政资金，在八达岭、松山建立了两个乡级温度、降水两要素自动气象站。汛前上甸子、斋堂、汤河口安装了3个山区站雨量自动站并投入业务运行。

科研教育 年内立项“多普勒雷达暴雨山洪监测及预警系统”、“北京城市特殊天气要素预报系统研究”、“北京地区高分辨率数值预报产品实用技术研究”、“北京光化学污染研究”4项重点科研项目，争取科研经费72万元。“北京城区灾害性天气预警系统”、“北京城市火险预警系统”与“液氮消过冷雾中试系统研究”3个课题年内结题，通过有关部门鉴定验收。“立体云图和立体地形在电视天气预报中的应用”和“北京地区小网格农业(水、热)研究”分别获得北京市科技进步二等奖与三等奖；由航天工业总公司和市局研究所联合开发研制的“边界层测风测温雷达”项目，获得中国航天工业总公司科技进步一等奖。

年内全局有343人次参加了各类在职教育培训，其中参加学历教育32人(博士生1人，本科生3人，专科生23人，中专生1人，在职研究生课程进修生4人)。191人(次)参加了各类岗位技术培训，120人(次)参加了有关科技业务学习班学习。

改革 从4月1日起执行新的业务工作流程，新的业务流程统一设立了预报、编辑、分发、播音、产品研制开发和短期气候预测6个岗位，并按岗位分别归属气象台、专业台、研究所和气候中心领导，使气象信息的制作、加工、服务等更加专业化。

年初，市局机关和直属事业单位组建的会计结算中心开始运作，加强了财务管理，提高了工作效率。上半年，市局向职工出售了产权公有的职工住宅楼房。在254户住户中，有83%的住房户购买了现住房。

综合经营 年内，市气象局把气象信息服务、计算机网络开发、防雷工程等主要产业进行了重新组合，于12月8日成立了“北京万云科技开发限责任公司”，注册资金500万元，促进气象科技资源向集团化和产业化方向发展。昌平县和怀柔县气象局开发了房地产项目。同时市局对效益低、管理差的参股浩思特公司进行了财、物清理。

至年底，市局所属的信息产业和综合经营实体共23个，从业人员225人。主要经营广告营销、电子技术开发、雷电防护工程、汽车维修、木器加工、餐厅饮食等。全年创毛收入比上年增长22%。

外事工作 年内接待了日本WNI公司(民间天气预报新闻公司)总裁石桥博良，丹麦交通部国务副秘书尼尔斯.瑞默尔和丹麦气象局长拉尔斯.普拉姆率领的丹麦气象代表团；由埃及、毛里塔尼亚、苏丹、叙利亚、突尼斯、也门、巴基斯坦、孟加拉、马其顿等国气象局长或副局长组成的多国别气象考察团；朝鲜、韩国等总计14个国家和地区的29人(次)参观考察。派出16人次出国考察、培训和做技术交流。其中8月4～13日，由杨宝忠副局长为团长的市气象局代表团一行7人到日本进行访问，恽耀南局长一行4人10月26日～11月8日赴美国考察。

精神文明建设 在各级领导干部中开展了以“三讲、四自、三负责”为主要内容的廉洁自律教育，坚持了局、处两级领导班子廉洁自律民主生活会制度。在抗洪救灾中共向灾区捐款24万余元，捐献衣被3000多件。青年业余足球队，在5月份市国家机关足球比赛中进入12强。

市局科研所和气象台、平谷县气象局被首都精神文明建设委员会命名为1997年度首都文明单位，市气象局机关党委被授予全市国家机关系统先进基层党组织称号。北京气象学会被市科协评为1996～1997年度先进学会。专业气象台丁德平同志被北京市委、市政府授予第四届首都民族团结进步模范称号。 (曹冀鲁)

天 津 市

概况 局机关设：局办公室、人事劳动处(离退休干部处)、计划财务处、业务发展与科技教育处、机关党委(思想政治工作处)、监察审计处(党组纪检组)、科技服务与产业处(技术装备处)。局直属事业单位有：市气象台、专业气象服务台、气象科学研究所、气候服务中心、人工影响天气办公室、技术装备中心、后勤服务中心、气象学会。局直属实体有：气象信息网络技术开发中心、天津市防雷中心、天津市气象影视中心(天文开发公司)。

全局干部职工500人，其中干部432人，工人68人。全局有高级职称41人，中级职称170人，初级职称200人。学历结构：中专167人，大专以上248人，研究生8人。

2月24日，召开全市气象工作会议，传达了全国气象局长会议精神，安排部署了1998年的主要工作任务。3月6日，召开全局党员代表大会。3月19日，《天津通志农业志气象卷》评审会在市气象局召开，市修志办、市农委修志办的有关负责同志出席了会议，并提出了评审意见。3月20日，塘沽区区长刘长喜，副区长赵建国一行到塘沽气象局检查指导工作。3月23日，市气象局与海洋局、海军航保部、国家海洋研究所围绕1998年世界气象日的主题“天气、海洋与人类活动”联合举办座谈会。市气象局曾凡喜局长主持会议，市委常委、副市长曲维枝到会并讲话，市科工委书记、科协副主席张道成，市政府副秘书长陈钟槐等领导同志也出席了座谈会。5月3～4日，四川、黑龙江、吉林、贵州、天津5省（市）对口援藏协调会在天津召开，西藏昌都地区气象局的领导参加了会议。5月16日，天气预报节目中，气象小姐走上荧屏。5月19～21日，京津沪渝粤5省（市）气象服务研讨会在津召开。中国气象局气象服务与气候司、产业发展与装备部有关处室领导等30余人参加了会议。6月22～23日，中国气象局温克刚局长一行到天津检查指导汛期气象服务工作，并听取了市局党组的工作汇报。7月27日，市人工影响天气办公室与空军驻津某部联合举行“庆八一军政军民座谈会”，市政府副秘书长陈钟槐、市防灾减灾协会会长陆焕生应邀到会并讲话。7月29日，市气象局在静海县召开区县气象业务及服务系统推广现场会。8月10日，市政协副主席朱连康到市气象局了解天气情况，慰问气象职工。8月14日，天津市市长李盛霖到市气象局视察防汛工作并听取局领导关于汛期天气情况的汇报，慰问了工作在一线上的气象职工。9月14日，天津市副市长孙海麟与市政府副秘书长陈钟槐、市农办主任崔世光一行冒雨到市气象局检查指导工作。10月28日，在中国气象局召开的全国汛期气象服务表彰电视电话会议上，塘沽区气象局被授予全国汛期气象服务先进集体，市气象台短期科赵刚同志被评为先进个人。10月20～23日，1998年度北京区域测报工作协调会在天津蓟县召开。来自中国气象局大气探测实验基地、国家气象中心及北京、天津、内蒙古、河北、山西、山东、河南、青岛等省（区、市）气象局的代表参加了会议。10月26～28日，市气象局举办廉政监督员培训班。10月26～28日，市气象局对全市12个基层气象台站精神文明建设工作进行检查。11月16－18日，西渤海湾地区盐业气象行业管理试点验收会在津召开。来自河北、黑龙江、新疆、天津、山东莱州、福建蒲田等省、市气象局和西渤海湾地区5大盐场（黄华盐场、南堡盐场、大清河盐场、塘沽盐场、汉沽盐场）的领导及有关人员参加了会议，中国气象局副局长马鹤年、政策法规司副司长梁景华出席了会议并讲话。

气候评价　1998年总的气候特点是：降水时空分布极不均匀，气温异常偏高，日照时数普遍偏少。年度内冬、春降水特多，夏季多阵性降水，雨量分布不均，秋季干旱；冬、春、秋三季气温显著偏高；各季日照均偏少。

年平均气温12.5℃～14.2℃，比历年平均偏高1.0℃以上。市区年度平均气温14.2℃，为1928年以来历史同期最高记录，其它各站均达到或超过建站以来的历史最高值。年降水量在508.0～869.7毫米之间，东部及北部地区略多，西南部地区略少；年日照时数在1952.5～2530.7小时之间，各测站均比常年偏少。

冬季降水多，气温高，是自1987年以来连续第12个暖冬。季内多大雾，日照偏少。气温：季平均气温－0.1℃～2.2℃，市区最高达到－0.1℃，比常年同期偏高2.0℃，尤其是2月，市区平均气温为2.8℃，比常年同期平均值偏高4.1℃，为100多年以来的极值。降水：季降水总量19.9～44.4毫米，其中静海最多，达44.4毫米，是常年的3.4倍。日照：季内多大雾，导致日照偏少，季日照时数401.8～517.2小时，比常年同期偏少61.9～165.0小时。春季降水异常偏多，气温高，日照少。气温：季平均气温13.7℃～15.1℃，与常年同期相比偏高1.3℃～2.1℃，市区最高达15.1℃，4月上中旬气温明显偏高，4月20日、21日市区极端最高气温高达32.2℃和31.8℃，为历史同期所罕见。降水：季降水总量120.0～266.0毫米，其中静海最多，达266.0毫米，是常年同期的4.1倍；降水时间为3月偏少，4月、5月降水特多。日照：季日照时数562.9～717.3小时，比常年同期偏少60.6～207.8小时。夏季降水时空分布极不均匀，气温接近常年略偏高，日照普遍偏少。气温：季平均气温24.7℃～26.1℃，大部分地区接近常年或略偏高。降水：分布极不均匀，东丽、宝坻季降水总量在500毫米以上，而静海仅145.2毫米。日照：季日照时数507.8～692.8小时，较常年偏少59.1～218.1小时。秋季降水少，气温高，光照不足。气温：季平均气温13.3℃～15.9℃，与常年同期相比偏高1.4℃～2.3℃，西青站在9月、10月连续2月平均气温为该站建站以来同期最高值。降水：季降水总量41.7～84.3毫米，与常年同期相比偏少1～4成。日照：季日照时数499.7～628.3小时，较常年同期偏少76.1～156.7小时。

重大天气及其影响：本年主要有寒潮、大雾、局地暴雨、干旱、大风、冰雹等。

寒潮 11月16～18日气温骤降，48小时内日平均气温下降了9.5℃，极端最低气温下降了11.1℃，达−7.0℃。露地蔬菜受到不同程度的影响；患病人数急增。

大风、暴雨、冰雹 1月3日市区突起大风，造成144条高压线路和低压线路发生断路和短路故障；位于锦州道与张自忠路的一座高楼上的长30米高5米的广告架从天而降，所幸未造成人员伤亡。4月22日，突降罕见大暴雨，市区雨量达106.8毫米，市内发生大面积积水，对市内交通造成很大影响；风雨又造成多条高压供电线路故障，连带大批低压线路停电；雷电并引发多起雷击事件。5月19夜～20日凌晨，该市除蓟县外的11个区县的大部分乡镇的农作物遭受不同程度的大风、冰雹袭击，同日，静海县出现暴雨，日降雨量达124.5毫米，致使部分小麦倒伏；部分瓜果蔬菜及玉米、大豆、棉花等农作物被冰雹砸损；据估计，农作物成灾面积14.7万亩，绝收和需毁种2.4万亩。6月16日下午和17日凌晨，天津市8个区县42个乡镇2次遭冰雹袭击，雹径一般在20～30毫米，最大达50毫米。据统计，农作物受灾面积18.6万亩；市区10条高压线路和137条低压线路先后出现故障。8月1日夜间，塘沽区出现雷雨和风暴，12小时雨量81.7毫米，24小时过程雨量99.8毫米，瞬时最大风速达26米/秒。风暴使区内积水严重，并导致天津碱厂的2台5吨龙门吊车相撞，1台基本报废，损失200万元；港务局的一台600吨吊车掉入海中，1台被撞出轨，另有6台龙门吊车相撞，直接经济损失达3000万元左右。8月18日晚，蓟县出现暴雨、冰雹，津围公路的护路树木被连根拔起；狂风又将某公司的大吊车从27米高的电除尘车间吹落下来。据统计，受其影响受灾农田2.2万亩，折断树木630棵，中断供电线路1.16万米，倒塌房屋125间，损失642万元。8月29日和31日汉沽区杨家镇、静海大郝乡、西翟乡宝坻县大钟庄乡、袁罗乡连续2天普降冰雹，最大直径30毫米，造成各种农作物及果品减产，直接经济损失达3500万元左右。9月3日，汉沽区再遭雹灾，其中，后沽乡降雹约10分钟，雹大如鹌鹑蛋，农作物受灾1.49万亩，经济损失约在4000万元左右。

大雾 12月份，市区降大雾7天，宝坻降13天。大雾导致机场多个航班取消，公路交通事故频发。16日，国航和新华航空公司飞回天津的7个航班因雾全部备降北京机场，从天津起飞的多个航班被迫取消；24日京福高速公路因雾发生一起70余辆轿车、客车、货车相撞的交通事故，造成3人当场死亡，20余人受伤。30日津城浓雾，市区能见度在10～15米，郊县在5～6米，使7个国内航班和3个国际航班不能正常起飞，多趟列车晚点，京津塘、津福高速公路临时关闭。

综观1998年度，农业年景属于偏好年份，全年粮食产量达21.01亿公斤，比平年增长1.9%，比产量最高的1995年增长1.5%。

气象服务 全市各级气象部门把决策服务放在首位。全年向市领导和有关部门发送《重要天气报告》4期，雨情公报91期，中期预报181期，气候预测、监测及评价等32期，农气旬月报24期，农业气象服务15期，各种专题服务近百余次。特别是8月上旬，在防汛抗洪最关键时刻，向市政府和有关部门提交了“在做好当前防汛工作的同时，注意抓住较强降水天气过程做好蓄水工作的建议报告”。8月14日，天津市市长李盛霖来局视察工作时，对此给予了充分肯定。

在为农业服务方面，对影响农业生产的突发灾害性天气进行昼夜监测，并多次发布灾害天气警报。针对雹灾频繁的特点，在全年184天的防雹值班期内，实弹作业日28天，作业306站（次），共发射炮弹2万余发，使防雹作业区内基本未受雹灾。加强了农作物生长关键时期和关键季节气象条件的分析和对策服务，制作了反映全市各小麦种植和坑塘分布的高分辨率影像图等新的遥感应用产品，为市领导和有关部门指挥生产提供了科学的依据；各区县气象局开展了遥感监测服务，扩充了农气旬月报的服务内容和范围。

专业专项服务相继开发了垂直梯度风力、高温高湿持续天数、城市火险气象等级、超浅海风浪、潮汐等预报服务，针对有关部门的需求，开展了外文专业预报服务。汛期，天津港四公司有一批化肥装卸任务，四、五万吨重的轮船要在每天涨潮时靠码头，在落潮前必须卸下一半的货物，否则船就要搁浅或返回锚地，将会损失几十万美金。四公司的领导要求塘沽气象台提供高质量的气象保障服务：为轮船进港提供时间安排；轮船靠码头后要有5～6个小时的作业时间；轮船作业时间内如果出现降水，必须提前一段时间通知。对此，塘沽气象台为四公司提供了较为周密、及时的气象服务，使他们的作业在汛期中没有出现一次货损。事后，天津港四公司送了“科学测风云，准确又及时”的锦旗。

气象科技服务在城市大气洁净度、医疗卫生气象、人体舒适度等生活气象指数预报等方面已开发出为城市环境服务的产品；防雷减灾和避雷检测工作进一步加强；“121”电话自动答询在市区、5县和塘沽、汉沽、大港3区全部开通；天象寻呼台开辟了气象警报寻呼业务，全年签订科技合同831个，年收入647.07万元，较1997年增长25.1%。

气象业务与现代化建设 气象卫星综合应用业务系统(9210工程)实现了准业务运行，市局VSAT次站和塘沽VSAT小站设备安装和软件调试按期完成。新的300门程控电话交换机投入使用。以网络互连、MICAPS系统开发应用为标志的新的气象实时业务系统建设进展顺利，原NOVELL网升级为NT网；机关办公自动化微机网络初步建成，局内各单位实现网络互连互通；利用天津“169”互连网组成的区县局至市局的业务广域网已经开通，网上互访、数据共享的现代化业务、管理网络环境初步形成。天津信息港“天气预报”网站及专业服务网站正式启用，开辟了气象信息网上服务新领域。“区县局气象综合服务系统”试点开发获得成功，并已向全市各区县推广。对SGI工作站和MICAPS系统进行了数值预报产品调用显示、分析处理等二次开发。自动雨量站网完成了单站两套设备组装和运行试验。

完成了对预报会商室、气象仪器检定环境的改造工作；滨海新区气象预警中心工程业务楼主体和内外装修基本竣工。“天津市重大气象灾害监测预警服务系统”首批工程也已启动。

基础业务管理：在全市气象部门开展了业务质量年活动，加强了岗位培训，完成了对地面测报、农气、日射人员持证上岗的考核和颁证工作。针对短期预报领班、主班、副班及专业服务不同特点设立预报席位制，使人机交互分析制作预报的新业务流程逐步形成。地面测报年平均错情率较上年下降了0.1‰，全市共有8个台站测报质量和5个台站农气测报质量达到“五优一强”的标准。各种气象报表报送连续14年达标。信息化资料上报及时率和质量连续9年达到“A”级。

科研教育 年内，《短期气候预测方法研究》《区县局气象综合服务系统》《短期天气预报业务应用系统软件的开发》《城市环境气象应用研究》等一批科研课题取得重要进展。全年科研课题共立项17项，争取课题经费12.45万元。通过验收鉴定2项。共有3项科研成果荣获司局级科技进步奖。

全年共举办各类培训班及讲座14期，培训人员201人(次)，外派培训学习27人(次)，9人(次)参加学历教育，其中博士生1人，研究生1人，本科2人，大专5人。

改革 年内，制定下发了《深化人事制度改革的有关规定》和《推行全员合同制实施方案和实施细则》。局机关完成了向国家公务员过渡工作。建立了合同制工人《养老保险手册》，为机关事业单位养老保险社会化打下了基础。

制定了《天津市气象局基本气象系统岗位设置实施意见》，对基本业务人员进行了重新定编、定岗、定员，推进了基本气象系统的精干高效。

市局制定了“产业发展基金管理办法”、“对企业工资奖金分配原则意见”等政策。武清县气象局和局影视中心在内部分配机制上进行了探索和尝试；气象信息产业发展逐步形成规模，产业结构更趋合理，局骨干实体得到巩固和加强。

全年在业务服务、科研教育、产业发展、人事财务管理、廉政建设等方面相继出台了25项管理规章制度，增强了宏观调控能力。

综合经营 全局共有综合经营实体9个，从业人数133人，其中气象职工40人。企业主要经营项目为无线寻呼、电视音像制品、微机网络工程、防雷工程、生物技术开发以及机电配件和服务业等等。年内盈利企业7个，全年各企业实现利润165.9万元，营业税金25.24万元，销售利税率为26%，成本费用利润率为30%。

精神文明建设 全年共组织9次中心组及处级干部理论学习班，输送17人(次)到市委党校及市直机关党校参加培训。纪检监察工作继续狠抓了对制止奢侈浪费八项规定的落实，审计工作加大了对被审单位的帮促力度，增加了经济效益审计和干部经济责任审计。

年内，继续认真组织实施《天津市气象局“九五”精神文明建设实施方案》，改造了局礼堂和职工食堂，狠抓了卫生治理和环境绿化、美化，并在全市气象部门提出“树立文明形象，争做文明职工，创建文明行业”的口号，深入开展精神文明创建活动。局机关党委主动配合区县领导加强对基层创建工作的指导，加快了创建活动的步伐。全市12个区县气象局全部被当地政府授予文明单位，汉沽区气象局还被评为文明示范单位，宝坻县气象局被评为文明服务示范窗口单位，并被推荐为市级文明单位；市气象局也通过了文明局级机关的验收。蓟县、宝坻、北辰、宁河、东丽5个区县气象局被评为花园式台站建设先进单位。蓟县、武清、塘沽基本实现了“五优一强”目标；市局人事处联合党支部受到市直机关工委表扬，并将其经验在全市机关进行推广；局机关党委连续4年被市直机关工委评为党建工作先进单位。

（王晓冬）

河　北　省

概况　省气象局机关职能处室9个：办公室、业务发展处、科技教育处、计划财务处、人事劳动处、科技服务与装备处、监察审计处（与党组纪检组合署办公）、离退休干部处；直属事业单位8个：省气象台、省气象科学研究所、省气候中心（省气象档案馆）、省气象技术装备中心、省人工影响天气办公室、省气象科技产业开发中心、省局后勤服务中心（省气象局行政处）、河北省气象学校。全省气象部门职工总数2352人，其中干部2084人，工人268人。人员配置：省局机关73人，直属事业单位332人，市局892人，县（市）局1055人。学历构成（不包括工人）：研究生15人，本科312人，大专574人，中专837人。职称构成（不包括省局机关和工人）：高级职称102人，中级职称763人，初级职称1024人。

1月10日11时50分，张北、尚义县发生里氏6.2级地震，张北、尚义县气象局办公用房、宿舍多处出现裂缝，人员没有伤亡。1月25～26日，中国气象局副局长刘英金等一行到张北、怀来县慰问气象职工。2月24～26日，召开全省气象局长会议，郭庚茂副省长出席会议并讲话。2月26日，省政府办公厅转发省计委、省财政厅、省气象局关于加快发展全省气象事业意见的通知。4月3日，郭庚茂副省长看望慰问飞机人工增雨作业人员，并进行了座谈。5月28日，省委、省政府通报省直单位领导班子实绩考核结果，省气象局被考核为实绩突出单位。6月17日，郭庚茂副省长到省气象局检查指导防汛工作准备情况。8月10日，省委副书记赵金铎到省气象局视察指导工作。10月9日，省政府颁布《河北省气象探测环境保护办法》。12月6日，中国气象局李黄副局长到省局视察指导工作。12月7～10日，召开全省气象局长研讨会议和政工会议，并举办了全省气象部门纪念党的十一届三中全会召开20周年文艺汇演。12月16日，局长汤仲鑫、副局长吴波、安保政向副省长郭庚茂汇报工作时，郭庚茂对多普勒天气雷达建设和1999年全省气象工作提出具体要求。

气候评价　年内气候特点：全省年平均气温普遍偏高，各季气温与历年同期相比明显偏高；年降水量北多南少，冬春两季全省大部降水偏多，夏季北多南少，秋季全省大部显著偏少，旱情严重；年日照时数全省范围内四季持续偏少。本年度粮食生产夏减秋增，工业、交通等行业受气候影响不大。总之，1998年是一个雨雪偏多的暖冬，温暖多雨的春季，北涝南旱的夏季，高温少雨的秋季。

全省年平均气温3.6℃～15.2℃，与常年相比，普遍偏高0.9℃～2.5℃；全省年降水量在318～927毫米之间，与常年相比，承德大部、唐山西部及保定市东部偏多2～5成，阜平以南、武安以北的太行山区及冀中平原大部偏少2～4成，其它地区接近常年；年日照时数为1955～2854小时，与常年相比，全省年日照时数偏少60～700小时，石家庄、赞皇及饶阳一带，偏少近700小时，为历史罕见。

年内主要气象灾害是干旱、风雹、局地洪涝、病虫害。

干旱：夏、秋两季出现了全省大范围干旱。整个夏季，保定、廊坊南部及以南地区（除冀南平原外）降水均明显偏少，有近一半的地区突破历史同期最少值。从6月份起中南部降水偏少，7月中旬中南大部降水不足50毫米，部分地区不足10毫米，而且气温偏高，局部地区出现旱象。8月上、中旬全省降水明显偏少，其中8月中旬大部地区不足10毫米，到8月21日全省受旱面积2480万亩，严重受旱1000万亩，干枯死苗80万亩，干旱范围主要在中南部地区。整个秋季，全省大部地区降水偏少，重旱区在石家庄地区、衡水、邢台、邯郸，与常年相比，季降水量偏少6成～1倍，有一半以上的站点突破60年代以来的最少值。到11月末，不仅中南部旱情加剧，旱区还扩大到东部平原及张家口大部地区。

风雹：年内全省先后遭受14次风雹灾害，涉及全省11个市86个县（市、区），农作物累计受灾1300万亩，成灾770万亩，绝收87万亩，死亡16人，伤300多人，直接经济损失24亿元。造成损失较严重的有：5月20日凌晨，平原中北部地区出现大风、雷雨和冰雹天气，风力7～8级，冰雹最大直径11毫米，持续30分钟，农田受灾面积79.6万亩，直接经济损失21144.5万元。6月17日，张家口市区和怀安、崇礼、万全3县的部分乡镇遭受冰雹、雷雨大风的袭击，市区冰雹最大直径35毫米，造成近90处断电。怀安县左卫镇遭飑线袭击，风力达10～11级，有1万多棵树木、1000多间房屋受损，停电8小时，农田受灾面积8.8万亩。6月21日，邢台11个县、衡水9个县、沧州3个县及廊坊的大城县遭冰雹、大风袭击，邢台最为严重，最大阵风10级以上，冰雹最大直径50毫米，积雹厚度5～8厘米，农作物受灾293万亩，4万余株树木、1700根电杆被刮倒折断，倒塌民房1127间。

暴雨：全省共出现成灾暴雨4次。其中，7月13日沧州市10个县市遭暴雨袭击，降雨量最多达300毫米，此次灾害共涉及53个乡镇，农作物受灾93万亩。同日，承德、唐山、秦皇岛、沧州、衡水出现了暴雨和大暴雨天气，其中16个县雨量在100毫米以上，3个县200毫米，据不完全统计，农作物受灾108万亩，损坏房屋8780间，冲断公路1550米，损坏桥涵162座，总经济损失1.3亿元。

病虫害：由于冬、春季气温偏高，降水偏多，温暖潮湿的气候条件使本年病虫害种类多、范围广、程度重。小麦白粉病、蚜虫始见期早于常年，锈病、纹枯病发生较为普遍。白菜病虫害发生较重，病株率达90%以上。玉米螟发生较重，夏蝗发生面积达300万亩，主要集中在沿海、湖库等内涝荒滩草地，蝗虫密度之高，范围之广，均为近20年来最严重的年份。

气象服务　以防灾减灾为重点的预报服务。1月10日张北、尚义发生强烈地震后，省气象台、张家口市气象局密切配合，提前5天准确预报了地震灾区的强降温天气，受到杨迁副省长的高度赞扬。省、市气象台积极配合春季“一抗双保”、麦收、防治夏蝗、秋蝗等关键农事活动，对全省大范围灾害性、关键性、转折性天气预报成功，省气象台灭蝗气象服务受到省政府通报表扬。在全省紧急动员防大汛、抗大灾的形势面前，7月下旬省气象台及时向省政府提出了北部注意防汛、中南部抓紧抗旱的预报服务建议，省政府对预报意见非常重视，在盛汛期做出防汛抗旱两手抓的工作部署。11个市局和大部分县(市)局受到当地领导表扬。北戴河暑期气象服务受到好评。省气象台和唐山市气象局荣获“全国防汛抗洪气象服务先进集体”。

公众气象服务。省和11个市气象局、74个县(市)气象局开展了电视天气预报节目制作业务，并建立了全省协作组织。“121”电话天气预报答询服务进一步完善。

专业专项服务。组织飞机人工增雨作业30架次，成功率达80%以上，累计飞行44小时，作业区内增加了降水量，有效缓解了旱情。人工防雹共作业519次，发射防雹炮弹16768发，火箭276枚，在人工防雹区域内基本无雹灾。直接经济效益2亿多元。做好为农业气象信息服务，对小麦、棉花生产提供了专题分析和资料服务，对全年粮食总产和棉花总产预报准确率分别达到98%和92%，对冬小麦进行了综合测产预报，各市局创办了农业气象服务信息，多数县(市)局编发了综合气象科技服务信息，成为为农业服务的一个重要渠道。

气象专业有偿服务和科技服务。全年签订专业服务合同6516份，专职人员750人。专业气象服务、电视天气预报、避雷检测、放球、“121”气象电话答询5个支柱性项目得到巩固和发展。年内6个重点发展项目取得进展：121电话答询效益明显；有74个县(市)局拥有了电视预报制作权；有73个市、县(市)的防雷中心挂牌，省局防雷中心和8个市局、20个县(市)局通过了省计量认证，取得了合格证书，全省有56个单位开展了防雷工程作业；“221”、“181”、“7112”电话自动答询等新项目崭露头角；加入了“燕赵信息港”，政务信息改用因特网传输准备工作基本就绪；省局气象寻呼台已开始内部试运行。

气象业务与现代化建设　气象卫星综合应用系统(9210工程)于11月23日投入准业务运行，特别是MICAPS二次开发和建立新的预报业务流程有了良好开端；农业气象情报预报系统二期建设全面展开，完成了情报部分改版工作，更新了遥感处理系统，在全国农气基本业务考核中，质量列入第一档次；建成了由专业气象预报工作站、专业气象预报采集业务、专业气象预报分发系统3部分组成的专业气象台；省气象档案馆经考核验收晋升为国家二级档案管理单位；气候灾害实时预警系统投入准业务运行。

省气象局制定了《地面测报重大差错和重大业务问题处罚规定》，在决策服务中建立了暴雨报告等制度。各市局开展了“观测规范检查月”活动并收到实效。业务奖惩机制中，两个标准化建设进展较快。气象业务质量全省共创250班无错情26个，申报百班无错情350多个。地面历史气象信息化资料全部实行了光盘存贮。对3个市局的雷达进行了维修和维护。

科研教育 年内争取省部级科研立项4项，落实科研经费53.5万元，比上年增长20.5%。《河北省旱涝短期气候预测和农业防灾减灾研究》等4个科研课题列入省部级科研计划。《河北省人工增雨气象条件与作业技术研究的推广和应用》等一批科研成果取得了良好的推广效益，当年获奖成果的推广应用率达到了83%。与国家气象中心合作进行了中尺度数值天气预报应用试验，其产品已应用于预报业务。参加了太行山农业综合开发计划调查项目，与河北农大协作开展了课题研究。

制定了《培养跨世纪人才工程1998—2000年实施方案》，举办业务技术培训班和新知识、新技术培训班62期，共培训1371人(次)。作为中国气象局科教司岗位培训第一个试点单位，举办了第一期短期预报岗位培训班，53名预报员全部考试合格。召开了第二期拔尖人才座谈会，培养选拔优秀科技人才40名，研究生总数达到32人，占应有研究生单位总数的83%。计算机普训获组织管理优秀奖。成立了河北省气象培训中心，河北省气象学校面向社会招生，1998年招收计算机等专业新生216人，在校生达835人，比上年增加200余人。

改革 省气象局制定了关于直属事业单位和市、县(市)气象局落实《省和省以下气象部门基本气象系统岗位设置意见》的实施方案，和基本程序和配套措施。11个市气象局基本气象系统定岗到位人员468人，县(市)局定岗到位746人，省局直属事业单位定岗到位156人，全省气象部门分流人员927人。通过调整，全省气象部门在职职工人数由1997年的2534人减少到2352人，完成了中国气象局下达的减员指标。

对基本气象系统人员实行动态管理，每年结合年终考核，各单位根据业务需要和个人表现进行人员适当调整，可从科技服务、综合经营人员中补充调整到基本气象系统，也可根据基本业务人员意愿向科技服务和综合经营流动。建立了比较合理的利益分配机制，行政管理、基础业务、科技服务和综合经营的计划外收入利益分配比例为1∶1.5∶2；建立了奖励机制，省、市、县三级对基础业务分别制定了奖励办法；对市局实体、公司进行重组，由市局产业中心统管，并建立了相应运行机制和分配机制；建立了从省局对市局和直属单位、市局对县局的自上而下的目标管理体系，各级将目标任务完成情况作为考核班子的重要依据。

综合经营 实体个数为49个，比上年减少3个，其中企业类项目23个，非企业类26个，从业人数370名，其中气象职工319人，在企业领取工资的134人，比上年有大幅度增长。主要经营项目：科技开发、工业、商业、旅游服务。全省总经营额比上一年增长1.1%，利税增长3.3%。企业规模有不同程度的发展，企业类为部门增收比上一年增长48.8%。

管理工作 提高了强局建设指标，年内共建成县(市)强局16个。

加强了气象立法和执法工作，10月出台了《河北省气象探测环境保护办法》(第15号政府令)，制定印发了由省政府批准的《河北省气象部门错案和执法过错责任追究暂行办法》；制定了《河北省气象行政处罚程序规定(试行)》及统一的气象行政执法司法文书，《气象服务管理办法》实施细则及有关规范性文件。气象法规工作由立法走向执法。落实了管理机构和人员，明确了管理职责，初步建立起了执法责任制。与法制局联合行文为县(市)以上气象部门争取到了执法权，共发放执法证、监督证324个。一些市、县局建立了执法队伍和组织，对气象执法进行了初步探索。省气象局被省政府法制部门评为法制工作先进单位。

建立了省、市、县局三级党风廉政工作领导负责制，初步形成了监督制约机制。认真落实中央“八条规定”，搞好领导干部的廉洁自律工作。完成了清理电话、控制会议费和招待费3项任务，制定了《关于领导干部公费安装住宅电话及移动电话、BP机管理暂行规定》、《关于招待费管理暂行规定》、《关于会议费管理暂行规定》。

精神文明建设 组织学习邓小平文选、十五大报告，开展新一轮解放思想、深化改革的大讨论。省局机关党委被省直工委评为“十佳机关党建单位”，全省受地方党委表彰奖励的集体有129个，先进个人130名。被地方评为文明单位数已达130个，其中市级文明单位15个，县级文明单位115个，占创建总数的90%，比上年增加40%。1998年衡水、邯郸、石家庄、邢台、保定、沧州市局被当地评为市级文明气象系统。11个市局都建立了图书室、卡拉OK活动室。

把处级领导班子建设纳入领导班子建设的重点

任务之一，调整充实了部分处级领导班子。加大了对科级干部的宏观管理力度。

年内中国气象局共下达基建计划640万元，省计委下达基建计划360万元，安排市、县级基建项目投资440万元，下达省、市县基建项目44个，其中完成25项，在建19项。各市、县局积极争取地方匹配资金达230万元。1998年县级办公楼建筑面积为0.4万平方米，三级宿舍楼建筑面积为3.6万平方米。北戴河暑期服务基地建设完工，投入正式运行。

（刘文奎　张永红）

山　西　省

概况　4月10日，中国气象局党组任命王茂设为山西省气象局副局长。

省气象局机关设办公室、业务处、科技教育处、计划财务处、人事劳动处、科技服务与产业处、直属机关党委（与思想政治工作处合署办公）、监察审计处（与党组纪检组合署办公）、离退休干部处；省局直属事业单位设省气象台、省气象科学研究所、省气象技术装备中心、省气候中心（省气象档案馆）、省观象台、省局机关后勤服务中心（省局行政管理处）、省卫星遥感减灾服务中心（省农业气象中心）、山西气象信息网络中心（省农业综合信息卫星传输中心）、省气象学会秘书处、省气象干部培训中心。受省政府委托管理的省人工降雨防雹办公室。

全省气象部门干部职工总数2050人。其中，干部1705人，工人345人。学历：研究生10人，大学本科244人，大专433人，中专781人，高中278人，初中304人，职称：正研级高工2人，副研级高工77人，中级515人，初级1131人。

2月16～19日，全省气象工作会议在太原召开。2月17日，省委副书记郑社奎、副省长范堆相看望了参加全省气象工作会议的代表并讲话。3月，省委、省政府授予省气象局“1997年定点扶贫先进单位”。同月，省局荣获省政府1997年工作目标责任制“综合奖”，山西省农业综合信息卫星传输系统荣获“单项工作突出奖”。4月20日，“天鑫杯”气象知识竞赛抽奖仪式在山西电视台大演播厅举行，省政协副主席李龙城、省科协领导、200多名群众及省城7家新闻单位参加了仪式。7月17日，孙文盛省长主持召开省政府常务会议，通过《山西省气象条例》（草案），同意报请省人大常委会议审议。7月21日，省气象局局长霍成福受省政府委托向山西省九届人大常委会第四次会议作《关于山西省气象条例（草案）》的说明；7月23日，人大常委会分组审议《关于我省气象工作情况的报告》。7月29日，中共山西省气象局直属机关委员会第四次代表大会召开，选举产生了新一届中共山西省气象局直属机关委员会和新一届纪律检查委员会。9月25日、27日，在全省11个考场进行地面测报暨岗位合格证颁发考试。9月29日，《山西省气象条例》经山西省第九届人民代表大会常务委员会第五次会议审议通过，并公布实行。11月6日，省委书记胡富国、省长孙文盛分别致信祝贺《山西省气象条例》颁布实施。11月26日，省人大农工委、省政府法制局、省气象局联合召开贯彻实施《山西省气象条例》座谈会，省土地、城建、公安、工商、广电、环保、司法等45个厅局的负责人和12家新闻单位的记者近百人出席了会议，省人大主任卢功勋、省委副书记郑社奎、中国气象局局长温克刚发表书面讲话，省人大副主任姚新章、省政府范堆相副省长出席会议并讲话。12月4日，省气象局正式开通国际互联网（INTERNET）站点。12月底，经过3年努力，省气象局完成在汾西县要家岭乡实施单位定点包乡扶贫任务。

气候评价　1998年度全省降水量偏少，气温偏高，日照偏少。春雨多于秋雨，冬无严寒，夏无酷暑。冬季降水量普遍偏少，气温偏高；春季降水量偏多，气温偏高；夏季降水量正常，气温正常；秋季降水量显著偏少，气温异常偏高。

全省年平均气温5.6℃～14.6℃，最低在右玉，最高在永济，北、中部地区偏高1℃～2℃，南部地区偏高1℃左右。年降水量全省308.0～723.0毫米，最少在太谷，最多在阳城，属偏少年份，中部地区偏少3成左右，其他地区基本正常。年日照时数全省1900.8～2862.8小时，最少在垣曲，最多在右玉，大部分地区偏少33～488小时。

冬季全省平均气温为－10.3℃～1.8℃，北、中部地区偏高2℃～3℃，中、南部地区偏高1℃左右；降水量全省2.5～21.8毫米，西北部偏多，其中阳高、天镇偏多1～2倍，其他大部分地区偏少3～8成。春季全省平均气温7.6℃～14.7℃，运城盆地部分县市偏低0.1℃～0.3℃，北部及太原市偏高2℃～2.6℃，其他地区偏高1℃左右。降水量全省74.9～295.9毫米，北部的大同、右玉等地和南部的运城盆地偏多1～2倍，其他大部分地区偏多5～7成。夏季全省平均气温18.5℃～26.1℃，少部分县市偏高1℃，大部分地区正常；降水量全省167.0～482.6毫米，北、中部地区接近常年或偏少3成左右，南部地区接近常年或偏多3～4成。秋季全省平均气温6.5℃～15.9℃，偏高1～3℃；降水量全省6.8～104.5毫米，显著偏少，由北向南偏少5～8成。

全省旱灾、洪涝灾、风雹灾、低温冷冻灾等自然灾害发生面积达3083.1万亩，成灾面积1625.3万亩，造成农业经济损失18.46亿元。5月中旬～8月底，全省有80个县市489个乡镇3390个村发生雹、洪灾68次，农作物受灾面积590.68万亩，成灾面积398.31万亩，绝收面积51.31万亩，死20多人，造成直接经济损失10.7亿元。7月12～13日，兴县出现3次强降水过程，长达7个多小时，降水量达104毫米，全县374个村8.13万人受灾。14个乡镇通讯中断，20个乡镇交通中断，淹没煤矿井6座、铝矾土矿井57座，冲走汽车8辆、大牲畜87头、死2人，冲毁农田4.7万亩，农作物受灾面积78.4万亩，经济林受灾面积21万亩，造成直接经济损失1.89亿元。8月30～31日，长治、临份、晋城3个地市8个县的局部地区发生了大风、冰雹灾害，受灾严重的有37个乡镇，农作物受灾面积29万亩。8月份大同、朔州、忻州、阳泉、晋中、吕梁6地市40多个县(市)的大秋作物受旱面积达1753万亩，严重受旱面积1112万亩，因旱绝收面积15万亩。9月8日15时，怀仁县河头乡发生特大龙卷风灾害，河头中学校训碑被狂风摧倒，11名男学生被捂盖在下面，2名学生当场死亡，4名学生经抢救无效死亡，同时造成7个乡镇80个村6.2万亩农作物大部分倒伏。

气候条件对农业生产的利大于弊。夏粮不足秋粮补，总的来说是好年景。冬小麦适时播种后，气温偏低，麦苗长势缓慢，分蘖少。冬季气温偏高，降水偏少，旱情严重。入春后，3～4月份虽有几场有效降水，但不能解除旱情，且气温持续偏高，使小麦返青、拔节、孕穗受到严重影响。5月份出现大范围降水，缓解了旱象，增加了小麦千粒重。但5月下旬的低温、阴雨、寡照和大风、冰雹天气对正在灌浆的小麦有一定影响，加快了旱地小麦根系死亡，造成雨后青枯，出现倒伏。麦收期间基本无连阴雨天气，小麦收晒顺利。纵观小麦生育期气候条件，对小麦生长不利，造成小麦减产。大秋作物适时播种，苗全苗壮。夏季中、南部降水量充沛，利于棉秋作物生长。秋季降水量偏少，气温偏高。日照充足，对秋收十分有利。全省各地秋作物普遍丰收。

气象服务 重大灾害性、关键性、转折性天气预报准确，服务及时。特别是对6月下旬异常高温、7月上中旬的几次暴雨过程、7月以后的严重干旱天气，气象部门都做出了准确预报。尽管今年各地春季第一场好雨来期不尽相同，但省气象台和各地市台都做出了准确的预报，并提出相应的农事建议。7月5日、8月12日，南部和忻州、晋中、吕梁、太原相继出现暴雨和大暴雨，省气象台和有关地市气象台都成功地做出了预报或订正预报。

省气象局全年向省委、省政府提供包括森林火险在内的决策服务材料224期，各地市县气象局向当地政府和有关部门提供各类墒情、雨情、温情分析材料4万余份以上，为指挥农业生产赢得了主动权。2月17～23日，本省出现一次大范围的雨雪天气，对缓解麦区旱情和越冬作物返青十分有利，省气象台长中短期都做出了准确的预报。范堆相副省长对此作了高度评价。

卫星遥感监测为各级政府提供了作物长势、产量、森林火险等服务，特别是寿阳、榆社、乡宁等地发生的森林火险，由于卫星遥感准确监测，为及时扑灭火灾提供了依据。全年共上报火险77次，准确率为80%。

省人影办从3月13日～6月4日、8月8日～10月17日，分两个阶段实施人工增雨。飞行作业25架次，增雨总量4.85亿立方米，累计受益面积21万平方公里。全省11个地市及90个县市开展了地面人工增雨防雹，受益农田2600万亩，经济效益1亿元以上，

全省各级气象部门为引黄工程、阳城电厂、平朔煤矿以及各地的公路建设等重点工程，提供了有针对性的服务，同时，还为省会及各地市的重大节日庆典、重大会议提供了准确及时的服务。

全省气象科技服务创收比上年增长25.4%。防灾减灾气象寻呼快速发展，年初实现全省联网，全年用户总数达2.5万。“121”电话拨打率明显提高，一些地市气象局创收比上年翻了一番。26个县市气象局实现独立制作电视天气预报，阳泉、大同、晋城和五台山等地天气预报在中央电视台一套节目播出。全省11个地市和20%的县局开展了防雷设备的设计、安装、监理、验收、检测系列化服务，部分地市县气象局成立了防雷机构，并挂牌运行。

气象业务与现代化建设 气象卫星综合应用业务系统(9210工程)全面完成建设任务,进行准业务运行,实现了网络互联和资源共享。1月1日起下行资料完全通过9210系统获取,省级过渡为以应用9210系统获取资料为主、以地面系统为辅的运行模式,全年运行状态良好。上行资料使用备用方式7月1日正式运行,全省地市台上行报传输完好率达到98%,及时报达到99%,分别比原有系统提高了2个和5个百分点。

省气象局建立了因特网站,部分地(市)县气象局联入因特网;基本(准)站分组网入网建设全面展开,部分站已上网试验。办公自动化系统基本建成,会计电算化建设全面展开。农业气象、技术装备现代化建设继续进行。运城、晋城、阳泉、大同等4个地市完成雷达数字化改造,阳泉市风云二号卫星接收应用系统基本建成。

基层台站综合改善一期工程已有8个县气象局完成改选任务,8个县局正在改造中,6个县局准备动工。第二批改造单位中有5个县气象局做好了前期准备工作。太原市专业气象台正式挂牌,五台山自动气象站安装完毕。

省气象局制定了山西省天气预报业务技术体制改革补充规定并下发执行。全省实现了运用MICAPS制作天气预报。省气象台开展了降水、温度分县预报产品的上网指导,首次开展了灾害性天气落区预报指导业务,明显提高了公众天气预报产品的时间精度。11月,新的预报业务流程开始运作。

加强基础业务建设。全省开展了创星级活动、优胜流动杯和优秀管理员评选活动,开展了上岗培训、考核、考试、颁证工作。

科研教育 科研工作以促进科研成果业务化为重点,有20项成果在业务、服务中得到应用。年内承担了省部级科研项目3项,"短期气候预报系统"代表华北专题参加了国家科委的国家课题中期评估。全年省气象局验收鉴定的项目26项,达到国内领先1项、国内先进18项、省内领先4项,其中获省科委科技三等奖1项,省局科技进步奖9项。科研经费比上年增长了20%。

全年共举办各种培训班12期,培训人员415人(次)。省气象局全年培训投入达到26万元,为历年之最。

改革 逐步建立人事分类管理制度,省气象局成立了人才交流中心,为气象部门人员转岗和再就业提供服务。

全省气象部门继续进行事业结构调整。分流到二、三块(指科技服务和综合经营)的人员达到应分流人员的90%以上。各单位按照民主、公开、竞争的原则,开展了分流、转岗工作,制定了相应的运行机制。

综合经营 1998年,综合经营企业33个,非企业13个,正式从业人员77人。主要经营项目有科技开发、加工业、旅游服务、种植养殖等。全年综合经营收入总额比上年增长15.1%,年利润额占年收入总额的15.3%。

精神文明建设 全省气象部门干部职工认真学习邓小平理论和十五届三中全会精神,省气象局组织老干部宣讲团到全省气象部门巡回宣讲十五大精神。各级领导干部开展了"讲学习、讲政治、讲正气"教育活动。省气象局举办了"处级干部邓小平理论研讨班",对气象事业的改革与发展进行了深入探讨。

各级领导干部严格执行廉政准则及各项制度,重点抓了清理通信工具、严格控制会议、严格执行公务接待标准3项工作。健全了全省气象部门纪检、监察、审计网络。全省气象部门开展了反对官僚主义有关活动,并通过有关部门的验收。

调整充实了部分处级领导班子。省气象局直属机关党委、工会和团组织进行了换届选举。离休干部"两费"基本得到解决。

全省气象部门把树行业新风、塑行业形象、改进机关作风、提高工作效率做为创建文明行业的重点,开展了向文明服务示范单位太谷县气象局学习活动,制定并实施了创建文明单位工作计划。在干部职工中开展"三观"、"三德"教育,开展创建"职工之家"的活动。省气象局机关连续12年荣获太原市文明单位称号,局4个直属单位、10个地市气象局和96个县局被评为当地县以上文明单位。其中,阳泉、长治、晋城、大同、忻州、朔州6个地市气象部门所属各台站全部建成当地县以上文明单位。(沈晓峰)

内蒙古自治区

概况 自治区气象局机关设办公室、业务发展处、人事劳动处、科技教育处、计划财务处、科技产业与装备处、监察审计处、离退休干部处、直属机关党委(思想政治工作办公室)。直属事业单位设气象台、气象通信台、气候中心、农牧业气象中心、气象技术装备中心、气象科学研究所、气象学校、后勤服务中心。

全区气象职工3228名。其中干部3051名，工人177名。学历结构：研究生9名，本科259名，大专625名。职称结构：正研级高级工程师3名，副研级高级工程师75名，工程师965名。

2月10日和12日，自治区党委副书记王占、自治区政府副主席傅守正先后听取区气象局领导汇报工作。2月13～18日，全区气象局长会议在呼和浩特召开。2月15日，傅守正副主席主持召开各盟行署、市政府分管领导参加的气象工作座谈会。3月5日，自治区政府副主席郝益东在区气象台主持召开抗灾保畜气象服务座谈会。3月23日，人大常委会副主任张廷武、政府副主席傅守正、政协副主席格日勒图出席在呼和浩特举行的世界气象日座谈会。同日，郝益东听取区局领导关于近期天气情况的汇报。3月30日，自治区人民政府下发《关于加快发展气象事业的通知》。5月11日，中国气象局党组决定陈光明任自治区气象局巡视员，免去其副局长职务。5月15日，傅守正到自治区农牧业气象中心察看5月13日林火的卫星遥感资料。5月21日，中国气象局局长温克刚在区气象局扑火气象服务工作情况报告上作了批示，对自治区气象部门在扑火中的服务工作给予高度评价。5月23日，傅守正看望在兴安盟扑火前线执行人工增雨任务的3501机组和气象科技人员。7月5日，温克刚在区局一份工作报告上批示，表扬7月4～5日大雨天气过程预报准确，服务及时。7月9日，自治区人大常委会农牧委员会邀请部分人大常委听取《内蒙古自治区气象条例》实施情况汇报，张廷武副主席出席并讲话。7月13～15日，中国气象局副局长刘英金到自治区气象部门调研，并与傅守正就发展地方气象事业等问题交换了意见。7月29日，自治区政府常务副主席周德海和郝益东到区局了解汛情。8月7日，周德海、傅守正召见区局主要负责同志商议防汛抗洪事宜。9月3日和8日，王占、傅守正分别在区局汛期气象服务工作情况报告上批示，肯定了气象部门在自治区经济建设中发挥的作用。10月20～22日，以加快事业结构战略性调整为中心议题的全区气象局长工作研讨会在包头市召开。

气候评价　全区气候特点：气温偏高，降水偏多，但分布不均。年平均气温较常年偏高1℃～3℃。1月下旬～3月上旬，全区平均气温偏高5℃～10℃。4月～5月上旬，大部地区气温继续偏高。6～8月，气温接近常年，但6月23～29日，出现炎热天气，最高气温达30℃～39℃。入秋后中西部地区平均气温偏高4℃～7℃，东部地区偏高1℃～3℃，一直持续至11月中旬初。12月中旬初，平均气温偏高4℃～9℃，为历史罕见。年降水量除包头市偏北部、伊克昭盟西北部、巴彦淖尔盟东部偏少1～4成外，其余地区均偏多，其中呼伦贝尔盟扎兰屯市、阿荣旗偏多1倍以上。1～4月，中西部地区降水偏多，东部地区降水偏少，差别十分明显。进入5月，出现3次降雨过程，东部地区旱情得以解除或缓解。5月下旬末进入主汛期，较常年提前10天。6月中旬～7月中旬，降水明显偏多，呼伦贝尔盟岭西地区、赤峰市北部、锡林郭勒盟大部、伊克昭盟东部、呼和浩特市、包头市偏多1～2.5倍，破历史同期最高记录。7月下旬～8月中旬，东部地区不断出现强雷雨降水过程，降水量偏多1～3倍，造成历史上罕见的洪涝。秋季降水分布均匀，10月12～14日出现一次大范围降雨过程，有效地改善了封冻前的底墒。入冬，集二线以西基本无雪，以东降雪偏多，呼伦贝尔盟、兴安盟北部及锡林郭勒盟和赤峰市部分地区积雪深度达10～29厘米，形成白灾。

年内主要气象灾害为洪涝。第一阶段为5月下旬，由于汛期提前，西部地区普降大——暴雨。第二阶段为6月中旬～7月中旬，中西部相继出现大——暴雨。第三阶段为8月初～8月中旬，东部地区连续出现6次强降雨过程，嫩江及其支流出现200年一遇、甚至500年一遇的超记录特大洪水。整个汛期，共有76个旗县市不同程度地遭受洪涝灾害，受灾人口累计达619万，死亡150人。冲毁、损坏房屋96万间，毁坏耕地330万亩，绝收1500万亩。受灾草牧场9518万亩，因灾死亡牲畜36万头(只)。铁路路基被毁50多公里，桥梁102座，12条国道、25条区道、150条旗县公路、17条边防公路受损。13座大中型水库、24座小型水库受损，2座小型水库垮坝。2700多家工矿企业全部停产，2800多家部分停产，其中国有大中型企业60家。全区因洪涝造成的直接经济损失达159亿元。

纵观全年气候，虽有严重洪涝灾害，但雨水丰沛，热量充足，光、热、水等气象条件匹配良好，对大部分地区农牧业生产利大于弊。秋季高温少雨，亦有利于大秋作物收割、仓储及秋后农田水利基本建设。

气象服务 春播气象服务主动及时。对2月18日的降雪、3月17日的强风雪寒潮、4月15日的强沙尘暴、4月27日～5月2日的连阴雨,都作了准确预报。5月13日,兴安盟境内因雷击引发重大森林火灾。自治区农牧业气象中心通过极轨气象卫星于13时47分监测到火点,立即报告自治区政府及有关部门,并对林火实施连续监视,不间断地为扑火指挥部提供卫星遥感资料。区气象局派一名副局长赴扑火一线,协调现场气象服务,指挥人工增雨作业。区台每天发布2次火区风向、风速、温度、降水及人工增雨天气条件短期预报。5月21日,2架人工增雨飞机作业3架(次),飞行7小时30分,火区降小～中雨,火势得到明显抑制。5月24日,中央电视台《焦点访谈》对气象部门在扑火中的贡献作了报道。入汛后,面对历史罕见的特大洪涝,各级气象部门精心组织防汛抗洪气象服务。仅7月下旬～8月中旬,区气象局向自治区党委、政府报送《重要天气报告》23期,并向区党委、政府领导汇报天气形势、雨情灾情15次。8月初,哲里木盟扎鲁特旗小河西水库告急。值此关键时刻,自治区和盟台预报该水库上游地区7～8日有大——暴雨。盟委、行署接到预报后,安排水库周边村民于8日凌晨5时前全部转移。8日10时,水库大坝决口,1.1万人无一伤亡。8月8日,赤峰市阿鲁科尔沁旗水库水位超警戒线3.91米。市委书记询问库区及上游24小时内有无大于10毫米降雨,如有将炸毁水库副坝泄洪。市气象局经紧急会商,作出没有大于10毫米降雨的预报,预报与实况完全相符,从而避免了炸坝给下游10万亩农田和45个村庄可能造成的巨大损失。8月5～7日,扎兰屯市、阿荣旗根据暴雨预报,及时转移灾民18万人。

公众服务有所改进。自治区气象局与广播电视厅联合下发了《关于进一步加强电视天气预报工作的通知》。继大部分盟市开展"121"电话气象答询服务后,乌拉特中、奈曼等旗县也开展了这项服务,结束了旗县无"121"电话的局面。气象科技扶贫取得阶段性成果,区气象局联系的化德县德善村扶贫点于年底脱贫。人工增雨、防雹效益明显,4～8月,4架飞机实施人工增雨作业71架(次),飞行172小时,影响面积累计达280万平方公里。60部地面火箭实施人工增雨作业67次,550门"三七"防雹高炮作业1840次,保护农田3000多万亩。

继续开展专业、专项服务。在许多工矿企业不景气的情况下,与气象部门签订服务合同的单位仍保持在2000个以上,科技服务收入较上年增长25.2%。

年内,自治区政府及政府办公厅,分别至函中国气象局,商请表彰自治区气象局和自治区气象台。8个盟市党政领导机关至函区气象局,请求奖励为当地气象部门。自治区政府授予赤峰市、哲里木盟、伊克昭盟气象工作"银河奖",颁发奖金8万元。

气象业务与现代化建设 区气象局继续实行"向基层台站倾斜"、"向基本业务倾斜",在经费上确保基本业务正常运行。年内,向各级台站印发了《地面测报技术工作手册》《天气预报业务规定汇编》等技术指导文件。组织了高空、地面、太阳辐射、农牧业气象观测人员持证上岗考试,参加考试的1029人中,84%取得上岗证书。持续开展测报连续百班无错情和地面测报优胜杯、高空探测流动红旗竞赛活动,各项业务质量全部达到中国气象局规定的指标。年内,12人获全国"质量优秀测报员"和"质量优秀值机员"称号。

"9210"工程全面投入业务运行,全区VSAT系统、计算机网络系统和MICAPS人机交互处理系统实现联网。自治区农牧业气象综合服务系统(9401工程)有4项成果通过验收并投入业务。完成5个数传网共计238万元投资的建设任务,34个边远地区的国家发报站全部配备了586微机。自治区级业务平面一期工程完成。设在呼和浩特的C波段电子探空系统正式投入业务。区气象局机关计算机局域网初具规模。

科研教育 争取中国气象局和自治区科委科研课题5项,获支持经费26.1万元,较上年增长23.7%。区气象局下达科研课题17项。28项科研课题通过验收鉴定,其中一项获自治区科技进步二等奖。举办各类培训班8期,培训职工343人(次)。内蒙古气象学校面向社会,联合办学,招收大、中专学生200名,本学年开设8个班,在校生达420名。

改革 区气象局成立了事业结构调整办公室,加强宏观调控和具体指导。年底下发了《直属单位事业结构战略性调整实施方案》和《盟市局事业结构战略性调整指导意见》,核定了各级气象部门基本业务岗位。3月,区气象局机关完成了机构"三定"工作。全区地方气象事业投入较上年增长5%,100%的盟市和86%的旗县地方财政建立了气象户头。

综合经营 旗县以上气象部门普遍开展了综合经营,在工商行政管理部门注册的实体有23个,从业人数240人。经营项目以种植业、服务业、房屋租赁、气球广告为主,多数尚未形成规模。年内,已争取到自治区政府划拨的宜耕、宜牧土地5000亩。与上年比较,综合经营收入总额增长14.4%,纯收入增长7.6%。

精神文明建设 全区81.5%的台站被旗县以上党委、政府授予文明单位称号,较上年增加14.5个百分点。8月30日,自治区精神文明建设指导委员会和自治区气象局联合作出决定,向社会推出内蒙古气象台等12个文明气象服务示范单位。区气象局对8个直属单位和大部分盟市局领导班子进行了届中考核,对自治区气候中心、气象科学研究所、区局后勤服务中心和包头市气象局的领导班子作了调整和充实。为7个盟市局和5个艰苦站兴建职工住宅安排了专项投资,并为遭受地震、洪涝、沙尘暴灾害的基层台站拨付了救灾款。协助地方政府贯彻落实国务院办公厅[1997]43号文件,35个单位享受地方津贴补贴问题得到解决,占应落实单位的42.2%。基层台站观测值班室、会议室、局长办公室和观测场的改造工作按计划进行。离休干部医药费报销问题基本得到解决。 (任致中)

辽 宁 省

概况 省局机关设:办公室、人事处、计划处、业务处、科教处、产业处、监审处、机关党委(政工处)、离退休干部处、气象学会。省局直属事业单位有:省气象台、省气象通信台、省气候资料中心、沈阳区域中心气象研究所、省气象学校、省气象局后勤服务中心(行政处),省气象技术装备中心(省气象仪器检定供应站),省气象科技咨询服务中心。

全省气象部门在职职工1808人,其中干部1657名、工人151名。学历结构:研究生15名、大学本科292名、大专515名、中专447名。技术职称:高级工程师121名,其中正研级高级工程师7名;工程师552名。

3月3～6日,全省气象工作会议在沈阳召开。辽宁省副省长杨新华到会并讲话。会上省人事厅和省气象局联合表彰了全省气象系统先进集体和先进工作者,副省长杨新华等为获奖单位和个人颁奖。3月23日前后,省气象局和省气象学会与各大新闻单位联合以拍摄专题片、新闻采访、专家走入直播间等形式对世界气象日进行了宣传。4月24日,杨新华副省长在省政府办公厅《专报信息》上对飞机人工增雨工作作了批示。6月1日,辽宁省人民政府转发省气象局《关于加快发展地方气象事业的通知》(辽政发[1998]19号)。6月19日,省长张国光、副省长杨新华和省政府秘书长董伟等领导视察了沈阳区域气象中心,张国光省长讲了话。7月18日,全省联网的"121"气象信息电话服务系统正式开通。7月22日,省人大副主任王向民和省人大农经委有关负责同志视察沈阳区域气象中心。8月13日,省人大主任王怀远、副主任丛正龙、高继中、王向民等领导莅临沈阳区域气象中心,视察气象业务现代化建设和气象服务工作。8月28～30日,中国气象局局长温克刚来省考察指导工作,先后视察了沈阳区域气象中心、沈阳市气象局和鞍山市气象局,并就辽东半岛中尺度基地建设等问题同省、市领导进行了会商,达成了共识。9月21～22日,全省气象局长工作研讨会在鞍山召开。

气候评价 年平均气温偏高。冬春两季气温偏高明显;降水总量接近常年,但时空分布不均;日照偏少。春季前期旱情严重,后期雨水充沛;夏季冷涡天气较多,冰雹灾害频繁;秋季气温偏高,初霜偏晚,利于作物成熟和秋收。本年度虽然部分地区出现短时干旱、洪涝、生长季光照条件差等不利因素,但总体看,整个作物生长季光、热、水大体匹配,热量充足,无倒春寒和大旱大涝发生,农业生产获得了大丰收,属丰年年景。

冬季:平均气温明显偏高,且波动幅度大、冷暖时段较为分明。全省冬季平均气温为－11.0℃～－0.9℃,比历年同期偏高1.8℃～4.2℃。2月份,气温异常偏高达4℃～7℃,致使全省大部分地区月平均气温突破历史同期最高记录。1～2月降雪稀少,使得大部分地区未形成积雪覆盖,季内辽西北无降水。全省大部分地区光照不足。春季:平均气温为9.4℃～13.1℃,与历史同期相比普遍偏高,大部分地区突破历史同期最高记录。春季回暖早而快,物候期普遍提前。但3月中、下旬和4、5月份的下旬受较强冷空气影响,气温出现较大幅度的波动。季内除中部部分地区降水稍偏少外,大部分地区降水偏多,但时空分布不均,前期少后期多。辽西大部分地区季降水量突破建国以来同期最高记录。全省大部分地区日照时数明显不足。夏季:平均气温为21.0℃～24.0℃,气温变化幅度大,凉爽和炎热天气交替出现。季内降水频繁，且时空分布不均，局部暴雨成灾。降水最多的丹东达923毫米，最少的营口只有286毫米，锦州地区季降水量达到建国以来同期最高值。本季日照时数异常偏少，尤其辽西北、大连和沈阳等部分地区季日照时数达到历史同期最少值。秋季：平均气温显著偏高，为7.5℃～14.9℃，其中9、10月份气温异常偏高，很多地区突破历史同期最高记录。秋季初霜出现日期晚于常年。季内降水空间分布不均。大部地区日照时数明显不足，其中铁岭等地区季日照时数达建国以来同期最少值。

重大天气气候事件：部分地区出现局地暴雨和短时大风、冰雹天气，造成了不同程度的损失。5月19日，朝阳地区32个乡镇遭到不同程度的大风和冰雹袭击，全市受灾农田35.3万亩、果树40余万株，喀左县有6人因山洪爆发被水冲走。7月23～24日，西部地区出现强降水天气，历时短、强度大，致使61座水库泄洪，9个县(区)、83个乡镇成灾，受灾农田166万亩、企业47个，人口50万；损坏房屋6816间，倒塌2198间；损坏公路13公里，沈山线有9处路基塌陷或漫路，冲毁堤防43公里、桥涵32座、渡槽18座、机电井108眼。8月9～10日，葫芦岛南部、锦州地区和大连南部普降暴雨～大暴雨，961个村受灾，1.5万户房屋倒塌，受灾人口88万余人，死亡5人，直接经济损失达17亿元。8月11～12日，丹东北部遭特大暴雨和短时雷雨大风冰雹袭击，山体滑坡4000余处，6个镇、46个村、2.3万人受灾，9人死亡、5人失踪，直接经济损失4000多万元。9月3～4日，大连地区相继出现强雷雨降水天气，伤8人、死2人。

气象服务　4月中旬以前，全省持续高温少雨，春旱严重。全省气象部门全力做好抗旱保春播为重点的气象服务，提前组织测墒，做好雨情、墒情监测和服务，加强短期气候预测和人工增雨工作。各地普遍较准确地做出了3～5月份的气温和降水趋势预报。从4月初开始，先后进行了22架(次)的飞机人工增雨作业，特别是抓住了4月下旬和5月上旬的3次有利天气条件，实施飞机和高炮人工增雨作业，取得了显著的效果，解除了严重旱情，对春播生产顺利进行和一次播种保全苗起到了重要作用。进入汛期后，全省共出现3次区域性暴雨天气，各级气象台站均提前24～48小时做出准确预报，并通过各种形式向党政领导和防汛指挥部门汇报。气象信息服务终端和“降水及气温查询系统”在决策服务中发挥了重要作用。

全省重点开展了“121”气象信息服务业务、无线寻呼台气象信息服务业务等项目。全省联网的“121”电话气象信息服务系统于7月18日正式开通。向无线寻呼台有偿提供气象信息趋于规范，与省物价部门制定了统一的收费标准，省电信寻呼公司已与省局签订了合作和效益分配议项。全省气象科技服务毛收入突破2000万元，实现了增长20%的目标。

气象业务与现代化建设　省、市气象部门实现了9210工程计算机网络与原计算机网络的互联，接收信息完好率在85%以上；业务应用软件全部安装完毕并开始运行，9210工程语音网全部建成。省、市气象台均建立了MICAPS系统，以这个系统为依托的新天气预报业务流程投入业务运行；辽东半岛中尺度灾害性天气预警系统列入中国气象局和省政府的建设计划。全省已有8个市、8个县(市)建成电视天气预报制作系统。大气环境开放实验室建成并投入使用。沈阳中心气象台完成了天气预报会商大厅改造工程，建立了较为完善的业务运行监控系统，预报服务综合能力进一步增强。省气象通信台引进并开发了新的报文处理软件，用微机转报代替PDP转报，提高了整个通信业务网络系统的运行稳定性。省气候中心研制的“辽宁省信息化地面气候资料服务系统”投入业务使用，实现了地面观测月报表的网络传输。

省气象局制定了《深化天气预报业务体制改革实施方案》及测报、通信等业务岗位的管理办法和实施细则。全省测报人员上岗考核工作全面完成。短期和长期预报质量超过省定目标，测报、通信和农气质量全面达标。全年共有14人达到国家级质量优秀测报员标准，146人(次)达到省级质量优秀测报员标准。

科研教育　全年共立项科研项目27项，国家“九五”重中之重科技项目96－908－05－01专题“东北地区夏季低温与旱涝预测系统研究”取得阶段性成果，并被中国气象局评为优秀专题。全省有7项科研成果通过省科委和省气象局组织的鉴定验收，有13项科研成果获科技进步奖，其中省政府科技进步二等奖2项、三等奖3项，中国气象局科技进步三等奖1项。

全年共组织培训班213期，培训1274人(次)。其中省局组织13期，培训人数274人。计算机普及和培训组织管理工作被中国气象局科教司授予组织管理优秀奖。

改革 各级气象部门加大了实施结构调整的力度。鞍山、铁岭、朝阳和葫芦岛等市局对基本业务岗位重新进行了定岗、定编、定员。沈阳区域气象中心研究所通过实行双向选择、择优上岗,引进竞争流动的用人机制,加强目标管理。完成了全省气象系统“131”人才工程的评选工作,对10名拔尖人才、30名优秀人才实施了奖励政策。全省加大了国办发43号文件和省政府19号文件的贯彻落实力度,在落实地方气象事业费、争取地方专项资金及解决地方性津贴补贴等方面取得了一定进展。计划财务实现了新旧会计制度的平稳过渡;改革了气象事业专项资金管理办法,强化了对下管理的职能。

综合经营 全省气象部门现有企业17个,平均从业人数为273人。其中气象职工为93人,在企业成本中列支的63人。企业资产总额比上一年有较大幅度减少,经济效益有明显提高。企业收入实现了15%以上的增幅,利税总额由上一年的负值变为正值。全省经营总收入为1877.8万元,比上年增收258.1万元,增幅为15.9%。全年实现利税总额322.9万元,比上年增加174万元,增幅为119.5%。

精神文明建设 召开了全省气象部门文明单位创建工作会议、文明单位创建工作片会,举办了文明单位创建“保八争十”达标培训班。对创建工作出色的单位进行奖励。年内,新建文明单位21个,比上年增长3倍,建成率由13%上升到52%。

各级领导在理论学习中率先垂范,为干部职工辅导理论学习60余次,撰写学习体会文章近百篇。省局自行拍摄了全省气象部门改革与发展谱新篇录像系列片。全省气象部门共建扶贫点34个,帮扶贫困户137户,向灾区群众捐赠衣物7746件,捐款23.1340万元。组织义务劳动520次。

各级气象部门积极参加地方组织的文体活动,市以上气象部门12次获奖。据初步统计,各级气象部门共建图书阅览室、阅览柜(架)104个,藏书63375册,建文娱活动室23个。年内,31个单位和59人被县以上党委、政府分别授予先进集体和先进个人荣誉称号,28个单位被市以上气象部门授予汛期气象服务先进集体荣誉称号,113人被市以上各级组织授予先进工作者荣誉称号,19个党支部被评为先进党支部,45人被评为优秀党员、优秀党务工作者,4人被选为各级人大代表,22人被选为各级政协委员。 (徐凤莉)

吉 林 省

概况 省气象局机关设:办公室、人事教育处、计划财务处、天气科技处、气候处、科技产业与装备处、离退休干部处、监察审计处(与党组纪检组合署办公)和思想政治工作处(与直属机关党委合署办公)。局直属事业单位有省气象台、省气象科学研究所(省卫星遥感中心)、省人工降雨防雹指挥中心(省人工降雨防雹办公室)、省气象技术装备中心、省气象科技开发中心、省局培训中心、省局机关后勤服务中心(局行政管理处)、省气象就业服务中心(省局劳动就业处)、省施放气球飞艇管理办公室(省局公安保卫处)。省气象学会秘书处挂靠局办公室。全省气象职工1372人,其中干部1291人,工人81人。职称结构:高级78人(其中正研级8人),中级485人,初级635人;学历结构:大专以上610人,中专385人。

1月26日,刘淑莹副省长到省气象台慰问并检查工作。2月15日中国气象局、省政府在省气象局举行先进文明系统挂牌仪式,中国气象局副局长刘英金、副省长杨庆才等参加。2月28~3月2日,全省气象工作会议在长春召开,刘淑莹副省长、王立英副秘书长出席并讲话。6月10日人工影响天气联合开放实验室在吉林省人工降雨基地挂牌运行,中国气象局马鹤年副局长、刘淑莹副省长出席挂牌仪式。8月6~14日中国气象局名誉局长邹竞蒙到吉林视察,省委书记张德江、省政协主席张岳琦,省委常委、延边州委书记王儒林,副省长刘淑莹等先后会见邹竞蒙。12月26日,副省长全哲洙到专门为九冬会设立的北大湖气象台检查工作。

气候评价 1998年吉林省气候特点:高温多雨日照少。春秋两季气温特高,其中2、4、9、10月气温均突破历史最高记录。5、8、11月降水偏多,特别是8月西部白城、松原等地发生百年不遇特大洪水。

气温高。全省年平均气温6.8℃,比常年高2.1℃。其中四平、集安等地在8.5~8.9℃,蛟河、靖宇、敦化、汪清等地5.1~5.8℃,其它地方6.0~7.8℃。积温多。中西部≥10℃积温3000~3800℃,白山、延边在2300~3000℃,比常年多300℃,部分地方比常年多500℃。

降水多。全省年平均降水701.1毫米,比常年多

84.2毫米，多1成，其中白城多8成，通榆、桦甸、通化等地多3成。桦甸、通化、梅河口、集安、靖宇、松江等地807.0～1095.0毫米，前郭、通榆、长岭、扶余、双辽、延吉、汪清、珲春等地473.6～599.6毫米，其它地方616.7～793.7毫米。

日照少。全省年平均日照百分率53.8%，比常年少4.0%。其中白城、双辽等地61.8%～64.9%，扶余、九站、桦甸、梅河口、临江、珲春等地46.1%～49.2%，其他地方51.4%～59.8%。4～9月作物生长期全省日照时数900～1520小时之间，大部分地方比常年少2～370小时。

全省各地无霜期在109～163天。

春季高温雨水不均。3、4月全省平均气温特高，4月少雨，中西部地区比常年少5～9成，出现旱象，影响种子发芽。4月末5月初全省普降透雨，5月份全省降水比常年多2～8成，加之气温高，水热条件好，对种子发芽、出苗有利。

夏季温湿条件适宜。全省平均气温大多在20～24℃，降水充沛，可满足作物生长需要。但降水时间、地域分配不均，西部和中部8月上、中旬降水过多，发生罕见洪涝。日照大多偏少，延边多雨寡照现象严重。

秋季高温少雨。各旬气温高、降水偏少于常年。9、10月全省平均气温达历史第1位，尤其10月份比常年高3.2℃，日照多有利于作物成熟、收获。

冬季温暖少雪。全省平均气温－10.8℃，比常年高3.1℃，其中2月份平均气温－6.2℃，比常年高6.0℃。平均降水15.4毫米，比常年少2成。

洪涝灾害：汛期连降暴雨，造成嫩江、洮儿河、霍林河等江河同时泛滥，发生百年不遇特大洪水。全省13个县（市）受灾，受灾人口145.9万人，受灾农田66.7万亩，倒塌损坏民房61.6万间，水利设施毁坏严重，共造成直接经济损失142.3亿元。

低温冷害：7、8月份延边地区出现40天左右的低温寡照天气，平均气温比常年低2～4℃，造成水稻障碍型冷害，影响开花授粉，空壳率严重的达50%左右。

冰雹：夏季出现冰雹天气34次，多分布在省内中部地区，农作物受灾面积16.2万亩，其中绝收面积4.2万亩，受灾较重的是榆树、永吉2市，其中永吉市发生5次冰雹天气，最严重的雹灾出现在6月20日和28日，冰雹直径3～6厘米。

气象服务　决策服务重点突出..春播期气温特高，前春干旱，后春降雨适中。对于这些气候趋势，各级气象台站都做出了准确的预测，及时向各级政府和有关部门进行专题汇报。在前春干旱且旱情日益发展的情况下，大部分气象台站准确预报出4月30日～5月2日的转折性透雨天气过程，为及时完成大田播种提供科学决策信息。汛期来的早，持续时间长，降水过程频繁且时空分布不均，发生了百年不遇的特大洪水。从7月6日至8月16日40天里，白城、四平地区平均降雨量分别达364.6毫米和342.3毫米，比常年多111%和58%，且降雨时空分布不均，多局地突发性暴雨、大暴雨天气，降雨落区重复，雨强大，致使“八百里瀚海”一片汪洋，13个县、市140多个乡镇受灾，大片农田被洪水淹没，一些村屯被洪水围困，房屋倒塌，交通中断，直接经济损失达142.3亿元。在汛情异常紧张的情况下，吉林省气象部门按照省委的部署，将嫩江、洮儿河、月亮泡的防汛抢险气象决策服务作为重点，利用《重要气象信息报告》《抗灾救灾气象专报》《天气公报》《气候灾害实时监测特刊》等，及时提供气象信息，紧急情况下直接向党政领导汇报。8月10日嫩江、洮儿河汛情极为紧张，省气象部门向省委和政府领导及有关部门汇报未来5天仍有强降雨，省领导指示立即用秘密级的《吉林信息》传递气象信息。在8月11日省委常委紧急扩大会议上，省气象局提交了汛情分析的报告，省委书记张德江认为气象部门的预报对抗洪抢险十分有利，要坚定信心，战胜洪水。在抗洪关键时刻省气象部门派出专家组到一线现场服务。根据抗洪救灾的需要，省气象台、白城市气象台还在防汛关键时期发布了上游流域预报和灾区分县气象要素预报。在洪水回落过程中利用卫星遥感技术跟踪监测分析洪涝情况，为抗洪救灾提供决策信息。省委书记张德江认为，在防汛决策中气象预报非常重要，立了大功。省委、省政府授予省气象局’98抗洪抢险模范集体，省气研所、白城市气象局、镇赉县气象局分别被国家科技部、中国气象局评为先进集体，8名同志分别被省委、省政府、国家科技部、中国气象局评为抗洪抢险先进个人，有7个单位、13人受到当地党委、政府表彰。

人工增雨防雹效益明显。针对春旱开展飞机人工增雨作业54架（次），平均增雨32%，缓解了旱情。在12条主要雹线上布设150个炮点，开展高炮防雹作业455炮（次），挽回经济损失12亿元左右。

森林防火气象服务主动及时。针对冬春降水少，植被干燥及春季高温大风天气等特点，省气象台提前发布春季森林火险气象条件分析及预报，建议及早做好森林防火工作。省卫星遥感中心从3月1日起开始昼夜值班监视火情，先后通报火情23次。通化、延边、白山、辽源市等气象局加强林区火险预报服务，及时发布和传递火险等级预报信息，与林业部门联防。一批先进单位和个人受到表彰。

为第九届全国冬运会开展了服务。成立了九冬会吉林北大湖赛区气象台，发布赛区天气预报。为满足滑雪场用雪需要，开展了人工增雪作业，效果比较明显，受到九冬会组委会的表彰。

气象科技服务继续发展。经与公安、消防、计量、邮电、物价、广电等部门协调，省政府召开专题会议研究，成立了省雷电防护工作领导小组，先后联合下发《关于加强雷电防护管理工作的通知》等6个规范性文件。全省70%以上的市、县开展了电视天气预报节目制作，83%市、县开通了121电话自动答询系统，87.5%市、县开展了避雷检测和防雷工程服务。此3项服务收入占全部门总收入的70%，比上年增长25%。全省气象科技服务收入比上年度增长28%。

气象业务与现代化建设 年内完成了全省9210工程业务应用软件安装调试，各VSAT站运行稳定，接收率94.48%；完成了MICAPS工作平台的安装工作，使传统的预报工作方式得到改善，增强了天气预报制作手段；完成省、地VSAT站程控交换机的改造安装工作，实现了部门之间的卫星通话；完成了VSAT系统和NOVELL网的连接，实现了信息共享；完成了713雷达改造工程和仪器检测环境的改造，改善了大气探测能力和仪器检测条件；地面测报业务软件投入运行，实现了利用微机进行观测资料处理、编报和编制报表的一体化。

基本业务管理完善了各项规章制度，加强监督、检查和指导，各项业务工作质量有所提高。大气探测建立了省、地、县三级业务管理体系，实行探测业务质量综合评定。

科研教育 科研工作注重立项和成果转化。年内争取省部级课题5项，其中国家自然科学基金项目1项，科研经费投入比上年度增长59.7%。开题23项，17项课题通过验收，其中4项获省科技进步奖。灾害性降水预报方法和短期预报评分软件2项课题推广应用，效果较好。

气象教育工作重点开展在职培训，举办各类培训班24个，培训人员527人(次)。参加学历教育在学人数103人，继续教育人数达到职工总数的30%以上。扩大函授教育。年内计算机普及培训工作受到中国气象局有关部门表扬。

改革 按照“精干业务、壮大产业”的思路，将省气象台和省气候资源开发中心的业务合并，组建省气象科技开发中心，形成省气象台以气象业务为主、省气象科技开发中心以电视广告、避雷检测、专业服务等创收项目为主的新体制，探索由单位小三块向部门大三块(大三块：基本业务、科技服务、综合经营)过渡的方式。对全省基本气象系统岗位设置进行了核定，气象装备实行计价供应管理，仪器检定检修面向全行业服务。

经省政府同意，省政府办公厅转发了《关于加快发展地方气象事业意见的通知》。全省有31%的市、县气象部门解决了气象职工享受地方出台的补贴、津贴的问题。加大气象执法力度，有68名执法人员领取省人民政府行政执法证。

综合经营 主要经营项目有科技开发、工业加工、商品流通、旅游服务等。综合经营实体25个，从业人员300人。年创收521万元，获利81.9万元，税10.5万元，年增长率15.6%。

精神文明建设 组织干部职工学习邓小平理论和党的十五大报告，通过电化教育、骨干培训、专题辅导、知识竞赛、座谈会等形式，进行理论教育，提高了职工干部的思想政治素质。

对延边、白山、吉林市局等6个单位的领导班子进行了调整，提拔任用处级领导干部13名，对50名处级干部进行了民主测评，调整、补充副处级后备干部41名。

开展了创先争优活动。年内有71个党支部被评为标准化党支部，占可评总数94%，29个党支部被评为先进党组织，45人被评为优秀共产党员和优秀党务工作者。有4人被省委、省政府评为有突出贡献中青年专业技术人才，省气象台台长朱其文被评为首批省管优秀专家。

全省94.8%的单位建成文明单位。经省文明办批准，确定省气象台和通化、德惠市气象局为全省精神文明建设规范服务窗口单位，四平市气象局等10个单位为“行业形象众人评”参评单位。

举办了全省气象部门第三届卡拉OK演唱比赛和省局暨直属单位第四届职工运动会。开展领导干部离任经济责任和财务收支审计，制止奢侈浪费现

象，重点抓了清理通讯工具、严格控制会议和制止公款吃喝玩乐。（宣兆民）

黑龙江省

概况 省局机关设：办公室、业务发展处、行业管理与气候处、科技教育处、计划财务处、人事劳动处（人才交流中心挂靠人事劳动处）、科技服务与产业处（技术装备处）、机关党委、监察审计处（与党组纪检组合署办公）、离退休干部工作处、人工降雨办公室。气象学会秘书处、《黑龙江气象》编辑部挂靠局机关。直属事业单位设：省气象中心、省气象网络中心、省气象技术装备中心、省气象干校、省气象科研所、省局后勤服务中心、省人工影响天气中心、省气象科技服务中心（龙雪公司、博达公司、气象寻呼台）。

全省气象职工 1974 人，其中干部 1803 人，工人 171 人。职称结构：高级工程师 72 人，工程师 779 人，助理工程师及技术员 842 人。学历结构：研究生 7 人，本科生 199 人，大专生 403 人，中专生 744 人，高中以下学历 593 人。

3 月 4 日，省委常委、副省长王宗璋到省局听取工作汇报。3 月 11－14 日，全省气象工作会议在哈尔滨市召开。王宗璋副省长、郭宝福副秘书长参加会议并讲话，各地（市）、县局局长、省局直属单位、行业台站负责人 160 余人参加会议。4 月 6 日，将省政府人工降雨办公室政事分开，设省政府人工影响天气办公室和省人工影响天气中心。4 月 8 日，省气象网络中心成立。4 月 14 日，将省气象台和省气候中心合并，成立省气象中心。5 月 7 日，省委书记徐有芳、省长田凤山、副省长王宗璋、省委秘书长杨永茂、省政府秘书长滕昭祥会晤邹竞蒙名誉局长一行。5 月 8 日，省气象台百年台庆活动，省长田凤山、副省长王宗璋、省政府副秘书长郭宝福，中国气象局邹竞蒙名誉局长一行和辽宁省、吉林省、大连市气象局长以及省政府有关部门、新闻记者 200 余人参加庆祝大会。会后，领导和来宾参观了省气象台的现代化建设。5 月 8 日，由省气象科技服务中心制作的电视天气预报节目在省电视台播出。8 月 10 日，嫩江出现特大洪水，省气象局成立了迎战嫩江、松花江特大洪水气象服务领导小组。8 月 17 日，在嫩江、松花江汛情紧张的关键时刻，王佐书副省长陪同邹竞蒙名誉局长一行到省气象台慰问气象职工。8 月 15 日，省九届人大常委会第四次会议审议通过了《黑龙江省人工增雨防雹管理条例》。8 月 18～20 日在王佐书副省长陪同下，邹竞蒙名誉局长前往受灾严重的齐齐哈尔、大庆市局慰问气象职工，察看灾情。8 月 20 日，全国人大副委员长许嘉璐在省人大副主任朱典明、副省长王佐书、中国气象局邹竞蒙名誉局长陪同下到省气象台听取松、嫩两江特大洪水成因和后期天气趋势汇报，慰问气象职工，并做了重要指示。10 月 6 日，在省委、省政府、省军区联合召开抗洪抢险表彰大会上，气象部门有 9 名同志被授予“抗洪抢险先进个人（标兵）”称号，8 个单位被授予“抗洪抢险模范先进集体（标兵）”称号。

气候评价 1998 年度全省气温偏高，降水偏多，日照稍少，初霜冻普遍偏晚。年内，作物生长季水热条件均好于历年，降水量大部地区偏多，6～8 月全省累积积温为 1880℃，比历年多 37℃，虽然东部、北部出现了阶段性低温，但生长季内热量互补，仍能满足作物生长需要。全省粮食获大丰收，总产达 301 亿公斤。

全省年平均气温为 6.5℃，比常年平均高 2.5℃。除大兴安岭地区气温显著偏高外，其余地区气温异常偏高。冬季全省平均气温为－14.2℃，比常年平均高 1.5℃。其分布是北部地区正常或偏高；西部、东部地区显著偏高；南部地区异常偏高。春季全省平均气温 7.6℃，比常年平均高 3.5℃，属建国以来极值。夏季全省平均气温为 20.4℃，比常年平均高 0.4℃。秋季全省平均气温为 11.0℃，比常年平均高 2.4℃，出现历史同期最高值。初霜冻比常年普遍晚 2～9 天。

全省年平均降水量为 593.9 毫米，比常年平均多近二成。尤其西南部，比 1997 年多 227 毫米。春季降水稍多，全省平均降水量 84.3 毫米，但时空差异大，西部明显少雨，严重干旱，季末旱区喜降透雨，旱象基本解除。夏季降水量平均为 406.1 毫米，比常年平均多 70.6 毫米。总体分布为：大兴安岭西部、齐齐哈尔大部及佳木斯市降水异常偏多；齐齐哈尔南部、大庆大部、牡丹江部分地区及铁力、巴彦、宾县、密山等地降水显著偏多；嫩江、绥化、佳木斯部分地区及东宁降水偏多；伊春大部及呼玛、抚远、嘉荫、勃利等地降水异常偏少；鸡西局部降水偏少；其它地区降水正常。秋季全省平均降水量为 105.9 毫米，比常年平均多 25%。地域分布差异较大，黑河市南部、齐齐哈尔市区、三肇地区、青岗、海伦、绥棱、延寿、尚志、林口、富锦、虎林等地比常年多5～9成，其它大部地区也不同程度偏多。只有塔河、通河、绥化、依兰、汤原、佳木斯市区等偏少1～4成。

全省季平均日照时数为394小时，比常年平均少31小时，主要少在10月中、下旬。

从哈尔滨市区气温资料分析看：1998年4月第2候平均气温达10℃以上，5月第三候平均气温高达22℃。4月6日进入春季，比常年提早25天。5月12日进入夏季，比常年提早37天。春季仅36天，比常年短20天，是历史上少有的气候异常现象。

主要气象事件及影响 年内的主要气象灾害是暴雨、干旱、冰雹和大风。春季大风日数多，历史少有。4月20日，嘉荫县出现了历史罕见的大风天气，从10时02分到19时11分，持续9个多小时，瞬间最大风速达29米/秒(11级)，使多数塑料大棚、楼房房盖以及个别汽车均受到不同程度的损坏。五营林业气象站春季出现6次大风，4月20日的大风，持续时间长，风力强，瞬时间风速达34米/秒(12级)，保护区林内树木刮倒，断头许多，损失巨大；红星水泥厂多座建筑屋面被摧毁；林业局政府楼、粮库、盐库和一些小学房盖被损坏，据不完全统计，这次造成损失近百万元。

夏季嫩江、松花江发生百年不遇的特大洪水。6月份，省内局地出现暴雨、大暴雨，致使嫩江流域及部分中小河流水位迅猛上涨，同时内蒙古的呼伦贝尔盟等地区也降了暴雨，主、客水汇合，形成入汛以来嫩江的第一次洪峰。7月3日，齐齐哈尔江桥段水位达140.71米，流量达7480立方米/秒。7月下旬，黑西地区降水普遍偏多，嫩江流域又出现2次洪峰，7月30日，齐齐哈尔江桥水文站水位高达141.27米，居建国以来第一位。8月前半月，甘南等地出现历史罕见的连续特大降水，8月10～14日，雨量达485毫米，形成了嫩江第4次洪峰，8月14日，齐齐哈尔江段水位达120.89米，流量达17400立方米/秒，均为历史首位。特大洪涝使全省交通设施受到严重毁坏。8月17日，通往齐齐哈尔、大庆、黑河的202国道有1000多米的路段被洪水冲毁，路面水深达1米左右，中断运输13天。8月11日7时10分，受嫩江特大洪水的袭击，滨洲线国际运输通道277公里处被冲毁近300米，中断运输14天。继滨洲国际铁路冲断后，四平至齐齐哈尔间的公路被洪水撞开3个大豁口，总长为2000米，其中511公里处路段受灾最为严重。据铁路部门不完全统计，仅哈尔滨市就有7个分局26条铁路线受到不同程度的洪水袭击，共发生水害98次、389处，断道175处，其中水浸线路66处，冲毁桥梁6处，冲坏桥涵28处。

东部地区春、夏季干旱。5月中旬～6月下旬，牡丹江市降水少、无透雨，出现了春夏连旱。7月中旬，三江平原东部降水明显偏少，且持续到8月中旬，抚远、同江等地出现历史少有的伏旱。另外，从5月下旬到6月中旬，全省从西向东出现了几次较大范围的冰雹天气，未设高炮的地区灾情较重。

气象服务 1998年嫩江、松花江流域出现了超百年一遇的特大洪水。气象部门沿江台站全力以赴，昼夜奋战，严密监视天气变化，超常规地为抗洪抢险提供预报服务。齐齐哈尔、大兴安岭、大庆市局和省台提前1个月准确预报出嫩江流域多雨有大汛的天气趋势。进入汛期后，又及时准确地预报出12次较大降雨过程和转折性天气。有关台站围绕抗洪抢险和抗灾自救，积极提供跨省、跨地区的雨情、灾情，沿江台站还在抗洪抢险第一线建立了19个气象监测点，为抗洪大军提供现场服务。气象工作者被各级领导誉为防汛的哨兵，称职的参谋，全省有94人(次)、76个台站(次)被县以上人民政府评为抗洪抢险先进个人、先进集体。

针对春季严重旱情，提前预报了3次降雨天气过程，为抓住有利墒情及时播种提供了重要依据。为缓和旱情，省局在西部地区组织了4次飞机人工增雨作业，38个市县开展了高炮人工增雨作业。初夏，全省50多个市县先后组织了2138次防雹作业，有效地减轻了冰雹灾害。同时，第三次农业气候区划更新试点工作也取得了积极进展。

省级电视天气预报从5月8日起改由气象部门制作，采用主持人播讲，配有动画云图等直观形象方式播出；全省有12市(地)局、63个县站建成了“121”电话答询系统，该项目的普及率已达到90%以上。有12个市(地)气象局和部分县站开展电视天气预报插播广告业务。县局建立制作系统占应建县局的60%以上。到年底共有9个市(地)局、37个县(市)局建立了电视天气预报制作系统。围绕农业小区开发，有5个县(市)局开展了乡镇微机终端服务。

气象业务与现代化建设 省、地(市)级气象卫星综合应用业务系统(9210工程)在汛期到来前全部建成并投入准业务运行，在汛期发挥了重要作用。省、地(市)台卫星通讯网与原有业务系统顺利接轨，基本建成了人机交互平台，初步形成了新的业务流程。对5个地(市)局的无线通讯网进行了改造，完成了28个国家发报站加入分组数据交换网任务，各地(市)局利用网络传输气表的试验取得了成功，为气象资料传输方式的更新作了前期准备。预报业务体制调整的方案已经形成并开始试点。省、地(市)局办公自动化网络全面建成。各级气象部门进一步加强业务管理，基础业务质量全部达到了国家标准。其中，全省地面测报出现重大差错4次，比上年减少一半；农气质量0.8‰，高空探测6项质量全部达标，辐射质量达到优秀标准；全省短期降水预报质量保持稳定；全省有548名测报人员参加了上岗资格证的考试，合格率95.5%。全能观测员和优秀审核员经过严格的考试考核，有32人获“全能观测员”和“优秀审核员”称号，是历年获此称号人数最多的一年。气象器材供应、检定、维修等保障工作保证了基本业务正常运行。

科研教育 全年承担省部级科研课题12项，省局下达科研课题15项。有4项科研成果获省级奖励，是近年来科研立项、成果获奖较多的一年。省、地两级举办气象业务、科技服务和管理等方面培训班共104期，1500人(次)参加了培训。年内派出和接待交流人数达22人(次)。各级气象科技扶贫工作取得了较好的成果。

改革 省气象局对局直单位进行了较大调整。将省气象台、气候中心合并成立了省气象中心；将省气象台通讯科剥离出来，与原计算机通信公司合并成立了省气象网络中心；将降雨办公室政、事分开，成立省人工影响天气中心；将气象寻呼台从龙雪公司中分离出来，作为独立实体进行发展和管理。在进一步发展地方气象事业方面，省以及30个市县落实了[1997]国办43号文件精神；地方投资的人工增雨防雹规模进一步扩大，全省作业高炮已达400余门。农垦系统人工防雹工作发展迅速，已具有100多门高炮，防护面积达500万亩。气象法制建设取得明显进展。经过一年多的努力，经省人大常委会批准，《黑龙江省人工增雨防雹管理条例》从10月1日起实施。各地市气象局和森工、农垦总局等部门普遍加强了对专业气象工作的检查指导，专业台站测报业务进一步规范化、标准化。在超百年的大汛中，专业台站与国家台站的通信联网发挥了明显效益。探测环境保护工作中依法查处了违反《气象条例》的事件。省政府正式批准雷电防护归口省气象局管理，成立了由副省长牵头的领导小组，在省气象局设立了防雷办公室。省政府办公厅《关于加强雷电防护管理工作的通知》下发后，已有12个市(地)成立了防雷领导小组和办公室，建立了防雷监测站，85%的县局成立了防雷机构。年内，有3个单位、10个台站开展了防雷工程设计、施工服务和避雷设施检测项目。

综合经营 年内经营实体个数26个，从业人数347人，主要经营项目：科技开发11个，工业加工2个，商品流通5个，旅游服务8个。实现利税374.2万元，比上年增长16%，其中科技开发企业创收占全部收入的74.59%。本年度亏损企业8个，其中黑河祥云公司没有实现销售收入计划，亏损7.2万元，占全省亏损额的77%。

精神文明建设 各级气象部门坚持两个文明一起抓，认真组织学习邓小平理论和党的十五大精神，采取了专题讨论、专题辅导等学习形式。十五届三中全会后，省气象局党组提出了完善气象服务体系的意见；各级气象部门围绕加强为农业服务，进一步健全气象服务体系等问题进行学习、讨论；积极开展“四好三优一满意”活动。年内有8个地市气象部门被当地命名为文明系统，省台晋升为省级文明单位。有35个局站被评为1998年度全省气象部门双文明先进单位(标兵)，5名同志被授予全省气象部门劳动模范。年内充实完善了13个处级领导班子，有1/3的班子配上了35岁左右的年轻干部。有27名中青年科技干部被命名为全省气象部门优秀中青年人才。加强了离退休干部、劳动工资、人员编制调控和人才交流工作。年内，12个地市局成立了纪检组，配齐了纪检干部，71个县站设立了兼职纪检员，形成了省地县三级纪检监察工作网络。各级气象部门建立了党风廉政建设责任制，深入开展了党风廉政宣传教育工作。完成财务收支审计、处科级干部离任审计、效益审计和专项审计共43项，32个受灾台站解决了业务用房、水、电、路、锅炉等问题，保证了正常业务运行。职工生活条件得到改善，为155户职工解决了住房问题。 (宋英华)

专题

各级气象台站为异常大汛进行超常服务

1998年6～8月，嫩江和松花江流域发生了历史罕见的特大洪水灾害。嫩江最高洪峰秒流量高达

14800立方米，远远超过有水文记载以来的最高记录，为300年一遇的大洪水。受嫩江洪水影响，松花江哈尔滨段洪峰迭起，最高水位达到120.89米，秒流量达到17400立方米，水位超过了历史最高记录0.84米，为150年一遇的大洪水。加之汛期降雨时段集中，江水倒灌，境内大小河流暴涨，洪水内涝相继发生。

在抗击特大洪水中，黑龙江省各级气象部门全力以赴出色地完成了抗洪抢险气象服务任务，被各级政府誉为天气哨兵、抗洪卫士、无名英雄、称职参谋。

早在5月末，省气象局就预报嫩江流域3个地区降水偏多，汛情严重，并向省防汛指挥部汇报，建议把嫩江作为全省防汛的重点。对此，田凤山省长紧急调拨500万元，用于嫩江流域的防汛准备工作；省防汛指挥部也将防汛防洪的重点转移到嫩江流域。进入6月，大兴安岭地区降水明显偏多，降水量比历年同期多一倍，致使嫩江上游提前一个月入汛，先后出现3次历史罕见的洪峰。7月初，齐齐哈尔、大庆两个市局预报7月继续多雨，分别向市政府报告:7月下旬至8月上旬降雨集中，将出现大汛。齐齐哈尔市政府根据这一预报，在大汛来临前组织人力抢修险工弱段，在江堤上每公里备土2000方，重点地段备土4000方，为抗洪奠定了重要基础。大庆、哈尔滨、佳木斯等大中城市也相继按照超历史纪录洪水进行了充分准备。

汛情发生后，各级台站加强了中、短期天气预报分析，加密天气会商，使入汛后的12次较大降水过程和少雨时段无一漏报。尤其是8月2～15日，大雨暴雨天气接连出现，预报难度比较大。省气象台与中央气象台、沈阳区域中心和上游省区台站会商20多次，对连续出现的3场暴雨和大暴雨预报都比较准确。省防指总指挥、副省长王宗璋副省长说："气象局的预报服务最及时、最到位"。省气象局主要领导参加了省里所有防汛决策会议；2次向坐镇黑龙江的国家防总副总指挥钮茂生作雨情和未来天气的汇报；向许嘉璐副委员长汇报汛期气象服务和未来天气情况，受到好评。

在这次抗洪抢险气象服务中，除常规的预报情报外，全省气象部门还打破常规开展气象服务工作。

在预报上，超常规制作嫩江、松花江流域上游的内蒙古、吉林省天气预报，每天送到省防总。省台超常规制作了洪峰通过区的天气预报，直接提供抗洪前线指挥部所在地的天气预报。

在雨情服务上，省、市、县3级气象部门，全力收集各自行政区域内外的雨情。全省800多个乡镇雨量点，定时观测报告，各级台站每天将收集的资料绘成雨量图送给领导，为预报汛情提供了主要依据。

在服务内容上，在洪水发生期间，充分发挥了卫星监测水情的作用，省台共提供了8期气象卫星监测水情图，提供了全省及各县的明水面积、江水宽度等信息，开展洪涝灾情分析服务。其中第3、4期泰来水体急剧增大的图文信息，被新华社采用，引起了国家领导的重视。8月27日，局领导带领省气象台有关技术人员对整个流域的水淹面积、重涝面积进行了全面分析计算后，立即向省委、省政府报告，为省委、省政府决策提供了重要依据。省气象台又在8月中旬就提前对抗灾自救气象条件作了分析，及时向省委、省政府领导提供了9～10月气温、降水、霜冻、封冻、出现第一场冬雪的时间等气候趋势预报。另外，在整个抗洪抢险中又增加了江面风向、风速、温度的测报预报，直接为抗洪前线提供服务。

在服务方式上，8月10日，省局成立了迎战嫩江、松花江特大洪水气象服务领导小组，并决定不定期发布《重要气象信息》，以专呈专送的方式速送省委、省政府主要领导，使气象信息迅速成为省领导决策依据。在汛情紧张的时刻，省局派遣前线天气预报服务小分队，直接把气象信息送到前线指挥部，为领导提供服务。并在沿江江边布设了19个现场气象监测点，通过宣传板和堤上广播，为在指挥现场的领导和抗洪大军提供天气和预报情报。同时，还在全省电视天气预报中加播松、嫩流域水情；采用新闻发布会、记者专访、报纸专栏等形式，向全省介绍后期天气情况。

在迎战'98嫩江、松花江特大洪水抗洪抢险工作中，全省各级台站受到当地政府表彰的先进个人94名(次)，先进集体76个(次)。　　(宋英华)

上 海 市

概况　4月7日，中国气象局党组任命盛家荣同志为上海市气象局党组书记、局长；任命董熔同志为上海市气象局党组成员、副局长。免去王雷同志党组书记、局长职务。局机关设办公室、业务科技处、计划财务处、人事处、直属机关党委、思想政治工作处、监察审计处、离退休干部处。直属事业单位设：中心气象台（气象信息网络中心）、气候中心、科学研究所（台风研究所、城市环境气象监测中心）、产业发展部（华云实业公司、气象科技咨询服务中心）、气象影视中心、人才培训中心、后勤服务管理中心。全局共有622人，其中干部530人，工人92人；高级职称51人（含正研级5人），中级职称220人，初级职称212人；大专以上267人，中专122人，其他233人。

1月10日，举行"上海气象现代化建设重点工程汇报演示会"。中国气象局局长温克刚、名誉局长邹竞蒙，上海市副市长冯国勤、市政协副秘书长陈正兴出席会议并讲话。1月11～15日，1998年全国气象局长会议在市气象局召开。上海市市长徐匡迪、副市长冯国勤出席会议，徐匡迪市长讲了话。5月5日，副市长韩正来气象局视察气象工作。8月6日，中共中央政治局委员、上海市委书记黄菊来气象局视察气象工作，并在气象局召开上海市防汛会议。9月19日夜，徐匡迪市长到气象局视察，听取9806号强热带风暴的情况汇报。9月28日，盛家荣局长、徐一鸣副局长在市长常务会议上以多媒体手段汇报上海气象工作。10月4日，江泽民总书记视察上海农村工作，上海市气象局为市委制作了向江总书记汇报上海农村情况的多媒体材料，并现场演示，效果很好；副市长孟建柱和冯国勤都称赞说："气象局是一支'拉得出、能打硬仗'的队伍"。12月22日，上海市人民政府召开上海市气象工作会议，市长徐匡迪、中国气象局局长温克刚出席会议并讲话，副市长冯国勤作题为《加快步伐 重质求实 推进上海气象事业全面发展》的报告，全市各区县政府，各有关委、办、局负责人及气象局部分代表共250人出席了会议，会议由市政府副秘书长周太彤主持。12月23日，中国气象局局长温克刚视察市气象局，并作重要指示。

气候评价 1998年总的气候特点：气温异常偏高，降水正常略多，光照偏少。冬季温暖多雨，出现了历史上罕见的冬汛现象；春季气温偏高，光照偏少；梅雨不明显，暴雨少；盛夏酷热，出现了历史上不多见的持续高温天气；秋季中后期晴热少雨，气温异常高，秋旱明显。年内2次受热带风暴影响（9806号、9808号）。年平均气温市区为18.0℃，是上海近126年来最热的一年，较常年平均值高出2.2℃，其余各站在16.7℃～17.8℃之间，比常年偏高1.4℃～2.1℃。日最高气温≥35℃的高温日数市区有27天，为1954年以来最多的一年，其余各站为8～9天。年极端最高气温市区39.4℃，其余各站在36.4℃～38.2℃之间；年极端最低气温市区为－5.1℃，其他台站为－4.4℃～－6.7℃。年降水总量为1081～1352毫米，呈南多北少分布。年内1、3、7、12月降水偏多，特别是1月，降水总量为157～210毫米，比常年偏多3.4～4.5倍，创历史同期最高记录。全年降水日数131～148天，大雨日数为7～17天，暴雨日数为1～3天。全年日照总时数在1572～2066小时之间。

年内，主要气象灾害有冬汛、高温酷热、暴雨、大雾和台风等。1月份上海出现连阴雨天气，月雨量达209毫米，是1873年以来从未出现过的。月内全市共发生交通事故2008起，造成88人死亡，507人重伤，车物损失达1000多万元。8月份，全市出现38℃以上的酷暑日有7天，最高气温达39.4℃。8月上、中旬的旬平均气温均在31℃以上，创下1873年以来的最高记录，致使水、电、环卫、医院等系统受到不同程度的影响；并使城乡频发火警。据统计，气温最高的8月10日、11日该市共发生火警83起，比平时明显增多。高温酷暑使中暑等病人激增，8月份全市30家区县级以上医院急诊病人平均每天达13000多人次，比7月增加70%以上。7月23～24日早晨，全市普降暴雨到大雨，市区最大降雨量为128毫米，郊县最大雨量为134.6毫米。短时间强降水造成市区近2000户居民家进水，100多条（段）马路积水，水深20～30厘米，郊区也有1000多户居民家进水。全市共有5000多亩蔬菜受淹，其中严重积水有1000多亩。5月18日凌晨，全市出现大雾，大部分地区能见度不足100米，黄浦江上的21条轮渡线全部停航，2000多名旅客滞留；虹桥机场10多个航班延误，沪宁、沪嘉等高速公路一度关闭。

1998年度，上海的农业生产属平产年景，其中二麦属减产年景，稻物属增产年景。

气象服务 决策服务。农业气象及遥感方面针对水灾对全国农业收成带来的影响发布了2期专题报告，对主要粮食品种及有关省份的产量进行分析预报，其中单季晚稻产量预报准确率达98.1%，夏粮准确率为93.3%，单季晚稻99.8%，全年平均准确率96.5%，全国粮食总产量预测准确率达98.9%。

正确预测长期天气趋势。在沿江各省和中央各大权威部门预报雨水偏多，洪涝严重的情况下，上海中心气象台坚持预报上海地区汛期雨水偏少，高温明显，并制成录像带向市领导汇报。5月中旬，又编录了城市高温灾害的专题像带，正式对社会宣传实况证明上海中心气象台1998年汛期长期天气预测是正确的，抓住了上海天气特点，徐匡迪市长赞扬说："中央台对全国的旱涝趋势预报是正确的，上海台对上海地区的趋势预测也是正确的，看来，上海气象部门还是有实力有水平的"。

严密监视、认真分析"7.23大暴雨"。7月21日，报出24日前后可能有暴雨和大暴雨，并向市府作了专题报告，引起领导的高度重视，全市进行了防汛动员部署。市领导事后多次表扬了气象台，这次大暴雨报得早、报得准。

9月份，对上海构成威胁的9806号台风，路径奇异，历史少见，国内外各气象台的预报分歧较大。17日下午中心台果断向市长、副市长发了"9806号台风可能影响本市"的专题报告，市府据此召开防台防汛紧急会议。19日夜里徐匡迪市长到气象局视察，听取9806号强热带风暴的情况汇报，实况证明中心台的预报非常准确。今年夏季面对半个多世纪以来最严重的酷暑天气，7月14日，中心台准确预报了39℃的高温，市府根据市台提供的预报信息，专门下发2次关于做好防暑降温工作的通知。

公众服务。8月起与市环保局联合发布上海市空气质量周报。7月15日起在上海电视台公开发布紫外线预报。

专业专项服务。开展了秦山核电站二期工程的气象观测系统建设；为上海深水港建设进行小洋山气象观测及资料分析处理。

科技服务。中心气象台基本完成Internet站点的建设，拓展网上气象服务，发展网上用户14家；服务内容渐趋丰富，用户可以从网上自行获取所需特殊信息。全年科技服务(有偿服务)毛收入1043.7万元，比1997年增长29.8%。

气象业务与现代化建设　监测是目前在建的最大工程项目，年内基本完成预定任务。完成了浦东新区气象中心和沿黄浦江的6个MILOS500自动气象站的安装、调试。第二阶段选址工作已经完成，主要分布在高架和高速公路附近。从芬兰引进了10套自动气象站设备，并赴芬兰进行设备验收和培训。对MILOS500自动气象站与人工观测进行了对比观测试验。完成了中心站软件的开发，监测系统于10月1日投入业务运行。完成了风廓线仪的调研和频率的申请，并签定设备引进合同。

9210工程建设基本完成，已投入业务运行。在卫星通讯准业务试验中，文件接受完好率达到99.99%，获全国第一。

第五代有限域数值天气预报系统投入准业务运行，汛期中启动成功率达98%，华东区域内已有146个城市使用该产品。

经论证，引进的WSR－880多普勒雷达频率对浦东国际机场不构成影响，国家无管会批准了该多普勒雷达频率的申请。该多普勒天气雷达站已向邻近台站通报探测情况共38次，受到好评。

行政业务管理系统(办公自动化)一期工程完成验收。

完成了测报百班无错情竞赛的验收考核；组织有关台站参加了"四大科学试验"的加密观测。100兆快速以太网汛期通信线路完好率达到99%。制定了"上海市气象局解决计算机2000年问题的实施计划"，并落实了部门责任制。

科研教育　全年共开题5项，其中中国局气象科学基金项目2项，科技服务项目2项，市农委科技兴农项目1项。共完成课题鉴定7项。获市农委科技进步二等奖1项，三等奖2项。

国家"九五"科技攻关课题"长江三角洲及上海地区主要气象灾害短期气候预测系统的研究"进展顺利。组织召开了短期气候预测(华东区)专题第二次工作会议暨阶段成果交流会议。组织出版论文专辑，共收论文34篇。有28篇收入1998年"05"课题年会会议文集。

先后举办各类岗位和继续教育培训班12次，共有315人参加。招收应届研究生和大中专毕业生7名。

改革　对局机关和直属事业单位处级领导干部进行了调整，3位35岁以下的年轻干部补充进了中层班子，同时，对部分处级干部进行了岗位交流。区县局领导班子建设顺利完成。年底，全局共有处级干部45名，平均年龄47岁，其中女干部5名，占处级干部总数的11%。市局提出了《关于奖励优秀青年科技人员和吸收访问学者的暂行办法》。开展了公务员过渡工作。

修订了职工病、事假待遇管理办法、处以上干部年度考核办法、职工出国(境)有关规定和职工家属医疗费补贴的有关规定等。车队对用人机制和公里补贴费进行了改革，筹备局财务结算中心，完成了岗位确定、人员落实、场地装修等各项筹备工作。

综合经营 全局现有企业实体20个，主要从事影视广告、寻呼、宾招、避雷、气球广告等；从业人员563人。年创利、税1073.79万元。

华云寻呼一台全年销售寻呼机2.56万台；年末用户数达5.35万户，比年初净增近1万户；经营利润达487.38万元。华云二台下半年完成企业机制转轨，成立了“上海华云气象信息有限公司”。全年发展防汛网中文机用户100台。全年销寻呼机1.61万台，年末用户数也已超过5万户，全年实现利润381.92万元。全年避雷检测的毛收入比去年增加了32.37万元。

气象计量检定所开展了科技有偿服务，全年创收15.19万元。申空广告公司逐渐发展成能设计、制作、代理、发布的全能型公司，年利润以25%的幅度上升，全年收入达121.49万元。

避雷工程施工部开展了上门服务、免费咨询等业务，承担了上海金茂大厦综合防雷设计的审核及工程的验收，全年完成利润54.66万元。

精神文明建设 局中心学习组以改革为主题，组织了3次专题研讨；并组织党的十五大和党的十五届三中全会精神学习。开展了党的十一届三中全会20周年庆祝活动。

调整了局文明委，党组书记盛家荣亲自担任局文明委主任。局各部门直属单位也相应调整了精神文明建设领导小组成员。修订了局文明单位考评标准。并组织局文明单位、文明办公室中期考核，重点抽查了中心气象台等单位，发了考核《通报》。局召开了创建文明系统动员大会，总结部署了精神文明创建工作，并召开了区县气象局长会议。同时分管局领导带工作小组重点到青浦县气象局、浦东气象中心等单位，帮助解决文明单位的推荐、申报等有关问题。局直属事业单位，修定了创建计划。

制定了法制宣传教育第三个五年计划，举办了法制宣传教育骨干培训班，30人参加了培训。组织了“百万市民法律知识竞赛试题答卷”、“党风廉洁纪律法规知识竞赛”和“学习党的十五大文件和党纪条规知识竞赛”活动。

局投资建设了职工活动中心，先后组织职工参加了局第十届“气象(气候)杯”桥牌团体赛和市农委工会举行的职工运动会等体育活动。

(冯　磊)

江　苏　省

概况 省局机关设：办公室、业务发展处、科技教育处、计划财务处、人事劳动处、科技服务与产业处(技术装备处)、机关党委(与政工处合署办公)、监察审计处(与党组纪检组合署办公)、离退休干部处。直属单位设：省气象台(与南京市气象局合署办公)、省气象科学研究所(与省农业气象卫星遥感遥测中心合署办公)、省气候应用所(与省气象档案馆合署办公)、省气象技术装备中心、省气象局基建房产办公室、省人工影响天气办公室(与省防雷中心合署办公)、省气象科技服务中心(江苏天宇气球庆典礼仪广告服务公司)、省气象信息技术服务中心。另设省气象学会秘书处。局属公司：江苏华云经济开发公司。全省气象部门正式职工1821人，比1997年末减少31人。其中干部1774人，工人47人。学历结构：研究生11人，本科生494人，大专生379人，中专生658人，高中及以下学历321人。职称结构：高级工程师164人(含正研级4人)，工程师763人，助理工程师765人。

1月中旬，南通、盐城、连云港3市海洋气象台正式挂牌。2月12～15日，召开了全省气象局长会议，确定了全省气象事业1998～2000年跨世纪发展的目标之后，省政府确定把淮北特别困难的基层气象台站列入扶贫计划，并拨款100万元重点扶持。3月份，省气象局与省文明办联合下发《关于在全省气象系统深入开展创建文明行业活动的实施意见》。8月17～19日，省局召开全省防汛抗洪气象服务表彰会议暨第三季度市局长工作研讨会议，表彰在抗击长江全流域性特大洪水的气象服务中，作出突出贡献的先进集体和先进个人。8月份以后，省局制定下发了全省市、县气象部门基本气象业务系统岗位设置方案，并组织实施。12月9～11日，省局召开全省专业气象服务经验交流与研讨会议，研讨专业气象服务如何进一步发展。

气候评价 全省气候特点：冬、春季降水明显偏多，出现少见的冬汛和春汛；夏季迟梅、短梅，梅雨量略多，部分地区出现内涝；秋季降水明显偏少，部分地区出现不同程度的旱情。汛期长江发生全流域性特大洪水，全省长江及沿江的河湖汛情有惊无险。全年降水量偏多，气温比常年偏高，年日照时数偏少。年内气象灾害发生频繁，出现寒潮、连阴雨、热带风暴、干旱、暴雨、强对流、大雪、大雾等多种灾害性天气过程，连阴雨过程比常年偏多，危害程度严重。

主要气候要素的时空分布。全省年平均气温14.6℃～17.4℃。冬季2.1℃～6.1℃，偏高1.2℃～2.9℃；春季13.0℃～16.6℃，偏高0.6℃～2.3℃，气温变化剧烈；夏季24.9℃～27.9℃，大部分地区偏高0.1℃～1.5℃不等，苏南偏高幅度较大；7月6～14日出现连续高温，沿海地区≥35℃高温天气2～5天，其它地区6～14天；8月上中旬江淮和苏南地区出现≥35℃高温天气7～15天；秋季17.3℃～19.6℃，淮北偏高2.7℃～3.8℃，其余大部分地区偏高1.4℃～2.3℃。全省年降水量728～1557毫米。冬季71～347毫米，偏多0.8～1.9倍，其中1月份偏多0.9～4.4倍；春季258～555毫米，除苏南南部地区正常外，其余地区偏多0.4～1.6倍；夏季367～799毫米，大部分地区偏多1～6成；秋季16～344毫米，大部分地区偏少1～8成，9月份、11月份淮北地区基本无降水，其余大部分地区偏少3～9成。年日照数1584～2267小时呈北多南少分布，除淮北大部、苏南南部地区外，其余大部地区比常年偏少1～2成。

重大天气气候事件：1997年11月中旬到1998年1月7日淮河以南地区、2月13～24日在淮河以南地区、4月4～12日全省、5月6～10日全省大部地区、5月11～17日沿江苏南地区多次出现连阴雨，阴雨寡照，田间不同程度积水和渍害，春耕、畜牧、水产受到不同程度影响，太湖发生历史同期最大冬汛和春汛，长江干流发生历史同期最大春汛，淮河春汛露头。1月14～17日，淮北普降大～暴雪。3月18～20日、20～21日，出现历史少见的春雪天气过程，全省自南向北先雨后雪，雷、雨、冰粒、雪、冰雹、大风、寒潮、冻害等天气现象相继出现，20日凌晨沿江地区积雪深度2～11厘米，21日凌晨苏南南部积雪1～5厘米，其它大部地区8～19厘米，使交通、运输受一定影响。1998年3月17日晨沿长江出现大范围大雾，使各地出现不同程度交通阻塞，高速公路关闭，轮船航班受阻。9月1日～11月20日，淮北大部降水较常年少6～9成，其余地区大部少3～6成，全省不同程度受旱。全年受2个热带风暴影响，共出现13个冰雹日和龙卷日。全省遭受冰雹或龙卷、暴雨袭击经济损失严重。

天气对农业生产及其它行业的影响：冬、春季雨涝和连阴雨，以及3月中下旬寒潮降温造成的冻害，严重影响夏熟作物的正常生长，全省夏粮减产达3成；虽然长江全流域出现历史罕见的特大洪水，但本地没有出现雨涝，秋季光温充足，雨水适宜，全省秋粮获得丰收。棉花单产保持在历史最好水平。局部龙卷、冰雹等对流天气给油菜产量带来不利影响。大雾和大雪使交通运输受到一定影响。长江全流域特大洪水，使省内江段的水利工程经受了严峻考验。

气象服务　年初，出现少有的“冬汛”，2、3月份分别出现4～5段8～12天的连阴雨，特别是3月中下旬的寒潮过程，对夏熟作物造成严重的冻害和渍害，各级气象部门提前作出预报，及时向当地政府、农业部门提供天气信息，为减轻灾害提供及时的决策依据。“四夏”期间，各级气象部门准确报出每次天气过程，超前服务并主动提出抢晴收割等生产建议，从而减轻夏粮生产的损失。6月中旬到9月中旬，长江全流域出现历史罕见的特大洪水，各级气象部门精心做好每一次预报、情报和服务工作，准确预报出入梅、出梅时间，梅汛期间的8场区域性暴雨，以及出梅后的持续高温、12场区域性暴雨等重要天气过程。发布汛期天气公报57期，省气象局和省气象台领导每天定时向主管农业的省委副书记、副省长汇报天气情况，9次向省委常务会议和省委书记、省长当面汇报。省委书记陈焕友等5位省领导先后在省局有关的请示、报告和材料上批示，充分肯定和表扬。针对苏北地区的秋旱，连云港、徐州、扬州等市先后开展火箭人工增雨作业。

气象科技服务、专项服务。全省“121”电话自动答询系统全面开通，并敦请省物价局下发了《关于气象信息服务收费标准的函》，各级台站加强对“121”语音信箱的开发，增加了人体舒适度、中暑指数预报等语音分信箱。省编委对省级防雷机构编制的批复，明确提出了市、县防雷机构设置原则性意见。电视天气预报制作水平有新的提高，在中国气象局举办的“第二届电视天气预报节目评比”活动中获7个奖项。召开了全省专业气象服务经验交流与研讨会，对全省专业气象服务发展提出了明确方向。全省专业气象服务毛收入比上年增长5%。避雷针、防雷工程、施放气球等专项服务毛收入比上年增长8%。

气象业务与现代化建设　基本业务系统的现代化建设情况。加强对南通、盐城、连云港3市海洋气象服务系统的建设和管理，3个海洋台挂牌。组织了气象卫星综合应用业务系统(9210工程)人机交互系统的二次开发应用，组织开发依托“9210”工程的决策服务系统及专业服务系统、与“9210”工程相匹配的新一代预报业务流程。完成省气象台、市气象台“9210”工程业务系统的安装和省台“9210”工程业务应用系统的安装试验。完成徐州、连云港市局高山雷达站的微波扩频。基本站、基准站微机制作报表实现正常业务运行，一般站年报表实现微机制作，辐射微机制作报表投入业务试运行。组织了小校场701C雷达终端对比观测。

基本业务系统的管理情况。进行了农气、地面、预报业务站点、任务的调整，撤消5个(江浦、如东、建湖、吴县、姜堰)、调整1个(无锡)二级农气观测站任务；调整地面测报站点和任务；着手进行预报业务的改革，市台取消20时、02时手绘天气图。组织地面、高空、辐射测报人员上岗培训和上岗考试，全省地面、高空测报共301人进行上岗考试，90%以上人员达到合格标准。组织召开“9210”工程应用技术交流和业务局长会议，编辑出版了“9210”工程开发应用技术文集。组织省内省际灾害性天气联防，召开了全省雷达工作会议、苏北雷达协作会议、里下河地区天气联防会议，修订省内雷达联防办法。制定下发了市、县气象部门基本系统岗位设置方案、“优秀业务管理员”奖励办法、重要天气报电码技术问题补充规定、“9210”工程业务运行暂行规定。编制下发“9210”工程上行传输信息节目表。组织南京、盐城、连云港、徐州4部雷达准时完成全国雷达拼图任务。完成了淮河流域能量水循环试验加密观测任务，雷达加密观测50天，获取资料1800兆；高空、地面加密观测42天，获取地面资料52个站(月)，高空报文4000多份。全年创百班无错情118人(次)，250班无错情10人(次)。

科研教育 制定下发了《江苏省气象局气象科技成果转化管理办法》。全省共立课题(省、部级)4项，课题结题(省、部级)7项。“江苏省农业气象与卫星遥感业务系统”获江苏省第二届重大农业科技成果转化二等奖，“云台山气候资源考察”获中国气象局科技进步三等奖。

全省气象部门参加大专以上学历教育21人。省局举办各类培训班11个，接受培训人员325人(次)，送中国气象局培训7人(次)。各市(地)通过各种形式，培训人员共1912人(次)。

改革 气象事业结构调整力度加大，市、县气象部门基本气象系统、科技服务、综合经营的人员结构比例为5:4:1。扬州蓝天通讯工程有限责任公司和江阴市地方石油有限公司按照现代企业制度，完成公司的机制转换。3月，省气象局成立天宇气球庆典礼仪广告服务公司，改变气球广告业务分散经营的状况。组织实施全省市、县气象部门基本气象系统岗位设置方案，同时制定下发了与之配套的《关于减员增效、转岗分流的若干规定》和《关于编制管理、录用调配的暂行规定》。组织实施“人才工程”和“台站综合改造工程”，全省有5人被选拔为学科带头人，26人被选拔为中青年科技骨干，10人被确定为江苏省“333跨世纪学术、技术带头人培养工程”培养对象，1人被确定为国家“百千万人才工程”第二层次培养对象，确定了首批20个台站综合改善达标单位，全年有24个单位达标。确定首批18个会计基础工作规范化管理达标单位，全年有22个单位达标。苏北各市及所属各县地方政府积极支持火箭人工增雨、防雹工作，全省添置WR－1B型增雨防雹火箭作业系统11套。

综合经营 全省共有企业类综合经营单位12个，从事综合经营人员187人。主要经营电子产品开发、生产等科技开发类，珠宝加工等工业(加工业)类、物资贸易等商品流通类，招待所等旅游服务类项目。经营年利润117.6万元，企业总资产1254.2万元，营业收入总额2286.2万元。全年人均利润额6288元，销售利税率5.44%，比1997年略有增加。企业个数及利润总额与1997年相比均有下降，镇江市局的两个企业无力经营，转而出租。

精神文明建设 各级气象部门认真学习邓小平理论、江泽民同志在全国防汛抗洪总结表彰大会上的讲话和党的十五届三中全会精神。省局组织了全省中青年处级干部培训班和机关、直属单位副处级干部培训班。下发了《江苏省气象部门工作人员职业道德规范》和《江苏省气象部门党风廉政建设责任制》，加强职业道德建设、党风廉政建设和“三五”普法教育。省局党组学习中心组被中共江苏省委组织部、宣传部授予1996～1997年度“全省县以上党委(组)理论学习中心组先进集体”。对全省13个市局和省局机关部分处室、直属单位的领导班子进行了任期考核和充实调整；各级气象部门通过换岗、交流、下派上挂等途径，锻炼和培养处级和后备干部。3月份省局与省文明办联合下发《关于在全省气象系统深入开展创建文明行业活动的实施意见》；与当地文明办联合成立领导机构，担负全省创建工作的规划、组织、协调和指导；确定了14个省级文明气象行业示范点，并向社会公开承诺，接受社会监督；各级气象部门通过多种形式，普遍设置"观云测天为人民，优质服务创一流"的创建标识牌，形成全员参与、上下联动的创建氛围；并在全省开展创建文明职工、文明科室、文明单位、文明行业的活动。一批台站已被授予文明单位称号。积极在机关开展"气象服务优质、行业行风优良、工作环境优美，上级领导满意、基层单位满意、群众满意"的创建活动，省局机关被省级机关工委授予"三优三满意"创建先进单位。省、市气象局都召开处级干部民主生活会，对照中纪委、省委的规定，逐条检查，严格自查自纠。年内，全省气象部门被评为县级以上的先进集体47个，先进个人129人。　　（桑凤章　庞小琪）

浙　江　省

概况　省局机关设：办公室、人事劳动处、业务发展处、科技教育处、计划财务处、科技服务与产业处、直属机关党委（与思想政治工作处合署办公）、监察审计处（与党组纪检组合署办公）、离退休干部处，共9个处室。省局直属单位设：省气象台、省气候中心、省气象技术装备中心、省气象科学研究所、省局后勤服务中心、省气象培训中心、省气象信息中心（省华云经济技术开发公司）、省防雷中心、省人工降雨办公室（省气象科技开发中心），共9个。省气象学会秘书处挂靠省气象科学研究所。

全省气象部门共有人员1612人（不含宁波），其中大专以上741人，占46%。各类专业技术人员1405人，其中高级工程师70人，工程师558人，占技术人员的45%。

2月19日，新任副省长章猛进视察省气象局，听取席国耀局长的汇报，并对气象服务工作提出要求。2月23～25日在杭州市召开全省市（地）气象局局长会议，副省长章猛进到会讲话。3月16日，副省长章猛进和温州、台州、舟山市领导到中国气象局参观，中国气象局副局长刘英金会见章副省长一行。3月23日，召开纪念世界气象日专题座谈会，副省长章猛进、全国政协常委沈祖伦应邀出席会议，并讲话。4月8日，省人大常委会副主任李志雄一行到省气象局视察气象法规建设工作。9月16～21日，韩国气象代表团来访，副省长章猛进及部分地方政府领导分别会见代表团一行。9月28日，席国耀局长赴北京出席全国抗洪抢险总结表彰大会。12月12日，中国气象局名誉局长邹竞蒙一行到杭州，分别与浙江省省长柴松岳、副省长章猛进和全国政协常委沈祖伦就中小尺度灾害性天气预警监测系统、舟山海洋气象广播电台的建设与发展等问题进行磋商。12月13日，中国气象局名誉局长邹竞蒙赴绍兴出席竺可桢纪念馆开馆仪式。12月20～25日，席国耀局长作为正式代表出席中共浙江省第十次党代会。

气候评价　1998年度气候特点：全省气温异常偏高，为建国以来最暖的一年，许多地区2月、4月、10月、11月的月平均气温创建国以来同期的最高记录。降水量比常年偏多，冬季降水异常偏多，出现罕见冬汛，梅汛期暴雨频繁，部分地区洪涝严重。

全省平均气温为17.1℃～19.4℃，比常年偏高1.2℃～1.8℃，是1987年以来的第11个暖冬。冬季全省平均气温为5.7℃～10.0℃，比常年偏高1.0℃～1.9℃，宁海、仙居、椒江、龙泉的季平均气温为历史同期最高值；春季全省平均气温15.7℃～19.6℃，比常年偏高1.6℃～2.5℃，杭嘉湖地区为历史同期次高值，其它大部分地区为历史同期最高值；夏季全省平均气温为26.4℃～28.5℃，比常年偏高0.3℃～1.5℃；秋季全省平均气温为18.7℃～21.6℃，比常年偏高1.0℃～2.0℃，杭州、嘉兴、湖州的季平均温度为历史同期最高值。全省年降水量1350～2350毫米，与常年相比，宁波、舟山、丽水、衢州比常年偏多3～4成，温州比常年略偏少，其它地区比常年偏多1～2成。年日照时数为1460～1850小时，比常年偏少1～2成。

年内主要气象灾害是洪涝、干旱、台风、大雪、寒潮、冰雹。大雪。1月22日，全省大部分地区出现大到暴雪，临安、绍兴站均破建国以来当地最深积雪记录。大雪使全省电网受到损坏，公路交通一度中断，杭州笕桥机场被迫关闭16小时，对春运造成很大影响。3月19～21日，强冷空气袭击浙江，沿海出现10级以上大风，过程降温幅度达到9.6℃～18.3℃，有16个台站的日最低气温打破历史同期记录。6月8日浙南地区进入雨季，6月16日浙中北地区进入梅雨期，7月2日出梅。梅汛期全省共出现暴雨以上降水近100站（次），其中大暴雨20余站（次），庆元、龙泉分别连续6天与5天出现暴雨或大暴雨，两站的降水量超过6月份降水量的历史最大记录。梅汛期暴雨造成钱塘江、瓯江、飞云江流域中上游水位普遍超过警戒水位或危急水位，全省25个县379万人受灾，直接经济损失21多亿元。全年共受到4个台风(热带风暴)影响，其中9806号强热带风暴于9月19日晚在舟山市普陀区登陆。

农作物主要生育期间农业气象条件晚稻相对较好，大、小麦和早稻属偏差年份。冬季出现历史上罕见的冬汛，造成部分地区大、小麦烂根烂种，出苗率低，苗情差，有的甚至无法播种，播后生长也较差；春季气候正常，早稻播种育秧顺利，苗足苗壮；夏季的高温干旱对晚稻分蘖有抑制作用，有碍晚稻生长；秋季的光、温、水条件对晚稻灌浆成熟，大、小麦的播种、出苗和油菜的移栽有利。同上一年相比，三季主要粮食作物中，大、小麦、早稻减产，晚稻增产。

气象服务 对1998年出现的暴雪，强冷空气，梅汛期暴雨，入、出梅及4个影响台风(热带风暴)都提前作出准确及时的预报服务。省气象台、舟山市气象台、丽水地区气象台被中国气象局评为全国防汛抗洪气象服务先进集体，省气象台钮学新为先进个人。

全省有关气象台站对9806号强热带风暴的移动路径、登陆地点、受其影响的风雨强度和落区提前36小时作出准确的预、警报，并向政府和防汛部门提供了优质的决策服务。由于各级政府的周密部署和气象预报准确，各地都事先做好防御强热带风暴的准备，最大程度地减少了损失。围绕农业生产的需要，针对农事关键季节，积极为各级政府提供决策服务，为农村提供农业气象适用技术和预报服务。春播期在电台和电视台增发3～5天天气预报，并在省电视台播出3期春播专题片，结合春播进展及天气特点，进行专题宣传和服务；省气象科研所做好三季粮食作物产量预报和3大病害的预报服务，省气候中心加强气候监测，完成气象灾害年鉴的编纂工作。

气象科技服务快速发展，全年总收入比上年增长35.7%。电视广告、“121”气象服务、防雷检测和防雷工程已成为科技服务支柱项目。省气象局与省邮电局、物价局、公安厅、建行联合相继出台了支持科技服务发展的政策，各地根据当地实际也相应出台了地方的支持性政策。省气象信息中心开始采用虚拟演播室进行节目制作，省电视台的气象节目从原来的每天1套增加到每天3套，全省所有市(地)局和53%的县局开展电视气象预报服务；大力开拓“121”电话自动答询系统建设，“121“开通率达100%；省局成立了全省电视广告协作网和防雷协作网，省防雷中心承接省建行全方位防雷工作，并取得了中国气象局颁发的一级防雷工程设计安装专业资质证书；远程终端共建立了27个政府服务终端和46个专业服务终端；舟山、台州气象部门结合当地实际，与渔政部门开展了具有特色的海洋专业气象服务。

气象业务与现代化建设 气象业务质量稳中有升，全部达到中国气象局规定指标，其中高空气象测报质量为历史最好水平。重大灾害性天气预报基本准确，大部分市(地)气象台的一般性降雨和极端温度预报准确率比较稳定，区域暴雨预报质量提高。

“9210工程”实现了与原有业务系统的互连、资料接收、并网补缺和资源共享，两网之间的数据交换达到了业务应用水平。MICAPS系统已在省地气象台和部分县站业务应用，MICAPS系统的本地化正在组织实施。省局、省台和除温州以外的市(地)局实现了卫星电话资源共享。建立了省级数值预报释用5天逐日滚动要素(降水、气温)预报，分市(地)、县城市概率天气预报业务；省级暴雨、台风短期、短时灾害性天气分区指导预报投入业务试用；制定了中尺度灾害性天气预警系统建设初步规划。由省局和杭州市局共同研制的探空“59－701”综合探测自动处理系统已向全国各探空站推广应用。气象测报业务实行上岗证制度，对基准站、基本站的测报用微机进行统一换型，促进了气象测报业务的现代化。先后完成了舟山、温州雷达扩频设备的安装调试和省台、舟山雷达资料处理软件的升级，制定雷达的年维护方案，按时完成雷达的年维护工作，确保了天气雷达资料实时业务工作的顺利进行。

实现了省气象局局域网的联通，开通了省局至省气象台的DDN数字通讯专线和“9210工程”语音专线。省局与省台网际间的信息传输和省台气象业务资料信息实现准实时共享。省、市(地)局办公信息通讯网年底开通。

科研教育 省气象局加大对科研的投入力度，安排专项经费35.45万元(比上一年增加80%)，新开课题18项，结转课题22项，青年科研项目5项。省部级科研项目5项，其中“浙江省短期气候预测系统的研究”课题为省重大课题。省局制定了职工教育管理办法和教育经费使用管理办法，组织各类岗位培训和新技术培训11期260人(次)，新增中专以上在职学历教育31人。

改革 省气象局直属单位深化事业结构调整工

作已先行启动。新成立了省防雷中心和省气象信息中心两个创收机构。

5月13日，省政府办公厅转发了《浙江省气象局关于加快发展浙江气象事业的意见》。之后，省计委和省气象局联合下发了《关于进一步落实气象基本建设计划体制的通知》，推动了国办发43号文的贯彻落实。双重计划财务体制逐步完善，全省所有的市(地)、县(市)都建立了地方投入体制；8个市(地)局在公费医疗方面已享受当地事业单位同等待遇；全省所有市(地)局和大多数县局落实了地方性津贴补贴。1998年全省地方财政补助经费比上一年增长30.9%。

《浙江省气象管理办法》列入省政府二类立法计划，并形成送审稿，报送省政府。

外事工作 省气象局与韩国釜山气象厅签署了“气象科技合作谅解备忘录”，并与韩国进阳株式会社签订了关于自动气象站建设的合作意向书，推动气象工作的国际合作。

综合经营 全省气象部门共有综合经营项目24个，其中科技企业17个，商业企业3个，旅游企业4个，盈利18个，亏损6个。从业人员306人。年内重点加强了产业的管理，制定了科技服务与产业工作的管理办法。全省综合经营收入比上年增长20.3%，利润增长15.8%。温州华云寻呼台和湖州818寻呼台以质量求生存，温州寻呼台取得社会特服号，发展用户达3万户。

精神文明建设 全省气象部门认真学习贯彻十五大和十五届三中全会精神，围绕创建文明气象系统，全面推进精神文明建设。省、市(地)两级气象局成立了“精神文明建设领导小组”，全省创建工作已形成网络。省局机关开展创建文明机关活动。全省共有46个局(站)被授予文明单位或通过文明单位验收，占应建数的70.7%，其中省级文明单位4个，市级10个，县级32个。加快台站和职工住房改善步伐，全省共完成基建面积11320平方米，省局新购住房28套、集资建房25套。

省气象局制定了《气象部门优秀青年科技、管理人才选拔、奖励管理办法》和基本气象系统及气象科技服务中级技术资格申报条件，选拔有突出贡献的优秀青年拔尖人才5名和优秀青年科技、管理人才10名。完成了湖州市气象局、舟山市气象局、丽水地区气象局、省气象台、省气象技术装备中心、省气象信息中心、省防雷中心、省局后勤服务中心、省气象培训中心领导班子的考察调整工作，选拔调整处级干部11人。

建立健全党风廉政建设责任制和纪检监察、审计机构。重视和加强信访和办案工作，健全各项规章制度，修订《会议制度》等8项制度，并汇编印发。

(谢慷)

安 徽 省

概况 1998年8月31日，中国气象局党组任命孙健为安徽省气象局副局长。

省局机关职能处室为：办公室(法规处)、业务发展处、科技教育处、计划财务处、人事劳动处、产业发展与装备处、直属机关党委(思想政治工作处)、监察审计处、离退休干部处。局直属单位为：省气象台、省气象科学研究所、省气候中心、省气象学校、省气象科技开发中心、省气象技术装备中心、省人工降雨办公室、省气象局后勤服务中心(局行政管理处)。截止1998年底，全省气象部门共有干部职工2296人，在岗1735人，离退休人员561人。在岗人员中，干部1615人；学历结构：研究生7人，本科学历的291人，大专学历的345人，中专学历的747人；职称结构：副研以上高级技术职务的97人，中级技术职务的445人。

省气象局被省政府授予“九五”目标阶段考核优秀达标单位，是中国气象局表彰的优秀达标单位得分较高的前五名之一。

1月26日上午，省委常委、副省长王昭耀看望慰问气象干部职工。2月10日，回良玉省长主持召开省政府常务会议，审议通过了《安徽省气象管理条例(草案)》。2月23～26日，全省气象工作暨创建文明系统会议在省局召开，回良玉省长、方兆祥副书记发来了贺信，省委常委、副省长王昭耀和省政府副秘书长张锋生、农经办主任王立祝、省政府办公厅副主任章贻义参加了会议，王昭耀代表省委、省政府讲了话。4月12日，姜春云副委员长视察黄山并接见了黄山气象管理处的负责同志，在一起合影。5月31日，安徽省人大主任孟富林专程到铜陵市深入基层对即将审议通过的《安徽省气象管理条例》征求意见。6月20日，在安徽省九届人大常委会第四次会议上通过了《安徽省气象管理条例》，共九章三十七条，于9月1日起正式实施。7月3日，安徽省委常委扩大会议在省气象局召开，听取了关于近期天气情况和未来天气趋势的汇报，并研究了全省防汛抗洪工作的形势，做出了全省近期工作的决策。8月17日下午，回良玉省长在办公室听取了省气象局刘志澄局长的天气汇报后指出，入汛后，气象部门做了大量卓有成效的服务，为领导决策提供了充分的依据，真正成为省委、省政府离不开的部门和重大决策的依靠部门。8月20日，省人大、省政府、省气象局联合召开《安徽省气象管理条例》颁布实施新闻发布会。省人大常委会主任孟富林、副主任季昆森、省委常委、省政府副省长王昭耀分别就《条例》实施讲了话。9月28日，安徽省政府致电中国气象局，为在长江流域发生的特大洪水中做出贡献的安徽省气象局请功。

气候评价　全省气候特点：年降水量偏多；主汛期沿江西部和江南南部以及淮北部分地区出现洪涝；气象灾害频繁；秋季气温异常偏高；小麦、油菜、棉花减产明显，水稻和秋季作物增产。

降水：年降水量各地均偏多2～4成，砀山705mm为最少，祁门2411mm为最大。

气温：年平均气温大部地区为五十年代以来最高值，全省偏高0.6℃～1.8℃。年平均气温岳西15.2℃为最低，安庆18.0℃为最高。

日照：年度日照时数除巢湖偏多70小时外，其它均偏少近60小时至440小时。

重大灾害性天气及其影响：1月22日，沿江江南出现中到暴雪，积雪深度4～32cm。农作物受灾25.6万亩，成灾11万亩。倒房2000多间，毁房6000多间。主要国道、省道中断，黄山机场一度关闭。折断电力通讯线杆路段长660公里，受灾人口87万多人。3月19～21日，全省大部分地区出现降雪，积雪深度达8－15cm，全省日平均气温48小时降温13℃～17℃。4月22～24日，沿江部分地区出现暴雨，一些地区出现7～10级的雷雨大风和冰雹，受灾作物590万亩，其中绝收53万亩，受灾人口354万人，毁房6000多间。6月18日黄山市出现大暴雨，3个县城进水被淹，受灾151个村庄，成灾人口34.5万，黄山机场关闭近8个小时，耕地、道路和通讯设施被毁，经济损失数百万元。池州地区6月中下旬出现12场暴雨；安庆市及所属各县24～27日连续出现大雨至大暴雨，过程降水量怀宁高达321.8mm，洪涝造成人员伤亡357人，成灾人口99万人，淹没农田408公顷，长江大堤的10个外护圩溃破，经济损失2千万元。7月1日，沿淮淮北有17个站出现暴雨、大风，受灾面积630万亩，绝收59万亩，毁房2.6万间；7月中旬初，大别山区、沿江西部及江南南部有17个站出现暴雨。宿松最大日降水量为275.3mm。640万人受灾，农田成灾370万亩，经济损失27亿多元。7月29日，沿江部分地区出现暴雨，3个江心洲和16个外护圩相继溃破，经济损失8600万元。8月9～16日，宿县地区先后出现暴雨～大暴雨，造成内涝和洪涝，成灾面积385万亩，死伤人口42人，倒房3400间，损失10多亿元。10月30日，江北出现大雾，合宁高速公路发生重大车祸，80多辆车首尾相撞，6人死亡。

作物与气候：自3月起，由于寒潮降温，暴雪、大风、连阴雨和暴雨等不利天气不断出现，致使小麦、油菜等作物生长和成熟条件不利，减产明显。6月份的多雨，给早稻等作物后期生长提供了较有利的水分储备；7月以晴热为主，光照充足，一季稻苗情长势好，同时对早稻成熟和双季晚稻栽插有利。全省早稻收成较好。8月份，全省大部地区的一季稻进入开花期，由于温度高日照足，作物长势良好。9～10月气候条件以晴热天气为主，对一季稻成熟收割有利。11月的晴热天气，对晚稻成熟收割有利。水稻和秋作物增产。

气象服务　1998年，长江流域发生特大洪水。在防汛气象服务工作中，短期、中短期天气预报基本准确，尤其灾害性、关键性、转折性天气预报准确。抗洪期间，省局领导直接向卢荣景书记、回良玉省长汇报天气20多次；向省委常委会汇报5次，书面汇报20多次，发送天气汇报材料85期。省局并派出“现场服务”、“检查慰问”、“设备巡检”等6支小分队奔赴抗洪抢险第一线，深入基层台站，开展现场服务、跟踪服务、装备巡检、指导慰问，为在第一线指挥防汛抢险的省委、省政府领导开展现场跟踪服务，及时提供当地雨情和气象预报、急需的长江与淮河全流域雨情和气象预报、雨量、风和温度资料；还加强了与上游台站和沿海台站的会商。长江水位连续90天居高不下，期间，气象部门干部职工发扬不怕疲劳、连续作战的精神，为全省防汛抗洪取得决定性胜利作出了贡献。

回良玉省长说：“安徽各级气象部门不仅是汛情雨情的监测点、观察哨，而且是各级党委政府指挥防灾抗灾的参谋部、智囊团，气象部门为防汛抗洪抢险做出了突出贡献。”

气象科技服务重点抓了电视天气预报广告、121电话、防雷项目的建设，全省市、地、县电视天气预报开播率、121电话自动答询系统开通率、防雷业务普及率均达100%，收入增长56.8%。结合9210工程建设及全省旅游网点密集的特点，重点抓了全省农村综合经济信息网、旅游气象服务网建设。省政府正式批复了与省农经办联合上报的《关于建立全省农村综合经济信息网的请示》，并以安徽省农村工作领导小组名义下发了《关于建立全省农村综合经济信息网的实施意见》；黄山市等部分试点地市县信息中心建设、信息组织及用户的发展已进入实施运行阶段。年内，黄山光明顶招待所、光明顶山庄、华云宾馆、九华山双龙山庄、九华山旅游气象研究所、黄山市气象招待所及省局天宇旅行社等一批旅游宾招企业先后营业，至此，全省旅游气象服务网络进入实质性运作阶段。

气象业务与气象现代化建设 我国第一部中美合作生产的多普勒天气雷达塔楼于4月28日封顶，天线基座于12月24日吊装成功，多普勒雷达天线及天线罩也全部安装完毕。

对全省9210工程建设进行了阶段验收，举办了通信设备与维修、业务软件安装、数据库技术等多期培训班，组织了业务软件安装，制订下发了《安徽省气象卫星综合应用业务系统运行管理办法》，全面完成了省、地两级9210工程建设，实现了准业务化运行。

召开了全省天气预报业务会议，制订了深化天气预报业务技术体制改革实施方案。以天气预报人机交互处理系统为基础，逐步实现天气预报作业平台的转移，实现了各种信息显示、分析的屏幕化，提高了人机交互处理系统的使用效果。开展了天气预报逐级指导技术研究和业务对比试验，初步建立了上下配套的指导预报产品，进一步规范了全省中、短期逐级指导业务工作流程。气象决策服务子系统开发完成并逐步完善，在汛期气象服务中发挥了重要作用；省级天气预报业务子系统进行了以数值预报释用技术为基础的预报方法的开发和新一代天气预报业务流程的应用软件研制；地县综合业务系统的开发工作取得实质性进展；全省气象基本业务质量稳定提高。13个地面站、2个高空站、1个雷达站及13个自记雨量站参加了淮河流域试验并圆满完成任务。承担了中国气象局“地面测报计算机换型”和“EN2型测风仪”推广工作，举办了两期培训班，对地面测报软件进行了进一步完善。

科研教育 1998年在全省气象部门开展了“科技与教育年”活动，举办了全省科技成果展示交流会，40多项应用开发成果参加了交流。省气象局成立了安徽省卫星遥感中心、安徽省大气科学与卫星遥感重点试验室、气象开放研究室。全年开展课题研究20项，其中参加国家863高科技课题2项，中国气象局课题4项，省气象局下达课题12项，区域中心课题2项。1998年评出省气象局气象科技进步奖9项，其中二等奖2项，三等奖3项，四等奖4项。有12项气象科技成果参加安徽省科技进步奖评审(评奖结果待公布)。全年共举办了6期专业技术培训班，学术讲座6次，培训人员382人(次)，送培专升本10人，气象大专函授29人，读在职研究生1人。

改革 制定了《安徽省气象部门战略性事业结构调整指导意见》，积极开展与社会接轨的各项改革。成立了安徽省气象防灾减灾中心，将原来的省气象台、省气候中心合并。按照业务和创收的工作特点，对业务和管理实行指令性计划管理，对创收部门实行准企业化管理。在业务岗位的干部采取聘任制，创收岗位的负责人采取公开招聘、对职工采取双向选择，竞争上岗的办法。组建后的气象防灾减灾中心，业务科室由原来的9个合并为6个，基本业务人员由原来的83人减少为57人，基本业务人员与科技及综合经营人员的比例达5:5。并把宿县地区局、淮北市局作为地市局的试点单位。省防雷中心进行改制重组和模拟股份制运作试点取得了明显的效益。

进一步建立和完善相应的运行机制，制定了一些保障措施与支持性政策。部分单位在核定编制的基础上，试行工资总额包干，节余部分，单位自主安排。在分配机制上，除基本业务人员、机关人员外，其他人员可按照基本工资、岗位工资、效益工资结构，建立企业工资制度。在分配中，把重点放在职工收入的初次分配（即指单位向职工发放的各种劳务费、工资、奖金、福利补贴)上。同时加强总体分配水平的宏观调控，防止出现新的分配不公。调整中央财政补助经费的分配指标，增加基本业务人员的经费；根据不同台站类别制订不同的投入政策，安排基建投入时优先考虑承担国家气象事业任务重、工作生活条件差，属于一、二类艰苦站的基准站、基本站和探空站。逐步减少对创收单位财政补助拨款，减少创收单位人员的中央财政补助经费，大部分创收实体

1998年实现自收自支。

综合经营 截止1998年底,全省实体个数为30个;从业人员为350人(其中气象职工140人);主要的经营项目为房地产、旅游业、商品流通、加工业、交通运输业、科技产业等。收入较上年增长15%。

精神文明建设 进一步健全和完善了一把手负责制和各部门分工负责、相互配合、齐抓共管的机制。各单位努力提供优质服务、创造优美环境,改善职工工作和生活环境。省局机关和气象中心分别被省直文明委评为"三优文明机关"和"三优文明单位"。截止1998年底,全省气象系统文明单位的比例已达92%。

开展理论学习,组织了学习邓小平理论征文及十五大精神答题活动,开展了思想解放大讨论、社会主义初级阶段理论专题教育、党支部书记学理论学党章培训班、做新时期合格共产党员专题讨论等活动。

局党组一班人严格自学制度,积极撰写学习体会和论文。为省委领导决策服务,为在抗洪抢险服务中,带头深入预报服务第一线,赢得了抗洪抢险预报服务的较好成绩,受到省委省政府的好评。

广大职工积极参与"提供优质服务、树立优良作风、创建优美环境,做人民优秀公仆"活动,增强服务观念和服务意识,涌现了一批先进典型。省气象局被省直工委评为"学理论学党章先进单位",省直"三优文明机关",省气象台评为"省直三优文明单位",省总工会、省劳动竞赛委员会授予省气象台"百万职工跨世纪赶超工程第二届功勋集体"、萧县气象局获"百家最佳优质服务优胜单位"称号;省直工委授予局机关党委省直机关"先进机关党委"、气科所党支部"先进党支部"称号,有2人获"优秀党员"称号;局大院被评为省直机关"花园式单位"。

其它 1998年全省81个单位的地方气象事业费全部纳入当地财政预算,立户面达100%,全省累计列入预算较1997年增长34.2%。

继续抓"奔小康示范台站"工作,表彰了10个"奔小康台站"。在基本建设方面,坚持建设资金1:1匹配的原则,充分利用现有土地资源,加大盘活资源力度,重点抓"放开自建和联合开发",全省共批准8个台站自建项目,新建宿舍133套,公助自建宿舍128套,改造维修了18个台站业务用房,对15个单位的用水、电增容及道路进行了建设,近20个台站的大院环境进行了综合治理。 (褚万江)

福 建 省

概况 7月14日,中国气象局党组任命陈玉衡为党组成员、纪检组组长,任命高时彦为省局助理巡视员。7月29日,省局副局长郑国光完成挂职锻炼任务回京。

局机关设:办公室、人事劳动处、业务发展处、计划财务处、科技教育处、科技服务与产业处、监察审计处(与党组纪检组合署办公)、思想政治工作处、直属机关党委、离退休干部处。直属单位设:省气象台、省气象科学研究所、省气候中心、省气象技术装备中心、省防雷中心、机关后勤服务中心、省气象影视中心、省气象培训中心。

全省气象部门现职职工总数1568人,较上年减少34人,其中干部1467人、工人101人;高级工程师61人、工程师475人、助理工程师和技术员893人;研究生10人、本科353人,大、中专793人。

1月27日,省委书记陈明义、省人大主任袁启彤、省委常委、福州市委书记赵学敏等省市领导到省局视察并给职工拜年。2月24—26日,全省气象局长会议在福州召开,传达贯彻全国气象局长会议精神,副省长丘广钟到会并作重要讲话。3月省人大副主任童万亨出席"3.23世界气象日"座谈会。4月3日,省政府召开重点建设工作会议,"二级基地"二期工程列为28个新增重点项目之一。4月25~30日,中国气象局副局长马鹤年到省局检查工作,期间省长贺国强、省政协主席游德馨、副省长丘广钟会见马副局长。6月2日,省政府召开"协调省中尺度灾害性天气预警系统二期工程雷达建设配套资金"专题会议,会议议定雷达建设投资,省政府按1:1配套,出资2000万元。7月19日,省委书记陈明义、副省长汪毅夫、省委副秘书长阮荣祥等专程到省气象台、九仙山气象站调研。7月22日,省人大副主任王建双等常委到省局视察。8月1日,省九届人大常委会第4次会议审议通过《福建省气象条例》,并于10月1日起施行。

气候评价 1998年全省气温异常偏高,降水偏多,日照偏少。除月份的特大暴雨灾害给闽北地区造成巨大损失外,气候属偏好年景。

冬季。气温7.4℃~15.0℃,明显偏高;极端最低气温－5.4℃～7.1℃，大部地区出现在1月25日或2月8日。降水316～621毫米，均偏多1～2倍，2月中旬降水量比常年同期偏多2～9倍。春季。气温14.4℃～20.3℃，大部异常偏高。降水196～554毫米，大部正常，局部偏少。5月份全省较常年偏少2～5成。夏季。气温23.5℃～28.6℃，大部地区明显偏高。降水115～695毫米，大部地区偏少。秋季气温15.3℃～23.1℃，属异常偏高。"20型"秋寒全省大部偏晚15天以上。降水66～348毫米，南多北少。部分地区比常年偏多1～3倍。

主要天气事件为暴雨、高温、干旱。2月16～19日，全省43个县市普降大雨～大暴雨，连城、松溪、永安、漳浦、德化等地还伴有冰雹。过程雨量大于100毫米的有11个县市，古田达269毫米。全省84.57万人口受灾，农作物受灾2.4万公顷，死亡29人，直接经济损失达7.5亿元。前汛期共出现6场暴雨过程。5月14～15，日全省出现了较大范围的暴雨天气过程，51个县市过程雨量超过50毫米，14个县市超过100毫米，松溪达171毫米为最大。暴雨使鹰厦铁路邵武段路基塌方，列车中断行车2小时。造成3.14亿多元的经济损失。6月8～25日，闽北及闽东地区遭遇特大暴雨袭击。过程降水量≥100毫米，≥200毫米的有36个县市，≥300毫米的有28个县市，≥400毫米的有19个县市，≥500毫米的有11个县市，武夷山市1034毫米为最大。建瓯市城关22日19时最高水位达108.2米，超危险水位11.2米。鹰厦铁路北段和外福线多处出现塌方断道，外福线中断行车15天。全省因灾死亡126人，直接经济损失达82.76亿元。全年有9801、9802、9808、9809、9810号5个台风影响本省，9802强热带风暴于5日02时在福清市登陆。受其影响，福清、平潭两县(市)127万人受灾，农作物受灾面积4350公顷，淡水养殖损失410吨，直接经济损失3369万元。

高温　全省大部地区极高气温≥35℃的日数达18～46天。极端最高气温，闽江流域河谷地区及闽东大部达39℃以上，以福安7月16日的39.9℃为最高。7月底～8月初，平潭、福安、福鼎出现了大旱。平潭为特旱，厦门、福鼎、福安、古田为大旱，北部和西部的部分地区出现了中旱。

气象服务　春播期4次低温阴雨过程和两次暴雨过程，各级气象台站均作出准确预报。6月8～24日，全省出现历史罕见的连续性大暴雨，各级气象台站都作出较为准确的长、中、短期预报。省台共发布暴雨警报48次，向省领导汇报100多次，充分发挥预报指导中心和灾害性天气监测中心的作用。南平市局领导将服务地点设在市政府，福州市局及时收集闽江上游雨情、水情，随时向市政府提供预报情报服务。全年有5个台风影响本省，省台和各有关台站密切监视台风动向，为抗台救灾提供准确的预报服务。在闽江"98.6"特大洪灾气象服务中，受到了中国气象局和省政府的表彰嘉奖。

各级气象部门积极开展为农业服务，组织气象专家、技术人员赴农村生产第一线开展现场服务，通过电视、广播等宣传农业气象科普知识。根据当地农业的特点，组织技术人员下乡开展水稻、水果、水产养殖等咨询服务，推广农业气象实用技术，对当地合理开发利用气候资源发展生产、脱贫致富起到科学的指导作用。省局与省林业厅联合在省电视台向社会发布森林火险等级预报，受到各级领导和社会的欢迎。

积极做好第二届中国对外投资贸洽会、台湾商品交易会、福州建城2200年庆典活动、全国旅游交易会和棉花滩水电站建设等重大活动和工程的气象保障服务。省台、气象影视中心与东南电视台增加台湾海峡和台湾地区天气预报节目时(次)。

气象业务与现代化建设　"二级基地"二期工程被省委、省政府列为"向建国50周年献礼工程"项目，并列入全省24个新增重点建设项目之一。省局党组提出二期工程以雷达、自动站建设为重点，协调搞好全省网络改造，加快县级支中心建设。完成建阳、龙岩雷达站选址工作，闽北雷达站址正抓紧施工，签定了购买建阳新一代天气雷达的合同。引进并改进北京市局四要素自动站，完成福州地区批量布点和验收。开展通信网络改造。气象卫星综合应用系统(9210工程)建设实现准业务运行，完成省、地两级内部计算机网络与原计算机网络的互联，实现资源共享。福州、龙岩、漳州、三明等地(市)县级支中心建设发展势头良好。宁德地区行署发文在全区开展县级支中心建设，并明确规定各县(市)投资数。县级支中心建设项目在当地政府立项的有49个，占应建数的85%；已立项并投资建设的有29个县(市)，占应建数的48%。

全省60多个台站参加了华南暴雨和南海季风两大试验外场观测，在"98.6"特大洪灾期间，邵武探空设备、器材被淹，省局组织力量，克服洪水泛滥等困难，及时将设备、器材送到邵武站，保证了观测试验任务正常进行。省台抓好试验指令传输，并主动与广州气象中心会商，成功地抓住一次大范围暴雨过程，为科学试验研究提供了资料。

基础业务现代化建设重点抓好观测场和值班室改造，有50%基层台站测报值班室得到改造，观测场达标准化建设目标。部分台站配置了测报微机，实现机制报表。“59－701微机数据处理系统”投入高空探测业务运行。开通省－地中文远程通信。组织卫星遥感、农气灾害预警系统技术开发。人工增雨系统通过专家验收，达到国内先进水平。

省局继续实行汛期总值班制度，制定各项业务考核办法，加强监督检查和岗位培训。完成全省测报人员上岗考试工作。全省地面测报质量为0.57‰，暴雨预报准确率为66.7%。

科研教育 全年新立课题49项，其中省局立题45项，省部级科研立题4项。各地(市)局利用自有资金，建立科研课题基金，全省科研课题投入增长率大于20%。年内，制定《福建省气象局科技论文奖励试行办法》，年度结题10项。两项课题获省科技进步三等奖，“中尺度气象信息集成处理显示系统”获省局一等奖。

全省共办培训班17期，参加人员达469人；南京气象学院福建函授站第一期函授班正式开办，共招生36人。

改革 省局制定了各地(市)、县和省局直属单位基本气象系统岗位设置实施方案，成立省局人才交流中心，制定从事测报和科技服务、综合经营人员申报中级技术职务破格条件。各地(市)局按照“由单位小三块向部门大三块转变”及“对事业结构进行全局性、升级性和效益性调整”的思路，结合部门实际，建立了防雷检测、气球、电视天气预报制作等服务实体。莆田市局积极开展事业结构调整，基本气象系统与科技服务、综合经营人员比例达到0.55:0.45。省台成立科技服务开发部，省影视中心引入企业机制运行，防雷工程和避雷检测项目实行公开竞标承包制，省局直属单位实现气球项目“大联合”，实行股份合作制，提高了气球市场竞争能力。

认真贯彻落实国办发[1997]43号文件，发展地方气象事业。5月份省政府办公厅下发《关于进一步加快发展我省地方气象事业的通知》，双重计划财务体制得到进一步完善，全省列入地方财政预算单位数：地级达100%，县级达95.6%。有56个地(市)、县解决当地气象部门地方性津贴、补贴问题，占总数的81%。1998年地方政府对气象事业投入的各类资金比上年增长10.1%。

科技服务与综合经营 全省科技服务与产业年收入较上年增长16.9%。已有43个地(市)、县开展“121”电话信息服务，开播率达63%。有31个地(市)、县开通电视气象节目，开播率达45%。举办了全省第二届电视天气预报节目观摩评比活动，晋江市局获“华风杯”全国第二届电视气象节目观摩评比县级三等奖。三明、福州等市、县成立防雷监测中心，省防雷中心通过省技术监督局计量论证。

全省共有综合经营实体11家，从业人员122人。主要经营项目：防雷工程、科技开发、旅游服务、计算机技术服务、房屋出租等。年经营收入352.8万元，增长18.7%；年利润64.2万元，增长30.2%。

精神文明建设 深入学习贯彻十五大和十五届三中全会精神，召开学习邓小平理论研讨会，扎扎实实地学习邓小平理论。开展“伟大的转折，光辉的历程”为主题的纪念十一届三中全会20周年活动。举办“我说20年”征文活动和“辉煌20年”演讲比赛。

加强领导班子建设。健全宁德、福州等地(市)局领导班子，成立福州市局党组。举办青年理论培训班，选送干部到省、地党校学习；严格执行《党政领导干部选拔任用工作暂行条例》，提拔6位年轻处级干部。加强党风廉政建设，成立纪检组并配备纪检组长，建立健全了全省纪检监察审计网络。制定《福建省气象部门公费住宅电话和移动电话管理办法》和《福建省气象局反腐倡廉工作责任制》，组织学习《廉政准则》、《八项规定》等，观看中国气象局编制的“警示”纪实录像片。做好行政监察信访工作，加大群众监督力度。

建立了省台、厦门、漳州、福清市局及永定县局等5个文明服务窗口示范点。开展以《福建省气象条例》为重点的“三五”普法教育，进行《行政监察法》、《档案法》和《保密法》等法律法规学习和知识竞赛。开展树典型，学先进活动，举办“闪光的足迹”报告会，向“好公仆”张兴兰、“十佳公仆”陈贤振学习。组织干部职工踊跃向灾区人民捐款捐物。通过开展各类活动，促进文明行业创建步伐。全省已有45个单位(省级2个、地级10个，县级33个)被地方政府评为文明单位，占总数的61.6%。 (池艳珍)

专题 《福建省气象条例》出台

1998年8月1日，福建省第九届人民代表大会常务委员会第四次会议审议通过了《福建省气象条例》(以下简称《条例》)，并于10月1日起施行。这是福建气象事业发展史上的一件大事，标志着福建省气象法制建设进入一个崭新的发展阶段。

《条例》是一部在社会主义市场经济条件下发展地方气象事业的综合性气象法规，坚持从实际出发，突出地方特色，从法律上明确了地方气象事业的内涵、项目和投入体制，进一步明确了天气预报、警报统一发布制度和探测环境保护制度，规范了气象科技服务市场的行为，赋予了气象部门行业管理职能和执法权力。

《条例》颁布后，重点开展了以下工作：一是省局召开贯彻实施《条例》会议，组织全省干部职工学习掌握《条例》，下发实施意见。二是在全省掀起贯彻实施《条例》的宣传热潮。《条例》颁布实施得到各级人大、政府的高度重视，8月18日丘广钟副省长在省电视台发表电视讲话，省人大农经委、省气象局联合召开新闻发布会，各地(市)、县人大、政府普遍召开《条例》座谈会。省委宣传部、司法厅等7个单位联合下发了《关于开展〈福建省气象条例〉宣传周活动的通知》。在《福建日报》《中国气象报》及厦门、泉州、龙岩等地方报刊上全文刊登《条例》。各级气象部门与政府有关部门共同配合，在《条例》宣传周、国际减灾日和科技宣传周，采取领导电视讲话、上街宣传、办专栏，有奖征答、知识竞赛等各种形式，广泛宣传《条例》。三是抓紧制定防雷工程、气球广告等有关配套规范性文件。省气象局、省消防总队联合下发《关于加强经营性广告气球管理的通知》，成立"福州市气球管理办公室"。罗源、闽侯等县(市)政府下发关于加强氢气球管理和防雷检测工作的通知。四是建立气象行政执法队伍。省政府法制局与省局联合举办气象行政执法培训班，首批55名气象行政执法人员上岗执法。 (池艳珍)

江 西 省

概况 省气象局机关设：办公室、人事劳动处、业务发展处、计划财务处、科技教育处、科技服务与产业处(技术装备处)、监察审计处(与党组纪检组合署办公)、直属机关党委(与思想政治工作处合署办公)、离退休干部处；机关服务科(省局机关下属科级事业单位)。省局直属各单位设：省气象台(与省气候中心、省农气中心、省气象档案馆、南昌市气象局合署办公)、省气象科学研究所、省气象信息网络中心(金象信息网络工程有限公司)、省气象科技服务中心、省气象技术装备中心、省局后勤服务中心。江西省人民政府挂靠省气象局的事业单位有：江西省人工影响天气领导小组办公室、江西省减灾协会办公室(与省气象学会秘书处合署办公)。

1998年全省气象部门在职职工1794人(较上年减少82人)，其中干部1329人，工人465人。离退休543人。在职职工中，具有本科学历215人，大专学历345人，中专学历754人；具有高级技术职称的60人，中级技术职称的503人，初级技术职称的825人。

2月21～25日，全省气象局长会议暨部门经济工作会议在南昌召开。会前，江西省委常委、省委农工委书记彭昆生，副省长孙用和听取了省气象局局长陈双溪关于全国气象局长会议精神和本次会议筹备情况的汇报。2月22日下午，舒圣佑省长、彭昆生常委、孙用和副省长接见了参加全省气象局长会议的全体代表，视察了省气象部门业务现代化建设，舒圣佑省长讲话说：随着社会经济的发展，气象工作越来越重要，政府有责任加大对气象业务现代化建设的投入，用3年时间分期解决鄱阳湖地区中尺度灾害性天气监测基地建设经费，进一步提高气象业务服务能力。

3月13日，中国气象局在井冈山举行全国气象部门革命传统教育基地挂牌仪式。4月16～18日，全国气象预报工作会议在南昌召开，中国气象局颜宏副局长到会指导。4月19～21日，卫星综合应用业务系统(9210工程)第二次全国工作会议在南昌召开，中国气象局李黄副局长到会指导。

6月1～3日，在南昌召开全省地市气象局长第二季度工作调度会。陈双溪局长作了题为《以十五大精神为指针，以市场经济为导向，把本省气象部门地、县两级气象事业结构战略性调整引向深入》的报告。

9月14日，在南昌召开全省地市气象局长第三季度工作调度会，会议专题研究了县市局"五大工程”建设和全省创文明系统工作。

10月5日，在南昌召开了1998江西特大气象灾害专家座谈会，全省数十名专家、学者和有关方面负责同志参加了会议，江西省气象局局长陈双溪主持会议并作了题为《1998江西特大气象灾害成因分析暨防灾气象服务工作思考》的报告。12月9～11日，在南昌召开全省地市气象局长第四季度工作调度会，会议就气象科技服务和科技产业进行了专题研究。

气候评价 1998年江西气候特点：全省年总降水量异常偏多。冬春季降水超历史极值，出现罕见的冬、春汛。汛期降水强度大，持续时间长，影响范围广，北部出现建国以来最大的洪涝灾害。盛夏和秋季降水明显偏少，出现明显的伏秋旱。年平均气温异常偏高，且气温变动幅度大。3月中旬末至下旬前期出现了重度春分寒，盛夏出现长时间酷热天气。春季强风雹天气频繁。

主要气象要素时空分布情况：全省年平均气温17.6℃～20.4℃，彭泽为最低，赣州为最高，呈北低南高分布，南北差异明显，全省大部分地区偏高1 ℃以上，属“异常”偏高年份。年降水量全省为1460～3168毫米，平均偏多1～7成。其中九江、上饶、抚州、南昌4地市和宜春地区北部降水偏多4～7成，婺源偏多7.4成。年日照全省为1446～1787小时，宜丰为最少，赣州为最多。年内主要气象灾害是洪涝、风雹。

6月12～27日，全省大部地区出现连续大暴雨天气过程，抚州、上饶地区在800～1025毫米之间。6月12～20日，抚州、上饶地区有9县市总雨量在601～ 732毫米之间。这次过程范围涉及到长江、鄱阳湖、昌江、乐安河、修河、信江、抚河和赣江下游等流域，持续时间长达15天。7月17日～8月1日，九江、景德镇、宜春、南昌、上饶又出现连续大暴雨天气过程。15天内江西北部平均降水量为418毫米，婺源高达911毫米。

春季，江西风雹天气频繁发生，且强度大，影响范围广，造成巨大损失。3月19日全省出现11站雷雨大风。20～22日全省出现24站(次)冰雹。部分县市农作物、交通、通信等受到较大损失：万安县620万元，遂川760万元，修水2800万元。4月5日，南昌市新建县出现龙卷风和冰雹天气，造成了3人轻伤，2000余亩秧田遭灾，直接经济损失50万元。4月11日武宁出现18米/秒大风和直径为110毫米的大冰雹。受灾人口18.63万，成灾人口13.3万，倒塌房屋126间，直接经济损失664万元。4月22～24日，鹰潭、吉安、萍乡、宜春等地市出现大风冰雹天气过程。其中，以萍乡、丰城两市灾害最重。4月22日下午，萍乡出现25米/秒的大风和冰雹天气，冰雹最大直径超过160毫米。26个乡镇受灾，因风雹死亡2人，伤120余人，直接经济损失约3亿元。

气象服务 年内共出现大范围重大灾害天气17次，预报准确的12次，基本准确的4次。全年省气象局共向省委、省政府主要领导报送《气象呈阅件》2 4期。

在抗御1998特大洪涝灾害中，全省各级气象部门开展超常规气象服务。为水库科学调度、抗洪抢险决策专门制作了流域、库区等重点防汛区域定点、定时、定量的降水预报。雷达、卫星接收站等打破常规连续70天24时开机，监测天气变化。省委书记舒惠国指示各级干部“要把气象科技信息迅速地传递到灾害可能发生的地方，要快速传递到县、乡(镇)、村，传递到广大农民群众手中。”

在抗洪最紧张的6、7月份就增加雷达监测1800次，增传雷达回波资料1300多张，增收省内外气象情报43000多份，增加卫星遥感监测30余次。对此，副省长、省防汛抗旱总指挥孙用和说，1998抗洪抢险斗争中，气象部门确实当了很好的参谋，为全省防汛工作赢得了主动权，气象部门功不可没。

当赣北、赣中先后遭受连续性暴雨袭击的同时，赣南、赣中自6月下旬开始旱情发展日趋严重。针对异常复杂的气象服务工作，省局坚持分类指导，各级气象台站坚持分类服务。九江、南昌等地的气象台站牢固树立汛期气象服务打持久战的思想。上饶、鹰潭、抚州、宜春等地的气象台站适时开展灾后生产自救、重建家园的气象服务。吉安和赣州地区气象台站积极铺捉一切有利的天气条件，及时开展人工增雨气象服务，赣中、赣南的5个地(市)，26个县(市)先后开展人工增雨作业110多次，有效地缓解了旱情。

春播气象服务效果好。3月15日省气象台预报：从3月18日起，全省自北向南有一次强冷空气过程。据此，全省各级气象部门及时向当地政府和有关部门提出了相应的农事建议。根据气象部门的建议，全省大部分地区推迟了早稻大面积播种时间，已播种的地区也及时采取了防风防寒措施。寒潮过后，各级气象部门又及时通过各种新闻媒体，建议各地抓住“冷尾暖头”的有利时机，适时进行大面积播种。

《江西日报》为此专门发表了评论员文章。据农业部门统计，全省早稻烂秧烂种率仅为 0.07%，达到历史相同年景的最好水平。

特色农业服务和气象科技扶贫取得新进展。1998 年出版了《合理利用气候资源，发展江西特色农业》一书。完成了《气象与领导》一书的撰稿工作。湘、赣两省合作的井冈山片扶贫工作取得新成果。与此同时，地处贫困地区的气象台站推广了一批实用农气技术。进一步加大了对包乡扶贫联系点的帮扶力度。

科技服务与科技产业取得了较好业绩。全省创收较上一度增长 20.8%；可用资金较上一年度增长 27.9%。

气象业务与现代化建设 卫星综合业务应用系统(9210 工程)后期建设进展顺利，完成省、地级建设任务，并提前投入准业务化运行。顺利完成了省级 SYBASE 数据库系统和省局至武汉的分组交换网的安装调试任务；各地市局完成了对计算机网络的改造任务，增加了 2 个 MICAPS 系统工作站，以 NT 服务器取代了 NOVELL 服务器，实现了省、地级 9210 工程网络与原计算机网络的联网和资源共享。开展了 9210 业务上岗培训。完成了省局机关办公自动化网络、多媒体电教网、人工影响天气系统建设任务。

县(市)局防灾减灾中心和鄱阳湖中尺度基地建设取得明显进展。全省 14 个县市局建成了防灾减灾局域网，20 个县市局落实了 VSAT 接收站建设经费。"鄱阳湖中尺度基地"建设项目，进入实质性启动阶段。

现代化建设成果整体效益明显提高。省台和地、市台依托 9210 工程，以 MICAPS 为工作平台，以数值预报为基础，以解释应用为重点，建立上下配套新的预报业务工作流程。各地市局完成了 MICAPS 系统的二次开发。各地依据省局下发的《卫星综合业务应用系统工作规定》，制订了相应的岗位职责和考核制度。开展了短期、短时灾害性天气预报，分县降水等级预报和分县温度指导预报。

全年地面观测、发报及探空 7 项指标全部达到中国气象局制定的业务标准。全省统一考核的 23 项基本业务质量全面达标，且多数业务质量稳中有升。各级气象台、站(局)积极推进持证上岗制度。进一步完善和健全了业务工作规章制度，狠抓了基本业务运行监控和跟踪管理。

科研教育 全省气象部门科研课题立项共 29 项，科研经费投入较 1997 年增长 30%以上。省级气象部门争取省部级科研经费 70 多万元。由省气科所研制的微型无人驾驶飞机先后参加了中科院国家基金项目的野外观测、中国气象局四大科学试验和珠海国际航空博览会。全年举办各类培训班 40 期，学术讲座 7 次，参培人员 700 余人。新增大中专送培 21 人，新增在职研究生送培 2 人。全年有 7 项成果获奖，其中获省部级科研成果奖 1 项。

改革 全省气象部门人员分流力度进一步加大，分流比达 52.9%，完成了中国气象局和省局党组确定的人员分流目标。省级气象部门的人员分流比由调整前的不到 30%上升到 67%。

省气象科技服务中心完成了股份制改造。组建了江西省雷电防护联合体。抚州、萍乡、上饶、吉安、宜春等地市局，加强了对创收工作的领导力量和管理力度。景德镇市局从社会招聘公关人才，组建广告公司。地方气象事业政府支持力度加大。省政府办公厅下发了[1998]11 号文件，进一步明确了地方气象事业建设项目和有关经费支持政策。各地、县气象局均在地方财政立了户；地方气象投入较上年增长 30%。

综合经营 全省气象部门现有注册经营实体 13 个，从业人员 160 人，主要经营项目有防雷系列工程服务、气球广告服务、宾招服务、房屋租赁、印刷等。全年综合经营收入 538.7 万元，实现利税 12.5 万元。

精神文明建设 全省各级气象部门，组织干部职工深入学习贯彻党的十五大、十五届三中全会精神和邓小平理论。加强职业道德教育，使敬业爱岗的奉献精神进一步增强。省气象局对 10 个地市局领导班子和处级干部进行综合考察评议，并对部分地(市)局领导班子进行了调整、补充。

江西气象部门被中国气象局和省文明委联合授予"省级文明系统"光荣称号。截止到 1998 年 10 月底，全省气象部门 90 个创建单位中，已有 84 个进入文明单位行列，其中 33 个单位获地级以上文明单位称号，51 个单位获县级文明单位称号。新余市气象局率先建成市级文明系统。

省气象局推出了省台、井冈山市局等 11 个"为人民服务，树行业新风"文明示范窗口单位。周水明同志被省委宣传部选为"十个文明行业服务标兵"之一。

全省各级气象部门认真贯彻落实《关于党政机关厉行节约,制止奢侈浪费行为的若干规定》和《党政领导干部廉政准则》,认真抓了清理通讯工具和领导干部住房工作,取得明显成效。

各级气象部门加大了对建设气象主业工程、气象服务窗口工程、自我发展活力工程、精神文明风貌工程的领导和管理,多数台站制订了建设规划,层层签订责任任务,明确了分工,使基层台站面貌焕然一新,活力增强,职工工作、生活条件有了进一步的改善。经过验收或复查,全省7个县市局荣获省局授予的一级达标单位称号,12个县市局荣获省局授予的三级达标单位称号。　　　　(王新宏)

山东省

概况　省局机关设:局办公室、业务服务处、科技教育处、计划财务处、人事劳动处、产业装备处、思想政治工作处、监察审计处和离退休干部处;直属事业单位设:气象台、气候中心、气象科学研究所、气象技术装备中心、气象职工培训中心和后勤服务中心。全省气象部门职工总数为2539人,其中干部占90.2%,工人占9.8%。学历结构:研究生11人,本科439人,大专553人,中专828人。职称结构:高级工程师112人(其中正研级1人),工程师838人。

1月23日副省长邵桂芳、5月13日副省长陈延明,7月10日省人大副主任王道玉,8月22日,政治局委员、省委书记吴官正,到省气象局视察,并对气象工作作指示。10月26日,省政府致函中国气象局建议给山东省气象局表彰奖励。在中国气象局首次实行的年度目标管理考核中,山东省气象局获"优秀达标单位"称号。省气象局蒋伯仁局长被选为山东省第七届党代会代表,第一次以正式代表的身份参加了省党代会,省政协、省科协继续有气象局代表。

气候评价　全年气候特点:冬、春季温暖,降水偏多,日照严重不足;夏季降水较多,部分地区暴雨成灾;秋季气温异常偏高,降水偏少,日照充足。本年度全省平均气温14.1℃,较常年同期偏高2.1℃;年平均降水量797.8毫米,较常年同期偏多125.6毫米;年平均日照总时数2281.1小时,较常年同期偏少257.8小时。全年气候条件比较有利于各项生产活动,属于正常偏好年景。

全省共出现9次大到暴雨过程。8月22日,全省普降大到暴雨,部分地区降大暴雨,受灾地区有潍坊、菏泽、泰安、日照、威海、烟台、济宁等7市地27个县市区,农作物受灾面积24.16万公顷,倒塌房屋3728间,部分基础设施及沿海养殖等受到较大损失,直接经济损失逾13亿元。

6月16～18日,济南、潍坊、滨州、济宁、临沂、淄博等市的16个县区遭暴雨和大风冰雹袭击,直接经济损失4.08亿元。

3月31日晚至4月1日,聊城、淄博、潍坊3市15个县部分乡镇遭受不同程度的雨雪冻害,农作物受灾面积5.4万公顷,蔬菜大棚和林果等也受到严重损失,直接经济损失1.7亿元以上。

6月至7月上旬,由于天气干旱,气温持续偏高,土蝗繁殖较快,致使夏津、庆云2县30个乡镇蝗灾大面积发生,农作物受灾面积18.67万公顷,直接经济损失8800万元。

全省较大保险理赔案件52件,赔款金额5386.5万元,其中暴风暴雨件数为15件,暴风暴雨赔款金额1359.7万元。

受全球气候变暖和海洋厄尔尼诺现象的影响,6～10月份,在莱州湾、胶州湾等海域连续多次遭受赤潮袭击,进入10月份才趋于消失,对该省的海洋渔业生产有一定影响。

气象服务　省气象台、费县气象局和薛斌喜分别获1998年全国防汛抗洪气象服务先进集体和先进个人称号。省气象台副台长顾润源、临沂市气象局局长朱时良被山东省政府评为1998年全省抗洪抢险先进个人,记为二等功;省农气中心高级工程师范里驹记为三等功。

年初,省气象局向省政府报送了春季趋势预报和对策建议。全省气象部门积极为各级政府提供农事关键季节的气象信息,提供了春播、麦收期间天气预报、小麦产量预报、病虫害预报、三秋天气预报等。对汛期出现的9次重大天气,均做了准确预报。省气象局先后7次向省政府领导汇报、16次电话汇报,发送传真服务材料178次,多次参加省防汛抗旱指挥部的统一值班。8月份,黄河防汛进入关键时期,除每天提供全省天气预报外,还增发了"黄河下游天气预报"和黄河中、上游地区每天的实况雨情,为黄河防汛提供了决策依据。年内已有15个市地、80个县开展了人工增雨防雹工作。全省高炮由去年的440门增加到460门,火箭发射装置增加到25架。组织飞机人工增雨21架(次),作业区内增大了降水量。治蝗气象服务准确及时。省气象台和有关市地气象局为治蝗提供了优质服务，被授予“治蝗先进单位”。为“两会”、省七次党代会和青岛啤酒节、烟台APEC博览会、潍坊风筝节、泰山国际登山节、孔子文化节、德州经贸洽淡会等提供了较好的专项气象服务。省局和13个市地、60个县开展了电视预报制作服务。

气象业务与现代化建设 年内，先后制定了深化天气预报业务技术体制改革实施意见、加强MICAPS二次开发和建立新一代预报业务流程工作的指导意见、电视天气预报影视制作管理办法等7个指导性管理文件。全省先后开展了MICAPS二次开发；建立新一代预报业务流程；省、市地、县3级逐级指导预报；测报上岗证考试；泰山无线扩频试验；全省地面观测站网调整；电视降水预报竞赛；汛期暴雨预报竞赛；“三夏”期间逐日滚动天气预报竞赛等工作进行了观测场、值班室改造。全省业务质量达中国气象局目标管理优秀标准。菏泽、烟台、威海、泰安等15个市地气象局达全省一级业务目标。各项业务质量总体上稳中有升。“四室一场”(观测值班室、预报会商室、防灾减灾指挥室和精神文明活动室)改造有40个县局通过验收。有30人(次)创250班无错情，7个站创集体优质，测报三项错情率0.4‰。

完成了气象卫星综合应用业务系统(9210)工程地区级系统的安装和调试工作，全部投入准业务运行。进行了加入公用数据交换网的试点工作。开通了省到市地气象局的办公自动化网络。改造了部分市地的711雷达。加强了软件开发和应用，以数值预报产品释用为基础，开展了常规天气要素分县预报和灾害性天气落区预报指导产品开发，完成了省级工作站版本、地级微机版本的人机交互工作平台的安装调试和应用等，使短期、短时天气预报准确率有较大提高。

科研教育 开展了80项课题的研究，其中有2项获省科技进步奖，省气象科技进步奖13项，青年气象科技奖6项。发表科技论文112篇，其中在国家级刊物上发表45篇。举办各类培训班13期，培训人员480人(次)。新招脱产函授大专15人。

改革 根据中国气象局《基本气象系统岗位设置意见》，制定了《实施细则》，基本气象系统进一步精干高效。分流从事科技产业的人员占职工总数38%，多数市地产业队伍中工程师和高级工程师的比例在20%以上。严格控制了队伍总量，实现了负增长。

全省共落实地方气象事业经费(含人工影响天气经费)3226万元。所有市地和96个县落实了地方气象事业经费户头。有12个县落实了卫星单向接收站的建设经费。

全省有10个市地气象局达到一级目标。

综合经营 科技服务收入比上年增长32.9%，其中，临沂增长85.7%、滨州50.7%、德州37.5%。全省电视广告收入增长110.6%，气球广告收入增长25.6%，防雷检测收入增长22.0%，电话“121”收入增长11.8%。

全省有14个法人企业，6个非法人企业。利润为184.9万元。14个法人企业中有11个企业盈利，2个企业亏损，1个企业利润为零。从业人数269人，其中气象职工96人。主要经营项目有无线寻呼、影视广告、防雷检测和避雷器生产、卫生巾加工和宾馆等。

精神文明建设 围绕2000年底以前全省气象系统建成文明系统的目标，加强了“八项建设”即思想建设、职业道德建设、党风廉政建设、法制纪律建设、文化建设、环境建设、基层党组织建设和领导班子建设。开展了各种形式的文体活动，丰富了职工业余文化生活。举办了全省气象部门卡拉OK歌曲演唱比赛。省局机关继续开展了“创文明机关，做全省表率”活动。威海市气象局被中宣部等单位授予全国气象部门示范窗口单位；烟台市局被人事部和中国气象局授予双文明单位；成山头气象站被中国气象局授予双文明单位。省气象局、省气象台和88个市地、县局被当地评为精神文明单位。

加强廉政建设，重点抓了清理通信工具、压缩精简会议和严格公款接待等三项工作，执行了电话费用限额包干等制度，仅省局就清理了9部不符合规定的住宅电话，过户个人电话12部，电话费用每月下降905元。全省会议比去年同期减少15%。加大了信访处理和案件查处力度，信访办结率达到85.7%。

全年审计了10个单位(项目)，审计总额2874.02万元，查处违纪违规金额72.73万元。

对8个市地的领导班子进行了调整充实，10个具有3个职数的处级领导班子中配备了35岁左右的干部。处以上干部大专以上文化程度人员由1997年的86%提高到88%。正处级干部的平均年龄为48.1岁，下降了0.4岁，45岁以下的正处级领导干部由1997年的11人上升到15人,具有大专以上学历的提高到90.4%。

年内,安排基建项目34个,共建成办公楼2000多平方米,职工宿舍4万多平方米。解决了8个单位的饮水、供电、道路等问题。省局大院新建住宅2万平方米,职工第一次告别了平房。 (杨志利)

河南省

概况 1月9日,中国气象局党组任命(中气党发[1998]1号):张绍本为中共河南省气象局党组副书记、副局长,并主持全面工作;刘金华任副局长(党组成员)、王万田任纪检组组长(党组成员)、季书庚任助理巡视员(党组成员)。10月21日,中国气象局党组任命(中气党发[1998]30号)庞天荷为河南省气象局副局长(列王银民之前)、党组成员。

省气象局机关设:办公室、业务发展处、科技教育处、计划财务处、人事劳动处、产业装备服务处、直属机关党委(思想政治工作处)、监察审计处(党组纪检组)、离退休干部处。直属单位设:后勤服务中心(行政处)、省气象台、省气候中心、省气象科学研究所、省气象学校、省气象科技装备中心、省人工影响天气指挥中心(省人工影响天气领导小组办公室)。全省现有在职职工2319人,其中干部2017人;学历构成:研究生7人,大学本科生296人,大专生610人;职称构成:高级技术职称116人。

2月24~26日,全省气象局长工作会议在郑州召开,王明义副省长到会并讲话,会议传达了全国气象局长会议精神,部署1998年度重点工作。2月26日,省人民政府就贯彻落实国办发[1997]43号文件事宜,下发了《关于认真贯彻落实43号文件 进一步加快发展我省气象事业的通知》(豫政[1998]11号),7月28日、10月12日,省政府先后两次就贯彻落实(豫政[1998]11号)文件问题,下发了督查通知和督查情况反馈。8月6日晚,王明义副省长到省气象台视察防汛工作和慰问一线工作人员。11月24日,省政协副主席姚如学、胡廷积率16位政协委员和有关领导来省气象局视察工作。

气候评价 年内,基本气候特点是:春、秋、冬季气温偏高;夏季气温接近常年,日照偏少,局地多发生暴雨、风雹;秋季干旱影响严重。但相对农业生产而言,仍属于一般略偏好的年份。

全年平均气温13.0℃~16.7℃,豫西山区不足14.0℃,信阳、驻马店局部地区16.0℃以上,全省气温普遍偏高0.6℃~1.5℃。冬季(1997.12~1998.2)为典型暖冬气候;春季(3~5月),全省平均气温12.6℃~16.1℃℃,3~4月全省平均气温普遍偏高1℃~3℃,大部地区出现了建站以来历史同期最高或次高记录;夏季气温接近常年,全省平均气温为23.3℃~27.4℃;秋季,气候尤为偏暖,全省平均气温14.3℃~18.9℃,全省普遍偏高1.6℃~3.0℃,季平均气温为建站以来历史同期最高值。

全省年降水量自北向南递增,为580~1340毫米,信阳、驻马店及周口地区大部降雨量为1000毫米以上,其余市地多在700~1000毫米。豫北、豫西等8个市地降雨较常年偏多2~5成,但降雨主要集中在春、夏两季。其中,春季全省降雨量为178~487毫米,有5个市地的部分县市偏多5~10成;夏季全省降雨量为260~800毫米,大部市地偏多1~8成,特别是7、8两月,全省大部市地降水量偏多2成至2倍,8月份,有7个市地偏多3倍以上,居建站以来的最高或次高值。

年内主要气象灾害为干旱、暴雨、风雹。干旱。自8月27日至年底,全省大部市地在4个多月内降雨只有2~20毫米,许多市地出现建站以来历史同期最少雨量。加之气温异常偏高,旱情十分严重,到11月25日,受旱面积已达3825万亩,其中严重受旱面积为2530万亩。全省有180多万亩小麦因旱未能播种,800多万亩未能出苗,还有1100万亩缺苗断垄。

暴雨。从6月底至8月下旬,全省共出现9次暴雨、大暴雨、13个暴雨日。暴雨使全省的15个市地、1500万人口受灾,其中成灾人口890万人,成灾农作物面积1350万亩,直接经济损失达32.6亿元。特别是6月29日~7月2日,豫中、豫南共有34个市县的过程雨量在100毫米以上,驻马店地区有6个县雨量达200毫米以上,平舆县雨量最大,达452毫米;其次,是7月29日~8月10日,濮阳市连降4次暴雨、大暴雨,雨量最大的台前县,日雨量达296.5毫米。

风雹。6月下旬、7月中旬、8月下旬,全省共有11个市地、36个县(次)、157个乡镇发生风雹灾害,农作物成灾243万亩,死亡16人、伤271人,直接经济损失12亿元,与往年相比,属于中度偏重的年份。特别是6月21日夜,安阳、鹤壁两市出现特大风雹、暴雨,最大风力达12级,仅此一次,受灾人口就有75.5万人，死亡15人。

气象服务 重大天气过程和汛期预报基本准确。3月中旬初，全省各级气象部门提前5天报出了18～22日全省性强寒潮天气，并引起了省政府的高度重视，先后两次向各市地下发了“关于防御小麦冻害的紧急通知”，收到了显著的社会经济效益；为做好汛期旱涝预测，省气象局于4月上旬会同省防汛办、省黄河防汛办等有关单位进行了汛期天气趋势会商后认为：汛期全省降水比上年增多，局部地区有洪涝发生的可能，实况证明，汛期降水趋势预测基本准确。

在汛期出现的9次暴雨、大暴雨的天气过程中，省气象台和各级气象部门均提前2～7天作出了准确的预报，并开展了有效、及时的气象服务。6月29日～7月2日，河南中、南部首次出现了入汛以来的大暴雨和局部特大暴雨，省气象台提前3天发出了预报，并以《重要天气公报》形式向省领导及有关部门发布天气信息。据此，漯河市有关部门紧急集结3.7万人进入临战状态，市防汛指挥部组织2500名员工突击清挖排水渠道，7月1日午夜，当澧河实施紧急分洪时，该市秩序井然。7月2日，当驻马店境内宿鸭湖水库的泻洪决策以“24小时是否有大于15毫米降水”为依据时，省气象台和驻马店地区气象台都报出了“雨量小于15毫米”的预报。据此，该大型水库拟加大泻洪的决策，推迟了12个小时，有效的减缓了下游抗洪抢险的压力，实况证明预报完全正确。

在汛期气象服务过程中，据不完全统计，省气象局领导向省党政领导当面汇报天气共有48次，其中，向省委书记、省长当面汇报的有15次，为实施正确的防汛决策，起到了较好的参谋作用。

年内，“121”电话自动答询气象服务系统在89%的县气象局和地级以上的气象部门全部开通，有55%的县气象局和地级以上的气象部门，建成了电视天气预报制作系统，开展了电视气象服务。

气象业务与现代化建设 年内，全省共有121人(次)创“百班无错”，还有2人(次)创“250班无错”，其中地面业务101人(次)，高空业务4人(次)，农业气象16人(次)。年内完成了测报人员持证上岗前的考试、发证工作。

“9210工程”建设已基本完成，到年末，全省共建成省级VSAT次站1个，市地级VSAT小站16个，并投入准业务运行。制定了1998—2000年《河南气象业务现代化建设方案》。年内实现了省级局域网与因特网的连接，建成了面向公众的气象网站；省气象台建立了短期降水等级和最高、最低气温分县预报系统；完成了短期、短时暴雨落区预报业务系统和暴雨、连阴雨监测预警业务系统。至此，全省初步建立了新一代短期预报业务技术流程。省气象台完成了714CD天气雷达的技术改造，实现了遥控、遥测、遥传先进技术。完成了对国家基准气候站和20个一般站所进行的观测室、气压室、观测场的标准化技术改造工作。

科研教育 年内，新开科研课题13项，已结题1项。其中，中国气象局下达的2项，省科委、省计委分别下达了“人工影响天气优化技术研究”和“黄、淮河流域气象监测预报技术研究”各一项。有15个地面站、2个高空站，参加了中国气象局下达的“四大科学试验”项目之一的“淮河流域能量与水分循环试验”外场加密观测工作，均较好地完成了任务。由省科委投资60万元(1997－1998)的“人工影响天气优化技术研究”项目，已进入中后期研究和试验阶段，其阶段性研究成果，中国气象局、省科委有关专家听取汇报后给予了充分肯定。

年内获奖的科研项目有10项，其中，“河南冬小麦卫星遥感区域化应用研究”获得省科委“科技进步”三等奖，“二氧化碳资源化基础理论及应用技术研究”，获中国气象局“科技进步”三等奖。

由中国气象局在郑州国家基准站选点试运行的“芬兰自动气象站”和我国自行研制的“综合有线遥测自动气象站”，先后于年初、年末安装并投入业务试运行。

全省气象部门参加大专以上继续教育的共有197人，其中当年毕业上岗的有31人；在校的研究生3人、大专生125人、大学本科38人。另外，省气象局还举办了各类培训班10期，参加培训人员290人(次)。

改革 省气象局对全省事业单位的基本业务岗位人员进行了测算，制定了实施办法，促进了人员的进一步分流。截至年末，全省气象部门科技服务、综合经营人员已占职工总数的48.5%，较上年度提高了5.4个百分点。

省政府下发了“关于认真贯彻落实43号文件进一步加快发展我省气象事业的通知”(豫政[1998]11号)以后，省气象局和全省18个市地及38个市县先后出台了地方津贴、补贴办法。全省争取地方事业经费1455万元，较上年增加27.1%，同时，还争取人影经费1002万元，基建经费740万元。

综合经营 年内新建寻呼台5个，使全省气象部门已开通的寻呼台总数达13个，“风云寻呼”台实现了全省联网和全国几十个大、中城市的漫游。全年经营收入较上年度增加了60.9%，实现产业利润370.15万元，较上年度增长了26.6%。寻呼业已初步成为气象部门的支柱产业。

全省现有企业类经营实体38个，年累计资产总额为2497万元。年创利润在10万元以上的企业9个，其中，年创利润20万元以上的有4个，年创利润最多的新乡市气象局“华云公司”，年创利润为63.94万元。

精神文明建设 河南省气象部门在创建文明单位、文明系统的活动中，截至11月底，最后5个县气象局被命名为“县级文明单位”。至此，全省气象部门121个独立创建单位，全部建成了“文明单位”。省级文明单位为12个，市地级文明单位为60个。

全省各级气象部门在抗旱、防汛和重要农时季节的气象服务中，普遍受到各级地方党委、政府的表彰。据不完全统计，市地气象局、县气象局受到当地党委、政府表彰的有67个(次)；省气象台、驻马店地区气象局、台前县气象局还被中国气象局授予“全国气象系统防汛抗洪气象服务先进集体”称号。

(吴大成)

湖 北 省

概况 3月20日，中国气象局党组任命朱正义为湖北省气象局局长、党组书记，陈晓元为副局长，姜海如为副局长、党组成员，张育林为党组纪检组组长、党组成员，彭广为党组成员，陈汉民为巡视员，免去陈汉民副局长、党组副书记兼党组纪检组组长职务。10月22日，沈继武副局长退休。

省气象局机关设：办公室、业务发展处、科技教育处、计划财务处、人事劳动处、科技服务与产业处、直属机关党委(与政工处合署办公)、监察审计处、离退休干部处。直属事业单位有：武汉气象中心、省气象科学研究所、省人工影响天气办公室、省自动化工程学校、省气象技术装备中心、省防雷中心、省气象局后勤服务中心、省气象局接待办公室。

年末全省气象职工2154名。其中，干部1890名，工人264名。学历结构：研究生22名，大学361名，大专497名，中专749名，高中及以下525名。职称结构：高级工程师134名，工程师901名，助理工程师、技术人员809名。

1月17日，省气象局翁立生局长当选为湖北省九届人大常委。

2月6日，省委常委、副省长王生铁听取了省局领导关于贯彻全国气象局长会议精神及有关情况的汇报，就贯彻落实省人民政府11号文件、武汉多普勒雷达立项及将飞机人工增雨纳入常备抗灾计划的问题提出了具体解决意见。4月6日，中国气象局马鹤年副局长到湖北宣布中国气象局党组关于湖北省局领导班子调整决定。7月30日，省委书记贾志杰、副书记杨永良、省军区司令员贾富坤亲临省气象局检查防汛气象服务工作，慰问广大气象干部职工。8月14日下午，省委书记贾志杰、省长蒋祝平一行刚送走江泽民总书记，就到武汉中心气象台参加天气会商，并给中国气象局温克刚局长打电话，感谢中国气象局对湖北防汛工作的支持。8月16～19日，中国气象局温克刚局长到湖北省检查指导抗洪抢险气象服务工作，并看望慰问坚持在抗洪抢险气象服务第一线的干部职工。

气候评价 1998年度全省气候特点：全省年平均气温13.5℃～18.2℃，异常偏高，汉口站年平均气温为近百年来最高值。年降水总量偏多。冬季温高多雨；春季雨多温高，气温变化剧烈，出现春季强寒潮天气；夏季暴雨过程频繁，降水集中，强度大，雨热同季，特大暴雨百年罕见；秋季气温异常偏高，降水偏少。1998年其农业年景属平年。

冬季全省平均气温为2.3℃～7.6℃，南北相差约2℃，比常年偏高0.6℃～1.3℃；春季气温变化剧烈，尤其4月份，气温异常偏高；夏季平均气温在22.3℃～28.6℃之间，偏高0.1℃～1.1℃；秋季平均气温在16.1℃～20.7℃之间，异常偏高，大部地区1951年以来秋季气温之最高值。

全省降水总量591～2293毫米，南多北少，分布不均。其中，鄂西北降水量为600～1100毫米，与常年同期相比，其西部偏少1～2.5成，其余偏多1～3成；鄂东北降水量为1100～1500毫米，除新洲、罗田、麻城约偏少1成外，其它地区均偏多1～4成。江汉平原降水量为1000～1800毫米，偏多2～4成；鄂西南降水量为1400～2300毫米，偏多2～4成；鄂东南降水量为1600～2300毫米，偏多2～4成。

重大天气气候事件及影响。春季强寒潮，3月18～20日，48小时降温达12℃～20℃，出现强“倒春寒”天气，随之而来的大风、暴雪，使开花期的油菜茎折杆断，油菜单产减产严重。

暴雨、洪涝。5～9月全省共有371个站(次)出现暴雨，29个台站出现过6天以上的暴雨，73个站(次)出现大暴雨，12个站(次)出现特大暴雨。夏季暴雨过程频繁，降水集中，强度大，其中，7月21～23日，7月17日～8月4日，武汉周边地区、鄂西南、江汉平原、鄂东南先后出现了大暴雨、特大暴雨。20日20时至22日20时48小时的降雨量有10个县市超过300毫米，其中最大的黄石市达到500毫米。21日武汉市降了286毫米的特大暴雨，是有降水记录以来7月份出现的最大暴雨，其中1小时最大雨量达107毫米，突破了历史最高记录。长江超警戒水位长时间持续不下，除了武汉、黄石外，全线超过1954年最高水位，从7月3日～8月31日共有8次洪峰相继通过湖北。外洪内涝，使全省损失严重。整个汛期，全省有66个县市受灾，受灾人口3688万人，成灾2039万人，因灾死亡345人，伤病88.9万人；农作物受灾3810万亩，成灾2796万亩，绝收883万亩；冲毁耕地159万亩；因灾倒房122万间，损毁房屋293万间；全省共有545个民垸堤毁或扒口行洪，淹没农田307万亩，损失陈粮4.6亿公斤，因灾粮食减产48.6亿公斤，直接经济损失500多亿元。

高温酷热。全年日最高气温≥35℃的日数较常年多10天，夏季持续的高温酷热，使空调脱销，泳池爆满，中暑病人增多。秋季高温干旱，造成小麦出苗率偏低，部分地区人口和牲畜饮水困难。

气象服务　年初，省气象台在长期预报中报出：汛期，全省长江沿江及江南总雨量偏多，暴雨强度大，局部有大涝。进入主汛期，6月11日～7月4日，7月16日～8月4日先后出现两段梅雨，共43天。期间暴雨频繁，降水量大，长江发生了1954年以来又一次全流域性特大洪水，全省气象部门广大干部职工昼夜坚守岗位，密切监视天气形势，全力以赴投入到防汛抗洪气象服务中。对汛期出现的13场暴雨的预报基本准确，成功地作出了“二度梅”的预报。尤其是在7月中旬，气象专家组预报三峡地区的降水量不超过40毫米，工程施工可照常进行，减少损失逾亿元；7月19日武汉中心气象台预报20日晚～22日白天鄂东、江汉平原等地将有暴雨或大暴雨。7月21日，武汉及其周边地区果然降百年罕见的特大暴雨；当天，武汉中心气象台预报次日该地区仍有大到暴雨、局部大暴雨，且雨区有南压的可能；并将预报汇报省防汛总指挥部。由于提前采取了充分的防范措施，使损失降到了最小程度。8月17日，沙市水位达到45.22米，突破荆江分洪水位0.22米，省、地、县三级气象台站联合向国家防总长江防汛前线指挥部汇报，说明长江上游降水不大，建议荆江可不分洪。此建议被采纳，避免了可能导致的重大社会震动和经济损失。截止9月6日，湖北省气象局共向省防汛抗旱指挥部发布“重要天气预报”155期，《防汛气象服务简报》24期，提供各类气象雨情、灾情和气候分析材料、图表1500余份，天气雷达连续24小时不间断加密观测57天。由于出色的汛期气象服务，全省气象部门受到省部级表彰的先进集体8个，先进个人11人；受到地厅级表彰的集体78个，先进工作者68人，先进个人142名；受到县处级表彰的先进集体17个，先进工作者210人，先进个人137名。

自4月中旬～10月上旬，鄂西山区、三峡坝区及鄂北地区的17个县、市开展高炮人工防雹作业共232次，耗弹10275发，使5660.67万亩(次)面积的农田减轻冰雹损失。全年开展高炮、火箭人工增雨抗旱作业共250次，消耗炮弹8426发，火箭弹56枚，受益面积为3551万亩(次)。

公众气象服务。全省100%的地市州和县市开展了城市电视天气预报服务，100%的地市县开通了“121”电话自动答询气象服务。

气象业务与现代化建设　全省已完成9210工程计算机网络与原计算机网络的互联，实现了24小时业务试运行，各VSAT小站全部做到了持证上岗，全部县市局建成了以计算机网络为基础的综合业务服务系统，部分县局已升级到WINDOSNT网络。武汉中心气象台初步建立了新的天气预报业务流程，天气预报业务转移到以MICAPS为主的工作平台上进行，取消了所有纸质天气图表，重要天气实行大屏幕会商；十堰、黄冈等市气象台开始试行大屏幕投影会商，适合地市服务需要的新的天气预报业务流程初步建立。

科研教育　1998年，有5项省部级科研课题立项，有30项到期课题结题，3项成果获得省政府科技进步二、三等奖。“九五”国家重中之重课题通过了国家科技部的中期评估。组织开展了长江流域特大洪涝的暴雨天气的研究。先后举办新技术、新知识短期培训班8期，有312人(次)参加了培训学习。全省干部职工在职培训有4人获得研究生学历,15人获得本科学历。3人获得专科学历。

改革 省气象局组织力量开展气象事业结构战略性调整工作,制订了《湖北省深化气象事业结构调整实施方案》,印发了《湖北省深化气象业务结构调整实施方案》《湖北省气象部门省以下基本气象系统岗位设置意见》等8个配套办法。在全省改革用工制度,试行"合同聘用制",初步建立了"能进能出"的用工机制;同时改革工资管理制度,实行四块工资和两块工资的效益型结构工资制度;并且改革产业资源和资金管理制度,对所有产业项目限定成本开发,确定上交项目资源占用费的比率,建立产业发展基金和超额分配制度。

综合经营 全省有10个经营实体,主要经营项目有气象科技开发、旅游服务、商品流通以及房屋出租等,利税较上一年增长16%。

精神文明建设 全省气象部门有95.4%已建成文明单位,其中省级文明单位11个,地市级文明单位36个,县级文明单位36个;地市级文明系统2个;有23个基层党组织被评为先进基层党组织。省局党组被省委组织部、省直机关工委表彰为"领导班子创五好"先进单位。

省局下发了《关于进一步加强全省气象部门各级领导班子自身建设的通知》和《湖北省气象局人事劳动规则》《湖北省气象局机关人事管理实施细则》等规章制度,加强了干部人事工作的制度化、规范化建设。部分地市州局通过"双推双考"或"聘用制"的形式,选拔任用了一批中层干部。省气象局强化了学科带头人和年轻科技骨干等拔尖人才选拔的动态管理。 (易桂安)

专题

运筹帷幄缚苍龙

1998年入汛以来,湖北共出现13次区域性大到暴雨天气过程。7月2日17时,长江第一次洪峰以53500立方米/秒的流量通过三峡坝区,坝区江段全线封航,长江中下游干流全线超过警戒水位,这是自1954年以来首次出现的险情。此后到9月2日,共有8次洪峰过境,武汉关水位处于危险线以上长达46天。

面对历史罕见的特大洪水,湖北省气象部门打破常规,增加业务技术人员,增加天气会商次数,由日常值班人员会商加强为专家会商,并根据天气变化和各地防汛指挥部的紧急需要,随时增加小型会商和紧急会商,积极主动地为各级政府指挥防汛抗洪提供决策气象服务,为争取抗洪抢险的全面胜利作出了应有的贡献。

对于汛期出现的特大洪水,湖北省气象局早在年初就预报全省和长江沿线及江南北部雨量偏多,暴雨强度大,局部有大涝。4月下旬发布的汛期预报和5月中旬华中区域汛期预报研讨会上,再次明确指出"预计华中区域部分地区降水可能比较集中,可能发生严重洪涝"。省气象局领导及时向省委省政府领导作了汇报,提请"早准备、早注意"。据此省防汛抗旱指挥部,进一步调动大量人力、物力,对长江干堤、主干堤、关键性的支干堤及险河险段进行了加高加宽加固的检修。

7月中旬,长江第2次洪峰在上游形成,预计17日到达三峡坝区。对此,由中国气象局、省气象局和宜昌市气象局组成的专家组果断预报:三峡地区的降水量不会超过40毫米,工程施工可照常进行,并向三峡总公司领导作了汇报,从而减少损失近亿元。在长江大堤经历最严峻考验的日日夜夜,省气象局领导几乎是每天1～4次向省防汛抗旱指挥部汇报天气,武汉、宜昌、荆州、黄冈、黄石和咸宁等地区县局的领导也是天天奔波于气象局和防汛指挥部之间。

7月19日,省局向省防汛抗旱指挥部报告"20日晚～22日白天鄂东、江汉平原等地将有暴雨或大暴雨",并通过新闻媒体向社会发布。省防指发出了"夺取决战长江大洪水的胜利"的二号命令。武汉市、黄石市、黄冈市等防汛指挥部还根据当地气象部门提供的天气预报,紧急要求各地守堤抢险、巡堤查险、水库派专人值守并对内河、围垸采取紧急防浪措施。7月21日白天,武汉及其周边地区出现特大暴雨,当晚,武汉中心气象台再次预报次日该地区仍有大到暴雨、局部大暴雨,县雨区有南压的可能,并将预报汇报政府领导,使各地可以提前防范,将损失降低到最小程度。

8月6日,省防汛抗旱指挥部宣布全省进入紧急防汛期,此时荆江分洪准备工作也在加紧进行。继8月3日三峡区间、清江流域开始雨量加密观测之后,6日全省所有台站又开始进行每小时一次的雨量和大风加密观测;8月17日,第6次特大洪峰通过沙市，水位45.22米，超过1954年最高水位0.55米，突破分洪争取水位0.22米。同时，858公里流程的汉江也发生有水文记录134年以来最大的洪水。监利、洪湖、石首段超历史最高水位达1.5米以上。17日雨量观测也扩大到长江和汉江中上游地区的8个省市。武汉中心气象台、荆州市局随时向荆州前线防汛指挥部、省防汛抗旱指挥部和温家宝副总理通报长江、汉江中上游和清江流域实况雨情，并随时报告重要突变天气，还滚动定量预报有关区域降雨和水位。省防汛抗旱指挥部根据这些预报，决定对隔河岩、葛洲坝和丹江口3个水利枢纽实施超常调度方案，进行蓄洪错峰，为战胜长江第4次、第6次洪峰立下了汗马功劳。

在545个民垸漫溃或扒口行洪的时候，都有气象干部职工现场服务。各级气象部门出色的气象服务，赢得了当地党政领导的赞扬。湖北省委书记贾志杰称赞说："气象部门在战胜'98特大洪水的过程中立了汗马功劳，功不可没"。1998年，全省气象部门共有103个集体、500名个人受到上级表彰。

（易桂安）

湖 南 省

概况 省气象局机关设：办公室、业务发展处、科技教育处、计划财务处、人事劳动处、产业发展与装备处、直属机关党委（与思想政治工作处合署办公）、监察审计处（与党组纪检组合署办公）、离退休干部处。省局直属事业单位设：省气象台、省气候中心（省气候资料室）、省气象科学研究所、省气象科技开发中心、省气象技术装备中心（省华云信息技术开发公司）、省气象培训中心（湖南信息工程学校）、省局后勤服务中心（省局行政管理处）、省人工影响天气领导小组办公室。省气象学会秘书处（挂靠科教处），省局人才交流中心（挂靠人事处）。局属企业有省华云经济技术开发公司、长沙华云广告装饰有限公司。

年末全省气象部门在职职工2257人，其中干部1725人，工人532人；学历结构：研究生11人，本科302人，大专435人，中专818人；职称结构：高级工程师75人（含正研级2人），工程师682人，助理工程师921人。

3月30日，省政府办公厅以湘政办发[1998]5号文，下发《关于加快发展地方气象事业的通知》，具体确定了湖南地方气象事业发展8项主要任务。4月1～3日，省政府召开全省气象工作会议，省委副书记胡彪、省人大常委会副主任罗海藩、省政协副主席阳忠恕和中国气象局副局长马鹤年出席并讲话，副省长庞道沐作书面讲话，省政府副秘书长欧阳斌主持会议。5月16～23日，全国政协常委、中国气象局名誉局长邹竞蒙抵湘，在省气象局张正洪局长等陪同下，先后视察省局直属单位和常德、张家界、湘西自治州3个市州气象部门，在省局就气象事业改革与现代化建设座谈并讲话；5月22日，湖南省委书记、省人大常委会主任王茂林和副省长庞道沐，在省气象局会见了邹竞蒙，共商"湖南省洪涝和中尺度灾害性天气预警系统"建设等问题，省政府副秘书长欧阳斌参加会见。7月30日，副省长庞道沐到省气象局看望慰问中国气象局的专家和省气象局一线值班工作人员，感谢中国气象局在湖南防汛抗灾关键时刻派专家组支持帮助工作。8月17～20日，中国气象局副局长马鹤年率组来湖南，看望慰问省气象台等一线职工，并深入洞庭湖洪涝重灾区的常德市及其安乡、澧县，益阳市的南县，岳阳市及其华容、湘阴县，视察防汛抗洪气象服务工作。9月15日，省政府以湘政函[1998]129号文致函中国气象局，为省气象局防汛抗洪气象服务请功。10月19日，省气象局举行1998特大洪涝的天气气候特点、成因分析、气象服务和对策报告会，副省长庞道沐、秘书长谢康生听取汇报并讲话，副秘书长欧阳斌出席。

气候评价 1998年度气候特点：年平均气温偏高，冬有暴雪无严寒，春季倒春寒明显，5月、6月低温阴雨，夏季高温难耐；年降水大部分地方偏多，时空分布不均，冬汛、春汛和夏汛汛情叠起，北涝南旱、旱涝同年，灾害损失严重。局地发生冰雹、大风和暴雨山洪；全省年平均气温16.6℃～19.4℃，与常年同期比，大部分地区偏高1℃，为建国以来最高记录。年降水量在1159～2406毫米之间，与常年同期比，郴州南部和邵阳东部偏少8.5～228.6毫米，其余地区偏多4.5～952毫米。年总日照时数922～1777小时，湘东半部在1500小时以上，其余大部地区为1000～1500小时。

主要天气气候要素的时空分布。冬季：平均气温5.9℃～8.5℃，大部分地区偏高0.2℃～0.9℃，极端最低气温在－9.0℃～－0.4℃之间，又是一个暖冬；降水102～543毫米，与常年比，普遍偏多6～

357 毫米，株洲、衡阳及郴州地区北部一度出现“冬汛”；春季：平均气温 16.4℃～19.3℃，比常年偏高 0.5℃～2.5℃。气温起落明显，3 月下旬出现“倒春寒”，3 月下旬后期，日均温稳定通过 11℃，5 月 10～14 日，受强冷空气影响，全省出现“5 月低温”，对农作物造成冷害；季降水量 271～835 毫米，与常年比，湘中和湘东北偏少，其余地区偏多，3 月上旬湘江发生少见早且强的“春汛”；日照 191～492 小时，与常年比，绝大部分测站偏多。夏季：平均气温 24.3℃～29.8℃，比常年偏高 0.1℃～3.0℃，暑热显著；降水 190～1236 毫米，北多南少，湘北地区在 800 毫米以上，其余地区在 800 毫米以下，湘北洪涝严重，7 月下旬开始，湘南少雨，且干旱一直持续到冬季。日照 316 ～688 小时。秋季：平均气温 17.3℃～21.8℃，比常年偏高 0.8℃～2.7℃，无“寒露风”影响；降水 68～336 毫米，湘南夏秋连旱；日照 335～563 小时，比常年偏多 8～155 小时。

重大天气气候事件及其影响。暴雪与春汛：1 月 17 日和 22 日先后发生两次明显降雪过程，临湘最大积雪深度达 30 厘米。22 日的暴雪，仅长沙地区就发生交通事故 70 余起，107 国道衡阳－郴州段因大雪堵车长达 40 多公里，历时 4～5 小时，此次降雪造成全省直接经济损失约 1.58 亿元。3 月上旬湘江流域暴雨导致春汛成灾，3月10日，长沙水位高达 37.64 米，超警戒水位 2.64 米，提前 1 个月进入汛期。

倒春寒：3 月 19 日开始强冷空气入侵，大幅度降温（南县 24 小时降温幅度为 25.9℃），气温低（日最低气温为 0℃～－1℃），部分地区出现大风、降雪和冰雹天气，形成明显倒春寒，直接经济损失约 1.36 亿元。

暴雨洪涝：进入 4 月以后，全省各地分别于 4 月 11 日、4 月 29～30 日、5 月 7～8 日、5 月 21～23 日、6 月 1～2 日出现 6 次暴雨过程，均程度不等地造成损失。6～8 月，湘中以北出现历史罕见的暴雨洪涝灾害。强降水主要发生在 6 月中下旬和 7 月下旬。出现洪涝灾害的主要时段为 6 月中旬至 8 月中旬。6 月和 7 月总雨量超过 600 毫米的强雨带集中在 28°N 以北地区，总雨量超过 1000 毫米的强降雨中心有安化（1132 毫米）、平江（1055 毫米）和浏阳（1031 毫米）。其中 6 月总雨量 500 毫米以上的强降雨带集中在湘江下游、资水、沅水中下游以及东、南洞庭湖区等地，强降水中心位于浏阳和安化，月雨量分别为 737 毫米和 736 毫米；7 月，尤其下旬，湘中、湘北又出现大范围暴雨，月雨量 500 毫米以上的降雨带移至 28.5°N 以北的沅水、澧水流域和洞庭湖区以及湘水、资水的下游等地，强降水中心在澧县和桑植，月雨量分别为 544 毫米、522 毫米。6～7 月湖南省日雨量≥50 毫米的暴雨有 246 站（次）（为常年同期的 1.83 倍），≥100 毫米的大暴雨有 51 站（次），≥150 毫米的特大暴雨 18 站（次）（含 200 毫米以上的特大暴雨 4 站（次）。其中 6 月暴雨 153 站（次），大暴雨 33 站（次），特大暴雨 10 站（次）（含 200 毫米以上特大暴雨 3 站次）。从总体看，1998 年雨情比 1954 年要小。但由于暴雨来势猛、雨强大、持续时间长，加之前期雨水多，江、河、湖、库的底水位偏高，又因 7、8 月全长江流域暴雨，洞庭湖受长江高水位洪水顶托，导致洞庭湖水位超警戒、超危险水位持续两个多月（长沙亦如此）。城陵矶超危险水位 78 天，8 月 20 日水位高达 35.94 米，超过历史（1996 年）最高水位 0.63 米，水位之高，维持时间之长，为历史所仅见。据省防汛指挥部统计，1998 年的暴雨洪涝，导致全省 14 个地州市、108 个县（市）、1438 个乡（镇）先后不同程度受灾，常德、张家界、岳阳、长沙、益阳等 5 个地市受灾严重，14 座县城被淹，湖区溃决堤垸 142 个，其中万亩以上 7 个，溃灾总面积 66.35 万亩，长时间不能排水，湖区内渍严重。全省受灾人口 2878.98 万人，曾一度被洪水围困 348.72 万人，紧急转移 350.84 万人，倒塌房屋 68.86 万间，因水灾死亡 616 人，农作物绝收 873.1 万亩，直接经济损失为 329 亿元。

干旱：6 月下旬后期至 7 月中旬初，湘南、湘中雨季相继结束，此后降水持续偏少，旱象露头。8 月旱情由南向北迅速扩展，出现强—中等强度的夏秋冬连旱。郴州市干旱为建国以来最重年，永州为 1950 年以来第 2 位，旱情严重的还有衡阳、邵阳、株洲，娄底、怀化和湘潭局部。据有关部门不完全统计，干旱总面积约 3457.5 万亩，其中成灾 677.25 万亩，绝收 265.38 万亩，因旱灾减收粮食 18.88 亿公斤，直接经济损失 13.7 亿元。

高温：7～8 月份，湘南出现日最高气温≥35℃的高温天气，大部地区在 25 天以上，衡阳地区部分测站长达 40～51 天，株洲、湘潭和娄底地区也有 32～36 天之多，为历史罕见。郴州日平均气温≥30℃和日最高气温≥35℃的日数均突破极值。郴州、株洲、湘潭、永州和娄底以及衡阳、邵阳部分地区属炎热年份。

气象服务 春播前，省气象台和各地市州台都为春播工作做了成功的长、中、短期各种预报。例如3月下旬的低温阴雨和春寒、倒春寒，4月上旬前期的转晴回暖以及五月低温，预报和实况均吻合。

对夏季出现的特大洪灾的气象服务，可详见本文后的"专题"：湖南防汛抗洪气象服务纪实。

6月底湘南雨季结束，之后出现夏秋连旱。对此，省台和湘南地区的气象部门均作了准确预报，使郴州、衡阳、邵阳、永州能抓住时机适时关闸蓄水，仅此4地区的水库就多蓄水7.5亿立方米。永州市政府还根据气象预报，水田改旱作8万多亩。适时开展抗旱减灾人工增雨作业，全省先后出动高炮83门，火箭发射架3台，作业485次，增雨有效率为97.3%。

年内全省实施扶贫项目50个，为贫困地区和扶贫点引进技术40余项，举办培训班100余期，培训农民技术员6260人(次)。省局驻古丈县筲箕村扶贫工作组被省委农村基层组织建整领导小组评为先进工作组。

4月1日，在省卫视台首次推出气象节目主持人，省广电厅将气象影视节目列为"最规范的节目之一"，享受"免审"播放。省气象影视中心参加"华风杯"全国电视气象节目观摩比赛，获得"有主持人节目"三等奖。较好地解决了与省卫视台的协作关系。开展电视天气预报制作的地市局已有11个，县局发展到23个。年内，省、地、县三级气象台站均建成"121"天气预报答询系统，并投入业务服务。从第四季度开始，省专业气象台相继与9家报纸合办了气象知识栏目或《一周天气展望》。年内全省气象科技服务共签订合同5787个，纯收入比上年增长28.3%。

气象业务与现代化建设 湖南省洪涝和中尺度灾害性天气预警系统建设，纳入了省里和中国气象局计划；继续抓紧9210工程建设，地级VSAT站又建成5个，至此，全省全部建成投入气象服务。对县级VSAT接收站的建设，已有26%的县市做好资金准备；修改完善了《湖南省新一代天气预报业务流程改革实施方案》并组织实施，在株洲和常德两市局进行地级业务流程改革试点。与国防科大合作办班，为MICAPS系统的二级开发培养了人才；举办了IBM计算机网络提高班和应用业务软件省、地两级技术培训班，完成了省局局域网建设。

年内，开展了"强化大气探测基础工程活动"，下发了"1998强化大气探测基础工程总体方案"、《市(地、州)气象局高空、地面(含辐射)气象测报、农气业务技术管理职责》(试行)以及"测报人员考核评定办法(试行)"等一系列管理规定，593名各类测报人员参加合格证考试，高空、太阳辐射、农气测报员合格率达100%，地面测报员合格率94.93%。以数值预报产品释用为主的预报方法研制和短期气候预测研究攻关取得阶段性成果。作为全国第三次农业气候区划试点省，省、地、县三级气候区划工作进展顺利。省气候中心进一步完善了气候资料网络内部共享系统。省级气候灾害监测预警系统和气候业务软件系统建设正逐步落实；按中国气象局统一部署，出色完成了"淮河流域能量与水分循环试验和研究""南海季风"两大试验的加密观测任务。全省地面测报错情率达到历史最低水平。高空测报6项指标与上年相比，一项持平，5项上升。全省粮食产量预报平均准确率为96%，省级达到98%。

科研教育 年内科研开题20个，结题7个，组织鉴定省局科技成果16项，评定省气象科技进步奖11项。组织推荐申报11项，获得省科技进步奖9项，其中《湖南省暴雨现场科学、业务试验研究》获得二等奖，6项成果获得三等奖，2项获四等奖。省气象局申请"将省气科所列为中国气象局改革试点所"获批准。年内全省气象部门共举办岗位培训、业务学习等各类培训班35期，参培773人。向中国气象局短训班送培29人。向国防科大送培2名计算机专业研究生；同时在省气象局举办了"计算机技术高级培训班"，历时20天。与中国气象科学院联合举办了"区域性旱涝预测方法讲习班"，省内外21人参加学习。年内全省在职参加各类学历培训45人，其中研究生5人，本科2人，大专34人，中专4人，目前学历教育在校总人数达116人。省气象培训中心加强为社会办学，除承担本部门在职培训外，本年招收计算机等专业普通中专学生335人，年内在校学生总数达到800余人。该年学校又自筹资金增建2000平方米学生公寓一栋，同时新建了校门、6700平方米运动场等。3月23日成功主办了世界气象日活动，较好地宣传了厄尔尼诺等事件对湖南气候的影响；年内省气象局成立气象科普宣传工作领导小组，下发了《湖南省气象局关于加强气象科学普及工作的意见》；四季度配合湖南省改革开放20周年成就展，成功创作摄制了《神测九重天》、《追云播雨话征程》两部电视专题片。

改革 事业结构调整稳步推进，队伍分流力度有所加大，科技服务和综合经营创收的项目和实体逐步增多。全省气象部门基本气象业务系统与科技服务和综合经营人员的分流比例达到58.8:41.2，其中，省级气象部门人员比例达到61.8:38.2。基本气象业务系统、科技服务和综合经营的运行机制进一步完善，省局已将近几年形成的法规制度、运行机制、管理办法集中汇编。全省气象部门目标管理运行良好，对稳步推进工作发挥了重要作用。

年内，有8个市(地、州)政府召开全区气象工作会议，6家地市政府召开常务会或办公会，专题研究解决加快地方气象事业发展问题，有10个市(地、州)由政府办下发《关于加快发展地方气象事业的通知》，进一步确定了地方气象事业的建设任务。地方性津贴补贴作为重点内容之一，得到初步解决，落实津贴补贴金额全省达到146.75万元。永州市政府还100%解决了气象职工的山区补贴，株洲市政府给市局解决了气象职工人均1000元的年度岗位责任奖金。全省地方财政预算基数与上年相比，县级增长14.8%，地级增长9.4%，省级增长24%。娄底地局预算基数达到在职人均7880元，长沙、衡阳、邵阳3地区的县局预算基数多数达到5万元以上。全省有21个县局落实了VSAT接收站的建设资金，部分地县政府给气象局安排了电视天气预报制作系统和“121”系统的建设资金。张家界市政府划地5亩为市局增添基础实施，并批准增设武陵源区气象站。

综合经营 4月，省气象局华云大酒店开业，至年底，共接待全国、全省性会议、学习班58个，客房住宿率达到66.5%。部分地县局依托地缘地域优势新开发经营门面约60个，目前全省气象部门建设门面合计361个。全省气象科技产业利润比上年增长0.6%。

年内，经批准组建了“湖南省防雷减灾办公室”、“长沙市氢气球安全管理办公室”。有5个地市局也争取出台了相应政策性文件。10月份，省局成功召开全省气象部门产业工作会议，总结交流了近5年气象科技服务和产业发展的情况与经验，进一步明确了今后的发展方向和工作任务。

精神文明建设 加强队伍建设，对6个市局班子和省局机关、直属单位的部分处级干部及后备干部进行了届中或届满考察，新任命7个市(地)局班子，新选拔任用9名处级干部。下发了《关于加强科级干部选拔任用工作管理的通知》，从优秀工人中录用了19名干部，组织了省局45岁以下干部参加计算机操作技术培训和考试，合格率达91%。建成了全省中、高级专业技术人员数据库。对聘任到期的28名高工和380名工程师办了续聘手续，为4名高工、48名工程师办理了首聘。

加强廉政建设，制定了《湖南省气象部门纪检监察工作目标管理考核办法(试行)》，建立健全省、地、县三级纪检监察审计工作网络，配备了专、兼职干部。组织职工参加了《中华人民共和国行政监察法》知识竞赛活动。继续实行基建工程承发包廉政合同制度，全省气象系统签订基建廉政合同12份。继续对全省气象部门(包括创收单位)的通信工具进行清理，办理了9部住宅电话、37部移动电话作价处理给个人，收回资金4.29万元。并规范了话费报销范围和标准。进一步加强对地市级内审工作的管理和指导，开展了联审活动，完成了8个项目的审计任务。

离退休干部管理工作有所加强，年底对一批积极发挥余热的退离休同志进行了表彰，全省气象部门近800名离退休干部按规定享受的各项待遇均得到较好落实。年内省局召开了3次老干部座谈会，向老同志通报省局工作，听取意见与建议。各地各单位组织离退休老同志开展了丰富多彩的参观学习和文化娱乐活动。省局成功主办庆祝第十届老人节联欢会，近百名老同志登台表演节目。本年省局还建立了离退休干部数据库，制定了《湖南省气象部门离退休干部工作试行办法》。

制定了《湖南省气象部门精神文明建设总体规划的实施方案》，全省气象部门创建精神文明的“二室一厅”已逐步完善。省局大院绿化、美化、道路整修、违章建筑整治取得进展，首次获得长沙市文明卫生单位称号。认真抓好职工工作、生活条件的改善，省局气象科技大楼正式启用，竣工和新建集资宿舍各一栋。永顺、桃源、南县、茶陵、资兴、衡东、衡南等县局建成业务楼；长沙市局和4个县局的业务楼在建，4个县局综合楼正抓紧建设。株洲市局基本建成花园式机关大院。到本年，全省气象部门保持和新授予双文明单位32个，占台站数的38.6%。四季度，省局召开了全省气象部门创建文明系统工作会议，审议通过了《湖南省气象局创建文明气象系统的实施意见》，确定了力争3年，确保5年建成全省文明气象系统的目标，公布了株洲市局和嘉禾、衡南县局为全省首批文明创建示范单位，对加速今后的文明创建工作作了具体部署。

其他 年内，相继有18个省(区)市气象局派组来湘调研工作。9月中下旬，省局派出3个组由局领导带队分别到了中国气象局及北京、上海、辽宁、广东、广西、江苏、江西、湖北、河南、山东、青岛等省(区)市气象部门调研学习现代化建设、产业发展与精神文明建设等工作。

(向德龙)

专题

湖南防汛抗洪气象服务纪实

1998年汛期，湖南发生了与1954年相似的特大洪水，其特点是：春汛来得早；主汛期暴雨频发；使得资水中下游、湘水中下游、湘西、湘北地区、澧水和沅水中下游及洞庭湖区，分别在6月中下旬、7月下旬至8月上旬的不同时期内上述江湖的水位不断突破历史最高记录，造成特大洪涝灾害。

对于汛期的特大洪水，全省气象部门预报得比较早。省台早在上一年11月发布的年度预报中，就作出“1998年汛期总雨量偏多，湘中以北的部分地区和湘水上游出现洪涝的可能性较大”的预报。在4月发布的汛期旱涝趋势预测中，又进一步明确预报了“汛期全省总雨量正常略偏多，有时空分布不匀和北多南少、前涝后旱的趋势”；并强调“湘中以北地区有明显洪涝发生，尤其澧水流域、沅水中下游、资水中下游和洞庭湖区将出现较严重的洪涝”。各地市气象部门也对汛期天气作了比较准确的预报，例如，湘北地区的地、县气象部门均预报了本年是灾害较重的洪涝年。

6月下旬，滔滔洪水已使长沙进入抗洪保家园的关键时刻。26日，省气象台预报：自28日开始，连日大雨将停并出现连续几天的晴好天气。这一准确预报为省政府和省防汛指挥部及时调整抗洪抢险计划起了十分重要的参谋作用。当6月底湘南的阴雨季结束时，省气象台又预报出：湘北地区阴雨结束偏迟；7月份，湘中以北尤其湘西北仍将有较大降水出现。根据预报，省委省政府在7月初对进一步做好防汛抗洪作了再动员再部署，使省、市防汛指挥部在安乡县城抗洪保卫战和岳阳防守洞庭湖超历史特大洪水大决战中赢得了主动。同时，岳阳市气象局也充分利用天气雷达多次准确预报6—9级以上雷雨大风天气，取得了抗洪抢险的极佳服务效果。

在防汛抗洪气象服务中，气象部门的各级领导亲自挂帅，组织工作扎实有力。进入主汛期后，从6月13日至9月15日的3个月内，省气象局和省气象台的领导向省党政领导汇报天气有280余次之多。省气象局为了做好决策气象服务，进一步加强了与中央气象台和周边省市气象台的天气会商，从6月中旬初开始，省气象台与中央气象台和湖北、江西、贵州、四川、重庆、广西等周边省市台的天气会商与雨情、水情、预报意见增至每日一次或以上。在洪区出现最高水位和维持期间，省气象台的预报人员增至双岗甚至3岗。每日从晨5时开始，逐日进行3次以上预报科研专家会商；地县气象台站则按照要求，打破常规，加密到每小时作一次观测与发报，最大限度地满足了预报和党政领导指挥抗洪的需要。

整个汛期，省气象局不仅向党政领导呈送了480次长期、中期、短期、短时天气预报、《专题天气报告》《天气气候简报》《农业气象情报》以及周边省市雨情、预报等信息，还充分利用了气象卫星、天气雷达、计算机网络等大气探测与通信传输手段，以及数值预报产品开发等科研攻关的成果；利用气象卫星综合应用业务系统(即9210工程)网络每日收集与编辑下发的各类气象产品信息达300兆，滚动传送给地、县气象局；并通过气象服务终端传给省委、省政府和省防汛指挥部。为地县党政领导部门开通气象服务终端，在党政领导的决策中发挥了不可替代的作用。在组织全省汛期气象服务，尤其搞好各级决策气象服务工作中，省气象局党组领导还召开了4次全省性会议(包括2次电话会)，发了3次紧急通知，4次查岗，动员做好汛期气象服务工作；同时先后派出4个工作组(向岳阳派出了预报专家)由局领导带队深入重灾区指导气象服务，慰问基层工作人员。

气象预报服务受到各级领导和社会各界的肯定和赞扬。省气象局被国家防总、人事部、解放军总政治部评为全国抗洪先进集体，纪英惠同志被评为先进个人；省气象台、岳阳、常德、湘西自治州、株洲、邵阳等6个单位和曾庆华等9名同志被省委、省政府表彰为抗洪救灾先进，个人荣记一等功；益阳市局、安乡县局等4个集体和3名同志受到中国气象局表彰；2个集体3名同志受国家科技部表彰；3个集体2名同志被省科委表彰；还有11个集体26名同志分别受到当地市、县表彰。省政府和岳阳、常德市以及浏阳县政府等,还对气象部门给予了资金嘉奖。

（向德龙 刘家清）

广 东 省

概况 4月1日,中国气象局党组任命李明经为广东省气象局局长、党组书记,免去谢国涛广东省气象局局长、党组书记职务。

省局机关设:办公室、业务发展处(行业管理处)、科技教育处(人工降雨办公室)、计划财务处、人事劳动处、科技服务与产业处(技术装备处)、监察审计处(与党组纪检组合署办公)、直属机关党委(与思想政治工作处合署办公)、离退休干部处。直属事业单位设:广东省气象台(广州中心气象台)、广东省气象电信台(广州气象信息中心)、广东省气象科学研究所(广州热带海洋气象研究所)、广东省气候应用研究所(广东省气象档案馆)、广东省农业气象中心、广东省气象技术装备中心、广东省气象局后勤服务中心、广东省防雷中心、广东省气象学校(广东省气象科技培训中心)、广州气象卫星地面站。另设省气象学会秘书处。省局直属企业有:省华云经济技术开发公司、市华云经济技术开发公司、南海石油气象服务公司、广东粤虹综合服务公司。

全省气象部门职工总数为2026人,其中干部1823人,工人203人。职称结构:具有高级职称105人,中级职称774人,初级职称869人。学历结构:博士1人,硕士37人,本科430人,大专363人,中专711人。

2月24日,全省气象局长会议在惠州召开,肖凯书副局长作了题为《加快建设,深化改革,进一步发展广东气象事业》的工作报告。5月3日,中国气象局和国家科技部在广州联合召开了四大气象科学试验新闻发布会,中国气象局温克刚局长和广东省欧广源副省长出席了会议,并主持了南海季风试验和华南暴雨试验作业运行中心的揭牌仪式。8月26日,省气象局在清远召开全省气象现代化建设和气象服务现场会,推动全省气象现代化建设和电视天气预报制作、"121"气象信息服务电话的发展。9月28日,省局召开全省气象部门创建文明行业(系统)会议,部署全省气象行业精神文明建设任务。

气候评价 全省气候特点:各地气温明显偏高,"暖冬"明显,盛夏出现较长时间的高温酷热天气;冬季和前汛期,全省大部分地区降水偏多,出现近5年来少见的"冬汛"现象,5月底和6月中部分地区普降暴雨,造成严重洪涝灾害;年内有1个热带气旋登陆该省,有6个热带气旋影响该省,强度均较弱;全省夏、秋两季降水明显偏少,出现较为严重的夏秋连旱。

主要气候要素时空分布:全省年平均气温21.5℃～23.3℃,比常年偏高1.0℃～1.5℃。冬季气温偏高明显,1月上旬大部分地区和2月中旬西南部地区气温较常年偏高5.0℃～6.0℃,仅北部偏北山区出现1天霜日;夏季大部分地区气温偏高0.5℃～1.0℃,连州、五华、从化、罗定、中山等地的高温极值接近或超过历史最高值。全省年降水量970～3140毫米。冬季降水甚丰,空间分布由西南部向东北部递增,梅州、河源等地的降水量比常年偏多1～2倍;秋季降水较常年明显偏少,大多数地区偏少2～4成,封开、韶关、东莞、中山等地偏少5～6成。年日照时数1467～1830小时,呈北少南多分布,与常年相比,除潮州和徐闻属正常略偏多外,其余地区偏少1～2成。

重大天气气候事件:2月中旬,广州、梅州、河源、肇庆等地先后出现罕见的强对流天气,部分地区遭受冰雹、龙卷风袭击,广州市郊4万亩蔬菜基地和5万亩果树受到严重破坏,损坏房屋1万余间,直接经济损失1.4亿元。

6月中旬末至下旬,受西南低涡和高空槽影响,江门、阳江、韶关、清远、肇庆、云浮、茂名等地普降暴雨到大暴雨,局部特大暴雨。由于降水范围广,强度大,持续时间长,造成西江、北江等江河水位急涨,西江、北江分别出现超50年一遇和超10年一遇的洪水,导致全省13个市52个县受灾,受灾人口323.63万人,其中死亡94人,直接经济损失达51.6亿元。

9803号热带风暴于8月7日在西太平洋上生成,11日晨7时30分在阳江市阳西县登陆。全省3市9县受到影响,有233.5万人受灾,直接经济损失4.09亿元。热带风暴带来的大范围降水也为缓解粤西旱情起到重要作用。

1～4月,粤西南降水稀少,且温高光足,出现冬春连旱,塘库蓄水锐减,导致插秧季节无水办田,湛江、茂名受旱最重,影响农业生产。7～11月,先后受副热带高压和大陆变性高压脊控制,且登陆和影响本省的热带气旋比常年偏少,大部分地区天气晴热,雨量偏少，出现较大范围的夏秋连旱，湛江、韶关、潮州等地区的甘蔗、晚稻等农作物受旱严重。

1998年度天气气候条件对全省早稻生产的影响利弊参半，对晚稻的影响利大于弊。由于春季“低温阴雨”时段偏早，2～3月各地气温比常年偏高，秧苗生长良好，禾苗早生快发；但前汛期暴雨过程比较严重，给早稻的抽穗扬花和灌浆结实带来不利影响，早稻产量与1997年相当。晚稻生育期间，气象灾害较少，光照充足，气温日较差大，对作物光合作用有利，晚稻取得丰收。年内全省发生245次林火，比1997年多64次，使1736公顷森林受害。

气象服务 在抗御6月中下旬严重洪涝灾害的气象服务工作中，省气象局及有关市、县气象部门主动及时为各级领导指挥防灾抗灾提供气象信息，佛山台还在丹灶为抗洪指挥部开展了现场气象服务。三水市气象局林启星同志被国家防汛抗旱总指挥部、人事部解放军总政治部联合授予抗洪模范称号，广州中心气象台、封开县气象局和佛山市气象局被中国气象局授予“1998年防汛抗洪气象服务先进集体”称号。

9803号热带风暴影响时正值公众假期，阳江、茂名、湛江等台站均对风暴登陆的地段、时间和影响强度作出了比较准确的预报，并主动及时开展服务，取得良好的社会经济效益。中国气象局局长温克刚在有关报告上批示：“广东省气象局对这次热带风暴过程预报准确、服务及时，可以说起报早、准确度高、服务时效长。希望总结经验，迎接更大风暴的到来。”

针对农事季节，省气象局在早稻春播等农业生产关键期向省政府有关部门报送了气象情报和生产建议，向省农办提供了近年来广东气温、日照时数等气象要素变化趋势的分析资料，就今后农业生产布局和品种引进中需注意的问题提出了建议。韶关市气象局向韶关市委工作会议和农业工作会议提供了《对我市发展蔬菜生产的几点建议》和《寒露风对晚稻生产的调查分析与避防对策》。省气象局参与了省委、省政府组织的“十大调研”，完成了题为《加强气象基础设施建设，开发利用好气候资源，增创农业发展新优势》的农业产业化专题调研分报告。

科技服务。防雷服务内容逐步由常规的检测和工程施工向技术型、职能型的设计、监理、验收、审核发展。全省有15个市气象局购置、安装了电视天气预报制作系统，提高了影视制作质量。各市局和50%的县局开通了“121”气象信息服务电话。科技服务创收总收入比上年增长约15%。

专项和城市气象服务。清远市气象局利用飞来峡自动站的观测资料，通过服务终端及时为飞来峡围堰截流和黎溪大桥转体对接工程提供气象信息服务。珠海市局圆满完成省运会和国际航空博览会的气象保障服务任务。省气象局与《羊城晚报》社联合创办气象专版，向公众提供广州市区及珠江三角洲大气清洁度、双休日人体舒适度指数、广州雨伞与火险气象指数预测及未来天气展望等服务。

决策服务。省气象局完成了气象信息网与省政府信息网络的互联，使省政府领导及有关部门能够及时快速、直观地浏览到气象预报急件、卫星气象云图等十多种气象信息。省局气象信息网被省政府信息中心评为1998年度网络建设上网一等奖。

气象业务与现代化建设 到1998年上半年，全省9210工程VSAT子站及计算机系统的安装、调试工作全部完成。省气象局加强了对各类产品、资料的接收监控，进行了新旧计算机网络系统的改造、互联。绝大部分市局已将MICAPS人机交互处理系统投入业务，并进行新的业务流程建设，9210工程初步发挥作用。气象信息地面通信已调试开通了广州端路由器支持分组X.32入网，部分市、县局加入X.25分组数据交换网的工作进展顺利，绝大部分台站已经开通或进入安装、调试阶段。全省以卫星信道为主，地面分组数据交换网为辅的气象通信体制正在逐步建立和完善。广州区域气象中心计算机局域网的网络升级改造工作已全面完成。9月，汕头市局建成了图像图形投影显示系统。

推广以数值预报为基础、MICAPS系统为平台的新有天气预报作业方式，绝大部分气象局进行了人员培训，部分市局结合本地实际进行了MICAPS系统二次开发，完成了市局网络的互联和升级，实现了资源共享。

中尺度灾害性天气监测预警系统建设，全省已建成128个自动站（其中省级布点67个），从4月份开始进入全面试运行。自动站的资料采集、传输、处理、储存和准确性良好，监测资料应用到汛期天气预报和气象科学试验中。中尺度数值预报模式与资料同化系统、中尺度资料显示系统、卫星资料分析应用系统等科研项目已取得阶段性成果。广州多普勒雷达站作为中尺度基地建设中的重要项目之一，站址确定在番禺市大镇岗。

全省气象系统办公自动化网络建成并进入试运

行阶段。省局气象综合档案馆按计划顺利晋升国家二级管理单位。

组织全省地面、高空、辐射、农气观测人员进行了测报岗位资格考试，开展了测报工作检查，有413人通过考试并获得测报岗位合格证书。全省测报、预报、通信、农气等业务质量稳中有升。

科研教育　年内，有6项科研课题获中国气象局、省科委批准立项，省气象局就业务现代化建设、城市气象信息服务和农业气象服务等内容设立20项科研课题。“九五”国家重中之重课题《华南地区旱涝、寒害与热带气旋长期趋势预测系统研究》通过中期评估。1998年度获省科技进步奖2项，省农业技术推广奖3项。完成热带气象开放试验室第一期建设任务。

省气象局派员参加了南海季风试验和华南暴雨试验作业运行中心的工作，为试验提供了支持和保障。该省部分台站承担了华南暴雨试验和南海季风试验的外场观测任务，获取了大量资料。省气象局和局科教处受到中国气象局表彰，获司局级、处级先进单位称号，陈锦冠、汪永铭等6位同志被评为先进个人。

全年共举办9210工程、电视天气预报节目制作、“121”气象信息服务电话、防雷技术、事业单位新会计制度、办公自动化系统等各类培训班20期，685人(次)参加了学习。其中防雷技术和9210工程技术培训被纳入广东省高新技术研修班计划。全省各市县局的230名防雷技术人员通过考试获得资质证书。按照中国气象局《9210工程业务人员上岗条件》，有110人接受了硬件维护、网络管理、运行操作等培训。

改革　事业结构调整和运行机制等方面的改革继续深入。中山市局关、停、并了一些投资大效益低的厂、公司，集中资源及人才发展气象信息和防雷等科技服务。湛江市局对所有新进市局的人员实行人事代理制度。惠州市局加强财务管理，增强市局调控能力，梅州市局列入财务帐目的资金有70%用于调控。

继续深化科技体制改革，制定了《广州热带海洋气象研究所深化科技体制改革方案》。

贯彻国办发[1997]43号文件和粤府办[1998]1号、41号文件，发展地方气象事业。据不完全统计，全省市、县纳入地方财政的事业经费比上年增加27%。湛江市落实雷达业务楼建设资金400万元；汕头市政府列入“汕头市城乡防灾减灾气象服务系统”资金计划496万元，至年底已落实216万元；清远市政府支持建立气象防灾系统平均每县达8万元。部分县站已落实建设气象卫星单收站的地方匹配投资。

综合经营　全省有综合经营实体32个，从业人员450人，经营利润为618万元，比1997年增加11.9%。

精神文明建设　省局理论学习中心组分别以“增强自我发展意识和能力”、“完善与执行民主集中制”、“学习邓小平理论和十五大精神，通过新一轮思想解放和改革促进发展”为主题，组织3次集中学习。组织各级干部参加政治理论培训。开展党的知识宣传教育和“基层组织建设年”系列活动。开展调查研究，省局组织8个调研组到省内、外进行专题或综合工作调研。

各级气象部门开展了文明气象行业创建活动，全省气象部门“文明单位”的比例达到68%。举办了全省气象部门首届歌咏竞赛、省局第二届篮球比赛。职工住房条件和台站环境得到改善，完成了中国气象局“九五”投资计划中省管部分市、县级项目84.4%的立项、投资、建设任务。

完善党风廉政建设责任制，制定了《关于加强广东省气象部门监督机制建设的规定》，进一步完善党组议事、会议审批、资金管理和领导干部离任审计等项制度。贯彻党中央、国务院厉行节约、制止奢侈浪费8项规定，严格按照当地党政部门规定对公款安装的通信工具进行了处理，全省气象部门共收回资金逾30万元。年内制定了《广东省气象部门内部审计实施办法》。　　(陈　蓉)

广西壮族自治区

概况　3月，中国气象局党组决定：林少雄任区气象局局长、党组书记，免去其区气象局副局长职务；黄立谦任区气象局副局长兼党组纪检组组长、党组成员；韦力行任区气象局副局长、党组成员；丁凤育任区气象局副局长、党组成员；何海澄任区气象局巡视员，免去其区气象局副局长职务；免去李明经区气象局局长、党组书记职务，调广东省气象局工作。

区局机关设：办公室、业务发展处、计划财务处、人事劳动处、党组纪检组(与审计监察处合署办公)、老干部管理处、产业与装备处、科教处、直属机关党委。直属事业单位设:区气象台、区气候中心、区气象技术装备中心、区气象培训中心、区气象科学研究所、区气象学会秘书处(挂靠科教处)。受自治区人民政府委托代管区人工降雨办公室。

年末全区在职气象职工 1999 人,其中干部 1898 人,工人 101 人。人员学历结构:研究生 12 人,大学本科 443 人,大专 320 人,中专 795 人。人员职称结构:高级工程师 73 名,工程师 803 名,助理工程师、技术员 969 名。离退休人员 730 人,其中离休 29 人。

3 月 29 日,自治区党委书记曹伯纯、副书记杨基常和自治区副主席徐炳松在南宁西园饭店会见中国气象局局长温克刚等一行 5 人;3 月 30 日,自治区主席李兆焯在自治区政府主席楼会见中国气象局温克刚局长。3 月 30 日～4 月 1 日,全区气象工作会议在南宁召开,参加会议的有各地、市、县气象局以及区局各直属单位、区局机关各处室的主要领导等 130 多人。会议的主题是传达贯彻全国气象局长会议精神,总结 1997 年气象工作的成绩和经验,部署 1998 年全区气象工作任务。中国气象局温克刚局长亲临会议指导,宣布广西区气象局新一届领导班子的任命并讲话。自治区党委书记曹伯纯、自治区主席李兆焯等党政领导看望与会代表,自治区副主席徐炳松在会上讲话。12 月 10～12 日中国气象局副局长马鹤年到南宁参加广西自治区成立 40 周年庆典观礼活动。此间,马副局长视察了广西气象大厦、广西人工降雨基地和新建成的区气象台吴圩大气探测基地。

气候评价 1998 年广西气候总的特点是偏暖,夏季暴雨洪涝灾害严重,秋、冬少雨连旱。各地年平均气温 17.3℃～24.1℃,大部地区比常年偏高 0.6℃～1.1℃。资源、灵川、桂林、南宁、玉林等 12 个县市年平均气温创有记录以来最高值。年降水量 823～3130 毫米,百色地区、南宁地区大部以及玉林市与常年相比属正常到偏少 1 成,其余地区正常到偏多近 1 成。年日照时数 1063～2263 小时,比常年偏少,其中桂林市东部、玉林市、梧州市南部、河池地区东部、柳州地区南部及南宁地区东北部偏少 200～300 小时。

冬季各地平均气温 7.0℃～17.1℃,气温自北向南增高,桂西、桂北比常年同期偏高 0.5℃～1.5℃,其余地区正常。2 月桂北、桂中局部出现低温阴雨天气。降水量 24～427 毫米,与常年同期相比,桂林、梧州两市、贺州地区偏多 4 成至 1 倍,河池、南宁两地区西部以及沿海地区偏少 4～6 成,其余地区接近常年。日照时数 44～274 小时。春季平均气温 17.5℃～24.2℃,大部地区比常年同期偏高 0.6℃～1.5℃。3 月下旬,全区出现“倒春寒”天气。4 月气温异常偏高,有 60 个县市创有记录以来同期最高值。降水量 140～876 毫米,自西南向东北增加,柳州、贺州两地区、贵港、梧州两市以及桂林市南部比常年同期偏多 1～4 成,其余地区偏少 1～3 成。日照时数 219—527 小时,桂西大部、桂林市南部以及南宁地区北部比常年偏少 10～30 小时,其余地区偏多 10～50 小时。夏季平均气温 23.6℃～29.6℃,桂西北山区,左、右江河谷,沿海地区,桂东南局部等比常年同期偏高 0.5℃～1.0℃,其余地区偏高 0.2℃～0.4℃。降水量 414～2330 毫米,永福、横县、钦州等 3 个县市创有记录以来同期降水量最大值。永福、昭平、防城 3 个多雨中心及其附近比常年同期偏多 5～8 成,其他地区偏多 1～3 成。日照时数 272～778 小时,河池、柳州、贺州 3 地区,桂林市以及南宁地区北部比常年偏少 100～200 小时,其他地区偏少 10～100 小时。秋季平均气温 17.6～25.7℃,全区大部比常年同期偏高 0.5～2.2℃,有 44 个县市季平均气温创有记录以来同期最高值。降水量 37～420 毫米,桂西及沿海地区比常年偏少 1～3 成,其余大部地区偏少 4～8 成,有 20 个县市创有记录以来同期降水量最低值,全区出现严重秋旱。日照时数 422～698 小时,百色、河池两地区比常年偏多 100～150 小时,玉林市偏少 30～40 小时,其他地区偏多 30～100 小时。

年内主要气象灾害。干旱。3 月上、中旬以及 4～5 月,桂西、桂南和桂中降水量持续偏少,农作物发生春旱。其中,受旱面积最广的是柳州地区,干旱持续时间最长的是玉林、钦州、梧州、防城港、柳州 5 地市。据统计,全区早、中稻受旱面积 4.24 万公顷,玉米等旱地作物受旱 2.8 万公顷,一些中稻无水播种、耙插。进入 8 月份以后,全区降水量偏少,全区农作物发生秋旱。据农业部门 10 月 15 日统计,全区农作物受旱面积达 23.41 万公顷,其中晚稻受旱 7.71 万公顷,旱地作物受旱 15.7 万公顷。由于持续少雨,风干物燥,局部地区发生森林火灾。

洪涝。6 月 16～27 日,广西出现罕见持续性暴雨和大暴雨,局部出现特大暴雨,加之桂北地区前期江河水位较高,造成漓江、洛清江、融江、柳江、红水河、黔江、浔江及西江水位迅速上涨并超警戒水位，漓江桂林站洪峰水位147.69米，是1936年以来最高水位，西江梧州站洪峰水位26.51米，是1916年以来最高水位，造成部分地区发生严重的洪涝灾害。据有关部门6月28日不完全统计，全区有62个县(市)、959个乡镇、1231万人受灾，其中成灾712万人，因灾死亡81人，被洪水围困118万人，无家可归14.9万人。农作物受灾73.2万公顷，绝收24.4万公顷，减收粮食4.08亿公斤。因灾死亡大牲畜9.5万头，工矿企业全停产4356家。铁路运输中断5条(次)，航道运输中断16条(次)，公路运输中断577条。洪灾造成直接经济损失109亿元。7月22～27日，桂中、桂北降暴雨或大暴雨，造成14个县(市)，158个乡镇，245.2万人受灾，直接经济损失5.32亿元。

1998年春季广西气温、雨量和日照比较适宜早稻春玉米生长发育，但是夏季洪涝灾害对早稻影响较大。夏秋连旱，对晚稻有一定的危害。由于春、秋、冬雨量较少，有利于盐业和交通运输生产，但对水力发电不利。

气象服务　决策服务。6月中、下旬持续性暴雨初期，区局多次以《紧急汇报》等书面形式直接向自治区党委、自治区人民政府主要领导和防汛抗旱指挥部汇报天气情况，预报广西将出现大范围持续性暴雨，并可能造成洛清江、漓江、融江、柳江、浔江梧州段出现中等以上洪水。据此自治区党委、政府召开紧急会议部署抗洪抢险救灾工作。暴雨持续期间，区局、区台领导参加预报值班并每天2次以上到自治区防汛指挥部汇报天气雨情，为领导指挥防灾抗灾提供科学依据，为桂林、梧州重灾区赢得了4～7天抢险准备时间，把洪灾造成的损失降到最低限度。自治区党政领导和防汛抗旱指挥部门对气象部门在抗洪抢险中做出的贡献和成绩给予了充分肯定，并致函中国气象局，为区气象局和区气象台请功。区气象台获得国家防总、国家人事部、解放军总政治部等3部委授予的“1998年抗洪先进集体”称号；全区有3个先进集体、2名先进个人受中国气象局表彰。

农业服务。各级气象部门对春播气象服务做到早计划、早部署、早落实。桂中、桂南地区有关气象台站基本准确预报出春播期出现的严重倒春寒天气，并及时向各级政府和农业部门提出了最佳播种期安排等合理化建议。1月中旬，区局林少雄局长向自治区政府领导汇报了1998年春播天气趋势和早稻播种适宜期等意见；并将《广西1998年春播期长期天气趋势预报与生产建议》分发给参加全区春耕生产现场会议的代表。各级气象部门根据生产需要组织编写各种专题服务材料，河池地区编写了80多篇；区气象台发送了7期服务材料；玉林市气象局与电视台合作录制了长20分钟的专题节目——《春播期天气预报与春播生产建议》，在春播期多次播出；钦州编发了12份利用做好冷尾暖头秧田管理、旱育稀植技术推广应用的气象信息。

人工增雨防雹。全区气象部门春季实施飞机人工增雨作业17架(次)，航程近万公里，作业40小时，增雨效果明显。田林、罗城、天等、柳城等25个县市共动用48门高炮，实施人工增雨80多次，作业效果显著，增雨率达25%～30%，有效地缓解旱情。河池、百色两地区11个县市实施人工消雹作业48次，有效地减少了冰雹造成的损失。

重大活动服务。在庆祝自治区成立40周年大庆期间，各级气象部门及时提供优质服务，保证了各项重大活动的顺利进行。南宁市气象局被评为南宁市庆祝广西壮族自治区成立四十周年工作先进单位。7月，在美国总统克林顿访问桂林活动的气象保障服务中，有关台站的服务受到当地党政领导的好评。

科技服务。各级气象部门继续抓住“三大支柱、七个增长点”，重点抓住“121”电话自动答询气象信息服务，使之成为气象产业主要的经济增长点之一，气象信息服务创收数比上年增长20%。气象影视业继续得到巩固和发展，全年收入比上年增长56%。全区气象科技产业比上年增长15%。

气象业务与现代化建设　气象卫星综合业务应用系统(9210工程)区、地两级已初步建成，并按准业务化投入运行。完成卫星网与局地网的联接，信息产品接收完好率超过90%。完成地市级9210工程业务培训工作，实行9210工程持证上岗制度，颁发首批地市级上岗证22本。年内，全区有80个地市县开通“121”电话自动答询气象信息系统，新建电视天气预报系统17个。完成区台和各地市台MICAPS系统平台的安装及配套建设，区台和地市局建立了预报业务新流程，南宁714—SD多普勒天气雷达站于6月完成，并正式投入业务运行。区台吴圩大气探测站年底建成，并正式开展业务工作。办公自动化系统完成与自治区党委信息网联网，完成自治区政府信息网的建设，研制开发了《广西壮族自治区政府网气象主页》。

较好地完成了中国气象局下达的目标任务。加强了测报制度管理，实行持证上岗，测报质量达到历史最好水平。梧州、北海完成全国组网的天气雷达的传输和拼图工作。区局设立专项业务攻关经费，加大业务攻关的力度。重点抓好以数值预报产品释用开发为重点的业务建设。

科研教育 年内，区气象科研所在人员、机构和业务上作较大调整。区局修订下发《广西壮族自治区气象科学技术研究管理办法》，推广使用“气象科技信息管理系统”。短期气候预测“重中之重”课题研究取得阶段性成果。较好地完成了四大科学试验任务。全区气象科研课题有两项列入中国气象局青年基金科研项目，获自治区科技厅下达两项科研项目，科研课题经费比1997年增长69%。

区局举办各种技术培训班12个，培训238人(次)；安排业务骨干赴区外业务培训、新技术学习12人(次)，区局举办领导干部现代化管理研修班，参培人员40人。

改革 区局党组制定《关于局机关和直属单位事业结构战略性调整的决定》，对局机关和直属单位实施资源优化和重组，事业结构由单位的“小三块”逐步向部门“大三块”转变。并出台一系列配套政策和措施。各级气象部门根据《基本气象系统岗位设置和岗位规范》要求，结合本单位实际，重新定编、定岗、定员，进行人员分流。

自治区人民政府下发《关于进一步加快发展我区气象事业的通知》(桂政发[1998]30号)文件，加大力度推进地方气象事业发展。全区有5个地区行署、市人民政府下文贯彻落实，有80%台站解决了地方出台的津贴补贴问题。

综合经营 全区综合经营实体15个，非经营企业项目77个，实现利税比上年增长15%。主要经营项目为科技开发、旅游服务、房地产、印刷、与社会联合办学等，从业人数约402人。

精神文明建设 各级气象部门认真组织学习邓小平理论和党的十五大精神，把学习邓小平理论和贯彻党的十五大精神、加快广西气象现代化建设、创建文明系统结合起来，广泛开展形式多样的教育活动，全区气象部门受到地市级以上领导部门表彰的先进个人260人(次)。

年内，本部门新建职工生活住房项目24个，建筑面积42790平方米，完成投资1400多万元，新增三类职工住宅180套。台站综合改善建设累计完成投资3800多万元。各级台站整顿工作生活秩序，美化环境，开展台站优美环境达标活动，使大部分台站基本实现“整洁、绿化、管理”目标。到年底，有56个单位被当地评为文明单位，占台站总数61%。北海、南宁市创建完成100%。

各级气象部门认真贯彻落实《廉政准则》和中央关于制止奢侈浪费8项规定，促进领导干部廉洁自律。全区气象部门按规定折价处理公费住宅电话124部，移动电话33部，BP机54个，收回资金10多万元。

区局推进干部制度改革，首次公开选拔9名副处领导干部。 (杨年珠)

海 南 省

概况 6月，免去徐达生省气象局总工程师、党组成员职务，办理退休手续。7月，海南省委任命吴岩峻为省气象局党组成员；8月，省政府党组任命吴岩峻为省气象局副局长。

省气象局机关设：办公室、人事处(与监察审计处合署办公)、计财处、政治工作处(与机关党委合署办公)、科技服务管理处、行业管理处。直属事业单位：省气象台、省气候中心、省热带农业气象中心、省气象技术装备中心、省气象局行政管理处。挂靠省气象局单位：省气象学会秘书处。

全省气象部门共有职工525人，其中干部占79.6%，工人占20.4%；大专以上学历182人，中专223人，高中及以下120人；高级技术职称18人，中级127人，初级291人。

1月24日，在省气象局邓昌松局长陪同下，省人大副主任吴葵光、副省长韩至中到西沙气象台慰问职工。邓昌松局长当选为省第三次党代会代表，并于2月16～19日出席代表大会。

2月26～28日，省气象局在海口召开全省气象局长会议，韩至中副省长到会讲话。3月1～3日，省气象局在儋州、昌江、三亚、东方、陵水、万宁和琼海7个市(县)气象局召开基层台站环境综合改善现场观摩会。4月21～30日，由世界气象组织和国际科联联合举办的第四次热带气旋国际学术会议在海口召开，来自37个国家和地区的130多位代表出席了会议。23日晚，省委常委、常务副省长王厚宏在省气象局会见会议主席格雷弗利先生和会议代表，会见时邓昌松局长、甘宇副局长也在座。28日，出席第四次热带气旋国际学术会议的中国气象局副局长颜宏在省气象局干部大会上作了题为《面向21世纪的气象预报业务系统》的报告，并对海南省气象事业的10年发展和今后的工作提出了看法和要求。他赞扬海南气象现代化和办公自动化建设、气象服务、卫星遥感监测服务和精神文明建设成绩显著，气象事业发展速度为全国同行第一。30日，韩至中副省长出席第四次热带气旋国际学术会议闭幕式并讲话。

6月11～12日，海南省气象新闻信息研讨会在海口召开。7月24日，省政府在省气象局召开海南省人工增雨抗旱工作会议，肖杰副秘书长主持会议并讲话。儋州、东方、昌江、白沙市(县)分管领导、三防和气象部门的负责人，海南军区、南航部队和省农业、气象、三防等有关部门的领导共32人出席会议。8月1～2日，省气象局邓昌松局长和省其它有关部门的领导陪同韩至中副省长到东方、儋州、昌江、白沙市(县)检查农业受旱情况指导抗旱工作和农业生产。8月3日，省政府在省气象局召开第二次人工增雨抗旱工作会议，对在儋州、东方、昌江、白沙市(县)增设作业点和增加屯昌、琼中县的作业进行协调和安排。10月9日，省政府在省气象局召开海南省1998年冬至1999年春冷暖趋势预测专家研讨会，各市县政府分管领导和省及各市县农业、气象、供销等部门的负责人出席会议。会后，韩至中副省长会见了来自国家气候中心、广州区域气象中心、广西壮族自治区气象局、省气象局的专家。与会专家对海南省当年冬季到来年春季的冷暖趋势提出预测意见，为发展冬季瓜菜生产提供了决策依据。

11月4日，省气象局邓昌松局长和省其它有关部门的领导陪同省委书记、省人大常委会主任杜青林到儋州、澄迈、琼山市(县)考察水利工作。

气候评价　1998年气候的主要特点：气温异常偏高，各季均有旱情发生，日照偏少，热带气旋影响偏迟偏少，气候灾害较轻。

全省年平均气温24.0℃～27.0℃，比常年偏高1.2℃～1.6℃，均突破历史最高纪录。各季平均气温均偏高。冬季偏高1.6℃～2.4℃，是1986年以来的第12个暖冬，但在1月下旬，北部和中部部分地区出现了轻～中度的低温阴雨。春季偏高1.0℃～1.8℃。夏季偏高0.8℃～1.8℃，为有记录以来最热夏。秋季偏高0.8℃～1.6℃。

年降水量699.1～2222.4毫米，近一半地区偏多或偏少2～3成，其余地区接近常年。旱季37.7～421.4毫米，7个市县偏少2～6成，4个市县偏多3成～1.3倍，其余地区接近常年。雨季636.2～1966.1毫米，5个市县偏少2～3成，3个市县偏多2～3成，其余地区接近常年。7月初南部地区普降暴雨、大暴雨，过程雨量246.4～606.5毫米。

年日照时数1661.2～2561.9小时，大部分地区偏少70～800小时。旱季456.9～725.1小时，大部分地区偏少50～275小时。雨季869.0～1458.4小时，近一半的地区偏少120～400小时，通什偏多300小时，其余地区接近常年或偏多(少)50～90小时。

重大天气气候事件。暖冬，特别是小寒和大寒时节气温偏高，影响龙眼和荔枝正常抽花，使产量下降。7月上旬，南部地区暴雨成灾，直接经济损失4100万元。4～7月发生多起雷暴、冰雹、龙卷风灾害。

农业气候属偏丰年景。早、晚稻虽受低温、干旱、虫害等影响，但光、温、水等气象条件较好，全省晚稻产量比去年有不同程度的增长。

气象服务　夏旱严重，部分地区春、夏连旱或冬、春、夏连旱，汛期的热带气旋活动极少，台风降水极不明显。省气象台和琼海等大多数市县气象台站采取跟踪滚动预报的方法，准确预报了干旱的程度、范围和持续时间。7月26日至8月25日，在白沙、昌江、儋州、东方、琼中、屯昌市县设置19个炮位，开展建省以来规模最大的人工增雨作业，增雨有效率达96%，作业日出现中雨以上降水73次，79个乡镇有中雨以上降水。据不完全统计，6市县共挽救受旱农作物3.27万公顷，抢种农作物1.45万公顷，水库增加蓄水2759.6万立方米。东方、白沙两市县解决了2.45万人和0.91万头牲畜的饮水困难。儋州等地的橡胶产量也明显增加，琼中县境内的阳江农场日产干胶从20吨增加到27吨。全省气象台站对影响海南的4个热带气旋的预报基本准确及时。7月上旬，保亭县气象局为县政府组织防范连续4天罕见的暴雨提供了准确可靠的决策依据，全县没有水库出险和人员伤亡，被中国气象局评为防汛抗洪气象服务先进集体。10月上旬，文昌、通什市气象局先后依据对当地出现的暴雨、特大暴雨的准确预报，分别建议市政府取消了原定在市政府所在地出动部队抢险、转移低洼地区群众和由部队用沙包加高河堤等防洪措施，避免了设防不当造成的重大经济损失。

专业专项气象服务。省政府利用气象专家对冬春冷暖趋势的准确预测意见指导冬种生产，加上采取其它措施，1998 年冬季瓜菜产销两旺，全省种植 128 万多亩，总产量 170 万吨，产值 40 亿元，总产量比去年增加 15 万吨。三亚市羊栏镇采纳市气象局的建议，统一安排在 12 月大种瓜菜，春节后赶上好市场，平均每吨比市里其它乡镇增加收入近 740 元。为热带水果生产气象服务逐步深入，琼山、琼海、儋州、琼中市县气象局从 1 月 1 日起开展为期 32 个月的荔枝、龙眼物候观测试验业务；省热带农业气象中心 3 次派员下乡调查研究龙眼、荔枝生产中的气象问题为果农释疑；昌江县气象局在当地最大的两个芒果生产基地开展试验性服务。琼海、琼中等市县气象局为当地国营农场橡胶树病虫害防治提供优质气象服务，取得显著效益。文昌市东阁镇应用气象信息发展海水养殖 3000 亩，年产值 600 多万元。陵水、琼中、万宁等市县气象局为当地水利工程建设提供了针对性、时效性强、准确率高的预报服务。陵水县小南平水库工程建设指挥部根据气象信息做好防范，使水库大坝安全度过“7.4”特大暴雨引发的洪峰袭击。

省气象台、定安县气象局、儋州市气象局分别为建省十周年庆祝活动、全省农村工作会议参观考察活动、儋州 1998 城乡游活动提供的气象服务主动、到位、准确，获得国内外来宾、各级领导的好评。

省气象局认真贯彻开发式扶贫方针，在联手扶贫点东方市江边乡实施了 3 个扶贫项目：职工捐款 2 万元(其中省气象局捐 0.45 万元)，用于支付全乡失学儿童的学杂费；采取省气象局包种苗、技术、农药、推销，当地农民负责劳作的办法，帮助江边乡建设面积为 130 亩的五指山树仔菜生产基地；为江边乡无偿提供芒果苗 1300 株。保亭县气象局开发种植树仔菜 400 亩，使当地一批农民脱贫，被县政府列为科技扶贫项目。三亚市气象局完成扶贫点天涯镇的 5 项种养业的气象科技项目，并指导农民应用于生产。

省气象台的电视天气预报节目获第二届全国观摩评比无主持人类节目二等奖和最佳科学信息奖。完成电视天气预报节目主持人的招聘和培训工作。海口市 8 月开通“121”天气预报答询服务电话；三亚市电视台从 12 月 1 日起播放本地天气预报节目。

年内，省气象局下发了《海南省气象部门防雷工作管理暂行规定》。全省气象部门共检测、验收 1381 个单位的防雷装置，设计、安装、整改防雷工程 353 个。省物价局核准了经调整的气象科技服务收费项目及标准。全省签订专业有偿服务合同 497 个，其中预警用户 235 个。

气象业务与现代化建设　省气象局组织实施气象测报岗位持证上岗制度和测报质量检查员制度，完成全省地面、高空、日射观测人员的培训、考试、考核及发证上岗工作，聘请全省地面、高空气象观测业务质量检查员各一名。1998 年全省地面、日射、高空、农业气象测报质量全部达到指标要求，其中地面测报错情率比 1997 年减少 0.6 个千分点。国家基本发报站参加全球交换的气象电报及时报，比 1997 年提高 8.85 个百分点。全省 14 个参加南海季风科学试验外场气象观测工作的地面站、高空站和天气雷达站，观测质量全部达标，没有重大差错。为乐东、定安、屯昌、通什 4 个市县气象台站配备了 EN－1 型测风数据处理仪，为琼海、陵水、三亚、琼中、儋州 5 台站配备了 E－601B 型蒸发皿。省气象局下发《海南省气象局气象记录与业务技术档案保管若干规定》。

由省气象局利用海南气象综合信息系统建成的海南三防农业信息网络系统投入使用。该系统覆盖省和全省各市县三防、农业部门，是海南信息智能岛和气象服务体系的重要组成部分，已在冬种瓜菜生产和销售中发挥了重要作用。

三亚 VSAT 小站开通了数据通信，海口、三亚 VSAT 小站完成卫星广域网与地面局域网的互联。西沙 VSAT 小站先后开通了语音通信和数据通信。省气象局下发《海南省气象卫星综合应用业务系统工作规定(试行)》。成立课题小组，组织技术骨干力量研制海南新一代天气预报业务系统，取得阶段性成果。建成热带气旋预报业务系统和气候灾害监测预警系统，投入业务运行。

采用先进技术改进和优化原办公自动化系统，并组织开发建设覆盖全省的新型网上办公自动化系统。

科研教育　年内，《海南省新一代短期天气预报业务系统研究》《海南省冬春预报业务系统研制》《海南近百年热带气旋年频数突变分析和预测》等 3 个项目开题。全省气象部门共有 11 项(篇)成果或论文在学术会议上交流或在刊物上发表，其中 4 篇在全国性学术会或刊物上交流、发表。

省气象局举办计算机终端系统管理、省三防农业信息网络系统技术、新会计制度、新闻信息写作等4期培训班，共143人(次)参加学习。其中，来自全省三防、农业和气象部门的60人参加了三防农业信息网络系统技术培训班的学习。选派22人(次)出省或在省内参加各种业务培训学习。

改革 从1998年起，省气象局采取削减各市县气象局和直属单位的日常性开支的办法筹措资金，扶持基层台站解决住房困难。下发《海南省气象部门事业单位津贴发放试行办法》，对津贴分配进行改革。东方市气象局采取定额承包的办法，加强防雷技术服务工作的管理，效益比较明显。

综合经营 全省有气象局职工培训中心、万宁水声机砖厂和保亭特种作物开发中心等3个经济实体，主要经营建材、热作等项目，从业人员98人。全省气象科技服务和综合经营毛收入比1997年增长32%。

精神文明建设 省气象局下发了《关于加快创建文明气象行业的通知》，全省气象部门努力提高职工思想政治素质的同时，大力开展环境综合改善工作。省气象局积极筹措资金，有计划地扶持基层解决住房困难，三亚、儋州、琼海、文昌市气象局兴建了5幢共68套住宅楼；省气象局新建了2幢共36套住宅楼均交付使用。陵水、儋州、万宁、琼海、屯昌、文昌等市县气象局分步改造大院环境，改变了旧面貌，有些达到了绿化、美化的要求。全省年内铺植草皮1.4496万平方米，种植花木3780多棵，硬化道路和庭院地板2590平方米，新建图书室2个、球场4个。省气象局被海口市政府评为花园式单位。省气象台、陵水县气象局分别被省委、省政府评为海南省1996～1997年度文明单位标兵、文明单位，文昌市气象局、琼山市气象局分别获得当地党委、政府授予的"文明单位"称号。

省气象局清理了公费住宅电话和无线移动电话。 (黄居添)

四 川 省

概况 省局机关职能处室设：办公室、业务发展处、科技教育处、计划财务处、人事劳动处、行业法规管理处、科技产业装备处、直属机关党委、监察审计处、离退休干部处。直属事业单位机构设：省气象台、省气象通讯台、省气候中心、省气象科学研究所、省气象技术装备中心、省气象局后勤服务中心、省气象科技开发服务中心、省气象学校、省人工降雨防雹办公室、省农业气象中心、省防雷中心。

全省气象部门在职职工3671人。其中：干部3338人、工人333人；具有大专以上学历的929人、中专学历的1920人；有高级职称的100人(正高级3人)、中级职称的1271人；享受政府特殊津贴的15人。

2月1日，省委副书记、常务副省长张中伟亲切慰问峨眉山气象站春节期间坚守岗位的值班员。2月28日至3月3日，全省气象局长会议在绵阳召开，敬正书副省长专程到会并讲话，会议研究确定了四川气象事业跨世纪的发展目标、基本思路和主要任务，与省人事厅联合表彰了全省气象部门先进集体和先进工作者。5月20日，中国气象局局长温克刚给省委书记谢世杰书记写信，恳请加强对四川气象部门文明系统建设的指导和支持，谢世杰书记、张中伟副书记作了批示。6月29—30日，省局在成都召开全省气象局长研讨会，就如何深化以气象事业结构调整为主的改革、加强文明气象系统建设、加强气象科技产业发展的措施进行了认真研究。7月27日，中国气象局副局长李黄在省局检查指导工作。8月8日，中国气象局局长温克刚从北京打电话，指示四川气象部门一定要做好为当地的气象服务，确保长江大堤的安全。9月8日，眉山地区气象局正式挂牌成立。10月，设立四川省民用氢气球安全管理办公室，加强对民用氢气球广告市场的管理工作。12月上旬，省法制局、省气象局组成检查组，对成都、绵阳两地贯彻执行《四川省气象管理办法》的情况进行了检查。年内，省政府在省气象局召开3次"五长"(政府分管农业的副秘书长、农业、林业、水利、气象等部门的厅局长)会商会议，及时研究部署农业生产和抗灾夺丰收的对策措施。

气候评价 1998年全省气候特点是，年平均气温全省各地普遍偏高；年降水量全省大部接近常年，盆地个别县(市)和川西北高原、川西南山地偏多。年内相继发生了建国以来最严重的春旱和仅次于1981年的特大洪涝，危害严重。夏伏旱不突出，秋季连续9旬气温偏高，创历史同期最高记录。农业生产属一般偏好年景。

主要气候要素时空分布。冬季：平均气温，川西北高原－7.5℃～0.9℃，川西南山地8.5℃～11.4℃，盆地区5.5℃～8.7℃；与常年相比，川西北高原西部正常、东部偏高0.3℃～1.1℃，川西南山地偏高0.5℃～0.9℃，盆地区除雅安、乐山、宜宾、泸州、南充5地市偏低0.1℃～0.3℃外，盆地其余地区偏高0.1℃～0.6℃。季总降水量，川西北高原和川西南山地大部及盆地局部地区不足25毫米，盆地西南边缘和东北部及成都、雅安少数县(市)在50毫米以上，省内其余地区在25～50毫米之间；与常年相比，川西北高原大部偏多5成～2倍，盆地北部接近常年，盆地南部和川西南山地大部偏少2～5成，盆地其余地区偏多3成～2倍。春季：平均气温，川西北高原3.4℃～10.8℃，川西南山地16.7℃～20.1℃，盆地区15.6℃～19.9℃。与常年相比，川西南山地南部正常、盆地东北部偏高0.5℃～0.9℃，省内其余地区偏高1.0℃～1.8℃。季总降水量，省内大部地区在200～300毫米之间，川西南山地西部、南部，川西北高原南部和盆地西南部部分县不足100毫米，盆地东北部部分县大于300毫米。与常年相比，省内大部地区接近正常，盆地西南部、川西南山地南部及川西北高原南部偏少3～7成，盆地西北部、川西北高原北部偏多3～9成。夏季：平均气温，川西北高原10.7℃～15.2℃，川西南山地20.6℃～21.6℃，盆地区23.8℃～26.4℃。与常年相比，盆地大部地区偏高0.1℃～0.6℃，南充、巴中、遂宁3地市偏低0.2℃～0.6℃，川西北高原偏高0.5℃～0.9℃，川西南山地偏低0.1℃～0.4℃。季总降水量，盆地大部地区在600～990毫米之间，川西北高原193～800毫米，川西南山地绝大部分地区在700～1126毫米之间。与常年相比，盆地西部与川西高原交界地区接近常年略偏少；盆地其余大部地区和凉山州中部、甘孜州南部偏多4成以上；凉山、攀枝花、甘孜、泸州、广安5市州的15个县市季总降水量创历史同期最高值。秋季：平均气温，川西北高原3.0℃～8.8℃，川西南山地15.6℃～16.9℃，盆地区16.4℃～20.1℃。与常年相比，全省气温明显偏高。其中，川西北高原偏高0.3℃～1.5℃；川西南山地偏高0.5℃；盆地偏高1.5℃～2.1℃，创建国以来历史同期最高记录。季总降水量，省内大部地区在200～300毫米之间，达川、巴中两地区大部及甘孜州的得荣、乡城两县不足100毫米，盆地的雅安、名山、剑阁、北川、都江堰5县(市)超过300毫米。与常年相比，大部地区偏少5～7成，盆地西部边缘偏多1～5成，川西北高原接近正常，川西南山地偏少3～4成。

重大天气气候事件。春旱：3月1日至4月底，全省有84个县(市)出现春旱，主要分布在广安、宜宾、绵阳、德阳、泸州5市和成都市北部、广元市西部、内江市的大部分地区。旱期31—39天的县有31个，长达40—60天的有53个县。小春作物受旱面积2085.46万亩；有880万人、890多万头牲畜饮水困难；1000多万亩春玉米受旱，少栽水稻200多万亩。为建国以来最严重的年份。暴雨洪涝：自4月28～30日盆地区出现第一场暴雨，至9月16～19日盆地西北部出现的最后一场暴雨过程。全省先后有137个县(市)的423个站(次)出现暴雨，为90年代以来暴雨(站)次最高纪录。盆地暴雨出现的面积接近历史最多年份，大暴雨、特大暴雨出现的强度仅次于1981年。暴雨使47个县(市)出现洪涝，给工农业生产、交通运输造成巨大损失。据统计，全省有175个县(市、区)受灾，受灾人口2995万，因灾死亡488人、失踪33人、受伤2353人，死亡牲畜49.91万头(只)；农作物受灾面积2667万亩；有21座县城、410个场镇被淹；损坏小水电站396处、水库424座、渠道3133公里、堤防681公里；损坏公路4183公里；损坏通讯、输电线路7087.6千米；有5175座学校校舍受损；4544家企业停产或半停产。洪灾造成的经济损失总计达92.6亿元，比1997年增加了2倍多。秋绵雨：9月中旬至10月下旬，全省有48个县(市)出现了7～10天的秋绵雨天气过程。与常年相比，年内出现的秋绵雨范围小、时间短，属偏轻年份。

农业气象年景。麦播期间天气晴好，盆地大部小春播栽适时。前冬气温偏低明显，抑制了小麦有效分蘖，造成前冬分蘖不足。小麦拔节阶段光照、降水、温度匹配较好，利于作物营养生长。小麦抽穗扬花及灌浆结实期，受严重春旱及异常高温影响，逼熟、早衰现象普遍，单产减幅较大。油菜生育期气象条件适宜，受干旱影响较小，增产增收。大春作物生产期间温度适宜，雨水前少后多，无夏、伏旱危害，光照相对偏少。夏季多雨无旱，大春作物栽插顺利，营养生长良好；但阴雨、寡照天气对作物抽穗扬花和灌浆不利；秋季光照足、热量丰，利于季节偏迟地区水稻灌浆成熟及再生稻、红苕等晚秋作物生长。单产水稻持平，玉米略增，红苕、再生稻等秋粮产量增幅较大。

气象服务 各级气象部门汛前即作出“盛夏盆地大部分地区降雨偏多，洪涝较常年偏重，局部地区可能出现大涝”的长期趋势预报。入汛后，对省内出现的10次区域性暴雨天气、2次关键性转折天气及强对流天气，预报都比较准确。在长江中下游地区抗洪期间，省局组织各级气象台、站每天定时向湖北、湖南、江西、重庆等7个省（市）的气象局和防汛部门提供预报和雨情信息，尤其是对省内“8.2”、“8.19”、“8.26”3次区域性特大暴雨预报和降水实况的通报，为长江中下游地区领导科学决策提供了准确的气象信息。在全国气象部门防汛抗洪气象服务总结表彰大会上，全省有4个单位被评为“全国防汛抗洪气象服务先进集体”，1人被评为先进个人，受到中国气象局表彰奖励。

在抗旱服务中，各级气象部门根据当地的气候特点和农业生产存在的气象问题，提出针对性的对策建议。春旱刚一露头，即实施跟踪监测，及时通报旱情；4月下旬，当旱情加重后，省局及时组织盆地所有气象台站每日增加05时雨量观测发报，迅速向省委、省政府和省级有关部门报告雨情。在人春栽插关键期，省局及时组织实施飞机人工增雨作业9架（次），作业区内增加了降水量，有效地缓解了旱情和栽插用水。年内，全省有106个县（市、区），出动高炮268门，开展防雹增雨作业，减少了农业损失。全省气象部门实施扶贫项目80项，引进技术项目28个，使近4万人脱贫。

年内，全省有17个县局开展电视天气预报节目的制作，92个地县级城市新开展“121”电话自动答询气象信息的服务。

年内，组织开展旅游、建筑、商贸、交通、火险以及二滩电站、宝成铁路复线、高等级公路建设等重点工程的专业专项服务，均取得了良好的社会经济效益。“省级城市专业气象服务系统”完成了年度建设任务，省气象台成立了专业气象台，并面向社会开展服务。各级气象部门按行业特点，分类制作发布专业气象预报，受到用户好评。

年内，省局同省法制局、公安厅、工商局、建委、公安消防总队等单位联合行文5个，省物价局批复收费标准2个；制定下发《四川省气象部门产业管理暂行办法》；召开了全省气象科技产业工作会；全省有41个市地州县局开展了声像广告服务，有93个市（地、州）、县局开展了“121”气象信息电话服务，有86个市、（地、州）、县局开展了防雷减灾服务，同时进一步规范了民用氢气球灌充施放市场管理。全省气象科技服务共签订服务合同3870个，年毛收入比1997年增长20%。

气象业务与现代化建设　年内，全省新建县级气象信息产品远程服务终端43个，使成都区域气象中心计算机网络延伸到19个市（地、州）局和95个县局，其中盆地内已建91个，占应建数的96%，并有6个市（地、州）局开通了局域网。省局和13个市（地、州）局地面卫星接收系统（9210工程）全面完成系统硬件建设任务，并完成了应用软件的安装、开发、优化和人员培训，按期投入业务试运行。MICAPS系统在省、地两级投入业务应用。建立了西昌常规气象报告上网传输业务。完成了川西高原三州数传网建设的年度计划任务。进一步优化了为省领导服务的“笔记本”服务系统，为部分地方党政机关及有关部门建立了气象信息传输服务系统。

制定下发了《四川天气预报业务规定实施细则》等10多个规章、制度和管理办法，加强了技术指导和管理；完成了信息网络人员上岗考核，并制发了配套的管理办法和规定；实行了测报人员持证上岗制度，完成了887名测报人员持证上岗考试考核；各项业务测报质量全部达标，创历史最好成绩；组织5个高空站、7个地面站圆满完成“四大科学试验”外场观测任务；完成了《四川省常规地面、高空观测站网建设和调整方案》的制定和上报工作，对11项气象基本业务进行了调整；将泸县等8个辅助站调为一般站；制定了一般站机制报表的实施方案，并举办3期业务培训；举办了MICAPS系统二次开发的培训，组织进行业务应用软件示范安装和技术指导；组织验收测报连续百班无错情525个、连续250班无错情71个；先后召开“1998年全省重大灾害性天气预报技术总结研讨会”和“全省天气预报业务技术体改工作会”，完成了年度天气预报质量优质评审工作，经中国气象局评审，有6人荣获“优秀值班预报员”称号；完成了新一代天气雷达的选址勘察工作。

科研教育　年内，省气象局制定下发了《关于加速科学技术进步的实施意见》。“九五”重中之重科技攻关项目“西南地区旱涝与低温预测系统的研究”、“四川省农业主要灾害性气候的预测方法研究”取得阶段性研究成果，并在业务服务中产生了较好效益。全年新上省部级科研项目6项，组织开展了对三峡工程等国家重点建设工程项目的气象科技开发、服务工作。成都高原气象研究开放实验室的建设方案，通过专家论证已正式立项。科研经费的投入，比1997年增长29.4%。年内，有16项科研成果通过鉴定验收，有8项科技成果获省局科技进步奖，6项成果获地(市)级科技进步奖，2项成果获省科技进步三等奖。

年内，省局共举办现代化管理、MICAPS系统、行政执法、防雷技术、民用氢气球管理等各类培训班11期，培训人员604人。各市(地、州)局举办各类培训班50个，培训人员1068人。选送科技业务骨干到大专院校培训24人，学历教育55人。

改革 年内，各级气象部门对基本气象系统重新定编、定岗、定员，人员分流取得明显进展，多数市(地、州)气象局和省局直属单位分流人员达50%，并积极做好分流人员的转岗安置工作，组建了“四川省气象部门人才交流中心”。加强了机构和人员编制的管理，控制了机构编制的增加，完成了精减83名人员编制的任务。

省政府办公厅于4月28日以川府办发32号文件，向全省县以上人民政府发出《关于加快发展我省地方气象事业的通知》，要求各级政府尽快建立健全人工降雨防雹、农业气象、防雷减灾工作机构和业务服务工作系统，尽快建立健全省、地、县三级地方气象事业投入体制，尽力改善气象职工的工作生活条件。

到1998年底，地级财政列户17个，达94.4%；县级财政列户117个，达80.7%。各级政府加大了对气象事业的投入，全年投入经费比1997年增长近17%。

综合经营 全省气象部门有26个单位开展了综合经营，有企业类经营实体11个，从业人员148人。主要经营项目：非企业类以房屋出租、招待所对外服务、幼儿园、种养殖业、文印打字等为主；企业类以物业、旅游、广告等为主。全年利税收入158.89万元，比上一年下降9%。非企业类经营总收入和纯收入分别比1997年增长25%和4%；企业类经营的11个实体中，盈利8个，亏损3个。

精神文明建设 继续在省、地两级气象局党组和省局直属单位领导班子中开展“四好”(学习、团结、勤政、廉洁)活动，加强了领导班子建设，加强了后备干部的选拔培养。完成了对16个局处级领导班子换届考核任免和届中考察。年内，省局通过了区级文明单位和省级机关文明单位验收。全省新建文明单位10个，新增地级文明单位3个。全省文明单位总数上升到131个，占应建数81.4%，并有9个市(地、州)气象部门建成地级文明气象系统。乐山市气象部门建成市级文明行业。确保了离退休职工按政策规定应享受的政治、生活待遇，保证了离退休费和医疗费不拖欠。举办了全省气象部门征文比赛，开展了全民健身活动，开展了形式多样的小型文体娱乐活动。 (张万英)

重 庆 市

概况 市气象局机关设：办公室、人事劳动处(含离退休老干部办公室)、业务发展处、科技教育处、计划财务处、科技产业处(含思想政治工作处)、监察审计处(含党组纪检组)。直属事业单位：气象台、行政后勤服务中心(行政后勤管理处)、气象技术装备中心(气象技术装备处)。成立了气象影视中心、专业气象服务台、防雷减灾中心、气象科技服务中心4个直属事业单位。全市职工821人，其中干部729人，工人92人；职称结构：高级技术职称19人，中级技术职称268人，初级技术职称393人；学历结构：大学本科114人，大专113人，中专386人，高中107人。

3月10～12日，全市气象局长会议在市局举行，陈光国副市长参加了会议。4月28日，市建委行文设立“重庆市人工降雨防雹办公室”、“重庆市农业气象中心”和“重庆市防雷中心”3个处级地方事业机构。5月12日，重庆市人民政府下发《关于加快发展地方气象事业的通知》(渝府发[1998]41号)，全市37个气象局全部在地方财政立户，地方经费投入增长111.39%。6月25日，市委副书记、副市长甘宇平视察市气象局，关心“重庆市(三峡库区)灾害性天气系统工程”进展情况。7月1日，根据重庆市委、市政府撤销原万县市、涪陵市和黔江地区，设立重庆万州移民开发区、涪陵区和黔江开发区的精神，经中国气象局同意，市气象局相应成立了重庆市万州移民开发区气象局、涪陵区气象局和黔江开发区气象局，至此，重庆市气象部门的行政区划调整全部完成。7月8日，市委副书记、市人大主任王云龙到市局检查工作。8月1日，中国气象局副局长李黄到市局检查汛期预报服务工作。9月3日，市政府成立市防雷安全工作委员会，陈光国副市长任委员会主任，下设办公室，与市气象局防雷中心合署办公。9月18日，市农委验收市气象局为农口系统文明服务单位。10月27日，市局召开全市汛期气象服务表彰大会，副市长陈光国、市委常委税正宽参加了会议。10月28

日，市气象台、万州移民开发区气象局被中国气象局命名为“全国气象部门防汛抗洪气象服务先进集体”。12月2日，市气象局荣获重庆市“防汛工作先进集体”称号。

气候评价　1998年气候特点是：年平均气温偏高，年总降雨量绝大部分地区异常偏多，年日照时数偏少。

全市年平均气温17.2℃～18.2℃，比常年值偏高。全年的气候特点是冬暖、春迟、夏凉、秋爽。冬季平均气温为7.6℃，暖冬特征明显。春季平均气温大部分地区为16℃～18℃，比常年同期偏高1℃～2℃，4月份气温偏高更甚。夏季平均气温26.1℃，比常年同期偏低0.3℃，其中西部地区气温偏低幅度最大，为0.5℃。秋季平均气温19.7℃，比常年同期偏高2.0℃。

全市年平均降水量为1392毫米，比常年同期多244毫米，主要是夏季降水量异常偏多。冬季降水40～90毫米，各地降水量差异较大，其中荣昌、綦江、巴南等地偏少2～3成；而万县、垫江、梁平偏多3～5成，开县偏多近8成。春季降水量为110～240毫米，主要集中在4月下旬，降水日数5～13天，月降水量有80～220毫米，除万县、万盛、酉阳等地偏少外，其余各地均不同程度偏多，其中潼南、合川、大足、永川、市区偏多1倍以上。夏季全市降水异常偏多，平均降水量777毫米，比历年同期多300毫米，其中垫江降水量最多，为1047毫米，仅8月就达506毫米。秋季全市平均降水量为188.5毫米，比历年同期偏少3成，其中11月降水最少，平均降水量仅3.1毫米，为同期降水量异常偏少年份。

全市年平均日照时数为1134小时。冬季日照时数为40～100小时，寡照明显，除长寿、渝北、合川等地基本正常外，其余各地偏少3～4成；春季日照时数为140～380小时，大部分地区偏多2～5成，其中渝北偏多1倍；夏季平均日照时数346.1小时，比常年偏少3～4成；秋季全市平均日照时数为340小时，较常年偏多3成。

1998年主要气象灾害有春旱、春季低温、大风冰雹、暴雨洪涝。

春旱。4月下旬前，全市降水普遍偏少4～8成，加上前期伏秋连旱和冬干的滞后效应，春旱尤为严重，4月份气温偏高，更加剧了旱情的发展，致使全市水利工程和大田蓄水减少，严重影响了大春的栽播，小春农作物普遍枯萎，部分死亡。西部旱情最为严重，到4月下旬降雨增多旱情才结束。

初春低温。3月19～24日，强寒潮袭击全市，72小时内降温10℃～15℃，并出现7天左右持续低温，东南部部分地区出现降雪天气，小麦受灾293.4万亩。

大风冰雹。4月初至5月上旬，全市先后遭受4次大风冰雹，风力均在6级以上，冰雹直径2～4厘米。其中最为严重的是4月23日晚8时～9时25分，荣昌县20个乡镇遭受风雹袭击，最大风力达8～10级，冰雹一般有鸡蛋大小，最大的达1.76公斤。持续时间30分钟，全县297个村，6.7万户受灾，死亡1人，伤46人，42479间房倒塌，104个企业、110所学校被迫停产停课，受灾粮食作物面积约9.8万亩，经济作物面积2.1万亩，直接经济损失1.2亿元。

暴雨洪涝。汛期全市平均降水量在1000～1400毫米，比常年同期偏多5成以上。全市共降暴雨196县(次)，大暴雨27县(次)，分别超过常年90县(次)和16县(次)。造成山洪爆发，河水猛涨，境内各大江河均超过警戒水位，形成了重庆市近50年来出现暴雨洪涝次数最多、范围最广、持续时间最长的特大自然灾害。全市40个区县(市)均受到危害，受灾人口达1836.78万人，直接经济损失72.4亿元。

气象服务　重大气象服务。针对1997年夏、秋降水少、蓄水差的情况，市气象台在春播专题预报中明确提出“春雨少”的预报。市政府据此提出“以水制旱、以旱制旱、以旱制旱、以科技制旱”的春播生产对策措施。汛期，市局在做好本区域内气象服务的同时，积极为长江中下游省市提供各类气象信息。从6月18日开始，市气象台每天给湖南省气象台提供预报和雨情信息，直到8月底结束。从7月3日开始，市气象台每天以“三峡库区专题服务”的形式向气候司、宜昌市气象局提供预报和雨情信息。7月14日起每天向中央气象台、成都、武汉、宜昌市气象台发送重庆辖区内长江、嘉陵江、乌江段的短期、中期3～5日逐日滚动雨情等信息。8月12日开始增发“每小时一次加密观测雨情”。汛期共发往长江中下游省市的各类信息达1071份。

专题气象服务。4月，江总书记视察重庆。市气象局每天以重要气象报告的形式向市委、市府提供未来五天滚动天气预报。因江总书记下榻处的防雷设施未完善，市局专门成立防雷系统改造工程领导小组，派专家和工程技术人员在江总书记下榻前一天完成了防雷系统改造。专业气象服务台与市电信局合作开展“121”电话答询气象信息服务系统，并在全市成功推广；城市气象服务系统正在抓紧建设；与保险公司实行微机联网，并在国际互联网上开辟了网上气象服务台。森林防雷服务在重庆市巴南区圣灯山的实际应用中，收到了良好的社会经济效益。

公众气象服务。10月1日，气象先生、小姐走上荧屏。开展内容丰富、形式新颖的社会服务。

气象业务与现代化建设 针对重庆市管理体制的实际，制定了《气象服务工作奖励办法》等20多个业务管理规章制度，适时进行质量竞赛、定期抽查、交叉检查。各区县(市)局全部开通计算机气象信息网络终端，经X.28协议，通过CHINPAC实现了市气象台与各区县(市)局的远程联网；9210工程地级站投入准业务运行；713天气雷达更新为731C型；MICAPS系统在市气象台、万州、黔江和涪陵区气象台投入业务使用；重庆市(三峡库区)灾害性天气监测预警系统工程建设已完成选址、规划、征地和大楼方案设计，编制完成可行性研究报告；成立了现代化建设办公室，拟定了气象现代化建设发展规划；加大了现代化建设业务应用的开发力度，713天气雷达的探测资料参加全国雷达数字拼图；对MICAPS系统进行了二次开发，提高了预报水平。

科研教育 年内，先后制定了《科技人员科研津贴实施办法(试行)》等规范性文件，建立了“科技统计与信息管理”和“成人教育统计与信息管理”微机数据管理系统；科研投入比1997年增长142%；全年组织申报各类科研项目28项，在市科委、中国气象局、西南区域气象中心以及各地方科委立项的13项；市气象台开展的“旱涝短期气候预测”、“神经元网络降水分级预报系统”、“暴雨预报系统”等攻关项目成果，在汛期气象预报服务中发挥了重要作用；年内全市气象部门撰写各类学术论文、技术交流等材料50余篇，参与学术交流、科技活动10余项(次)；年内共选送各类成人大、中专函授或脱产学习36人，举办各类岗位、新知识、新技能短期培训班43期。

改革 在新组建的气象影视中心、专业气象服务台、科技中心、防雷中心4个科技产业实体中工作的人员实行档案工资制度，对科技产业进行目标管理，引入奖惩机制和市场风险机制。实现了全市气象人员分流50%。全市共有34个气象局开展了防雷检测工作。成立了由分管气象工作的副市长担任主任、相关部门领导为副主任的防雷安全工作委员会，办公室设在市气象局防雷中心。通过市政府下发了《关于加强防雷安全工作的通知》，与市建委等部门联合下发了《关于加强建设项目防雷工程设计、施工、验收管理工作的通知》。

综合经营 全市气象部门现有企业8个，专职人员111人，兼职人员101人。主要经营项目有电视节目制作、电视天气预报服务、旅游气象服务、无线寻呼气象服务、“121”电话自动答询系统、避雷检测安装、防雷产品开发、空飘彩球广告等。年内综合经营毛收入783万元，比上年增长48.5%；纯收入234.9万元，增长48.6%。

精神文明建设 加强了精神文明建设的指导和管理，下发了《关于加强重庆市气象部门社会主义精神文明建设实施意见》、《重庆市气象部门文明单位建设与管理办法》等规范性文件。9月市局被市农委授予委级文明单位。年内已有91.9%的区县(市)气象局被当地党委、政府授予文明单位称号。

以“双学”活动为主线，开展了十五大和十五届三中全会精神、邓小平理论学习纲要、社会主义法制建设基本知识等学习活动。加强了领导班子建设，坚持民主生活制度、民主评议领导班子和领导干部制度，坚持中心组学习制度。在赈灾活动中，影视中心将长江沿线城市天气预报栏目共17个版块用于赈灾义播活动，共募钱物780余万元。

1998年，市气象台、万州区气象局获全国抗洪抢险先进集体，市气象局获重庆市防汛先进集体称号。全市气象部门共有先进工作者50人。

(廖影 段相洪)

专题

重庆市气象局汛期服务侧记

1998年，入汛后共有8次大暴雨天气袭击重庆，引发特大洪水。特大洪水不仅造成重庆市的39个区县(市)2300万人(次)受灾，260多人死亡；并在7月1日到8月23日的近2个月中先后形成7次洪峰威胁下游地区。面临洪水威胁，巴渝气象人与相邻省市的同志们一起团结奋战，谱写了一曲气象部门防洪抗灾的凯歌。

7月3日长江出现第一次洪峰，此后，凡有重大天气过程重庆市气象局都要向宜昌、湖北、湖南、江西、安徽等省、市气象部门发布“三峡库区专题气象服务”及逐日“三峡库区短期天气预报”。自8月中旬起市气象台多次向荆江分洪区、公安县、岳阳市、常德市提供雨情、预报。

长江上游的雨情雨量不仅牵动着中下游亿万人民的心，也牵动着中国气象局领导的心。8月1日，李黄副局长检查工作来到重庆，在检查气象台工作时，李黄副局长亲自向全体预报员同志讲解“流域面雨量预报”，以便准确及时地向中下游地区提供雨量信息；晚上又赶到市气象台察看预报员学习及工作完成情况，并为8月2日天气过程的准确预报进行了关键性的技术指导。

8月5～7日，重庆市普降暴雨，造成市境内的长寿湖、大洪湖、石板水库、小江水库等4座大型水利设施的蓄水量超过了洪水期限蓄水位，为减轻长江中下游地区的洪水压力，市委、市府决定全市大中型水库高位蓄水，为此从8月7日开始市气象台每天两次向市领导及有关部门提供雨情，以利市领导支持长江中下游抗洪救灾的决策。

8月10～12日，重庆东北部再次普降暴雨，一直处于高水位的长江抗洪战斗进入最紧急的关键时刻。12日晨6时，湖北省局提出要05～05时的24小时雨量资料，而按气象常规，只有08～08时的资料。汛情就是命令，已在会商室工作了一夜，刚回到家中的市气象台副台长刘德，又被电话铃声召回到会商室。预报员们的联系电话拨了一个又一个，终于在7时前将重庆35个台站05～05时的降雨资料传到了湖北省局。此后，在市气象台为长江中下游提供的专题服务中，又增加了逐日05～05时的24小时雨量资料栏目。

8月中旬长江防洪进入关键时期，为提供重庆辖区内更精确的降水资料，市气象台将传输给长江中下游地区的雨情资料，在35个气象站的基础上又增加了近100个雨量哨。

8月17日，重庆市气象局又接到从中国气象局天气司和湖北传来的紧急通知，要求从17日22时开始增发每小时一次的加密雨量报以及长江上游近期天气情况。刚从北京赶回局的杜顺义局长马上又投入了紧张的“战斗”，他一边指挥同志们迅速搜集上游各站雨量，一边向温克刚局长作详细汇报，直到将各个站点的雨量全部传到湖北，才疲惫地坐下来。

基层台站的观测员本就很少，入汛后便更见紧张，从7月开始，全市35个台站每天8时要及时向市气象台传送雨量以及晴雨、降水性质等天气情况。8月8日起，除了向地方政府及市台发送本站雨量以外，还要增发乡镇的雨量。黔江区气象局在几次区域性暴雨、大暴雨过程中，除预报准确外，区局领导带队深入灾区收集灾情向地方政府汇报和及时上报给市局。8月17～21日，开始了加密观测，增发逐时降雨量，从此，观测员们便没了昼夜之分。潼南局一位刚作母亲的观测员，值夜班时只得将婴儿带在身边，坚持完成了任务。

由于在抗洪救灾中提供了可靠的气象情报，受到湖北、湖南、安徽、贵州等省气象局及武汉气象中心的赞扬。（段溯舸　唐学术　廖　影）

贵州省

概况　年内原省气象台、省气象科研所（省农气中心）、省气候资料中心（省气象档案馆）3个直属单位人员业务合并，成立贵州省气象中心，对外实行两块牌子，一套人马。成立了贵州省影视中心、贵州省气象网络中心、贵州省专业气象台、贵州省云海公司、贵州省正天公司、贵州省气象决算中心（挂靠计财处）、贵州省气象局人才交流中心（挂靠人事处）。省局机关内设：办公室、业务发展处、科技教育处、计划财务处、人事劳动处、产业发展与技术装备处、直属机关党委（与思想政治工作处合署办公）、监察审计处（与党组纪检组合署办公）、离退休干部处。设直属事业单位：气象台、气象科学研究所（农业气象服务中心）、气候中心（气象档案馆）、气象技术装备中心、人工影响天气办公室、气象职工教育培训中心、后勤服务中心（后勤管理处）、气象学会。截至年底全省在职人数1558人，其中高级职称35人，中级职称478人、初级职称759人；学历结构：硕士生11人、本科生183人、大专生266人。12月2日，经省局决定，撤消黄平县旧州气象站。至年底，全省共有地面气象台站85个，高空探测站2个，天气雷达站9个。

1月21日，分管农业的副省长莫时仁到省气象局视察工作，李玉柱局长向莫时仁副省长一行介绍了气象现代化建设情况和今后的努力方向。1月27日，贵州省委常委、省政协副主席袁荣贵，省委常委、省人大副主任李万禄，副省长莫时仁、省委副秘书长徐屹峰、省农办主要负责人等一行专程到省气象局看望春节期间坚守工作岗位的干部职工，并代表省委、省政府向全省气象干部职工拜年。2月13日上午，副省长、省人工影响天气领导小组组长莫时仁在省政府主持召开了省人工影响天气领导小组全体成员会议，省局李玉柱局长，陈光德、钟洪庆副局长参加了会议。2月24～27日，全省气象工作会议在贵阳召开，会议传达了国务委员宋健对气象工作的批示，贯彻1998年全国气象局长会议精神，李玉柱局长作了题为《高举旗帜、奋发图强、迎接挑战，全力以赴奔向新世纪》的报告。副省长莫时仁和有关部门领导出席会议并讲话。2月28日，全省人工影响天气办公室主任会议在贵阳召开，副省长、省人工影响天气领导小组组长莫时仁到会并讲话，省政府办公厅副秘书长杨通华、省财政厅等单位领导出席了会议。3月12日，贵州省人民政府办公厅发出《关于加快发展地方气象事业的通知》。3月23日，省局举办"3·23"世界气象日座谈会，省政府张佩良秘书长到会并讲话。7月3日，吴亦侠省长主持省政府第3次常务会，审议并原则通过《贵州省气象条例草案》。7月21～26日，省九届人大常委会第3次会议初审《贵州省气象条例草案》。8月3～7日，省人大副主任李万禄等在省气象局陈光德副局长等陪同下，赴黔东南州黄平、施秉、镇远、台江4县专题调研，征求对《贵州省气象条例草案》的修改意见。8月27日，省人大农经委召开会议，初审并原则同意提交《贵州省气象条例草案》在省九届人大常委会第4次会议上审议。8月30日～9月14日，省人大副主任李万禄、步智信等，在李玉柱局长等陪同下，赴青海、新疆专题学习调研外省地方气象立法经验。9月19日，《贵州省气象条例》经贵州省第九届人民代表大会常务委员会第4次会议通过。该《条例》为气象部门依法行政、依法兴气象，实现气象可持续发展奠定了良好的基础。10月26～30日，全省气象局长工作研讨会在贵阳召开，李玉柱局长作了题为《以更加开放的姿态，迎接新的挑战》的讲话，对学习贯彻《贵州省气象条例》进行安排。10月26～28日，第二次成都区域气象中心农气协作会在贵阳召开。12月7日，省人大常委会副主任步智信到省气象局视察工作，对在气象现代化建设中取得的成绩给予了表扬和肯定。12月24日，《贵州省气象条例》新闻发布会在省人大会议厅举行，会议由省人大农经委副主任王绪才主持，省人大李万禄副主任、省政府莫时仁副省长、省气象局李玉柱局长讲话，省人大常委会秘书长王林普、省人大农经委、省法制办公室、省政府办公厅、省政府法制局及有关厅局60多个部门负责人和社会各界代表近200人参加会议。

气候评价 1998年气候特点：年平均气温普遍偏高，年降水量正常略偏少，年日照时数偏少。冬季前期干冷，后期暖湿，多阴雨；春季平均气温偏高，降水偏少，多阴雨，春旱和冰雹严重；夏季平均气温偏高，降水偏多，多阴雨；秋季平均气温偏高，降水量偏少，日照充足。全省粮食生产连续第6年取得丰收。

气温：全省年平均气温普遍偏高0.1℃～1.5℃，冬季西部边缘、赤水河流域及黔西南州南部偏高0.5℃以上，其中威宁偏高1.7℃；黔西南州兴仁、兴义偏低0.5℃以上；省内其余地区正常略偏高。春季除赤水偏高2.2℃、习水偏高2.4℃外，全省普遍偏高0.5℃～2.0℃。夏季除赤水河流域偏低0.2℃～0.8℃、从江偏低0.1℃外，全省普遍偏高0.3℃～1.0℃。秋季除册亨正常，印江偏高0.3℃外，全省普遍偏高0.6℃～1.8℃，其中安顺偏高1.8℃。

降水量：黔西北和黔东北年降水量正常略偏多，其余地区偏少1～2成。桐梓、仁怀及安龙、榕江等地降雨量均不足1000毫米，安龙最少为787毫米外，其余地区均在1000～1400毫米之间。晴隆、六枝、安顺、思南、江口、都匀、赤水等地区降水量均在1400毫米以上，都匀最多为1647毫米。冬季，西部、北部、黔西南州南部偏少1～3成，其余大部份地区偏多2～8成，锦屏偏多1倍。春季，除黔南及黔东南边缘、黔北及黔东北边缘、余庆、镇远偏多1～3成外，省内其余大部分地区偏少1～5成。夏季，除黔南及黔东南和黔东边缘、桐梓正常或偏少1～4成外，其余大部分地区偏多1成～1倍多。秋季，除贵阳地区局部正常略偏多外，省内其余地区普遍偏少1～6成，其中黔南偏少达6～7成。

日照：与常年相比，全省大部分地区偏少100～300小时，威宁偏少592小时，黔北及荔波不足1000小时，以荔波的869小时为最少，黔东南边缘、织金、六枝、普定偏多100小时以上。黔西南大部及从江超过1400小时，兴义最高为1752小时；省内其余地区均在1000～1400小时之间。

主要气象灾害：凝冻。1月中旬到下旬后期，全省大部分地区气温持续偏低，凝冻天气较重，雪凝日数多。大方、威宁出现持续7天的凝冻天气过程，1月18～19日，全省大部分地区气温骤降，先后有71个县(市、区)站(次)气温降至－1℃～－6℃不等，造成不同程度的凝冻天气，麻江、丹寨、凯里、炉山、大方、万山、开阳、白云、瓮安等县(市、区)较重,导致省内大部分公路停运和航班延误。1月16～22日,修文持续凝冻天气,造成全县供水设施受损,交通中断,并发生一起客运翻车的重大交通事故,4人死亡,12人受伤。

冰雹。全省全年共有46站(次)出现冰雹107次,其中春季占102次,尤以4月份最为集中。降雹持续时间最长为70分钟,雹粒最大直径为100毫米,最大雹重达750克。据不完全统计,全省因雹灾直接经济损失12.7亿元,农业直接经济损失7.3亿元。

干旱。年内出现冬春连旱和夏秋连旱,据统计,农作物受旱面积37.6万公顷,其中成灾21万公顷,绝收4.6万公顷,因旱少种2.3万公顷;因旱导致151.52万人,98.9万头大牲畜饮水困难。

倒春寒。3月下旬,全省大部分地区出现大幅度降温,24小时降温10.0℃～21.0℃,1个地区48小时降温12.0℃～21.0℃,有31个县(市、区)最低气温降至零下,出现了大范围的倒春寒天气,以西部地区最为严重,对小季作物产生不利影响,给水稻播种育苗带来危害。贵定县倒春寒持续8天,新铺乡有131公顷小麦、100公顷油菜、7公顷蔬菜受灾。

暴雨。5～8月多暴雨天气过程,致使乌江、赤水河、清水江、舞阳河、锦江、北盘江等河流发生较大洪水。据统计,全省86个县(市、区)中遭受暴雨洪涝的有77个,9个县(市)城区进水,受灾较重的有道真、余庆、务川、思南、剑河、锦屏、赤水等县(市),直接经济损失均在亿元以上,以道真损失2.25亿元为最重。全省有644.79万人受灾,洪水围困24.19万人,紧急转移3.76万人,死亡201人,农作物受灾面积39万公顷,成灾23万公顷,绝收4.8万公顷;损坏房屋9.28万间,倒塌房屋2.19万间;农林牧渔业直接经济损失16.053亿元,造成直接经济损失24.05亿元。

秋绵雨。全省出现长时间绵雨,有6个站(次)的绵雨特重,对水稻收获晾晒和小麦、油菜播种、出苗有一定影响。

气象服务 决策服务。年初,部署了加强1998年汛期气象服务工作任务,2月28日,召开了1998年春季气象服务通报会,5月22日,省政府办公厅副秘书长杨通华在气象局主持召开“1998年夏季气象服务通报会”。9月8日,省政府副秘书长主持召开“贵州省1998年秋季气象决策服务通报会”,提出的生产建议,省政府办公厅加按语在《情况通报》上全文转载。年内向省委、省政府和各有关单位提供专题服务材料25期、灾情报告16期、雨情报69期、中长期天气预报48期、各种天气气候公报44期。主持召开全省农气产量预报会商会2次,发农气产量预报材料5期,农业气象旬月报48期,提供农业气象专题材料15期。

公众服务。全省各地州市气象局、部分县局开通了电视天气预报制作系统。“121”电话自动答询气象服务系统有实质性进展,习水市气象局首家开通县级“121”电话自动答询气象服务系统后,相继开通的县级有赤水市、桐梓县、三都县,省会贵阳市也于12月1日正式开通。

专业专项服务。决策服务系统(省长笔记本电脑)已在地方经济建设服务活动中使用,其BP神经元网络预报方法研究成果在预报中取得好的效益,获省委、省政府表彰。7月13日,1913次货运列车液化气罐大量泄漏,在湘黔线朝阳2号隧洞爆炸,使湘黔线中断交通20天。抢险时气象部门派人进驻现场,进行风向风速观测,进行了54小时(次)连续加密观测,为抢险工作提供了洞口及洞内风向风速的第一手资料,受到抢险指挥部的高度赞扬。镇远县气象局被评为“7.13”抢险先进单位。

人工影响局部天气。全省67个县共投入高炮275门,引进3套火箭增雨作业系统。全年防雹作业1916次,用弹39107发,降雨作业50次,用弹384发,其中火箭增雨作业12次,用弹23枚,使全省10587平方公里面积防区内的1584万亩农作物和经济林木减免损失,各地作业经济效益比达1:23。

气象业务与现代化建设 气象卫星综合应用业务系统(9210工程)基本实现准业务运行。实现9210工程计算机网络与原计算机网络的互联,微机版MICAPS工作平台建成,7个地区已建立起新的天气预报业务流程。短期、短时灾害性天气落区指导预报业务已开展。贵州省决策气象服务计算机系统的研制开发取得较大进展;气象卫星中规模站投入业务运行;完成贵阳、遵义雷达站扩频传输系统实时传输系统;全省县级终端全部建成;气候灾害实时监测预警系统,气候诊断分析评价、BP神经元网络预报和应用数值预报产品进行分县预报的部分成果投入业务试运行;全省报文自动化运行分析处理系统投入使用,并与收报系统联网。基本气象业务管理系统和贵州省气象资料光盘存储系统正在建设中。省、地两级办公自动化网络系统已正式投入业务试运行。

4 月 16 日，下发了《贵州省气象测报人员年度业务考核办法》《贵州省气象测报岗位合格证书上岗证颁发实施细则》《贵州省气象测报业务技术管理办法》《贵州省气象测报业务检查员职责及其要求》和《贵州省气象局测报奖励基金奖励办法》5 个测报管理规定。对地面测报、日射、高空探测、农业气象人员进行考核和上岗证的颁发已全部完成。承担了四大科学试验中的南海季风、淮河流域暴雨试验的外场探测任务，榕江县气象局和威宁县气象局阮连明分别获中国气象局四大试验外场观测先进单位和先进个人。在长江抗洪抢险中，按要求完成向武汉气象区域中心提供每小时一次的雨情加密观测任务，受到兄弟省市气象部门和防汛抗旱指挥部的感谢和好评。湖南省防汛抗旱指挥部还专程派人赠送“情系三湘，共降洪魔”的锦旗。贵阳市气象局、安顺地区气象台荣获 1998 年全国气象部门防汛抗洪气象服务先进集体，印江县气象局冉菊华荣获 1998 年全国气象部门防汛抗洪气象服务先进个人。年内已验收合格 250 个班无错先进个人，3 人报中国气象局审批。全年 A0A1 文件传输及时率 100%，一直保持 A 级，连续 6 年无缺报。气象档案资料整理符合要求，气象资料归档率 100%；农业气象产量预报总评分 96.4 分；农业气象情报质量总评分 5664 分，受到中国气象局的表扬。完成年度异常气象年表的编制，进行了气候状况诊断分析。

科研教育 年内省部级科研立项课题 5 项，省局下达科技“短平快”项目 12 项，防雹科研 1 项，科研经费投入 43.32 万元，比 1997 年增长 76%。结题项目中获省科技进步奖 4 项，其中三等奖 1 项，四等奖 3 项。获省气象局科技进步奖 9 项。年内鉴定验收各类科研课题 24 项，完成了“用雷达回波参数分析防雹作业效果的检验”工作。完成 11 项气象科技成果的转化工作。制定了“贵州省气象局短期培训办班管理办法”。举办各类培训班 18 个，培训人员 424 人次，按计划指标完成院校招生 16 名，受委托代招大、中专生 31 名，1 名职工考取在职研究生，另有 6 名职工参加自学和函授学习。省局科普作品获中国气象学会一等奖 1 项，三等奖 1 项。3 名青年骨干获中国气象学会授予的第四届全国优秀青年气象工作者称号。12 月 22 日召开了省气象学会学术年会，交流论文 44 篇，评出一等奖 2 名、二等奖 4 名、三等奖 9 名，优秀奖 5 名。

改革 省气象局制定了深化基本气象业务系统的改革方案。将原省气象台、气候资料中心（省气象档案馆）、农业气象中心（含科研所）组建成了业务一体化的贵州省气象中心。定编、定岗，通过“双向选择、竞争上岗”。成立了省局财务决算中心。经贵州省人事厅批准，成立了贵州省人才交流中心气象分中心。组建了 5 个科技服务、科技产业实体，基础业务、科技产业初步建立了相应的适应自身发展的运行机制。各地州市气象局分流比例在 30%～40%左右。至年底全省未超设机构和领导职数，清理了在编不在岗人员和计划外用工。

综合经营 年内，对贵州正天公司进行股份制改造试点，规范了省局经营实体经营项目，组建五个经营实体，对负责人实行招聘上岗，组建了新的运行机制，对各经营实体实行风险抵押。对外与消防、城管、劳动厅等部门进行协调，进一步规范了市场行为。举办了专业专项气象服务知识培训班，对全省气象部门经营实体负责人进行培训。年内各级气象部门共有经营实体 11 个，主要从事避雷检测和安装、防雷产品开发、电视天气预报节目背景广告制作、气象技术服务、软件设计与维护、空飘气球广告、交通运输业以及水泥生产、竹制品加工、电子业、石油销售等。年内科技产业经营收入总额比上年同期增长 8%，纯收入与上年同期相比增长 1%。科技服务毛收入比上年同期增长 25%。

精神文明建设 年初，省局制定下发了“一九九八年精神文明建设工作原则意见”《贵州省气象局开展“三优”文明单位创建活动的实施原则意见》《关于做好文明单位现状情况调查的通知》对全省政工情况进行了解分析，形成题为《努力探索精神文明建设的新路子》的材料报中国气象局精神文明办。在创建文明单位活动中，黔东南州气象局、黎平县气象局、关岭县气象局、水城县气象局、江口县气象局被省委、省政府命名表彰为 1995～1998 年度文明单位，至年底，全省共有地级文明单位 4 个、县级文明单位 21 个，占应建数的 35%。省局大院获省级“平安工程”称号。9 月 8 日，省局荣获 1996～1997 年度贵阳地区公民义务无偿献血先进集体一等奖。年内共安排新上业务用房 540M^2，建住房 400 套。在为长江、松花江、嫩江流域严重洪涝灾害的捐赠活动中，局机关党委号召全体共产党员和干部职工向灾区人民捐款 13685 元，捐衣物 1 千多件。（罗丹平）

云南省

概况　省局机关设：办公室、人事处、业务处、科教处、计财处、产业处、机关党委(政工处)、纪检组、产业处、离退休干部工作处。直属事业单位有：气象台、气候中心、科研所、农业气象中心、人工影响天气中心、技术装备中心、后勤服务中心。

全省气象部门职工总数为2137人。其中干部1868人，聘用、合同制干部69人，固定、合同制工人181人，临时职工和计划外用工19人。职称结构：高职59人，中职654人，初职1117人。学历结构：研究生10人，本科生310人，大专生340人，中专生900人，初中及以下348人。

2月24～28日，全省气象局长会议召开。提出了"四个突破"、"四个进展"、"四个模范"、"四个表率"的工作目标。4月3日，云南省政府落实国办43号文件精神，以云政办发52号文件转发《国务院办公厅关于加快发展地方气象事业意见的通知》，对发展地方气象事业提出了具体要求。4月30日，云南省人大常委会主任尹俊、副主任吴光范率人大委员视察太华山气象站和省气象台。7月31日，云南省第一部地方性气象法规《云南省气象条例》由云南省第九届人大常委会第四次会议审议通过，10月1日起实行。为此，省政府新闻办公室与气象局于9月28日联合举行新闻发布会，省人大副主任吴光范、副省长李汉柏到会讲话并答记者问，47个厅局委办、14家新闻单位参加。11月16日，云南省气象档案管理晋升国家一级，并创了四个第一：云南省科技事业单位档案管理首家达国家一级；云南省首家将光盘网络成功运用于档案管理；全系统档案管理晋升国家二级全省第一，全国气象部门第一。11月19日，丽江地区宁蒗县连续发生5.0级和6.2级强烈地震，气象局内房屋墙壁倾斜，多处裂口，严重威胁生命财产安全。宁蒗县局职工在县局领导的带领下，抗震救灾，坚持气象服务，受到当地政府的好评。

气候评价　1998年度云南省气温偏高，降水偏少、光照不足。冬季气温偏高、降水稀少，出现近40年来最突出的暖冬。入冬以后降水持续偏少，气温偏高，大部分地区冬春连旱。春末夏初绝大部分地区仍持续高温少雨，旱象严重。6～7月单点暴雨频繁，洪涝灾害严重。雨季结束提前，秋季降水偏少，日照充足。

气温　全省大部地区年平均气温偏高至特高，多数地区为有气象记录以来最暖的一年。其中滇中、滇东及以南地区，滇东北、滇西北的迪庆州、滇西的保山、瑞丽等地较常年偏高1～2℃，其余地区偏高0.1℃～0.9℃。从1997年11月～1998年2月间，玉溪、曲靖、红河、西双版纳等地州市有20多个县市平均气温突破建国以来或历史最高值，气温持续大幅度偏高长达4个月。

降水　全省大部地区雨量少于1997年，属平水偏丰年景，最大降水区位于滇南的江城一带，降水量达2000毫米以上，最少的位于滇东北的昭通和滇西北的中甸一带，降水少于800毫米。与常年相比，年降水量除昆明、元谋、瑞丽、丽江、华坪、贡山等少数站点偏多2～4成外，其余大部地区偏少1～2成。降水主要集中在雨季的6～7月，两月内全省共出现大雨763县次，较1997年同期偏多126县次，其中暴雨偏多64县次，大暴雨偏多8县次，形成全年两头旱中间涝、旱涝皆重的局面。

日照　日照时数最多和次多区域位于滇北的元谋一带和滇南的景洪一带，最少和次少位于滇西北的贡山一带和滇东南的广南、河口一带，其中元谋2613小时为全省最大值，贡山1179小时为全省最小值。与往年相比，西双版纳、昭通、玉溪、思茅等地州市以及曲靖北部，红河东部、北部、文山西部偏多100～300小时，最突出的勐腊偏多408小时，创历史最高。其余大部地区偏少100～300小时，最突出的潞西偏少500小时，破历史最少纪录。

1998年气候总的可概括为平水偏丰高温年，热量极高，有利于农作物生长，但由于各种气象灾害交替并发，特别是干旱和洪涝灾害十分突出，灾情重、受灾面广，属于对工农业生产和经济建设造成重大影响的偏差年景。

年内主要气象灾害是干旱、洪涝等。

干旱　4月下旬至5月中旬，滇中及以北地区有50个县市累计降雨量不足20毫米，其中有24个县仅有1～9毫米，进入雨季后全省仍有100个县市降雨偏少，其中有59个县少2～5成，有21个县少6～7成，出现了严重干旱。昭通地区发生了长达50余天的少雨加高温天气，导致全区作物受旱面积达253万亩，占全区栽种面积的56%以上，占全省受旱面积的34%，小型水库及塘坝干涸1952个，水窖干涸3.4万个，3926条沟渠断流，121万人及39万头牲畜饮水困难，部分地区一度停水、停电、工厂停产，直接经济损失2.2亿元。曲靖全区作物受旱面积84万亩，成灾74万亩，小型水库干涸136个，有38万人及36万头牲畜饮水困难。文山州和思茅地区大春受旱面积有45～51万亩，红河、丽江、玉溪三地受旱有25～33万亩，灌溉条件较好的昆明地区仅路南一个县作物受旱干死近万亩。据省防汛抗旱指挥部统计，冬春和初夏旱情严重时，全省受旱面积达1347万亩，成灾761万亩，绝收138万亩，397万人及229万头牲畜饮水困难，旱灾造成的直接经济损失达22.5亿元。

洪涝灾害 全省17个地州市的128个县不同程度遭受洪涝灾害。尤其是7月特别突出。全省大雨、暴雨和大暴雨的县次分别达337、81和10县次，频繁不断的大到暴雨天气造成省内滇池、金沙江、南盘江、红河、澜沧江、怒江、大盈江分别超过警戒水位和有实测资料以来最大、第2、第3洪水位。全省有1座中型水库和18座小型水库不同程度遭到损坏，480座塘坝被冲毁。7月3日景东县因雨引发洪水、泥石流灾害，21人死亡，数十人受伤，573户房屋被冲毁；7月10～11日临沧地区出现强降水天气，导致全区多处山洪爆发，洪水泛滥，死亡1人，失踪2人，农田受淹5万公顷，绝收1500公顷。公路损坏226.4公里，电讯和电力线路分别损失5千米和5.56千米，中断供电5小时；7月10日由于连降大雨，螳螂川洪水漫堤，致使安宁市区及沿河50公里的范围被淹，直接经济损失超过3亿元；7月26日蒙自降大暴雨，18小时降雨量达118.3毫米，突破历史最高纪录，同时造成城区大面积受淹，一般积水超过50厘米。据省防汛抗旱指挥部统计，汛期全省共有916万人受灾，房屋倒塌10.46万间；人员死亡450人，损坏中、小型水库36座；农作物受灾795万亩，成灾449万亩，绝收121万亩，造成直接经济损失共计41.4亿元。

冰雹 3～5月全省有13个地州30多个县(市)遭受不同程度的冰雹或大风灾害，农作物受灾47万亩，房屋受损34万间。其中，3月28～31日，思茅地区的10个县市中有8个县市遭雹灾。3月28日墨江县通关镇降特大冰雹，冰雹最大直径60毫米，积雹厚度45厘米，造成该地区农作物受灾2.2万亩，房屋受损1.89万间，人员受伤40人，全县直接经济损失2466万元；3月30～31日，澜沧县连续两天遭严重雹灾，最大冰雹直径约有100毫米，实属罕见。全县有18个乡镇779个村1109个社受灾，人员受伤62人，房屋受损11.2万余间，农作物受灾7.5万多亩，绝收3.1万亩，死(伤)牲畜6783头(只)，直接经济损失6549万元。

雪灾 3月20～26日，迪庆州连降历史罕见的特大暴雪。德钦县过程降雪量93毫米，维西县过程雨雪量127毫米，中甸过程降雪60毫米，最大积雪深度36厘米。这次降雪天气持续时间和过程降雪量都突破历年同期最大值。

气象服务 4月，省局开通了与省政府的决策服务信息网络系统，各级气象部门通过滚动订正预报等多种方式，为政府提供及时服务。6～7月份，重要关键性、灾害性天气预报准确。省气象台及时预报6月18～20日，入汛以来第一场全省性暴雨过程，为省政府组织防洪提供了科学的依据。昭通地局提前48小时、24小时连续发布7月6日出现区域性的大雨、大暴雨“第一号重要天气消息”和“大雨暴雨天气消息”，盐津县委、政府紧急疏散沿江危险地段单位和群众700余人，减少100人以上的伤亡损失。针对全省冬季高温、入夏后阴雨寡照，对稻瘟病的流行和蔓延做出了准确的预报，为省政府指挥农业生产、及时防御病虫害、夺取全省粮食丰收提供了优质的决策服务意见。“省气象台、昭通地区气象局被中国气象局授予全国防汛抗洪气象服务先进集体，1人被授予先进个人。

全省有13个地州市、49个县开展了人工增雨抗旱工作，受益农田290多万亩，经济效益达1亿多元。人工增雨扑灭了安宁、丽江县石头乡森林火灾；人工增雨使洱海蓄水增加5500立方万米。使版纳州南果电站的发电量由增雨前的每天3000千瓦增加到增雨后的每天6300千瓦，所产生经济效益可达46.7万元。人工防雹的总防护面积由1997年的415万亩增至500万亩，减少冰雹造成的经济损失估计2亿多元。省气象台、省气象科研所卫星遥感中心被省人民政府评为1996～1998年森林消防先进集体。

省气象局于1998年11月成立1999世界园艺博览会气象保障服务领导小组，并向省政府和有关部门提供了5期专题气象服务材料。

气象业务与现代化建设 气象卫星综合应用系统(9210工程)完成了17个(地、州)站点的Vsat设备、计算机网络、人机交互预报系统的软硬件安装调试，人才培训的卫星广播资料监测补调系统、

MICAPS系统操作培训和二次开发等工作，年底投入了业务试运行。制定了《云南省9210工程(准)业务运行暂行规定》下发各地征求意见。全省已有60%的县局开通地县网络，并投入业务运行。不断开发业务指导产品，分县雨量、气温预报系统、分县5天滚动多要素预报系统投入业务运行，并取得较好效果。多普勒雷达建设实施方案通过专家论证，按预定目标完成立项和计划审批工作。在与省政府联网的9个厅局中，首家研制成功《气象信息决策服务系统》，实现对省政府的网络决策服务，每天为省政府领导提供短、中、长期天气预报，24小时雨量，温度实况，气候灾害，病虫害预测等大量气象信息，受到省政府有关部门的肯定。完成了办公自动化信息网络系统软件环境的规划、设计安装，建成internet网络环境局域网。

科研教育 全省气象部门申报"短、平、快"项目56项，经过评审对25个项目予以立项。全年新开题36项，结题11项。有13项成果获奖，其中一项获云南省科技进步二等奖，2项获三等奖。加强了对立项课题的跟踪管理和督促检查，按时向主管部门报送管理工作报告。8月，中国气象局科教司和省科委组织对"九五"重中之重云南专题《云南短期气候预测系统的研究》进行中期评估，与会领导和专家对云南专题研究的阶段性成果给予充分肯定。气象教育体制改革迈出新步伐。省气象学校(职工培训中心)在管理体制不变条件下，拓宽办学领域。大中专气象院校在本省招收普通中专37人，大专以上24人，脱产大专班1人，函授大专26人，组织岗位培训9期共537人(次)。省局年内举办各种专业培训9期，培训500多人(次)。参加中国气象局的有关专业培训5期。

改革 省局制定了《气象部门领导干部理论学习考核暂行办法》，科级以上干部每年年度考核的同时进行理论学习考核。事业结构调整单位"小三块"逐步向"大三块"过渡，部门科技产业规模集约取得进展。3月，云南省防雷中心实行招标经营，择优选聘，竞争上岗，按承包合同运作。11月18日，省局以模拟股份制为形式组建了云南蓝天空中气球广告中心，中心以企业化方式管理，独立核算、自主经营、自负盈亏，从分散经营向集约、规模化经营转化。

综合经营 全省从事科技产业队伍人员848人，其中专职426人，主要从事气球广告、轻印刷、电子产业开发、旅馆、餐饮、计算机服务等，有18个地州市县开通了"121"电话答询气象信息服务。气象科技产业服务毛收入比上一年增长22.3%，产业增长18%。

精神文明建设 省局和17个地州市局建立了以一把手为主的精神文明建设指导小组。制定了《精神文明建设十年规划》《创建文明气象行业实施方案》和年度计划等多项管理制度，逐步推行精神文明建设制度化管理。全省气象部门健全了工、青、妇等群众组织，广泛开展群众性文体活动，形成齐抓共管的良好局面。设立宣传栏、图书阅报室(柜)，编制气象干部职工文明手册，组织全国和省内、部门内先进人物的宣传学习，制定年度宣传任务指标等，促进全员政治素质和科技素质的提高。1998年3月昆明市委、市政府授予省局"文明单位"称号。截止10月31日统计，全省气象部门共有文明单位49个，其中省级1个、地级9个、县级39个，有42个单位向当地文明办申报文明单位。 (冯 颖)

西藏自治区

概况 10月，中国气象局党组指派的援藏干部庞天菏副局长工作期满回河南。自治区气象局(下称区局)机关设办公室、人事劳动处(与离退休干部合署办公)、计划财务处、业务发展处、科技教育处、产业发展处、直属机关党委(与思想政治处合署办公)、监察审计处(与党组纪检组合署办公)；直属事业单位设气象台、西藏高原大气环境科学研究所、区气候中心(区气象档案馆)、区气象技术装备中心、区局培训中心、后勤服务中心(行政管理处)。全区气象部门职工总数992人，其中藏族职工709人，汉族职工263人，其他少数民族职工20人；干部870人，工人119人。学历结构：博士、硕士研究生13人，大学本科学历150人，大专学历27人，中专学历597人。职称结构：高级职称23人，中级职称299人，初级职称560人。

1月6日，遥感应用研究中心成立。

1月28日，区党委副书记、区政府常务副主席列确到区局看望了节假日值班的气象工作者。3月16～17日，区局召开了党组扩大会议。4月22～24日，区局举办了首届全区政工干部培训班。邀请自治区宣传部、党史办及自治区讲师团和区精神文明办公室负责人授课。7月1日，新组阁的西藏自治区人民政府分管气象工作的洛桑顿珠、加保两位副主席到区局看望气象工作者并听取区局领导关于气象工作的汇报。

9月10～11日，自治区人民政府在拉萨召开了全区气象工作会议。各地市主管气象的副专员、副市长，农牧局长以及区直有关单位和气象部门代表参加了会议。中国气象局李黄副局长专程来藏参加会议并讲话；自治区党委副书记、常务副主席杨传堂，区政府副主席加保讲了话；自治区领导郭金龙、泽仁桑珠、向阳出席会议。会上，自治区人民政府授予昌都地区气象局、山南地区气象局、日喀则地区气象局、自治区气象台4个单位"全区气象服务先进集体"荣誉称号；授予边巴次仁、丹增措姆、索南、刘雪松、桑培、李正才、巴洛、扎西顿珠、罗兴宏、吴施红10位同志为"全区气象服务先进工作者"荣誉称号。会后，自治区政府办公厅把加保副主席讲话以《内部情况通报》(第12期)发至全区各地(市)、县，为全面贯彻落实全区气象工作会议精神提供了保证。

气候评价 1998年度灾害频繁，全区出现了不同程度的冬季雪灾，初夏干旱，盛夏洪涝等气候灾害，总的气候条件弊大于利，属正常偏欠年份。

全区年平均气温在－2.8℃～14.4℃，与常年相比，除安多偏低1.6℃外，藏北东部、昌都、普兰与常年持平，其它各地偏高0.1℃～1.4℃；降水量62～1115毫米，狮泉河最少，波密最多。与常年比较，阿里地区、南部边缘地区、那曲地区、昌都西部及南部正常，其它地区偏多28%～68%。10月，沿江一线、南部连续边缘地区及林芝、米林降水偏少，其余大部偏多1～2倍，其中波密月降水量超过历史最高值；11月，那曲中部、林芝、昌都大部降水偏多1倍以上，其它地区降水偏少，沿江一线无降水出现。日照时数在1371～3666小时之间，其中狮泉河、安多、尼木、墨竹工卡、昌都西北部、那曲东部较常年偏多44～203小时，其它地区偏少7～344小时。

重大天气气候事件：那曲、阿里等地区出现严重的雪灾。雪灾持续到1月份，给牧业生产造成巨大损失，给人民生活带来极大困难。在这次雪灾中，有110个乡的1103个村受灾，受灾人口约26万人，受灾牲畜达544万头(只)，占牲畜总数的81.16%，较1990年、1995年雪灾分别增加了163%和114%。

干旱。入春后，由于降水显著偏少，大风、高温日数偏多，全区大部分地区农作物受旱，牧草返青偏迟，旱灾面积达5.63万公顷。

洪涝。6月下旬至9月初全区大部分地区先后出现3次大范围、持续性降水天气。导致江河水位猛涨，冰雹、山洪、泥石流频繁发生，农田、草场被淹，公路、桥梁被冲毁。据统计，全区洪灾面积共64.59万亩，其中淹没草场4.2亩，牲畜死亡1.1万头(只)。

病虫害。入春后受高温、少雨天气的影响，日喀则、山南、那曲、拉萨等地发生大面积的虫害。林芝地区病虫害发生面积10万亩。沿江一线40%的麦类作物感染锈病，面积达5万亩。那曲地区毛虫成灾，全地区有9个县发生虫害，危害面积达2000万亩，严重受灾100万亩，虫量200～500只/平方米，被危害后的草场一片漆黑。

气象服务 3月召开了汛期长期天气趋势讨论会。成立了以主管局长为组长的汛期气象服务小组。先后5次向区政府主管领导汇报天气趋势。

年初，那曲、阿里地区，日喀则地区南部及山南地区出现特大降雪。对此，气象部门早在1997年9月就做出了比较准确的趋势预报，此后在每次强降雪过程到来之前，都及时向当地各级党委、政府和有关部门汇报天气情况，发布天气消息、警报，为领导提供准确及时的决策服务。灾情发生后，区气象局刘光轩书记、索朗多吉局长等领导先后12人(次)到那曲、日喀则、山南、林芝等地现场指挥气象服务，同时组织技术力量，动用卫星遥感技术对积雪范围、深度、雪融情况进行动态监测，并及时将资料传到自治区抗灾指挥部和受灾地区抗灾指挥部，为各级领导指挥抗救灾工作、运送救灾物资、转移受灾群众起到了重要的气象参谋作用。

初夏，全区大部分地区出现干旱。早在3月，区局就提出了汛期先旱后洪的天气趋势，4月向区政府有关领导进行汇报，并建议有关部门加强田间管理和农作物病虫害的防治。进入6月下旬，西藏各地普降中到大雨，降水量比常年同期多70毫米以上，拉萨河、年楚河、尼洋河和雅鲁藏布江等大江大河水位持续居高不下，是有水文资料记载以来的第二个高水位年。8月中旬连降大雨，使山南地区遭受35年来最大的雅鲁藏布江洪水袭击。区台、山南、昌都、林芝气象局及时提供气象服务。区台全年共发出各类气象公报25期，专项预报4期，服务28次，天气警报6期。进入4月后，东南部林区发生多起火灾，气象部门充分利用遥感先进设备，共监测到5起火灾。

《西藏自治区"一江两河"中部流域综合开发区

遥感监测项目第二期(1996～2000年)实施方案》经自治区江河办批准，正式立项。由区局独家承担。经过参试人员的不懈努力，圆满完成了年度工作；经自治区编委批准，9月16日成立西藏自治区防雷检测中心。负责西藏行政区域内防雷减灾的安全、技术及检测工作。区公安消防总队、区气象局联合发出《关于加强防雷建设和管理工作的通知》(藏公消[1998]74号文件)，为全区防雷工作走上科学、有序、规范的轨道奠定了基础。山南地区气象局于12月7日第一家建立了地区级防雷检测中心；

进入5月后拉萨、山南、日喀则、昌都等地先后开展防雹作业，日喀则、山南地区人影办开展人工增雨试验工作。全区全年共设防雹作业点185个，比1997年增加70个，炮控面积584平方公里，作业效益达1:38；人工增雨试验作业15次，作业目标区面积132平方公里，经济效益达1:26。

气象业务与现代化建设　1998年全区测报业务质量保持稳定。地面测报业务质量为优秀；高空观测质量为0.0‰；测风质量为0.0‰，探空业务6项指标均达到中国气象局标准。报表审核总错情为481.0条，站月平均错情为1.1条，全年报表上报及时率达96%。

全面完成气象卫星综合应用业务系统(9210工程)布点任务。截至9月下旬，已基本进入准业务运行。全区30余名技术骨干参加全国9210工程硬件、软件管理培训班。完成了《西藏气象卫星综合应用业务系统技术使用手册》。

组织技术小组，制定了区级气象实时业务系统升级改造方案，该方案已经中国气象局专家组原则通过。

6月24日，为贡嘎机场建设的区级气象实时业务系统远程终端通过验收，受到西藏民航局领导及技术人员的好评。

科技教育　年内共组织申报项目6个，其中申报中国气象局青年科技基金项目3个，国家自然基金项目1个，自治区各部委项目2个。年内结题6项，其中《西藏农业气候资源分析及其区划》获自治区科技进步二等奖，《西藏地区气象卫星遥感应用研究》获自治区科技进步三等奖。

参加并完成了第二次青藏高原大气科学试验任务。5月18日在拉萨设立科考指挥中心后，区局积极配合，为指挥中心及时解决了与当雄、改则和昌都3个大气边界层观测站的通信联络问题；协助完成指挥中心挂牌仪式及新闻发布会、主任工作会议。全区参加加密观测工作的业务人员共计200余人。参加这次试验管理和协调工作的人员达53人。区局索朗多吉局长和尼玛丹增副局长及有关人员共计行程7000公里检查、指导工作。有3个单位被评为中国气象局四大科学试验先进集体，有5名同志被评为四大科学试验先进个人。区局分两批举办探空培训班，并组织上岗考试，实行持证上岗。

改革　各级气象部门强化内部管理，狠抓整章建制工作，区地两级气象部门制定或修订规章制度、管理办法合计近40个。年内共选拔任用干部5名，轮岗交换干部5名，选拔任用助理级干部5名。计划财务工作在开源方面有较大突破，事业经费预算、地方气象事业费、基本建设投入以及专项经费均比去年增幅较大。完成了中央关于制止奢侈浪费8条规定的落实工作、制定了局大院电话管理办法。区局对各地(市)气象局、各直属事业单位实行目标管理。财务工作实行改革，举办了新的财务制度培训班，完成了新旧会计制度过渡。

综合经营　9月13日，区局召开首次产业工作会议，对今后加强产业管理工作提出了要求，强调主管单位一定要加强对已开展项目的管理，不能以包代管、放手不管；要加强对产业投入资金和固定资产的管理，使其保值增值。各地(市)气象局和局各直属事业单位在保证第一块人员精干高效的基础上加强科技产业和综合经营的力量，从事科技产业和综合经营工作的人员已占职工总数的15%。全年产业创收比去年增长30%左右。全区产业工作充分发挥部门技术、装备优势，以现有的计算机技术为依托，逐步形成培训、销售、维修、承揽工程一体化的计算机经营实体，基本占领了全区市场。以地缘优势为主的房地产业蓬勃发展。金牛公司在物业管理上实现了区局经营房地产以来的两个100%，即房屋出租率100%，房租收缴率100%，圆满完成了区局所定目标。

精神文明建设　9月28日，区局与区文化厅联合举办卡拉ok比赛。10月5～9日，举行了气象部门第二届职工运动会。12月18日举办了纪念党的十一届三中全会20周年文艺演出。全区气象部门继续开展“外树形象，内强素质”的创建文明单位活动。林芝气象局被地区确定为地区级文明示范单位，地区气象台被授予“青年文明号”称号。山南地区贡嘎县气象局被县委授予文明单位。年底区局精神文明建设指导小组对区局两个文明示范单位昌都气象台和局办公室进行复查，挂牌确认。区气象学会、各地(市)气象学会利用“3.23”世界气象日和积极参加地方组织的“科普一条街”开展气象科普宣传。全年在各类报刊杂志发表文章280余篇。在1998年区直机关档案大检查中，局办公室档案室被评为先进集体。自治区气象学会被自治区科协评为年度先进集体，学会已连续8次获此荣誉。

援藏工作 7月下旬，中国气象局在成都召开了全国气象部门援藏工作经验交流会，全面总结了1994年以来的援藏工作，确定了今后援藏工作的方针、目标、任务。区局在会上汇报了1994年以来的受援工作情况。会后，第一批21名援藏干部圆满完成援藏任务，顺利返回单位。第二批援藏干部在接受赴藏前的教育后，踏上了援藏的征程。年内，日喀则、拉萨市、那曲等地区局召开了对口援藏协调会。

(拉 卓)

陕 西 省

概况 省气象局机关设：办公室、人事劳动处、计划财务处、业务发展处、科技教育处、科技产业与装备处、思想政治工作处(与直属机关党委合署办公)、监察审计处、离退休干部处；直属事业单位设：气象台、气象科学研究所、气候应用所(气象档案馆)、气象培训中心(气象学校)、气象技术装备中心、农业遥感信息中心(与农业气象中心合署办公)、气象信息中心、后勤服务中心；省人工影响天气领导小组办公室设在省气象局(对内称人工影响天气中心)，为正县(处)级事业单位。全省气象部门职工总人数1987人，其中干部1892人，工人95人；学历及职称构成：硕士研究生7人，大学本科242人，大专388人，中专812人；高级职称98(其中正研级4人)人，中级职称686人，初级职称860人。

3月11～14日，全省气象工作会议在西安召开，来自省、地、县各级气象部门的150余名代表参加了会议。会议审议通过了《陕西省气象局深化改革配套措施》。王寿森副省长到会讲话并向先进集体和先进个人代表颁发奖牌、奖状；4月1日，省政协常委、九三学社陕西省委副主任兼秘书长刘石民一行13人到省气象局指导工作，4月29～30日，全省业务工作会议在西安召开，会议明确继续开展基础业务质量年活动，抓好’98优质预报服务活动，省、地两级气象部门50余人参加了会议；9月4～6日，中国气象局副局长颜宏陪同由埃及、苏丹、叙利亚、突尼斯、也门、巴基斯坦、马其顿等国家气象局局长和世界气象组织秘书处代表组成的多国别考察团一行8人来陕西考察。

气候评价 全年的气候特点是：气温异常偏高，降水冬秋少、春夏多，冬旱、秋旱严重。春季降水偏多，3～4月气温适宜，夏粮丰收。7～8月多暴雨，但暴雨解除旱情，利大于弊。全年气候条件属较好年份，全省粮食总产、果品总产双创历史最高水平。

年内的主要气象灾害：干旱。从1997年春夏秋出现的干旱，持续到1998年3月才开始不同程度地得到缓解，少部分地区旱象在5月上旬末、中旬初才解除。严重干旱使渭北等地人畜饮水出现困难，农作物断垅死苗，灌区成本加大，对夏粮产量产生一定影响。

暴雨、连阴雨。暴雨出现得早，4月29日，7个气象站出现暴雨，其中6站早于历史最早暴雨日，米脂、子州、长武、彬县比历史最早暴雨日早25～30天。4月底至5月上中旬，出现连阴雨天气。全省全年共出现暴雨167站(次)，是1961年以来暴雨最多的3个年份之一，仅次于1983和1981年。全省97个气象站中的81个至少有一个暴雨日。7月4日起全省出现大范围连阴雨天气，7月7日，44个站降暴雨，8日31个站降暴雨，其中10个站降大暴雨，两天出现暴雨75站(次)，21个站连续两日暴雨，实属少见。汉中、商洛等部分地区短时期内多次出现暴雨，重复受灾，农田绝收，人民生命财产遭受重大损失。山阳、丹凤、商南部分山区灾情惨重。

暖冬、高温。冬季偏暖，季平均气温较常年偏高1℃～3℃。4月中下旬气温偏高，18～22日多数地区出现5天左右30℃以上的高温天气。9月1～14日，全省气温持续偏高，上旬旬平均气温陕北偏高4℃～7℃，关中偏高3℃～5℃，陕南偏高2℃～3℃。榆林9月4～10日连续7天，延安、吴旗9月4～9日连续6天最高气温高于历史同期极端最高气温。榆林、延安、宝鸡9月首次出现35℃以上高温天气。气温偏高有利于秋作物的生长，10～11月气温持续偏高，部分麦田出现旺长现象。

倒春寒：3月8～12日，部分地区遭受冻害。8日城固高坝乡遭受冻雨袭击，电力线路结冰，压断电杆、电线。3月18～25日，全省气温剧降，持续雨雪天气，大部地区连续3～5天最低气温低于0℃，关中、陕南部分小麦、油菜、弥猴桃受冻，砖瓦生产有一定损失。

雷雨、冰雹、大风、沙尘暴。春季雷雨、冰雹、大风多，小麦、油菜倒伏比较严重。4月14～16日，全省出现大范围沙尘暴、浮尘天气，对工农业生产和人民生活造成一定影响。

气象服务 针对本省冬春严重干旱，积极做好抗旱气象服务工作。省台的长期趋势预报和短期指导预报以及灾害发生地的短时预报和跟踪服务，都及时有效地为各级党政领导、防汛部门提供了准确的气象信息，配合防汛部门成功抵御了洪涝灾害，将灾害损失减少到最低限度。特别是在长江流域出现罕见的洪涝灾害过程中，省气象局主动为武汉气象中心提供陕南雨情、水情和预报，为长江抗洪抢险决策提供了依据。还为山东、河南提供雨情和预报，为黄河联防做了大量的工作；“三夏”期间，对两次主要降水过程和晴好天气时段作出准确预报，提出农业生产建议，全省“三夏”工作没有因气象灾害造成重大损失。

人工影响天气中心共计飞机人工增雨飞行13架(次)，累计飞行22小时，作业及影响面积近6万平方公里，西安等7个地(市)约60余县(区)受益。高炮防雹增雨作业1213炮次，耗弹4.118万发，火箭防雹增雨作业85箭次，耗火箭弹460枚，取得较好经济效益；气候应用所采用气候分析图表、气候分析诊断报告，省气象台、省农业遥感信息中心分别采用《重要天气报告》《送阅件》等形式多次向省领导和有关部门提供常规和专题气象服务信息；遥感中心的夏、秋粮产量预报、火警监测预报等为政府提供了重要的决策服务，夏、秋粮产量预报精确度达98%以上。

科技服务以信息服务为重点。省、地(市)、县(区)的“121”自动答询天气电话服务、电视天气广告，大大拓宽了气象服务领域。年内科技服务创可利用资金870万元。

气象业务与现代化建设 继续在全省范围内深入开展1998基础业务质量年活动，促进了基础业务质量的提高。地面测报错情率由1997年的0.4‰下降到0.2‰，报表错情率1.3‰，合格率达90%；探空6项指标全部达到中国气象局目标要求。其中探空和测风质量提高幅度较大，错情率分别由0.9‰和0.7‰下降到0.3‰。辐射和农气观测错情率分别为0.09‰、0.2‰，特别是农气测报质量由原来的落后省份跃居全国先进省份行列。

全省24小时一般性降雨预报准确率平均为68.4%；暴雨预报准确率平均为29.5%。

气象卫星综合应用业务系统(9210工程)软件安装已全部到位，并进入准业务运行；MICAPS预报平台在省气象台及各地(市)气象局投入使用；渭南、汉中、安康三地(市)711雷达数字化改造顺利完成并投入使用；省农业气象情报业务服务系统二期建设开始实施；着手组建陕西地县以分组数据交换网为信道的气象预报通信网等等。

省台开发的MOS预报系统投入试运行；省遥感中心开发的秋粮产量预报软件系统开始运行，特别是下半年开通的Lnternet遥感森林火情监测信息传输业务，改变了过去点对点图像传输速率低、质量难以保证等弊端，使遥感监测信息传输跨上了信息高速公路；气象预警系统增加了积温统计、干热风监测、暴雨图形显示等功能，优化了降水曲线、监测程序，使该系统得到进一步开发利用。

科研教育 年内省局投入科研经费20.5万元，开题52项，其中直接应用于业务的25项，农业气象适用技术研究9项，基础研究和软科学研究3项，产业与专项服务研究5项。争取省部级项目12项，总经费22万元。年内结题15项，完成鉴定3项，评审5项，验收7项。其中《棉花优质高产农业气象适用技术——多头整枝技术》《应用推广WR－1B火箭防雹增雨》两个项目由省政府有关部门主持鉴定，在省内产生较大影响，省内外多家媒体均予报道，年内共计评定科技进步奖4项，其中一等奖1项，二等奖1项，三等奖2项，推荐申报省部级科技进步奖4项，获三等奖2项。据不完全统计，全省全年共发表科技论文98篇，其中一级论文4篇(参加国际有关学术会议进行交流)，二级论文5篇，三级论文81篇，四级论文8篇。

年内选送研究生1人，大专生5人，中专生2人，定向生3人。在校生总计97人，其中研究生7人，本科生6人，大专生63人，中专生21人。年内共举办各类型培训班8期，培训人数190人次。

改革 年内各单位均不同程度地进行了机构和事业结构调整，从事基本业务和科技服务、综合经营人员各占50%，逐步形成基本业务、科技服务、综合经营协调发展的格局。

牢固树立市场经济意识，积极推行行政后勤物业化管理。省气象局先后改革了电话管理、车量管理、液化气供应、热水供应、洗澡管理等办法，使行政后勤管理逐步实行物业化。

综合经营 全省气象部门共有综合经营实体13个，从业人员449人。主要项目是服务业。年创收317.15万元，净利润201万元，比上年实际增长21%。

精神文明建设 通过抓“班子、队伍、作风”建设，把创建文明单位纳入工作目标，使创建工作任务、目标、责任逐一得到落实。截止年底，全省气象部门共有文明单位86个，其中地(市)级18个，县级68个，占应建总数的76.1%。年内受到表彰的先进集体62个(次)，先进个人376人(次)。省气象局被西安市莲湖区评为“文明单位”；省局直属机关党委被省直机关工委授予“先进基层党组织”。有3个基层工会被评为“先进职工之家”，7个基层工会为“合格职工之家”，省气象台工会被省总工会评为“模范职工小家”。离退休干部沈志平被评为西安市莲湖区“文明市民”，并被推荐参加西安市“文明市民”评选。

年内省气象局新建职工住宅365套，共计3.295万平方米。以省局气象综合科技楼为主的业务、办公用房在建项目1.945万平方米。用于迁站、购车、征地、解决水、电、路等基础设施的在建项目总投资440.4万元。 (苏玲芬)

甘 肃 省

概况 省气象局机关设：办公室(政策法规处)、业务发展处、科技教育处、计划财务处、人事劳动处、装备与科技产业处、监察审计处(与党组纪检组合署办公)、离退休干部处、机关党委(与思想政治工作处合署办公)，兰州区域气象中心协调办公室(挂靠业务处)、省局人才交流中心(挂靠人事劳动处)。省局直属单位设：兰州中心气象台、气象通信台(兰州气象通信台)、气象科学研究所(兰州干旱气象研究所)、气候资料中心(气象档案馆)、农业遥感信息中心(兰州卫星遥感中心)、气象技术装备中心、气象局后勤服务中心(甘肃省气象局行政管理处)、兰州气象学校(气象培训中心)、人工影响天气办公室(省政府挂靠单位)、气象学会秘书处(挂靠局办公室)。防雷中心(挂靠气象科学研究所)。全省气象职工2341人，其中省局机关73人，事业单位2268人；事业单位干部2054人，工人214人。学历结构：研究生15人，大学235人，大专401人，中专1082人。职称结构：高级技术人员72人(含正研级高工2人)，中级技术人员591人，初级技术人员1296人。

1月28日，省委书记阎海旺，省人大主任卢克俭，省委常委、秘书长仲兆隆，省委常委、兰州市委书记陆浩等省、市党政领导来省局拜年，慰问气象职工。2月16日，甘肃省气象学会第8届会员代表大会在兰州召开，选举产生了甘肃省气象学会第8届理事会。2月17～19日，全省气象局长会议在兰州召开，传达了全国气象局长会议精神，总结了1997年的工作，部署了1998年的工作任务，与各地、市、州局签订了1998年目标任务书。副省长贠小苏到会看望代表并作了讲话。3月18日，国家重中之重课题95—908—05—03专题—《西北地区干旱预测系统研究》第二次工作研讨会在甘肃天水市召开。4月7日，省人事厅批复，省气象局机关按《国家公务员暂行条例》全面实行国家公务员制度。5月29日，省政府办公厅下发了《关于加快发展地方气象事业的通知》。6月18日，省人大环资委和省政府法制局领导来省气象局考察工作，了解《甘肃省气象条例》的起草工作情况。6月～10月期间，省人大环资委领导和省法制局的同志先后赴全省12个地(市、州)、25个县(市)进行《甘肃省气象条例》的调研论证工作。7月14～16日，中国气象局副局长马鹤年来甘肃调研气象工作并作了“关于气象事业新型结构问题的思考”的报告；副省长贠小苏会见了马副局长，并就近年来全省气象服务、人工影响天气、气候资源开发利用等交换了意见。9月21～23日，第三届全国部分省会城市气象局长会议在兰州召开，来自12个城市的代表，围绕加强技术交流与合作、共同发展气象事业交流了工作经验，探讨了改革与发展思路。9月29日，副省长贠小苏率省扶贫办、水利厅的领导视察了改造后投入使用的省级业务服务一体化值班室和影视制作中心等。10月1日，省级有主持人电视天气预报节目正式开播。

气候评价 全省年平均气温偏高；年降水量大部地区正常略偏少；年日照时数均正常。

气温：冬季，全省大部地区气温偏高0.5℃～2.7℃，是近40年中第5或第6个偏高年份；春季，各地偏高1.0℃～2.7℃；夏季，省内大部地区偏高0.5℃～1.8℃；秋季，普遍偏高1.1℃～3.3℃，春、夏、秋大部分地方为近40年来最高值。其中4月偏高幅度最大，达2.7℃～4.7℃，属异常高温。

降水：冬季，河西和甘南州降水偏多2成至1倍，其余地方偏少2～8成；春季，河西西部偏少6成左右，陇南南部正常，其余地方偏多5成至1.5倍；夏季，陇中西北部、陇南东南部偏多3～5成，陇中东部和陇南北部偏少2～4成，其余地方正常；秋季，降水明显偏少，大部分地方偏少5～9成。年内，3月、4月、5月、7月全省大部分地方偏多，2月、6月、9月、11月偏少，11月偏少8成至1倍。

年内，主要气象灾害有干旱、冰雹和暴雨洪涝等。

干旱：初夏旱、伏旱、秋旱明显。初夏6月，在河西西部和陇中部分地区出现干热风，致使正值乳熟期的春小麦出现高温"逼熟"现象，使有些地方夏粮减产。8月出现了轻度伏旱。对大秋作物的正常生长造成一定程度的影响。9～11月全省大部地区土壤失墒较多，秋旱明显。此时正是大秋作物灌浆黄熟期，水分不足，影响正常灌浆，对秋粮的丰收不利。据不完全统计，全省有55个县(市)不同程度受灾，农作物受灾总面积为16.115万公顷，成灾2.977万公顷。与近5年相比，1998年是受旱灾影响较轻年份。

冰雹：5月中旬至9月上旬，全省共出现冰雹约61(日)次，有53个县(市)、138个乡(镇)受灾。雹灾危害较重的有12次，降雹时间主要集中在6月下旬。全省农作物受灾面积约7.06万公顷，绝收面积1.299万公顷。6月24日降雹范围最广、危害程度最重，共有15个县(市)受灾。与常年相比，年内冰雹危害程度属较轻年份。

暴雨洪涝：5月下旬至8月下旬，全省局地共降暴雨66次(日)，暴雨主要集中在7月中旬至8月中旬，玉门镇、古浪、永昌、武山、成县、康县等县受灾较重，经济损失均在1000万元以上。据不完全统计，全省共有49个县(市)、142个乡(镇)遭受暴雨洪涝危害，农作物受灾面积4.436万公顷，绝收0.696万公顷，损坏房屋5320间，倒塌房屋2757间，损坏公路1206.25公里，桥48座，涵洞45孔，死亡30人，死亡牲畜6634(头)只，损失粮食2060.559万公斤。

年内气候条件对农业生产属偏好年景，粮食产量创历史最高水平。有利的条件是：气温偏高，热量条件充足，满足了作物生育期各个阶段热量条件的需求；光照适宜，有利于作物干物质的形成；降水量基本正常略偏少，但较适时，有利于作物的生长。不利的条件是：冬小麦播种期墒情差；初夏旱明显，造成部分地区春小麦高温逼熟、青秕现象；秋旱明显，影响大秋作物的正常生长和冬小麦播种出苗；局地冰雹、暴雨洪涝成灾。

气象服务　进入汛期，省气象局增加了向省领导和有关部门提供的"全省雨情旬(月)报"、"全省气象灾情月报"等材料。汛期内，省局领导共向省政府领导汇报天气情况10多次。兰州中心气象台加强了年度趋势预报和补充预报。全年共出现各种主要天气过程35次，基本无漏报。与中央台、邻近省(区)台和地区会商天气218次。8月19～20日，陇南出现大暴雨，省、地、县三级预报准确，服务及时。各地(市、州)台一般性降水平均准确率，本地在53.2%～70.9%之间，区域在45.9%～64.7%之间，城市电视天气预报准确率在45.3%～64.3%之间。各级台站及时向当地政府提供了墒情、旱情、雨情等服务。卫星遥感全年共监测火情287次，发现火情28次，经核实无一漏测。年内向中国气象局、省政府提供全省冬春小麦、玉米和全年粮食的年景、趋势和单、总产预报10次。

从3月初到9月底，共进行飞机人工增雨作业28架次，覆盖了全省张掖以东11个地(市、州)的51个县(市、区)，受益面积达14.5万平方公里，作业成功率在95%以上。年内新设高炮点4个，新设WR－1B型火箭点2处。开展高炮防雹、火箭增雨作业1160点(次)，耗弹3.4万余发，用WR－1B型火箭作业36次，发射火箭98枚，用BR－3型焰弹进行增雪作业16点次，燃放焰弹1000多枚。减轻了冰雹灾害的程度。

围绕举办"兰交会"、"崆峒旅游商贸会"、"中国酒泉.敦煌招商会"、109和312国道建设等重大项目开展了气象服务。按照中国气象局"协作总方案"和各级政府的要求进行了陕、甘、宁气象科技扶贫协作和定点扶贫工作。有1名同志被省政府授予农业科技推广优秀工作者称号。

气象科技服务收入比1997年增长25%。专业有偿服务等常规项目保持增长，"121"气象信息电话答询服务、电视天气预报制作和防雷工作成为新的增长点。其中"121"气象信息电话答询系统县站开通率为100%，地区气象局开通率为92%，创收额比1997年增长4倍。成立了甘肃省气象信息服务中心。

气象业务与现代化建设　气象卫星综合应用业务系统(9210工程)实现准业务化运行。建成了地

(市、州)局 VSAT 站和计算机网络,天气预报人机交互系统和程控交换机的安装调试工作基本完成。完成了省级系统 SYBASE 数据库和业务应用软件安装调试,对省地计算机广域网进行了改造。全省 95%的县站建立了远程终端。完成了皋兰山 713 雷达的扩频工程建设,按规定实现了雷达资料的实时传输。榆中自动站布点安装调试完毕,开始试运行。人工影响天气作业指挥系统进一步完善。天水、平凉、庆阳三地市实现了网络传输地面气象资料。省气象局办公自动化得到进一步完善。

制定了《甘肃省气象现代化建设项目管理办法(试行)》。兰州区域气象中心二期工程建设基本完成。对省级业务服务值班室进行了一体化改造。加强了数值预报及其产品的开发应用,有 80 个站的 24～96 小时暖季分县预报产品可以从网上发至省局局域网,供省、地(区)台预报员调用。

对测报人员进行了资格培训和考核、考试工作;实行了业务检查员制度;推行了中国气象局《气象测报业务质量综合考核评审办法》。测报质量稳中有升,高空 6 项业务指标全部达到中国气象局规定的指标。有 20 人次达到 250 班无错情,156 人次达到百班无错情。通信数据传输及时率和全球交换资料及时率均达 99%以上。五类常规资料连续 13 年及时上报。参加并完成了淮河流域能量与水循环试验外场作业甘肃部分的加密观测任务。1 个单位、2 名个人被中国气象局评为全国“防汛抗洪气象服务先进集体”和“防汛抗洪气象服务先进个人”。

科研教育　国家重中之重项目 95－908－05－03 专题—《西北地区干旱预测系统研究》部分研究成果投入业务试用。对历年 104 项科研课题进展情况进行督促检查。已完成结转鉴定评审 29 项。年内新上科研项目 27 项,其中省气象局下达 19 项,中国气象局下达 4 项,甘肃省下达 4 项。评出 1998 年度省局科技进步奖 25 项。全年获省部级奖励 5 项,其中《中国西北地区干旱气候成因、预测和对策研究》获中国气象局科技进步二等奖,《甘肃省旱作农业区土壤水库贮水规律及其监测应用研究》《西北地区沙尘暴研究》(为协作单位)获中国气象局科技进步三等奖;《LG－1 型大型称重式蒸渗计的改进及其推广应用》获省科技进步二等奖,《黄土高原旱作小麦－玉米地膜带田一膜两用节水调水试验示范》获省农业技术推广三等奖。兰州区域气象中心开放实验室工作重点由启动转向进一步发挥功能和效益阶段。青年科技开发基金支持 18 人开展科研学习工作。

制定了《甘肃省气象职工教育管理办法》。省局举办各类短训班 13 期,参加培训 334 次。通过考试,选送 27 名职工赴有关院校进修学习,其中硕士 3 人,大专生 16 人,中专生 8 人。外语进修 1 人。兰州气象学校实现招生并轨。

外事　年内,哈萨克斯坦气象代表团一行 2 人和埃及、苏丹、叙利亚、也门、巴基斯坦、马其顿 6 国气象局长或副局长及世界气象组织代表一行 7 人,在甘肃进行了考察交流。台湾大学教授吴进明应邀在省局作了学术报告。1 人出访亚美尼亚共和国。1 人参加了在以色列举办的农气培训班。

改革　省气象局调整充实了事业结构调整领导小组,制定并实施了《甘肃省气象事业结构战略性调整实施方案(1998－2000 年)》。9 月中旬,在省气象局进行了事业结构调整,成立了“甘肃省气象中心”;组建了省局物业管理中心;将原科研所增雨室并入人影办归口管理。省气象局下发了《甘肃省气象部门事业机构岗位设置暂定方案》和《甘肃省气象事业结构战略性调整阶段人事管理若干规定》。对基本气象系统重新定编、定岗、定员,对现有富裕人员分流转岗。省局对部分处级干部岗位进行了公开选拔,普遍实行了竞争上岗。

综合经营　全省气象部门从事综合经营人员 400 人,其中气象职工 287 人。全省气象部门共有 9 个企业,比上一年减少 8 个,其中科技开发类 6 个,商品流通类 1 个,旅游服务类 2 个。共有非企业 27 个,比上一年减少 11 个,其中科技开发类 2 个,工业类 2 个,服务业 22 个,养殖业 1 个。

在全省气象部门内开展了清产核资、产权界定、清理规范气象部门企业实体工作,对不符合规定条件,小、低、散或无效益的实体,采取了与气象部门脱钩、停办、改制或注销的办法予以妥善解决。全省企业实现营业收入 373.66 万元,其中税金 21.18 万元,利润 52.65 万元;非企业经营收入总额 130.05 万元,其中税金 0.913 万元,纯收入 94.55 万元。

精神文明建设　省气象局党组下发了《关于在全省气象部门深入学习邓小平理论的通知》和《关于深入学习党的十五届三中全会精神的通知》,省、地局领导干部中心学习组制订了学习、考核制度,年终对省局中心学习组成员进行了抽查考核。组织干部职工参加了地方组织的各种学习会、演唱会、报告会。省局举行了纪念十一届三中全会召开 20 周年座谈会。

目前,全省气象部门有51个局(站)获县级文明单位,6个局(站)获地级文明单位,占全省局站总数的68.7%。有16个县局(站)、36个科(股)、53名同志被授予甘肃省气象部门1995~1997年度双文明建设先进单位、集体和个人称号。有11个县局(站)被命名为“三优一文明”(优质服务、优良作风、优美环境和文明单位)单位。省局党组书记、局长谢金南同志获“全国重视老龄工作功勋奖”。参加省农口组织的春节联欢,获组织二等奖;参加全省双拥杯乒乓球赛,获得小组第二名。向洪涝灾区捐款4.8万元。

省气象局在扶贫村建成小学教室90平方米,捐赠课桌20套,学习用具1000余件。扶贫工作的主要成绩在当地报刊和电视台做了宣传报道。

对全省气象部门22个处级领导班子进行了换届或调整,占全省处级班子的66.7%。提任处级干部14人,平均年龄39.6岁,年龄在35岁以下的5人。对7个地(市、州)局和12个县站职工思想动态和实际工作情况进行了调查研究。 (朱立明)

青 海 省

概况 省气象局机关设:办公室、人事劳动处、计划财务处、业务发展处、科技教育处、装备与科技产业处、思想政治工作处(与直属机关党委合署办公)、监察审计处(与党组纪检组合署办公)、离退休干部处。省局直属单位有:省气象台、省气象通信台、省气候资料中心、省气象科学研究所(与原省气象培训中心合并)、省气象技术装备中心、省人工影响天气办公室、中国大气本底基准观象台、省气象局后勤服务中心(行政管理处)。全省气象部门在职人员总数1491人,其中干部1377人,工人114人。在职职工中研究生5人,大学本科165人,大学专科302人,中专760人。具有高级技术职称的28人,中级技术职称的427人,初级职称的830人。

1月6日,省局党组印发深化改革的12条实施意见。1月14日、22日,省局副局长阳燮分别当选为政协青海省第八届常务委员会委员和政协第九届全国委员会委员。3月5~7日,全省气象局长会议在西宁召开,提出1998年工作的基本思路是“解放思想,深化改革,突出重点,加快发展,提高效益”,副省长刘光和到会讲话,要求气象部门继续以农牧业为重点,为政府指导生产提供全程化、系列化服务。5月4日,省政府办公厅发出《关于加快发展地方气象事业的通知》,明确了发展青海地方气象事业的主要任务,并对建立和完善相应的地方气象事业投入体制提出要求。7月12日,省长白恩培在果洛久治县和甘肃玛曲县看望黄河上游人工增雨作业人员,要求进一步扩大黄河上游人工增雨区域,延长作业时间。8月31日,副省长王汉民和省政府副秘书长曹文虎到省气象局检查指导工作,要求进一步加强气象科学研究,为保护长江、黄河上游生态环境提供科学依据。10月19~22日,全省气象局长研讨会在西宁举行,会议围绕全省气象部门改革和发展中出现的新问题,提出了加大改革力度,积极推进气象事业结构战略性调整的指导思想和对策。12月8日,省政协主席韩应选、副主席王孝榆及部分省政协委员到省气象局视察工作,要求进一步加大气象科技含量,抓好人工影响天气工作,特别是黄河上游人工增雨工作。年终,省气象局被中国气象局评为全国目标任务优秀达标单位。

气候评价 1998年总的气候特点是:气温偏高,春夏多雨,秋冬干旱。冬季:全省气温呈南低北高分布,青南高原偏低1℃~2℃,柴达木盆地、西宁和环湖地区偏高2℃~3℃,其中,2月份柴达木盆地和环湖地区比历年偏高3.5℃,是有资料以来该月气温偏高幅度最大的一年;降水量南多北少,青南局部发生雪灾。雪灾使部分地区交通中断。春季:气温明显偏高,农业区气温偏高1℃~3℃,4月份偏高3℃~5℃,4月26日、27日全省大部分地区日极端最高气温突破历史记录,且比历史极值高1℃~6℃。是1994年之后4月份出现的又一次异常高温;降水量偏多3~9成,土壤墒情好,粮油作物播种期提前3~10天,牧草返青提前10天。夏季:全省气温持续偏高1~2℃;降水日数较多,降水量不大,分布不均,局地出现强对流天气。农业区降水适量,对作物抽穗和开花有利;牧业区玉树、海南等地干旱少雨,牧草抽穗开花受到影响,部分地方牧草出现干枯死亡现象。秋季:气温继续偏高1℃~2℃,降水量偏少,且呈西多东少的空间分布。气温偏高,有利于东部农业区收割打碾和牧区牧草籽粒灌浆,牧草青草期延长。

综观全年气候条件,对农牧业生产是利大于弊的一年。

重大天气气候事件:雪灾。1~3月,玉树、果洛两州连续降雪，持续低温，出现雪灾。两州受灾面积共13.58万平方公里，数千人患雪盲或被冻伤，死亡牲畜11.7万头(只)。

霜冻。5月16～25日，贵南、德令哈等地遭受霜冻，5400公顷农作物不同程度受害。6月2日，互助县部分乡遭受霜冻，成灾面积8248公顷。

虫害。入春以来由于气温异常偏高，虫害出现时间比往年提前20天，全省食叶类害虫发生面积3.3万公顷，其中民和、乐都县8200公顷榆树遭害虫侵食，被害株率80%以上，最大虫口密度每株达400只。6月中旬以后，环湖地区和玉树、果洛、黄南州草场发生毛虫、蝗虫灾害，受灾草场面积86.7万公顷，其中环湖地区蝗虫虫口密度每平方米82只，毛虫虫口密度每平方米136只，受灾草场每公顷减产鲜草20%～80%。气温持续偏高使全省草原林区火险等级提高，但使砖瓦生产期和建筑施工期延长一个月。

暴雨、冰雹。6月14日，暴雨冰雪天气使267公顷农田、55公里公路被毁。6月15日，湟源县发生洪灾、泥石流，4个乡受灾，4人死亡，3.72万株林木被毁，农作物成灾面积3968.4公顷，47头(只)牲畜被洪水冲走。7月26～30日，湟源县连续遭受冰雹袭击，农作物成灾面积5147.8公顷，其中100公顷绝收。

气象服务 全省各级气象台站以决策服务为重点，做到重大灾害性、关键性、转折性天气预报基本准确，服务及时。1～3月，青南部分地区发生雪灾，省气象台提前作出较准确的预报；雪灾发生期间，省卫星遥感中心及时提供监测信息和雪情报告30期，为政府部门组织抗灾提供了决策依据。汛期全省共出现21次强降水天气过程，24小时降水预报准确率平均达到75%。省气象台全年发布《重要天气》16期，《雨情公报》88期，向省委、省政府专题汇报12次。3月17日～5月30日，在东部农业区、环湖地区5万平方公里区域内开展飞机人工增雨作业，人工防雹共投入高炮117门，控制面积360万亩。4月21日～5月30日和6月1日～9月20日，在黄河上游的青海久治—甘肃玛曲—四川若尔盖—青海河南段的“U”形流域内，分别开展飞机人工增雨和地面人工增雨作业，秋季在黄河上游还首次开展飞机人工增雨作业。春、夏、秋3季中，在黄河上游开展了人工增雨的流域内，增加径流量约4.7亿立方米。

省气象台和7个州地市局、14个县局(站)已开通“121”气象信息答询系统；4个州地市局建成电视天气预报节目制作系统；省局和8个州地市局开展了微机培训、防雷防静电安全检测服务；年内建成省气象警报寻呼台；省气象台在原有的4个168信箱的基础上增设6个信箱，开通了气象专家热线电话，开展了城市、旅游景点和节假日气象服务。从事专业有偿服务的专职人员88人，签定专业服务合同136份。全省科技服务收入比1997年增长28.1%。

气象业务与现代化建设 气象卫星综合应用业务系统(9210工程)省级站全面建成，实现了计算机网络系统与原业务网络之间的互联和软硬件资源共享。州级9210工程卫星通信VSAT小站建成通过验收，制定了岗位职责，实行了持证上岗制度。省气象台和海南州气象台711型天气雷达的更新改造全面完成，汛期投入业务运行。建成省气象局到省政府的远程终端，提高了决策服务能力。组建了以防汛抗旱、防灾减灾、人工影响天气作业、气象信息、商业服务为一体的气象警报寻呼台，开通省广播电台藏语台牧区灾害性天气预警报，气象信息的传递手段大大改善，提高了传递时效。建成格尔木市电视天气预报制作系统。单边带数据网改造启动，年内完成12部单边带电台和5部终端机的改造。

基本气象业务系统的管理进一步加强，业务质量保持稳定。对全省15个国家基本站、4个高空站的业务进行全面检查。积极开展测报业务技术竞赛，年内验收通过250班无错情8人次，100班无错情94人次。测报岗位完成上岗考试、考核，完善了规章制度和考核办法，全面实行上岗证制度。改革预报业务技术体制，省气象台和各州(地、市)气象台均以MICAPS平台制作预报，建立了业务流程。年内海东地区气象局和海南州气象局获全国防汛抗洪气象服务先进集体称号，1人获先进个人称号。

科研教育 深化科技体制改革，大力开展应用性科研成果的业务化工作。年内在研的省部级课题11项，新上省部级课题3项，科研经费总投入比1997年增长41%。完成课题评审10项，科研成果登记8项。1个科研项目获省部级科技进步二等奖。2件作品分获第五届全国气象科普作品优秀气象科普书籍二等奖和优秀气象科普文章三等奖。3篇气象科技论文分获省自然科学优秀学术论文二、三、四等奖。7项科研项目获省局科技进步奖。

气象教育采取对学科带头人、管理骨干和各项业务骨干加快培训的办法，选送硕士研究生1名，在职大专生4名。协助气象院校招收本科生13人、中专生2人。干部培训工作向高层次、外向型拓展，举办各类培训班5期，3人参加省委党校政治理论培训。承担的青藏高原第二次科学试验任务圆满完成。

改革 从基本业务、科技产业、科研教育、事业经费、后勤服务5个方面提出了12条深化改革实施意见。制定了《青海省基本气象系统岗位设置实施细则》，对基本业务岗位进行"定岗、定编、定员"，全省设置基本气象业务岗位959个，并对人员转岗分流作出了具体规定。撤销察尔汉、香日德两个一般站，将同德站的基本站任务调整到贵南站，同德站只保留一般站任务。将省气象培训中心并入省气象科学研究所，并入后工作任务不变，对外保留培训中心牌子。以省气象台和科研所为改革试点单位，对基本业务运行机制、拨款方式和分配方式进行了改革，引入竞争机制，调动了业务人员的积极性。继续推行目标管理、分级管理、归口管理、分类管理、规范化管理等5种管理方法，完善了气象管理法规体系。西宁地区及部分台站的职工参加了当地的医疗制度改革。

对青云科贸有限责任公司、气象广告有限责任公司、省气象警报寻呼台进行改革，职员工资全部进入企业成本，实行以基本工资、岗位工资、效益工资组成的企业工资制度，建立了新的运行机制。对全省气象部门科技服务实体和企业进行整顿，规范了企业的投资和收益机制。通信台微机学校和科研所微机学校在资本、人才、技术等方面实现了联合，增强了竞争能力。

省级和部分州、县政府支持专项经费1105.6万元（其中省级1067.1万元），比1997年增长45.66%，重点支持了黄河上游和东部农业区人工增雨、人工防雹工作。

综合经营 加强了综合经营管理工作，对全省气象部门综合经营企业实行向有限责任公司或股份合作制企业的转制，对不能转制的进行注销。年内5个企业完成转制，4个企业注销。有70%的单位建立了产业发展专项基金，进一步规范了企业资本金。全省气象部门现有企业12个，从业人员124人，主要经营项目有房地产租赁、技术培训、计算机技术开发、啤酒销售等，综合经营收入比1997年增长17.5%。

精神文明建设 各级气象部门深入开展邓小平理论、十五大和十五届三中全会精神的学习和宣传教育活动，局党组发出《关于认真学习贯彻中共中央关于在全党深入学习邓小平理论的通知》，邀请省委党校教授讲课8次，组织处级干部交流学习体会60多人次。

省局领导深入基层台站20次120多天，对台站业务技术体制改革、人员转岗分流、产业发展、基础设施建设以及职工工作生活当中存在的突出问题进行实地调查，广泛征求群众意见。制定了《青海省气象局处级干部管理工作实施办法》，重建后备干部档案，促进了干部管理的规范化。贯彻落实中央制止奢侈浪费"八条规定"，清理通信工具，将不符合规定的电话过户给个人。继续开展处级干部离任审计工作，增强了干部廉洁自律的自觉性。

完成省局、海北、海西州局业务楼和格尔木、海西、海东局住宅楼及果洛、玉树州局西宁生活基地建设，启动海西、海北、格尔木、黄南、海南5个州市局西宁生活基地建设，成立8个州（地、市）局驻西宁办事处。多渠道筹集资金200多万元，兑现了三、四、五类台站职工的艰苦边远地区津贴，清欠离休干部和医改前部分退休干部的医疗费及合同制职工个人垫付的"两金"。广泛开展"塑造新时期共产党员形象工程"和创建文明单位、文明科室活动，新增文明单位13个，其中地市级4个，县级9个，海东地区气象局建成地级文明行业。开展专题讲座、知识竞赛、歌咏比赛等文体活动，邀请记者采访100多人次，在报刊发表稿件260多篇，推动了精神文明建设。

（袁兆森）

宁夏回族自治区

概况 6月12日，中国气象局党组任命夏普明为自治区气象局党组副书记，主持工作；免去马占山同志自治区气象局局长、党组书记职务，调宁夏回族自治区纪律检查委员会工作。8月14日，中国气象局党组任命陈占林为区气象局副局长，免去吴峻副局长、党组成员职务，调海南省气象局工作。区局机关设：办公室、业务发展处、人事劳动处、计划财务处、监察审计处；直属事业单位设：区气象台、气象科研所、后勤服务中心、气象技术装备中心、气候中心、培训中心（科级）。

全区气象职工总数851人，其中大专以上学历321人，中专361人。具备高级职称38人，中级职称277人，初级职称382人。

1月19日，自治区人民政府副主席周生贤冒着风雪严寒到六盘山慰问气象站职工。4月6日春雨初歇，自治区党委书记毛如柏专程到区气象台天气预报会商室了解雨量及土壤墒情。

9月17日，在银川隆重举行自治区气象局成立40周年庆典活动，自治区政协主席马思忠、自治区人大副主任黄超雄、自治区党委常委王正伟到会祝贺。自治区党委副书记任启兴到会并讲话。当天下午，自治区党委书记毛如柏专程来局看望气象部门及外省区的代表，并与大家合影留念。

12月31日，自治区党委、政府正式命名宁夏气象部门为自治区首批文明行业。

气候评价 1998年气候特征是：全年气温明显偏高，部分地区年均气温达到有气象记录以来最高值；年降水量大部分地区正常，但时间分布不均，春季偏多，秋冬两季显著偏少；日照时数接近常年值。综观全年，气候对农业的影响利多弊少，属于好年景。

主要气候要素的时空分布：全区年平均气温为6.6℃～10.7℃，较常年偏高1.4℃～2.1℃。月平均气温较常年高2.0℃～4.8℃。7～8月，除固原地区外，其它各地均出现1～10天最高气温高于35℃的高温天气，为历年罕见。年降水量为175～602毫米。同心县以北除永宁、灵武外，其它各地较常年偏多148%～403%；同心以南各地较常年偏少54%～175%。灌区3月、5月、7月和10月降水明显偏多。11月，全区各地基本上无降水。全年日照时数为2450～3053小时，与常年相比，银川以北地区及同心、海原偏少，其它各地偏多。全区大风数2～44天，石炭井、陶乐、中卫、中宁、西吉、隆德偏多1～7天，其它各地偏少2～19天。

年内主要气象灾害为洪涝和雹灾。5月20日，全区大部分地区出现中到大雨，局地暴雨。其中贺兰山苏峪口6小时内降雨量达167.8毫米，该日08时至次日08时，陶乐降水80.4毫米，同心59.1毫米，兴仁42.3毫米，均出现了历史同期日降水量的极值。这次过程致使贺兰山东麓山洪暴发，最大洪峰流量每秒440立方米。造成严重的洪涝灾害。贺兰、青铜峡、中卫、同心、陶乐、平罗、彭阳、海原9个县市的12个乡镇、40多个行政村、9个农场以及宁夏“华西村”不同程度地遭受洪水袭击。受灾15万人，死亡9人，被洪水围困人口达6100人。倒塌民房4500余间，造成危房12300间，有4000多人无家可归。死亡牲畜1万多头(只)。农作物受灾面积40多万亩，成灾33万亩，其中绝产10万多亩。洪水还冲毁部分道路、水利、电力和通讯设施；贺兰山东麓西干渠决口14处，长达1500多米；二农场渠决口44处，长达1630多米。贺兰县金山滞洪区决口5处，以及冲毁渡槽、桥涵、码头等建筑设施近1000座，3000多眼水窑(井)报废，6座扬水泵站被毁。据政府公布的数字，这次洪灾造成经济损失3.2亿元。7月4～5日，灵武、盐池、固原等地降大到暴雨，磁窑堡过程降水量达78.0毫米，部分地区出现山洪，其中灵武受灾最为严重，该市马家滩镇、大泉乡、郭桥乡1万亩水稻被淹，排水受阻；冲毁砖坯10万块，农田400亩，护岸码头40余处，还导致大量小麦发芽变霉，经济损失500万元。6月9日，泾源县出现冰雹天气，致使6个乡镇35个村受灾，其中重灾村15个。冰雹最大直经4～5厘米，农作物受灾10万多亩，成灾7万余亩，绝产5000多亩。7月30日海原县3个乡遭受暴雨、冰雹袭击，共造成5万亩农作物受灾，其中绝产2.6万亩，死亡牲畜共160余头(只)，造成直接经济损失770万元。

1998年气象要素的匹配对山川农作物生长发育很有利，特别是宁南山区，在作物生长发育的关键季节，雨水充沛，热量充足，是粮食实现“山川同丰”的关键原因。全区粮食总产29.49亿公斤，比1996年增产3.7亿公斤。

气象服务 按照全国防汛气象服务电话会议要求，全区各级气象部门做到了思想、组织、技术装备、后勤保障、责任五到位。石嘴山市局较为准确地预报出“5・20”、“6・11”两次暴雨过程，并跟踪服务受到当地党政领导的高度评价和中国气象局的表彰。区台对“6・11”、“7・4”及“三夏”期间的几场强降水过程作出了准确预报，受到自治区党政领导及防汛等部门的称赞，有1名同志获全国汛期气象服务先进个人。

年初各台站对春播适宜期以及3月7～10日全区性的连阴雨过程，作出准确预报，并有针对性地提出一些农业生产建议和减灾措施，大大减轻了川区因春潮过大和降水天气给春播生产带来的不利影响。

在自治区40年大庆等一系列的庆典活动中，气象部门均提供了优质服务，赢得了自治区党政军领导和社会各界的广泛赞誉。武警宁夏总队、石嘴山市政府、吴忠市政府和自治区40年大庆办公室分别为气象部门请功；中共银川市委、市政府为气象部门颁发了奖牌；固原地区局和海原等4个县局的气象服务，也分别受到当地党政机关和人民群众的好评。

9月，区台电视天气预报节目主持人正式走上屏幕。

气象业务与现代化建设 气象卫星综合应用系统(9210工程)实现准业务运行。完成了省级VSAT次站和3个地级小站的硬件配置、安装与调试，提前进行并完成了与之配套的应用软件的开发、优化和人员培训。计算机新网络建成，并与原有网络对接，实现了资源共享。

8月，区地短期和区台中期天气预报业务系统实现了MICAPS人机交互系统工作平台的顺利切换。制定了《天气预报业务规定实施细则》等一系列的管理办法，提出了加快天气预报业务技术体制改革的具体措施。区台陆续完成了分县要素和灾害性天气落区指导预报的系统改进及地区台微机版工作平台系统的升级换代，建立了人机交互系统新的业务流程；还对传统的预报方法进行了客观化改造，开发研制了以释用数值预报产品为基础，综合应用天气、动力分析统计以及经验预报手段制作逐日滚动的中期预报新业务系统，使全区天气预报业务逐步向客观化、定量化、自动化方向迈进，并已在实际业务运行中发挥了作用。

年内重点抓了业务规章制度和工作流程的修订和完善，并严格加强管理和岗位培训，积极推进业务岗位持证上岗制度。全区所有业务岗位的工作人员都分期分批参加了培训考试，择优上岗。全区基本业务质量创历史最好成绩。地面测报错情率0.2‰，高空探测6项指标全部达标。有62人次获各类百班无错情和业务单项奖。4个地(市)局和3个直属单位获优秀达标单位。区局获中国气象局1998年目标任务优秀达标单位。

科研教育 区局气象科研所被中国气象局列为科技体制改革首批试点单位；成立了宁夏气象防灾减灾重点实验室，与自治区科委实行共建共管。年内争取外向型科研与智力引进项目4项，外向型科研经费比上年增长了21.8%。共开展科研项目54项，其中4项分获自治区科技进步二、三等奖，1项获中国气象局二等奖。年内，先后来宁讲学和进行学术交流的国外、区外专家、学者16人。

年内送培研究生1人，专科3人。各类在职培训400余人(次)。

改革 制定下发了《宁夏回族自治区气象部门事业结构战略性调整实施意见》、《待岗人员管理暂行办法》、《基本气象业务上岗聘任办法》(试行)，为全区气象部门的全面改革奠定了坚实的基础。

职工住房制度的改革，按照自治区人民政府的统一部署绝大多数单位按要求年底前办完了售房手续。

综合经营 局属企业华云公司年营业收入240万元，为效益最好的一年。各企业推行成本核算，建立了产业发展专项资金，企业规范资本金管理的比重达83%。全区注册的企业有17个，经营项目50余项，从业人员约占总人数的12%。全区气象科技产业纯收入260万元，比上年增长16.1%。

年内，自治区物价、财政部门批准上调了部分气象信息服务收费标准，使全区的专业有偿服务和科技产业收入大幅度增加。全区有9个区(市)县气象局开展了电视天气预报广告服务，11个地(市)县局开通了天气预报自动答询电话。吴忠市气象局科技产业增幅最大，比上年增长29.4%。

精神文明建设 围绕文明行业的创建以及自治区和区气象局成立40周年大庆，加大宣传力度。在省部级报刊等新闻媒体刊登文章近百篇；拍摄专题片4部，并通过气象成就展览，广泛宣传40年来特别是党的十一届三中全会以来气象事业取得的巨大成就。年内，区局机关党委再次荣获自治区先进基层党组织称号。有4个单位跨入文明单位行列，6个单位升格为地(市)级文明单位，文明单位达到单位总数的95%以上，其中地(市)级以上文明单位达到了60%。12月31日，自治区党委、政府正式命名宁夏气象部门为自治区首批文明行业。 (郑又兵)

新疆维吾尔自治区

概况 1月4日，中国气象局调整区局领导班子，徐羹慧任区局党组书记、局长，史玉光、于新文任党组成员。6月25日，中国气象局党组再次调整自治区气象局领导班子：陈栋喜兼任自治区气象局党组纪检组组长，史玉光、于新文分别任自治区气象局副局长，免去王宏杰自治区气象局党组副书记兼纪检组组长职务，办理退休手续。区局机关设：办公室(与政策法规处合署办公)、业务发展与天气处(与行业管理处合署办公)、气象服务与气候处、科技教育处、计划财务处、人事劳动处、产业处、监察审计处(与党组纪检组合署办公)、直属机关党委(与思想政治工作处合署办公)、离退休干部处。直属事业单位设:气象台、通信台、气候资料室(气象档案馆)、气象科学研究所、气象技术装备中心、后勤服务中心(行政管理处)、气象学校、人工影响天气办公室、乌鲁木齐气象卫星地面接收站。1月16日,中国气象局批准区局成立"新疆维吾尔自治区气象局人才交流中心"(副处级事业单位)。3月,自治区气象局成立机关服务中心,属无级别事业单位,人员编制15人。10月13日,自治区机构编制委员会批准成立"新疆维吾尔自治区防雷减灾办公室"(相当于处级事业单位),挂靠区气象局。截至1998年年底,全区气象部门在职职工总数为3136人,其中,干部2856人,工人280人。职工人数比上年减少34人。学历结构:研究生13人,本科生295人,大专生660人,中专生1532人。技术职称:高级87人,中级1025人,初级987人。

2月17～19日,召开全疆气象局长会议,确定1998年度目标任务,表彰奖励1997年度气象服务先进集体和先进个人。自治区党委常委阿不都热依木·阿米提及自治区副主席达列力汗.马米汗到会讲话。3月9日,自治区人民政府以新政发[1998]21号文件批转了自治区计委、财政厅、农村工作办公室、气象局4部门下发《关于加快发展自治区地方气象事业的意见》的通知。10月20～22日,召开自治区气象工作会议,自治区党委书记王乐泉、自治区人民政府主席阿不来提.阿不都热西提亲临会议,并讲话。中国气象局温克刚局长专程来乌参加会议。会议由自治区党委常委阿不都热依木.阿米提主持,自治区副主席熊辉银作了题为《依靠科技进步,提高气象综合服务水平,为经济建设和社会发展作出更大贡献》的工作报告。自治区党委、人大、政府、生产建设兵团的主要领导、自治区各有关部、委、办、厅、局及各地州市和部分县政府有关领导以及气象部门的领导参加了会议。这是首次由自治区召开的规格最高、规模最大的一次气象会议。

8月27日下午5时05分,喀什地区的伽师县与巴楚县之间发生6.6级地震,9月22日,阿合奇县发生4.9级地震,区局徐羹慧等领导专程到受灾地区慰问气象职工。

气候评价 1998年气候特点:年平均气温偏高,个别月份气温异常偏高,突破历史极值或接近历史极值;年降水量偏多,春季北疆降水量突破历史极值。高温、多雨为农业生产提供了良好的生长环境。北疆大部分地区终霜冻迟,全疆初霜冻早,又成为农业生产尤其是棉花生长的限制因素。各类气象灾害明显多于往年。

气温:年平均气温北疆地区为7.4℃,比常年偏高0.9℃,南疆地区为11.9℃,比常年偏高1.0℃。冬季气温变幅大,前期气温偏低,进入1998年2月后,全疆气温转为异常偏高,北疆和南疆气温分别比常年偏高5.3℃和3.2℃,居历史同期第二位,个别地区居历史同期第一位。春季北疆气温与历史同期相比偏低0.7℃,夏季北疆气温偏高1.2℃,其中8月份平均气温偏高值突破历史极值。秋季北疆及南疆均偏高1.4℃,偏高幅度分别接近历史同期最高值。降水量:年降水量北疆为307毫米,比常年偏多5成,仅次于1987年居历史同期第二位,南疆为63毫米,比常年偏多3成。降水量各季分配不均。其中,春季季降水量北疆地区是历年同期的1.1倍,突破历史最高纪录,南疆大部分地区比常年偏多5成,哈密、吐鲁番偏多2～5倍。其它各季除冬季季降水量南疆比常年偏少1成、秋季北疆接近常年外,其余均比常年偏多。

年内的主要气象灾害是局地暴雨洪水、大风、冰雹、雪灾。4～5月,北疆沿天山一带及南疆部分地区连续出现数次暴雨或大降水过程,引发洪灾。8月10～12日,南疆莎车县、轮台县、阿克苏市洪水,中继光缆先后被洪水冲断4次,10多万居民受灾,4人死亡,几十人失踪。8月12日,北塔山、乌鲁木齐南山矿区洪灾,南山矿区境内的2915省道多处被冲断,南疆铁路被冲断。4月18～19日,全疆12个地州出现大范围大风降温天气,奇台县出现了有气象记录以来罕见的沙暴,能见度不到20米,仅塔城地区直接经济损失就达8000多万元。全疆共发生比较大的雹灾7次。降雹最长持续时间20分钟,最大冰雹直径35毫米。给全区的国民经济和人民财产造成了严重损失。8月12日,拜城县城区降雹,街道积雹厚度10厘米,约一半民房玻璃被砸烂,安装在阳台上的抽油烟机全部被砸坏,多人被砸伤。1997年12月,阿勒泰地区雪灾,市区积雪厚度88厘米,为历年最高纪录,山区积雪厚度达2米,据不完全统计有近4万人被大雪围困,粮食与燃料出现短缺,1300多间住房遭破坏。2月10～11日,国道312线果子沟段发生15起雪崩,致使交通中断。

气象服务 1998年1月，区气象局召开年景分析会，为自治区调整农业生产布局和指挥农牧业生产提供决策依据。2月上旬，先后召开两次气象服务领导小组会议，提出15项具体措施。在关键季节、关键阶段，区局领导先后率领14个工作组(次)、2个专家组分赴各地州检查、督促、指导服务工作，确保目标任务的全面落实。9月8日，石河子棉花专业气象台暨北疆棉花气象试验示范基地在石河子气象局和乌兰乌苏农试站挂牌。年内安排部署了以棉花生产为主的系列化服务、适用技术开发、气象服务产品开发、气象服务能力建设为重点的10个工程项目。全面开通业务中心和13个地州市局气象卫星综合应用系统“9210工程”，及40个棉花生产大县的计算机远程终端，使业务中心和棉花服务中心能充分发挥对下的指导功能。在开发硬件的同时，及时做好信息服务。全年共编发10期重要气象情报，200余期农气情报、气象服务报告。举办电视、广播《专家访谈》40余次。与新疆电视台联办《棉花气象服务》《气象参谋》栏目。天气预报服务水平不断提高。今年中度以上天气共出现了21次，预报做到不空不漏。预报效果是近年来最好的一年。为此，区局业务中心和阿克苏气象局被中国气象局评为防洪抗洪气象服务先进集体。在做好重大转折性关键性预报的基础上，业务中心根据新疆气候特点和经济建设的需要，从春季开始，在区域预报中正式制做南疆沙尘暴天气预报。另外，成功地为民运会和1998年全国速度滑冰锦标赛提供了成功的气象保障。12月，业务中心与市环境监测中心开始联合发布乌鲁木齐市空气污染质量预报。吐鲁番气象局、环保局也通过媒体向公众发布吐鲁番市空气污染质量预报。

气象业务与现代化建设 9210工程按中国气象局的要求全面完成目标任务，绝大多数VSAT小站进入准业务运行。地州气象局解决了旧网并网、广域网建设、新旧业务并行问题。将区局局域网改造成快速以太网络，初步建立了新疆气象互联网，提供新疆气象主页和电子信箱，并在169上正式申请了国际域名，为网上用户提供气象信息服务。全面开通地县广域网。“棉花工程”中的17项业务服务项目建设进展顺利。灾害预警系统投入试运行。地面机制报表审核软件编制完成。高空机制报表已推向地州，运行情况良好。2月28日，克拉玛依市气象局建成极轨气象卫星中规模利用站。3月11日，由农八师、石河子师市投资兴建的人工影响天气雷达站和“9210工程”在石河子市气象局通过验收。4月13日，由和田行署投资兴建的人工影响天气指挥中心、“风云二号”中规模接收站在和田气象局通过验收。5月，历时3年的人工数字化雷达改造工程(10部711雷达和1部713雷达)全面竣工。10月上旬，“风云一号02批”接收设备在乌鲁木齐气象卫星地面接收站安装调试完毕。

年内，积极贯彻落实全国和全疆测报会议精神，充实、重申各项规章制度，加强管理，使各项制度落实到实处。推行测报业务人员上岗制度，建立全疆测报业务检查员制度。制定了《新疆气象局基本业务系统台站任务、布局调整改革思路和方案》。完成七角井、安迪河站的迁移工作。乌鲁木齐市特种观测站建站完毕，于1999年初开始对比观测试验。9月18～22日，成功地举办了第四次全疆气象测报技术比赛，来自全疆15个地州市气象局的51名选手参加了10个项目的角逐，涌现出一批业务尖子。

科研教育 年内，在中国气象局和自治区争取到重点科研项目3项，西北协作课题2项，中国气象局青年基金课题2项。是区局“九五”期间对外争取项目最多的一年。完成鉴定验收成果5项，结转课题11项。有5项获省部级科技进步奖，8项获厅局级奖励。

加强了岗位培训力度，重点支持了“121”电话和防雷培训、“9210工程”和“棉花工程”等专项培训。区局举办各类培训班，培训人数达800多人。新增赴内地院校读成人大专人数54人。50人参加计算机大专函授学习，送往内地参加中高级培训42人(次)。为气象学校争取了中国气象局的400个招生指标。1998年申报引智项目10个，批准执行5个。7人(次)分别出访泰国、马来西亚、亚美尼亚、加拿大、日本等国；接待来自美国、法国、德国、以色列、哈萨克斯坦等国的官员或专家10余人(次)。

改革 制定下发了《新疆气象部门事业结构战略性调整实施的原则性意见》等一系列文件，明确基本系统的“三定”要求。根据目前超编现状和“2000年预测”，重申“照顾性调入和吸收录用一律不予批准”，特殊人才的调入需“按程序上报区局党组批准”。计划内临时工压缩10%左右；清理各单位挂靠人员和留职停薪人员。积极开渠分流，基本系统初步按1996年定编和分流人数要求到位。制定下发新气人发[1998]19号文转发《省及省以下气象部门基本气象系统岗位设置意见(试行)》《省及省以下气象部门基本气象系统岗位规范(试行)》等一系列机构改革、调整文件,对事业单位机构改革提出明确要求和指导意见。先后派出6个工作组赴15个地州市调研、指导工作。

自治区人民政府颁布《新疆维吾尔自治区人工影响天气工作管理办法》,并开始实施。《新疆维吾尔自治区防雷减灾条例》已被自治区法制局列为调研项目。1998年首次开展《执法证》《执法监督证》申报工作,共有220人次经培训考试合格,其中201人领取了《执法证》,19人领取了《执法监督证》。

综合经营 截止1998年底,全疆综合经营实体40个,从业人员361人。主要经营项目有:科技开发、工业(含加工业)、商品流通、旅游服务、种植养殖。其中,产业纯收入比上年增长15.5%,科技服务纯收入比上年增长18.3%。

大力发展信息产业,使气象产品向商品化、产业化方向发展。开发出Windows95版121自动答询系统及维、汉、蒙等多种民族语言语音合成系统软件(也适用221)。全疆已有12个地州市局开通"121"或"221"电话答询服务。7个地州市局建成电视声像系统。11个地州成立了防雷工程实体,开展防雷设施安全检测或避雷工程。这批新的科技服务与产业项目的利润占总利润的17.8%,成为创收骨干和基础。

年内,区局进行了一系列探索新的经营方式的试点工作,业务中心与乌鲁木齐市气象局共同投入组建了相对独立的自治区气象局专业气象台,成为新疆气象部门第一个联合组建的科技服务经济实体。由吐鲁番气象局与哈密气象局合作建成的吐哈石油专业服务气象台,尝试了地州局经营实体集中管理的新路子。

精神文明建设 通过组织全体职工学习十五大报告和邓小平理论、民族理论及宗教政策、江总书记考察新疆时的讲话等活动,使职工能够旗帜鲜明地反对民族分裂活动和非法宗教活动。并涌现出民族团结先进集体8个,先进个人20名。在整顿社会治安活动中,区局派出4名同志赴南疆地县,参加严厉打击暴力恐怖犯罪等工作。年内,完成了阿克苏、乌鲁木齐、昌吉、阿勒泰、塔城等局领导班子的部分调整及试任期干部转正考核工作,并选派干部到内地挂职学习、调研。下发《1998年加强党风廉政建设、深入开展反腐败斗争的意见》,狠刹公款吃喝风。建立区地县三级反腐倡廉责任制,并组建纪检审计网络。建立《廉政档案》制度和稽查特派员制度。深入开展"以职业道德建设为核心,做人民公仆、创文明单位"活动。专门召开全疆气象部门精神文明建设会议。按照自治区文明委的要求实施"讲文明,树新风"的楷模工程,促进了机关的形象建设和作风改善。确定6个单位为新疆气象部门文明服务窗口单位,向社会兑现服务承诺。全疆文明单位创建率达85%。举办改革开放20年来新疆气象部门辉煌成就展览、知识分子座谈会、报告会,热情讴歌改革开放20年来新疆气象部门所取得的成就。开展丰富多彩的文体活动,活跃职工的文化生活。举办1998职工第八套广播体操比赛和秋季长跑比赛。组织"迎国庆趣味篮球比赛"。参加"民族团结教育知识竞赛"获集体一等奖。参加区直机关团工委组织的乒乓球比赛,2名职工分获男子单打第三名和女子单打第一名。积极参加献爱心活动,在1998年抗洪救灾过程中为灾区人民捐款2.6万余元。向一名特困学生捐款近3000余元。 (王秋香)

大 连 市

概况 市气象局机关设:办公室、业务科教处、计划财务处、人事政工处(与党组纪检组合署办公)。市局直属事业单位设:市气象台、市海洋气象科学研究所、市气象服务中心、市气象产业中心、市雷电防护中心(市编委下达编制)。全市气象部门在职职工241人,其中干部219人,工人22人;大专以上学历96人;高级技术职称17人,中级技术职称92人。

2月12～13日,召开全市气象工作会议,传达贯彻全国气象局长会议精神,贾崇斌副市长到会讲话。3月23日,举办纪念世界气象日主题报告会,市科协、市海洋局领导参加了报告会,市气象局局长孟庆楠做主题报告。5月26日,市气象局举行"全国文明服务示范单位"挂牌仪式,为全国文明服务示范单位市气象台挂牌,市委张万金副秘书长及辽宁省气象局局长王锦贵参加了仪式并讲话。6月10～12日,召开全市汛期工作会议。8月2～4日,台湾师生代表团一行24人来市气象局参观考察。

气候评价 1998年,大连地区全年气候特点:气温高,降水多,日照时数偏少,年最大冻土深度偏浅,无全区性自然灾害。

全市年平均气温10.1℃～11.7℃,比常年偏高

1.0℃～1.3℃。年极端最高气温33.5℃,出现在普兰店,年极端最低气温－21.1℃,出现在庄河。大连市区年极端最高气温为33.0℃,年极端最低气温－13.6℃。年降水量为623～840毫米，与常年相比，除瓦房店正常外,其他地区偏多1～3成。年日照时数2000～2370小时,比常年偏少223～548小时。冬季气温偏高,季平均气温比常年高2.0℃～2.4℃,是1951年以来的第4个高温冬季。雨雪量分布不均。春季气温偏高,3月份平均气温比常年高2.5℃～3.0℃,是1951以来的最高值。降水量偏多,市区比常年偏多1成,其他地区偏多4～7成。日照时数偏少,大部分地区比常年偏少120小时左右。夏季气温偏低，日最高气温≥30℃的日数全区仅有2～4天。降水量南部偏多,北部正常或略偏少,阴雨日数多,日照时数偏少，比常年偏少100～235小时。秋季气温偏高,其中10月份比常年高3.0℃～3.5℃，是1951年以来的最高值。降水量分布不均,日照时数偏少。

年内主要气象灾害是局地暴风雨。8月13日，普兰店10个乡镇、38个村,庄河市6个村受大风、暴雨(局部大暴雨)、冰雹袭击。玉米倒伏1.3万公顷，其中折断363公顷。经济作物受灾891公顷,果树受灾120万株，树木倒伏4.7万株,雷击死亡2人、受伤1人,总计损失7624万元。

本年度气候条件较好,无大面积的自然灾害,是农业丰收年景。

气象服务 决策服务。7月7日,碧流河流域出现大暴雨,碧流河水库达警戒水位,市防汛抗旱指挥部要求市气象台迅速提供未来是否还有大于50毫米降水的预报,市气象台,做出了未来24小时内碧流河流域不再有暴雨的预报,保证了水库蓄水,社会经济效益显著。

围绕农事关键季节,向各级政府和有关部门及时提供农业气象情报、预报及农业气象条件评价。玉米适播期预报准确,出苗率达95%以上。较准确地预报出了11月16～17日的较强冷空气活动,市秋菜办公室根据预报发出抢收白菜的通知,1万多吨白菜免遭冻害,经济效益达上千万元。全年开展高炮增雨作业20余次,增雨率21%,近30个乡镇受益。开展高炮防雹作业102(点)次,发射炮弹9621发，炮点有效控制范围内基本无灾。据统计,可减少经济损失1.1亿元。

专项服务。市气象台为“大连国际服装节”向市政府提供了专项天气预报服务材料,并向市长提供了专题预报服务。向市政府提供的15期专项服务，预报准确、及时,市气象局受到服装节组委会嘉奖。为市重点工程黄海大道建设提供专项预报材料18期,《大连日报》社将气象为黄海大道建设作的保障服务写进了《黄海大道之歌》一书。气象部门还为市政府举办的“世界沙滩排球赛”、“国际马拉松赛”、“中国花卉交易会”提供了保障服务。

科技服务。完成电视天气预报制作系统的二期工程建设,为上节目主持人做好了设备、技术准备。专业服务人员走访用户300多人(次),跟踪保障服务50余次。开辟了因特网和大连经济电台、国际电台的气象节目,完成“121”气象咨询服务电话的改制。下发了加强全市计算机系统防静电安全工作的通知。全市科技服务毛收入比上年增长了7.5%。

气象业务与现代化建设 加强基础业务管理，对测报、农气人员进行持证考试,预报人员实行了岗位练兵,各项业务质量稳中有升。继续对县局实行目标管理。实现9210工程准业务运行,完成了9210工程计算机网络与原计算机网络的互联,实现资源共享。以MICAPS为工作平台制作天气预报,建立新的天气预报工作流程,并在省内进行了交流。完成雷达拼图传输软件安装调试,并向中国气象局、省气象局传图,拼图传输率达98.3%。更换了市—县网络调制解调器及远程网络应用软件,使市—县通信速率由4800比特上升为19200比特。

科研教育 年内新开课题3项,到位经费12.5万元。“大连地区及黄渤海域灾害性天气预报业务系统”获省政府科技进步三等奖、获市政府计算机开发应用一等奖。完成中国气象局下达的四大科学实验的探空加密探测任务。

全市气象部门在职培训70人,参加成人高等教育5人。

改革 选拔4名年轻干部充实处级领导岗位,处级领导干部平均年龄下降了4.5岁，学历结构和专业结构得到优化。

成立了市雷电防护中心。从事科技服务和综合经营的人员占全局人数的36%。

继续完善气象双重计划财务体制,市气象局及3个县气象局享受了地方出台的补贴、津贴。

综合经营 全市有综合经营实体1个,从业人数13人，年经营收入36.4万元,年利润1.2万元。

精神文明建设 组织局党组中心组、处以上干部会、党员会等形式学习党的十五大报告和邓小平理论，开展了创建文明单位的活动，制定并实施了《全市气象部门加强精神文明建设，创建文明单位的实施意见》。市气象台被市政府评为1996～1997年度先进单位，被省委、省政府评为1995～1997年度省级文明单位。建立了市、县纪检、监察和审计工作网络。参加市政府组织的星期六义务奉献日活动。为灾区捐款13078元，衣物千余件。

对瓦房店、庄河等4个县气象局的观测场进行了改造，改善了站容站貌。完成了庄河气象局的职工住宅工程，为瓦房店局改善职工住宅及长海县局建设住宅楼安排了专项经费。市气象局新建锅炉房及会议室面积计280平方米，更换6吨水炉，新建职工住宅4000平方米。（陈月娥）

青 岛 市

概况 局机关设：办公室、人事政工处、计财装备处。直属事业单位设：市气象台、市海洋气象台（与气象台一个机构两块牌子）、市避雷检测中心。市局下辖同安区气象局。截止1998年底，全市气象部门在职职工187人，其中干部185人，工人2人；职称结构：高工12人（资格），工程师102人（资格），助工及技术员56人；学历结构：研究生1人，大学本科46人，大学专科42人，中专52人。

1月4日，全市气象部门被中国气象局授予“全国气象部门文明系统”称号。2月17～19日，召开全市气象局长会议。2月27日，举行授牌仪式，中国气象局名誉局长邹竞蒙、山东省气象局局长蒋伯仁和青岛市委副书记张旭升、青岛市副市长崔锡柱到会并讲话。当日，邹竞蒙名誉局长和山东省气象局局长蒋伯仁到平度市气象局视察工作。年内，市气象局被山东省人事厅、山东省气象局授予“全省气象系统先进集体”称号。在全国气象部门首次综合目标考核评比中达优秀标准，成绩列单列市第一。

气候评价 1998年，青岛市区年平均气温13.6℃，较常年偏高1.4℃。年降水总量878.2毫米，比常年偏多133.4毫米。年日照总时数2057.9小时，比常年少452.1小时。全年气候特征为：平均气温较常年偏高，日照时数较常年偏少，天气灾害较少，属较好年景。

年内主要气象灾害有：大风、冰雹、暴雨、龙卷风、小麦病虫害等。

大风、冰雹。6月18日，胶南部分乡镇遭受雷雨、大风、冰雹袭击，农作物受灾面积达2895亩，毁坏树木5000多棵，损坏房屋63间，鸡舍2处，倒塌蔬菜大棚1处，供电线路中断约1公里，造成停电5小时，肉食鸡死亡1000余只，直接经济损失350万元。

暴雨。7月23日，崂山区部分地区突降暴雨、大暴雨，房屋倒塌15处，造成水库淤积7个；冲毁道路7260米、桥涵28座、路基11处；冲毁、平淤农田1280余亩；卷走和击沉船只65条，冲毁海坝300多米、河堤5620米；3处渔港码头遭到损坏，冲走水泥30吨、沙子和石子80余方，冲走搅拌机、小型拖机各一台；崂山风景区由于山体塌方，造成公路堵塞、交通中断，使90余名游客一时无法下山。直接经济损失达3500万元。

龙卷风、暴雨。8月4日，莱西市孙受镇的部分村庄遭受龙卷风袭击，其中心风力达10－12级。据统计，造成520间房屋倒塌，损坏门窗700多个，刮倒树木1000多棵，玉米倒伏2500亩，其它农作物300多亩，损坏电力线路730米，破坏塑料大棚5个。造成经济损失1055万元。8月22日，城阳区河套镇和胶州市部分乡镇遭受暴雨和龙卷风袭击，据统计，有2287余间房屋受到破坏，倒塌围墙500余处，冲毁道路30处，冲毁塘坝16座，刮倒高、低压和通讯线杆365支，供电中断20多小时，农作物受灾面积达19.36万亩，毁坏蔬菜大棚6处，树木1300余棵，另有部分河坝坝外滩地的4800余亩农作物被淹没。直接经济损失达680万元。

小麦病虫害。4月21日至6月16日，胶州市部分麦田出现轻到中等小麦纹枯病，据统计，部分乡镇纹枯病病株率为30%左右，侵茎率达20%～40%，严重度为1度，受灾面积约13万亩。

气象服务 决策、农业气象服务。从6月1日开始，每天向市各级党委、政府报送7天滚动天气预报。6月2～3日，市气象局召开了全市麦收和汛期气象服务工作会议。对12～13日的降雨天气过程和14～17日的晴好天气做出了准确预报。为小麦收割和晾晒提供重要保证。全年共实施飞机人工增雨作业10架次，累计飞行作业时间17小时，作业区的最大降雨量为18.3毫米；实施高炮作业2次，高炮控制区未发生雹灾。

公益气象服务。通过青岛电视台、青岛日报、青岛晚报、青岛生活导报等新闻媒体向社会公众介绍厄尔尼诺及海洋与天气的关系、气象进步与人类活动等现象气象知识。3月2～3日，市气象局、气象学会联合召开天气趋势研讨会，为各级领导安排全年生产提供气象依据。围绕“3.23”世界气象日“天气、海洋与人类活动”的主题，上街宣传气象知识，在为青岛国际啤酒节暨饮料博览会服务中，市气象台从4月份开始定期向啤酒节办公室报送7月份天气预测意见，从6月27日至啤酒节结束，每日报送5天滚动预报，保证了活动的圆满成功。市气象局被组委会授予“突出贡献单位”称号。

气象科技服务。市局科技服务中心加强了同保险公司的合作，研制出全市气象灾害风险图，进一步开展了气象与保险为社会减灾服务。加快了“121”自动答询系统的建设进程，各区市全部开通。市区电视天气预报取得了突破性进展，莱西市气象局在全市率先完成电视天气预报制作项目，实行三七分成，气象部门占七成，成为科技服务重要的支柱项目。全年气象科技服务的经济效益比上一年增长25.8%。

气象业务与现代化建设　年内，在细化目标管理的同时，制定了一系列管理办法和规定，对重点单位和薄弱环节，加大检查指导力度，圆满完成国家局下达的四大试验加密观测任务，市气象台高空观测科被中国气象局评为四大试验先进单位；重新建立了台站档案；全市测报人员通过上岗考试。全市基础业务质量达到全省优秀目标，全年有3个250班无错情和48个百班无错情通过验收。

全市气象部门全年投入现代化建设的资金达80万元。4月底，实现9210工程准业务运行。全市气象台站办公室、预报会商室、局长室、精神文明活动室及观测场的改造任务全面完成。市气象台建起了以MICAPS系统为工作平台的天气预报业务技术流程。完成了卫星云图压缩下传的软件开发工作。胶州、即墨市气象局与当地市委办开通微机网络，平度市气象局与江北农业技术市场信息网相联。

科研教育　申报并立项省部级科研课题一个。参与市科委《增强青岛市农业抗御自然灾害能力方案研究》的课题研究；完成《青岛地区风暴潮灾害分析》和《青岛近海海浪预报》等课题。举办各类业务培训班7期，参加人员77人次；有10人参加大专以上在职培训。

改革　进一步加强队伍建设，进行了市局中层干部和部分市区局领导换届考核，各单位健全了规章制度，加强考勤、卫生、值班管理，工作效率显著提高。

1998年是市气象局对中国气象局青岛气象度假村实施承包的第一年，实行干部竞争上岗，在做好内疗的基础上，面向市场，扩大客源，提高竞争力，完成了中国气象局的目标任务。

地方为气象事业投入的各项资金比上一年增长11.42%。年内，包括市气象局在内已有5个单位解决了职工享受地方津贴、补贴问题。从7月份起，市局职工医疗费纳入市财政统筹，解决了多年来沉重的医疗费负担问题。

综合经营　1998年市气象局与公安消防局联合下发了《关于进一步加强防雷、防静电设施安全技术检测工作的通知》，并草拟了《青岛市防雷减灾管理办法》上报市政府。

年初调研引进的“电子礼炮”服务项目已对外开展服务，取得良好的效益。全年科技产业比上一年增长30.7%。

精神文明建设　年初，制定了全市气象部门思想政治学习计划，及时传达了党的十五届三中全会精神。在全局干部职工中开展向陈济敏和抗洪英雄学习的活动，改进机关工作作风。组织职工参加全市第八套广播体操比赛，在市直机关第十八届运动会上荣获“精神文明单位”称号。党团员积极参加“国际海洋年”宣传活动和文明监督活动。全市职工踊跃向灾区捐款捐物。市气象局完成了职工住房出售工作。装修了市气象台业务楼及市气象局接待室，对市气象局大院进行美化、绿化。胶南局值班室全部安装了空调，平度局新建综合活动室，即墨局安装了水暖锅炉。市局及县局全部被当地党委、政府评为文明单位。　（汪中虎）

宁　波　市

概况　市气象局机关设：办公室、人事政工处、业务科教处、计财产业处。直属单位设：市气象台、应用气象室、市气候中心、市气象培训中心。全市气象部门在职职工170人，其中干部166人，工人4人；职称结构：高工4人，工程师63人；学历结构：大专以上学历共82人。

1月17～19日，温克刚局长一行在宁波气象部门检查工作。1月18日，宁波海洋气象台挂牌成立。

中国气象局局长温克刚、市委副书记王卓辉、副市长徐杏先到会祝贺。温克刚局长和徐杏先副市长亲自为海洋台授牌；之后，温克刚局长一行赴慈溪和奉化气象局检查指导工作。3月4～5日，召开全市气象局长会议，总结1997年工作，部署1998年工作任务；副市长徐杏先、市农经委主任高裕昌出席了会议。7月17日，市委常委、人大副主任徐杏先、副市长盛昌黎及其他随行人员到市气象局慰问，勉励气象职工在复杂的天气形势下，做好汛期气象服务工作。7月25日，市委常委、副市长郭正伟到市气象局检查工作，并全面听取了李秀玲局长的工作汇报。7月29～30日，全市气象局长会议在花园宾馆召开。会上各单位汇报交流了上半年工作情况和下半年工作打算，并就科技产业、气象服务、精神文明建设等议题进行了重点研讨。9月19日，6号台风影响宁波市，市委副书记王卓辉、市府副秘书长虞云秧、水利局局长杨祖格及三防办有关同志到市气象台了解台风情况。11月30日～12月2日，召开全市气象部门学习邓小平理论研讨会。各处室、直属单位负责人、各县局局长参加了会议。

气候评价 1998年总的气候特点是：气温异常高，雨量、雨日明显偏多，日照时数偏少。年内各月气温除9月外均明显偏高，并出现了历史罕见的冬春汛和高温，台风明显偏迟偏少。

全市年平均气温17.6℃～18.1℃，比常年偏高1.5℃～1.8℃。年极端最低气温出现在1月26日的余姚，为－5.0℃；极端最高气温出现在8月10日的市区，达39.5℃，超历史纪录。年内日最高气温≥35℃的高温天数市区达36天，平历史最多的1953年。年降水量为1506.3～1912.3毫米，除宁海比常年少23.8毫米，其它各站偏多，其中鄞县比常年多527.5毫米，为历史最高纪录。年降水日数169～191天，比常年多17.4天。年总日照时数为1724.7小时，比常年偏少205.5小时。

重要天气气候事件　罕见的冬汛连春汛。4月12日之前的几个月中，全市为连绵阴雨期。这段时间多次出现了连阴雨和大到暴雨，形成了近百年来罕见的“冬汛”、“春汛”，使江河水位奇高，水库蓄满，全市24座蓄水千万立方米以上的水库有10座超控制水位，余姚四明湖水库出现了自建库以来的最高水位，绝大多数平原区严重积水，低洼地区形成水涝。

强冷空气、大雪　1月22日，白天普降大雨，夜里下了大到暴雪，市区积雪9厘米，积雪最深的余姚达16厘米，四明山区达30厘米左右，为近年所罕见，给交通、邮电、通讯、电力设施造成较大损害。也使缺乏抗寒锻炼的作物发生了一定的冻害。3月19～21日出现寒潮，48小时降温13.8度；本市出现了大范围的降雪、雷暴、冻雨天气，受此影响，20日下午2时51分～5时23分的2个半小时内杭甬高速公路发生15起交通事故，经济损失达20万元。

强对流天气　4月5日，余姚、慈溪、镇海等地出现了雷雨大风和冰雹，历时5～25分钟，受灾最严重的慈溪掌起一带，冰雹大如拳头，该镇上宅村绝大多数民房上的瓦片被打得粉碎。这次冰雹造成慈溪市农作物受灾10万亩左右，民房受损10802间。7月20日下午2时40分，鄞县邱隘镇的4个村受龙卷风袭击，刮倒和揭顶房屋250间，部分电线杆和早稻被刮倒，数人受伤。

梅雨　6月16日入梅，6月26日出梅，梅期仅11天，比常年少14天。表现为入梅正常，出梅明显偏早，梅雨量少一半。鄞县梅期雨日为8天，雨量126.1毫米，日照时数21.9小时。

台风　对宁波造成影响的台风主要有9806、9808和9809号等3个。9806号热带风暴于9月18日22时15分在普陀登陆后，于20日零时左右再次在宁波市北仑区登陆。受其影响，全市内陆地区出现8～9级大风，沿海出现10～12级大风，北仑出现了34.4米/秒的大风，并伴有大到暴雨。局部雨量在200毫米以上，暴雨中心余姚夏家岭达287毫米。全市农业直接损失约1.86亿元。全市受9808和9809号台风影响，普降大到暴雨，并伴有大风。对晚稻、棉花等生产造成不同程度的影响。

气候条件给大小麦、早稻等粮食及蔬菜、枇杷、榨菜等经济作物造成不利影响；使海带严重减产；气候条件对茶叶影响利弊参半；对晚稻生长较为有利。

气象服务 决策服务。春运期，对1月22日的大到暴雪过程，市台和各县局提前作出准确预报，为春运安排赢得了主动，市气象台受到了市春运办的表扬。梅汛期，两次全区性的大到暴雨预报准确，特别是6月25日的暴雨，明确指出这是梅汛期最后一次暴雨，26日本市进入高温天气。对9806号强热带风暴9月20日在宁波市北仑区第二次登陆，全市各级气象部门均预报早、准、服务效果好，受到了各级领导的表彰。象山县气象局根据台风登陆位置偏北，及时向领导建议，使1500艘渔轮、14艘台轮进石浦港安全避风。鄞县气象局到皎口水库现场服务，为县府防汛提供及时准确的预报服务。

重大活动气象保障服务。省运会的预演和开幕式安排在9月10～12日，要在露天举行，恰遇天气变化复杂，时阴时雨。宁波市气象台准确预报10日14～16时以阴天为主，16时以后将有中阵雨。组委会根据气象预报，果断将团体操节目提前进行，16时以后果然下起大雨。12日上午有小阵雨，市气象台预报下午天气转晴，可如期举行开幕式，下午果真雨消云散，组委会非常满意，市气象台获得了市政府颁发的省十一届运动会承办组织工作先进集体称号。

宁海县气象局始终围绕高标准海塘建设做好梅汛期和台汛期的气象服务工作。象山县气象局积极做好象山开渔节的气象服务工作，受到了当地政府的表扬。

农业气象服务　全市各级气象部门紧紧围绕当地政府的农业生产决策开展服务，及时提供关键农时季节的气象服务。如在春粮生长期间出现烂冬烂春，市气候中心对这一情况开展有针对性跟踪服务，根据气候变化提出了农事建议。慈溪气象局在棉花播种期开展3－5天滚动预报，并提出有利播种的时段。准确预报梅雨时间，为棉花早施重施花铃肥提供了决策依据；慈溪局还在率先组建的全市农业综合信息网上开辟了农业气象专栏，发布各种农业信息。全市农村气象警报网不断扩大，通过该网络及时播出农气服务材料，取得了较好的社会经济效益。

“121”电话答询气象服务　全市于1998年10月上旬全部开通了“121”电话答询气象服务系统。鄞县、宁海县气象局开展了电视天气预报制作。市气象台在第二届华风杯全国电视气象节目观摩评比中获团体优胜三等奖（无主持人），浙江省（市）级三等奖（无主持人），宁海县气象局获省首届电视节目观摩评比县（市）级二等奖。全市有4个单位的防雷检测和防雷工程通过了技术监督部门的计量认证初审工作，市府办公厅《关于加强防雷设施建设和管理工作的通知》得到贯彻落实，市场份额不断扩大。全市气象部门总创收较1997年增长了25.3％。

气象业务与现代化建设　各单位加强基础业务管理，严格执行各项规章制度。测报岗位实行持证上岗，各气象局还根据本单位的实际情况制订考核奖惩办法，把工作任务、质量与年度奖金挂钩，象山气象局开展的“主汛期百日质量创优活动”，取得了较好效果。

气象卫星综合应用系统（9210工程）投入试运行，并逐步完善资料库，与各县气象局实现资料共享。杭州湾王盘山自动气象站如期建成，为建造杭州湾跨海大桥积累气象资料。象山、奉化、北仑三个气象局新建了卫星云图接收系统，宁海局建成了县级局域网。慈溪市气象局1998年7月建成了以市政府、市农经委、各涉农部门及全市23个乡镇为主要终端的市农业综合信息网。

科研教育　年内新开课题5项，结题1项，获省气象科技进步三等奖2项。全市气象部门参加在职培训39人，参加成人高等教育8人。

改革　不断巩固和完善双重计划财务体制，市政府下发了《转发市气象局关于加快发展我市气象事业的意见的通知》，贯彻执行国办发[1997]43号文件。1998年市县财政投入气象事业经费较1997年增长15％。

精神文明建设　各单位结合开展纪念十一届三中全会20周年活动，积极开展创建文明单位活动，市局、慈溪、余姚继续保持文明单位称号，宁海、鄞县和北仑气象局已通过当地文明单位的验收。健全了纪检、监察网络，市局建立了党风廉洁责任制。按计划开展了内审工作。积极开展创花园式单位活动，市局率先被评为市一级绿化单位。积极开展丰富多彩的职工文娱活动，建立了活动室。市局被市直机关工会评为合格职工之家。市局被市委市府评为老干部工作先进集体。市局还荣获市“三八”红旗集体荣誉称号。

市气象局加强了对各县局领导班子、中级技术职称人员的考核力度。慈溪局局长符国槐同志被评为浙江省气象部门有突出贡献青年拔尖人才，市气象台工程师葛敏芳同志被评为省优秀青年科技管理人才。

（祝　旗）

厦门市

概况　局机关设：办公室、人事政工处（与监察审计处合署办公）、计划财务、业务科教处、产业装备处。直属事业单位设：市气象台、市海洋气象台（与气象台一个机构两块牌子）、市专业气象台、市避雷监测技术中心。

全市气象部门人员总数97人，其中干部87人；工人10人；职称构成：具备高工资格8人，工程师资格32人，助工资格31人，技术员12人；学历构成：硕士研究生3人，大学本科40人，大专6人，中专23人，高中以下学历25人。

1月22日，召开全市气象工作会议，传达贯彻全国气象局长会议精神。1月28日(正月初一)，市政协主席蔡望怀、市人大副主任郭安民、副市长卓钦锐、市政协副主席林仁川、市纪检委副书记林文布一行到市气象台慰问节日坚持工作的气象工作者。3月10日，市委副书记刘丰到市气象局调研气象工作。3月25日，市委副书记刘丰，市委常委、宣传部长杜明聪，副市长赵克明、卓钦锐在市气象局召开办公会，现场落实210万元经费，用于把通往市气象局的上山简易公路改铺水泥路，9月份公路改建工程竣工。4月30日，中国气象局副局长马鹤年在福建省气象局局长李修池陪同下考察市气象局业务现代化建设。8月3日，市长洪永世、副市长卓钦锐召集市有关部门负责人在市气象局现场办公，部署下半年全市防台抗灾工作。9月28日，市人大和市政府联合召开厦门市贯彻实施《福建省气象条例》座谈会，市人大副主任林柏龄、副市长卓钦锐讲话。10月26日和27日，副市长卓钦锐两次亲临市气象台了解9810号台风动向。12月16日，中国气象局在征得厦门市精神文明建设办公室同意后，授予厦门市气象部门文明系统光荣称号。

气候评价　1998年气温异常偏高；降水偏多，分布不匀，各季均有旱情发生；台风(热带风暴和强热带风暴)影响大，个数少，出现时间迟。

年平均气温21.5℃～22.3℃，比常年偏高1.2℃～1.3℃，超过年平均气温最高的1952年。全年12个月平均气温都比常年同期偏高，最突出的是4月份，偏高3℃多，超过历史同期记录最高的1964年。冬季无寒潮影响，春播期无“倒春寒”。最低气温市区5.3℃，出现于1月25日；同安5.7℃，出现于2月8日。35℃以上高温日数市区9天，同安14天，分别比常年多出1倍和2倍。市区最高气温36.4℃，出现于8月4日；同安37.8℃，出现于7月17日。

年降雨量市区1539毫米，同安1689毫米，分别比常年平均偏多28%和17%，但各季均出现不同程度的旱情。3月21日至4月19日出现连续30天的春旱，8月6～28日连续23天夏小旱，9月13日至10月24日持续42天夏秋连旱，10月29日至12月18日持续48天秋冬连旱。这些旱情先后因前汛期开始和台风降水而得到及时解除。前汛期比常年来得早，但强度弱。全年暴雨日市区3天，同安为6天。

全年受4个台风影响。9810号台风是九十年代以来对厦门影响最大同时也是历年来影响最晚的台风。影响时间长，强度大，造成连续5天降雨和4天大风天气，市区过程总雨量346毫米，出现连续2天100毫米以上的大暴雨，10月27日降雨量200毫米，创1892年以来106年间有气象记录中10月份最大降水的新纪录，市区最大平均风力7级，最大阵风10级，闽南沿海最大阵风超过12级。

年日照总时数市区1686小时，同安1865小时，分别比常年偏少20%和7%。

尽管气候异常，但全年气象灾害损失比往年小：暴雨日少，洪涝不重。影响最大的10号台风，由于预报准确，防范及时，全市直接损失4000多万元，其中网箱养殖损失占3000多万元。台风带来的丰沛降水解除了夏秋旱，基本满足了秋冬季农业用水。

由于气温高，无“三寒”，适宜粮食作物生长；但龙眼树受冬暖气候影响，普遍“冲梢”，花期又遭大雨侵袭，落花严重，挂果稀少，全市年产仅500吨，比1997年剧减90%以上，是近50年来产量最低的一年。沿海冬春大风较少，温度高，雨水多，有利近海养殖。上半年降雨多，日照少，森林火险少，但非常不利海盐生产；下半年少雨旱期长，有利海盐生产，但森林火险较多。

气象服务　全年重大灾害性天气预报准确，服务及时。春雨季和前汛期出现的几场局部性暴雨过程均提前24～36小时作出预报，及时通知市、区政府有关部门采取措施防范。针对7、8月份气温异常偏高降水异常偏少，市气象台及时向市政府呈报分析报告，提出抗旱和防台的建议。9810号台风10月24日进入南海后，市气象台随即发布沿海台风消息，在给市领导的报告中明确指出台风未来的移向对厦门有明显影响。此后随时向市政府报告台风最新动向，并根据情况发布台风警报和紧急警报，在雷达监测到台风中心后，每小时报告一次台风位置。26日上午在全市防台抗灾紧急会议上，市气象局领导指出台风可能在粤东闽南沿海一带登陆并转向厦门方向，或紧沿这一地区的近海转向厦门方向进入台湾海峡，无论哪一种情况台风都将直接影响厦门，带来大暴雨和强风。根据预报，市委、市政府及时部署，防御措施得到认真落实，台风的强风暴雨没有给厦门造成较大的损失，市委、市政府对气象部门非常满意。

全年召开3次农业气象预报会商会，预报结论及时送市、区有关领导和农业部门决策参考。市气象台准确预测夏季高温、夏旱和秋冬旱过程。对3月20～29日出现的低温阴雨和倒春寒过程，提前36小时发出降温报告。同安区气象局针对1～5月气候异常情况及时向区政府提出4条农事建议，并向农技部门提供龙眼种植、农技应用、苗情动态、病虫害、植保耕作等气象咨询服务。

气象专业有偿服务为国家重点建设项目厦门海沧大桥、厦门岛环岛路、柯达海沧铁路、东渡港三期工程等建设项目开展专题预报服务。圆满完成春节元宵晚会、对台出口商品交易会、第二届中国投资贸易洽谈会、国庆节期间以及厦门卫星测控站的火箭卫星发射测控的气象保障服务。与厦门市海上安全监督局合作，11月份起在厦门港内恢复中断28载的风情信号球升挂业务。

依据省市有关法规开展避雷检测。全年常规检测单位超过120家，计算机机房检测20家，并与市有关部门共同举办厦门市防雷技术交流研讨会和防雷业务培训班。电视天气预报节目增加播出次数，在厦门电视台两套节目中一天共播出3次。电视天气预报在全省电视天气预报节目评比中荣获一等奖。

全年专业预报服务签订合同378份，专业服务和科技服务创收较上一年增长27.5%。

气象业务与现代化建设　市气象台和同安区气象局开展业务基本规范学习。地面、高空业务21人全部通过上岗业务知识考核。市气象台组织预报员培训学习MICAPS系统，按要求以MICAPS系统为工作平台制作天气预报。市气象台观测科、雷达站和同安区气象局圆满完成"南海季风"和"华南暴雨"两大科学试验的外场观测任务。完成厦门市气象业务一体化系统建设。改造市气象台天气预报主业务平面，将主要业务系统集中到一个业务平面上，完成计算机网络系统升级，提高远程用户终端服务能力，建成以高性能微机工作站为平台的天气预报工作机群，初步建成新的天气预报业务技术流程。建立Web服务器，厦门气象信息网与全国169信息网联网。完成市气象台地面、高空和同安区气象局测报值班室达标改造以及同安区局观测场标准建设任务，两站地面测报均实现微机制作报表。

科研教育　年内新立项的各级科研课题6项。有2个课题完成结题。《厦门暴雨成因研究及其预报方法》荣获1997年度市科技进步三等奖。

2人参加在职成人大专教育，其中1人大专毕业；57人(次)参加各类气象业务培训和其它业务培训。

改革　按省气象局年初批准的《厦门市气象部门机构编制方案》组织实施工作。加强办公制度和工作纪律，机关实行刷卡考勤，修订减缩差旅费和接待标准。

专业有偿服务实行目标合同承包、奖金自负的运作形式，广告气球服务、声像制作和避雷检测实行独立核算、自收自支、自负盈亏、上缴基数的运行机制，均完成市气象局下达的任务。从事科技服务和综合经营的人员占全局人数的30%。

首次实施的目标管理任务基本完成和实现，达到中国气象局的优秀达标单位标准，在全省的目标考核中名列第一名。

综合经营　市气象局祥云科技服务公司从业人员4人，开展防雷工程设计、施工业务，获得中国气象局防雷管理办公室批准的一级防雷专业资格，所有完成的防雷工程经验检测均为合格。公司年营业额比上年增长243%，年利税比上年增加10倍。公司为国家级风景名胜区鼓浪屿日光岩的整个游览区设计和安装防直击雷、防感应雷系统，使风景区开放不再受雷电天气制约，取得很好的经济和社会效益。

精神文明建设　开展文明系统、文明机关、优秀党支部创建活动和"创文明机关，建满意窗口"活动。文明气象系统创建活动取得成果，市气象局保持第六届省级文明单位称号，11月23日同安区气象局经区文明办考核验收达到区级文明单位标准，实现全市气象系统所有台站均为文明单位的目标，全市气象工作者向长江等洪涝灾区捐款2.3万元，捐衣物610件。开展世界气象日纪念活动。11月份，市气象局被列为厦门首批科普基地，在短短1个月内接待近千人参观学习。同安区气象局档案管理达到省级管理标准。

全市台站新建改建绿地1000平方米。投资7万元完成市气象局工作区供水等设施的改造和职工食堂的改建，投资3.6万元维修职工宿舍和设立邮电信报箱群。继续对部分职工住房作调整，98%已婚职工住进套房。　　(林秀斌)

中国气象局直属单位、直属院校气象工作情况

国家气象中心

概　况

机构设置　3月，国家气象中心调整机构。信息网络部新建资源调度与业务协调办公室。至年底，国家气象中心有管理机构7个：办公室、业务与科技处、人事处、资源调度与业务协调办公室、党委办公室、计划财务处、产业处。业务机构有7个：天气预报室、数值预报运控室、气候资料中心（国家气象档案馆）、预报服务室（电视天气预报制作中心）、通信台、计算机室、环境动力室。

人员编制　年底，国家气象中心总人数626人，专业技术人员525人，其中高级技术职务144人（含正研26人），中级技术职务232人，初级技术职务149人，行政及其他人员137人。专业技术人员中具有本科以上学历272人（其中博士、硕士研究生25人），占专业技术人员的51.8%；大专学历106人，占20.2%；中专学历87人，占16.6%；高中以下学历（含高中）60人，占11.4%。

年内大事　年初，国家气象中心办公自动化系统正式启用。1月12日举办了第一期学习班。年内该系统共开用户159个，基本覆盖了国家气象中心科以上单位，共上网9082条信息，平均每天上网信息约24条。

4月22日，改造后的中央气象台会商室正式启用。新会商室面积360平方米，分为工作区、公共信息区、会商区和休息区。工作区内设有16个工作平台。采用快速以太网技术，与国家气象中心的FDDI骨干网相联，能提供10个100Mbps自适应交换式以太网端口、8个10Mbps交换式以太网端口和48个共享式以太网端口。6月，Micaps新版系统在会商室投入业务。

汛期6～8月，我国长江流域、嫩江松花江流域出现暴雨和洪水。中央气象台组织各类专家进行12次大会商，及时将会商结果呈报中央、国务院领导和有关决策机构。国家气象中心天气预报室被中国气象局授予“1998年全国气象部门防汛抗洪气象服务先进集体”称号，唐惠芳、马德贞被评为“1998年全国气象部门防汛抗洪气象服务先进个人”。

年内，9210气象卫星通讯工程边开发边试运行，应用软件在全国安装，完成了全国示范点的系统安装和广播接收软件的安装。10月26日—11月3日，举办了卫星广播系统技术培训班，为全国各地培训了一批卫星单收站建站、管理和维护技术人员。汛期主站正常运行，利用卫星话音网召开了4次全国性会议。

8月20日，国家气象中心、华风声像中心与八达岭华风温泉大城堡举行承包合同签字仪式。签字仪式后投入试营业。

8月24日，中心主任裘国庆出席了国家主席江泽民主持的专家座谈会，研究防洪救灾工作。会上，裘国庆汇报了《1998年长江特大洪水气象原因初步分析》。

10月2日，为国家气象中心对社会开放日，共接待来自28个省、市230个单位、学校1000余人参观。

年内，接待到国家气象中心参观访问的人员有91批共1911人，其中外宾167人。

天气预报和服务

重要天气预报服务　1998年春降水偏多。1月广东出现暴雨，2月福建全省出现罕见的暴雨和强对流天气，3月安徽长江干流由于暴雨出现历史高

水位。入夏以来，我国南方和东北地区降雨过程十分频繁，大部地区降雨量较长年同期偏多。6月中下旬，长江中下游及其以南地区暴雨频繁。中央气象台6月10日的中期预报和6月10日、13日、16日、18日的短期天气预报和重要天气情况汇报中，均作出了较准确的预报。6月16日向党中央、国务院和有关决策机构呈报了题为“长江中下游进入多雨期”的专题报告，并电告长江沿岸各省市气象台。6月18日下午通过电视发布了长江中下游地区的暴雨预报。

7月，长江流域再次出现大范围强暴雨过程。6月30日夜间至7月3日，湖北、安徽、河南、江苏等地出现暴雨。中央气象台7月1日在电视天气预报中发布了淮河流域暴雨预报。7月下旬，江南北部和西部以及西南东部地区降雨总量达100～300毫米，比常年同期偏多1～4倍。其中湖北武汉7月21～23日连续3天降雨总量达458毫米，为百年来所罕见。暴雨造成洪峰，威胁人民生命财产。7月20日气象台发布天气预报指出，“川黔鄂等地将有较大降雨”，21日、22日进行跟踪预报。22日下午，组织专家会商，作出了“未来10天内，我国将有两条雨带，一条位于长江流域，另一条位于华北、东北”地区。“24日起长江中下游地区强降雨将自西向东逐渐减弱，但降雨还仍将维持”的预报。7月31日，预报“8月2日起，长江中下游的降雨将基本结束”。预报与实况一致。

7月13～18日，中央气象台根据三峡工程总公司的要求，成立了专项保障小组，向三峡坝区派出现场服务组，制作坝区5个分区的5天逐日滚动面雨量预报。13日，在三峡坝区出现超过5万流量洪水的情况下，气象台组织了大会商，预报15～17日的降雨过程雨量为30～40毫米。实况为29毫米，保证了坝区建设的正常进行。

入夏以来，内蒙古东部和东北大部降雨频繁。嫩江流域从5月下旬开始持续多雨。6月至8月，嫩江松花江流域大部地区的总降雨量一般达300～600毫米，比常年偏多4成至1倍。暴雨使嫩江、松花江流域出现前所未有的洪水。

7月5日中央气象台作出了“7月6日～9日嫩江、松花江流域及华北等地将出现大到暴雨过程”的预报。中国气象局向党中央、国务院作了汇报。7月7日作了补充预报。8月2—19日，嫩江、松花江流域相继再次出现5次强降雨过程，中央气象台从7月30日至8月18日在向党中央、国务院14次的专题汇报中，对嫩江、松花江流域的持续性降雨作出了具体预报，预报与实况基本一致。

8月上中旬，长江中下游地区降雨减弱，长江上游干流区暴雨频繁，荆江大堤面临危险。8月6日、12日，在抗洪关键时刻，中央气象台做出准确的天气预报，降雨量预报与实况基本一致，保障了洪峰安全通过荆江大堤。

热带风暴预报服务　年内，西北太平洋和南海地区共生成台风（热带风暴）14个，其中有3个（9802、9803、9806）热带风暴（强热带风暴）4次在我国东部和南部沿海登陆。热带气旋活动异常，生成数比多年平均明显偏少。仅是历史年平均的二分之一。年内第一个热带气旋生成异常偏晚（7月9日），比历史上最晚的1973年（7月1日）还晚8天；热带气旋登陆数（3个）偏少，是1949年以来登陆数最少的年份之一；热带气旋第一次登陆时间较常年偏晚（8月4日），是建国以来登陆时间偏晚的年份之一；热带气旋登陆时的强度较弱，3个登陆热带气旋没有一个达到台风强度，登陆后均迅速减弱，造成灾害较轻。年内中央气象台共发布热带气旋消息、警报26次，预报与实况基本一致。

冷空气预报服务　年内冷空气活动频繁，共61次过程，其中强冷空气活动6次，全国性寒潮1次。3月16～21日我国大部地区出现寒潮天气，西北大部、长江以北及江南中北部地区出现了5～7级偏北风，平原、河谷和江湖海面风力达7～9级，东部海域出现了6～8级偏北风；新疆北部和我国东部地区出现了雨雪天气；长江以北大部地区气温下降了8℃～12℃，其中西北、华北、黄淮等地部分地区降温幅度达13℃～18℃，江淮、江南、华南和西南地区东部的大部地区气温下降了14℃～19℃，南方地区出现了近几年来少见的春季强寒潮。由于气温骤降，致使已北撤到东北南部、华北北部一带的终霜南界，3月中旬末又南移到江南北部一带，农作物普遍受冻害。3月10日，中央气象台在“天气趋势展望”预报中指出“旬后期将有一次较强的冷空气影响我国”。3月17—18日连续两次通过电视台发布“大风降温消息”，并向党中央、国务院和有关领导提供了服务。

决策服务　6月以前向党中央、国务院及有关部门报送专题气象报告12次，6～8月汛期抗洪抢险中，向党中央、国务院及有关部门报送专题气象报告、重要天气情况汇报等60余次。7月28日～8月

31日，每天向江总书记等中央领导和国家防总提供气象专报。中央气象台成立了“三峡降水预报服务组”，7月15日～8月21日，每天向三峡工程总公司和武汉中心气象台及宜昌气象台提供三峡坝区5天滚动分区面雨量预报。

年内，重大天气气候联合服务组专家组组织大会商16次，发出综合性决策气象服务材料20次，彩图5100张，制作电脑幻灯片集6套。6月，为国务院和有关部门提供产品的“决策气象服务系统”第一期建设投入业务试运行。

电视天气预报服务 3月，新一代数字电视制作系统安装并投入业务使用，使电视天气预报节目制作的信号质量和图像质量有了明显提高。电视天气预报多媒体制作系统通过技术鉴定并列入中国气象局推广的新技术产品。

入汛以来，国家气象中心每天制作12套气象电视节目。6月18日和7月25日，国家气象中心分别派出摄制组和预报员，分赴江西和湖南省受灾严重地区进行实景拍摄和参加当地天气会商，制作成特别节目通过光缆传送到国务院。为配合抗洪救灾的宣传，制作了《趋利避害话暴雨》《副热带高压与长江洪水》《气象参谋》等专题片在电视上播放。9月，国家气象中心引进美国WSI公司新的电视天气预报制作系统。10月《副热带高压与98大水》专题片获全国电视气象节目观摩评比创意奖。年底完成了电视天气预报节目改进方案。

专项气象服务 3月2～10日，为“两会”(第九届全国人民代表大会和第九届全国政治协商会议)提供了北京地区天气预报。5月13日，内蒙古草原和林区出现大火，中央气象台与国家林业局、内蒙古气象台保持密切联系，通过《重要天气报告》《内蒙古火区天气预报》等专题报告及新闻媒体提供天气预报。6月，为美国总统一行访华，中央气象台成立了专门服务小组。6月24日开始每天2次向外交部礼宾司提供北京、西安、上海、桂林、香港5城市的3天滚动天气预报。6月上中旬南方连降暴雨，漓江水位猛涨，中央气象台预报6月27日后桂林降雨逐渐减弱，漓江水位回落。7月2日，克林顿总统按期游览了桂林。

专业气象服务 年内，北京全球气象导航技术有限公司与中集、中散、中监、青岛远洋、中海油轮等签订了服务合同，提供气象导航171航次，比1997年减少了78航次。9月，导航公司同英国海军水文局、中远集团合作开发新一代的导航系统。该系统使用电子海图新技术，同时加入气象、海况、气候资料及数值预报产品等，具有船队管理、搜救等功能。

1998年夏季(6～8月)，中央气象台为用户提供暴雨或大暴雨定性天气预报材料、电话服务300多次。7月底为保险公司提供了3次强降雨过程，预报与实况一致。保险公司致函中央气象台表示感谢。

气象情报工作 1998年，中央气象台为电视天气预报和《中国气象报》分别提供了52期“一周天气回顾”和“一周天气和灾害综述”，为260信息台提供北京和全国“一周天气回顾”各52期。为制作决策服务提供各类材料和素材44份、图表70余张。9月，寒露风影响范围和日数的图形显示系统投入试运行；与气候资料中心合作制作的全国10天、20天、30天降水总量及矩平百分率、平均温度距平、最高、最低温度服务系统，在国家气象中心办公自动化系统中正式投入运行。10月，全国初霜冻日期的监测和距平计算系统正式投入业务运行。

气象通信

通信系统改进 年内，北京—东京的气象电路传输传真图采用T4压缩编码方式，运行情况基本良好。针对少量传真图传输时间改善不大的情况，进行了3次长时间的监测统计，整理调图时间表，以满足气象预报的需要。7月14日，完成了北京—奥芬巴赫气象电路的升速切换工作，传输速率由9600bPs升速到64KbPs，同时传真图的传输方式从非编码传真改为T4压缩编码方式，并实现了德国、日本、韩国之间传真图的自动中转业务。7月完成了通过地面广域网收集和分发全国各省(区、市)加密观测雨量资料的工作。

11月11日，完成了北京—莫斯科和伯力气象电路传输方式的调整，取消了伯力低速(75DB)电路；北京—莫斯科电路采用V.29 MODEM，分成2个物理信道，伯力的数据资料通过莫斯科—北京的数据信道中的虚拟通道传输，原每天与莫斯科、伯力交换前一天电路情况的“电路公电”业务取消。

年内，9210工程卫星通信系统投入试运行。完成了40个地市级小站的入网工作；完成了全国300多个地市级小站程控交换机与TES的连接；完成了75个PES站的安装工作；完善了ISBN的能力；完成了DEC HUB WATCH网管软件在NICC IBM

AIX 网管平台上的安装配置，解决了 TES 带内数据传输问题；完成了对卫星广播系统的测试，建成了 20 个卫星单收站。

汛期抗洪期间，通过卫星通信系统传输气象资料，灾区的气象台站在地面电路中断时能及时收集到气象资料。中心有关部门编写了系统说明书、安装手册，开办了 5 期省级计算机网络 IBM、DEC 及用户软件学习班和系统管理员、操作员培训班。11 月 9 日，卫星综合应用业务系统正式开始 24 小时运行值班。

通信科研业务 年内参加南海季风试验，试验过程中的通信传输，主要完成了通过 GTS 电路进行试验指令报的联络、传输和泰国、菲律宾等东南亚国家高空探空资料的收集与分发，完成了国内外有关站点资料的收集与转发工作。

计算机管理和应用

计算机管理 年初，结合机构改革组织技术人员进行技术、岗位培训，提高独立排除故障和处理问题的能力。制定了紧急事件处理流程和故障处理流程，对所有设备进行检修，对操作系统及网络管理系统进行了检查，对 CRAY J90 和 CRAY EL98 系统做了备份，对 3 台 CRAY 计算机用户文件系统进行了清查、整理，保障日常业务和汛期系统正常运行。

完成了会商室网络电缆、光缆的布放、设备安装、IP 地址配置、3COM 2511 交换机的连网调试工作。负责建设和管理局大院 Internet 网，安装了 MODEM 池、记费软件，增加 6 部拨号入网电话，并使拨号入网电话联选，解决了中国气象局机关计算机故障及局域网中断问题，完成了国家卫星气象中心局域网络与国家气象中心网络的连通，满足了国家卫星气象中心使用局大院 Internet 网络的要求。

计算机技术更新 年内，利用国家气象中心办公自动化软件平台，建立了专用"决策服务产品库"、"数值预报信息库"与"城市环境气象信息库"。10 月 27 日，国家气象中心从曙光信息产业有限公司购买了曙光 1000A 并行计算机，全部设备于 11 月 13 日到齐，年底部分设备已投入试运行。完成了数值预报备份机选型、项目建议书、可行性报告的撰写工作。全年 CRAY C92 机的 CPU 平均利用率为 84.0%，EL98 利用率为 64.7%。12 月，成立了国家气象中心计算机 2000 年问题领导小组，并对实时业务系统中的计算机 2000 年问题进行了清查和评估。建立了以 VAX6410 为专用机的修改与测试环境。

为了解决计算机房加湿需要，对反渗透水处理装置进行改造，在反渗透膜前添置 4 套预处理装置。7 月～11 月，对计算机场地监控系统进行升级改造，使系统信号采集周期短、速度快、运行稳定，报警信息反应快，调用便捷、记录时间长，便于分析故障采取措施。

计算机系统故障 年内出现故障共 131 次，其中 CRAY C92 硬件故障 3 次，J90 硬件故障 3 次，CYBER962 故障 6 次，ALPHA 系统软硬件故障 3 次，VAX 群机系统软、硬件故障 70 次，网络系统中 FDDI 网故障 4 次，CDCNET 和 DECNET 故障 30 次，STK 自动磁带库软、硬件故障 12 次。影响实时业务的故障有 5 次。3 月 8 日 02 时 56 分(北京时，以下同)CRAY C92 的 1556BANK 双位内存出错，影响 HLAFS 作业 10 分钟；5 月 14 日 10 时 30 分，ALPHA4000 到会商室的网络不通，原因是 VMS 系统支持 TCP/IP 的 UCX 软件异常，重新启动 UCX 后恢复正常，影响实时作业 15 分钟；10 月 1 日 8 时 30 分，CRAY C92 磁盘故障，用备用磁盘更换，重新配置后恢复正常，影响 T106 作业 135 分钟；10 月 18 日 11 时 15 分，ALPHA4000 不能访问磁盘，经检查是由于供磁盘缓冲区电压的电池板损坏，更换电池板后，系统恢复正常，影响 HLAFS1 张四合一传真图，HLAFS 产品推迟 30 分钟；12 月 13 日和 14 日，由于 CRAYJ90 磁盘故障，影响 T106 场库生成，造成 96 小时以后传真图迟发。

数值天气预报

数值天气预报业务系统 4 月 1 日，加入初始网格移动方案的台风数值预报业务系统正式投入业务，对年内生成的 8 个热带气旋进行业务预报，24 小时预报路经的平均距离误差为 208.3 公里，48 小时为 685.6 公里。5 月在 CRAY C92 上建立了以 MM5 为基本模式框架的、水平分辨率为 30 公里的中尺度数值预报备用系统，以便随时提供特殊气象保障服务。7 月，利用该系统为江西省气象台抗洪救灾提供了每天 2 次共 5 张 6 小时降水量预报图，并提供给中央气象台汛期大会商参考。6 月 1 日，

HLAFS 0.5°×0.5°改进方案预报模式投入准业务运行。6月，经CPU时间优化的T106客观分析方案投入业务运行。优化后的客观分析程序节约CPU两千秒左右，加快了T106产品的分发时间。6月8日，MICAPS新版本实时业务系统切换成功，增加了8项预报员所需的业务功能。6月1日，12～36小时预报每隔3小时的动力释用雨量预报投入准业务运行。汛期，三峡区域短期数值预报系统实时运行，为三峡工程提供气象预报产品。10月20日，T106系统通过卫星通信工程发送产品。产品的发送分时、分段(72小时前和72小时后两大时段)、分区域(东北半球和其它区域)输出，产品发送时间提前近2个小时。12月1日，HLAFS产品通过卫星通信系统向全国以GRIB码文件形式发送产品。研究开发了城市空气污染预测系统，每周制作1次城市24、48小时空气污染气象条件预报及一周展望，产品在局大院NOTES网上发布。对舒适度预报、旅游气象条件预报、紫外线指数预报等进行了可行性调研和方案设计及程序研制。

数值天气预报业务系统改进 年初，所有数据库业务系统，包括预处理、场库、格点报等产品程序相继移植到ALPHA机上运行，使预处理和产品程序运行速度提高了几十倍。初步完成了全球台风预报模式的模拟试验，并利用实况海温资料进行了热带气旋路径预报试验，进行了卫星云导风资料在台风路径预报应用中的数值试验。进行了以SSI方案为核心的全球分析方案的初步开发，对方案进行了个例试验。对HLAFS业务模式进一步改进试验，内容有：物理过程参数化方案的改进，考虑了云水/雨水的显式降水方案代替了原饱和凝结溢出法的大尺度降水方案，通过对比试验及评分检验后已用于准业务运行模式中，在准业务摸式版本上进行了辐射方案的对比试验；对HLAFS 0.5°×0.5°/20层模式进行优化和并行处理，并投入准业务运行；用Shuman经济格式代替了HLAFS现行时间积分方案，进行了对比试验；将绝热变网格框架的垂直分辨率提高到20层，进行网格数值试验的对比分析，诊断模式动力场对网格距的依赖性；开发中尺度数值预报系统，动力Nudging方法的并行版本开发调试成功。北京地区中尺度数值预报试验系统(水平分辨率为15公里)加入了Nudging同化部分，系统升级成功。三峡二期数值预报业务系统完成了0.25°分辨率新客观分析方案的开发，设计了由2°×2°高分辨率地形资料灵活生成的方案。

气候资料

资料检索和传输 年内，完成1950～1997年全国地面基本站观测资料的完整性检验及资料查询、插补和订正工作；完成1978～1985年历史天气图数字化采集工作，4500余张；完成了1880～1945年共21万余张资料的缩微拍摄工作；全年地面信息化资料收集及时率达99.7%，资料正确率为99.5%，为历史最高水平。进行了A6、A7文件、高空资料B文件及太阳辐射资料C文件的传输试验。

资料整编 年内完成了《中国气候图集》的修改、审稿、文字说明及有关出版事项，已交付气象出版社出版。完成地面气象月报、高空气象月报等的印刷出版(共48期)，实现了准实时运行，并进行单要素气候资料的出版工作。完成“自动观测仪I型站的资料评估”、“EN—2型测风仪资料评估”的方案制定，完成自动站观测数据的质量评估。向省级及有关子专题整编分发地面高空资料产品20套。

气象档案资料 全年共完成存档历史资料的载体转换1100盘磁带，国内及全球部分主要资料安全转存在CD—ROM光盘上。完成了中国气象局批准的气象档案馆改造工程的方案设计、论证、选型、招标和合同签定工作。2月13日，国家气象档案馆延庆分馆揭牌仪式在延庆举行。任命许松为馆长。

气候资料合作项目 年内，气候资料中心与天气预报室合作，开发研制出10天、20天、30天全国气温距平、全国降水量和距平百分率、最高最低气温等气象要素决策服务系统。6月19日，美国Oregon州立大学的David先生等一行3人到气候资料中心访问，就双方合作事宜进行了交谈。9月9日，由气候资料中心与内蒙古、江苏、河北省气象局合作开发的“气候资料可视化处理系统”和“气候资料联机服务系统”，通过了气候资料中心组织的阶段性验收。该系统初步达到了气候资料集成处理环境要求，其中辐射资料质量控制系统已分发至省级业务运行。

气候资料服务 为抗洪气象服务提供了3次长江流域及嫩江流域的天气气候背景资料服务及分析服务，多次为国务院外事办、全国人大外事局、全国政协外事局、外交部等单位提供气候背景资料。为我国淡水资源利用项目，提供了黄河断流成因的降水特征分析及资料。年内开展气候资料信息产品科技服务共接待618个单位720人次。建成支持Internet网浏览器的on－line网上气候资料中心，达到气象资料共享。网站提供气候资料、实时气象监测、气候资源与气候研究、气象台站、气象要素、气象资料产品和服务、公众气象服务等。

科技进展和学术交流

科研进展 年内进行的科研和技术开发项目95项，其中国家科技项目18项(包括国家“九五”科研攻关项目、青藏高原攀登计划项目和与外单位共同承担的国家自然科学基金课题等)，承担中国气象局下达的科研课题共16项，国家气象中心自筹资金支持的科研项目44项，国家气象中心业务发展基金课题17项。

国家“九五”科研攻关项目(96－908)“气候模式输入资料前处理系统的研究”专题，完成了区域资料同化系统方案设计，基本建成了资料预处理、客观分析、初值化、同化模式及系统前后处理等子系统；确定开发美国的SSI方案，开发了全球三维变分同化分析方案和前处理、相应的分析后处理方案，年中进入对比试验、个例试验、完善程序阶段。

中国气象局“九五”重点科研项目“数值预报模式并行计算技术研究”课题，MM5并行版本在SP2并行机上调试成功，MM5模式版本升级，1月在北京地区实时运行。全球谱模式并行算法程序向SP2上移植，6月完成了用线性切模式和伴随模式产生奇异向量的研究，优化奇异向量的权重因子，降水量级和温度距平量级采用概率分布形式分布，并实现用MICAPS出图。“并行环境下同化系统的研究”课题，完成了CRAY机上全球客观分析方案(串行版本)在并行计算机上的移植和调试，实现SP2机上并行版本的设计和试验，建立了国家卫星气象中心的TOVS、云导风资料质量评估和应用试验系统，新同化系统的资料前处理和分析结果后处理系统。“气象并行计算环境支持及系统管理研究”课题，引入并行安装了PVM，建立了服务器，对SP2的CPU资源进行负荷分配。“预报逐级指导技术研究”课题中降水分级、最高最低气温分县预报方法研究，建立了预报实时业务系统和制作流程，并在山东、江西、安徽3省进行上下配套方法的研制和试验。“暴雨落区逐级指导预报研究”课题的智能数据库正式业务化，完成了华北大暴雨模型、东北冷涡暴雨和西南涡暴雨模型的设计，并进行试验。

国家气象中心“九五”科研项目“下一代数值天气预报业务系统的开发和应用”课题，完成了新的资料预处理程序的初步开发及CQC方案的调试，进行三维变分试验。“现代化综合预报业务体系及预报方法的研究”课题，进行了重点城市的12～36小时逐小时降雨定量客观预报试验和台风灾害预报及减灾服务系统试运行。“计算机和通信系统高效化研究”课题，进一步完善数据可视化系统，并将该系统应用于MM5中，建立了数据库基本框架，确定了数据接口方案；“我国数字化电视气象服务系统和多媒体制作系统的研究和应用”课题，引进了美国WSI公司的天气预报制作软件和SGI02工作站，并与整个系统有机联接，确定了数字信号传输设备的选型，进行了Windows NT操作系统的开发。“气候资料自动化管理技术研究”课题，7月份开始把地面资料质量检查程序纳入话路传输内容，完成了新业务模式下气候资料联机检索系统的设计和数据库前端检索应用软件的开发。“现代化管理技术的研究与应用”课题，完成了相关政策、制度、规定的分析、修改和建立，初步建立了办公自动化管理系统。

学术交流 年内共举办各种培训班26期，参加学习人数456人，派往国内有关单位学习16人次。有4名在职研究生毕业，13名在职干部就读硕士研究生，1名就读博士生。出国学习、考察、技术合作交流55人次。

3月8日～9月17日，国家气象中心谭季青高级工程师赴美国华盛顿环境紧急响应中心，进行了关于中美环境紧急响应系统的模式比较研究和交流。

5月11～12日，裘国庆主任出席了中国和丹麦大气科技合作联合工作组第一次会议，并确定了3个合作项目：区域中尺度非静力模式的研究；大气污染扩散模式的开发；中小尺度海一气相互作用。

5月18～20日，国家气象中心副主任施培量参加中越气象科技合作第四次会议会谈，中越双方确定了未来两年在天气预报、气象通讯等5个领域里的合作项目，20日举行了会谈纪要签字仪式。

9月，国家气象中心副主任施培量参加了WMO举办的2000年问题研讨会。

9月，国家气象中心数控室副主任王建捷出席了欧洲中期天气预报中心召开的“大气数值方法新发展”会议，会议从5个方面(半拉格朗日平流方案、可选择球面网格、变分分析、非静力模式和新的计算机结构)进行了交流。

9月24日，澳大利亚气象局专家孙志安博士应邀到国家气象中心作了“澳大利亚数值预报业务概况及未来发展”的报告，并与中心中、短期模式研究人员及在读研究生进行了讨论和交流。

11月23日至12月1日，以国家气象中心主任裘国庆为团长的国家气象中心代表团一行13人对日本气象厅进行了友好访问，对日本气象厅的气象业务现代化建设、气象业务工作特别是中短期预报、警报服务和业务流程，进行了比较深入的考察。

科技产业和综合经营

科技产业 年初，中心与各企业签定了《1998年科技服务和产业创收目标管理责任合同书》。年内，气象卫星综合应用业务系统(9210工程)投入准业务运行，组织了3次在区域中心、省台、地(市)台三级IBM、DEC两种小型机平台和联想DEC两种微机平台上进行的联调试验。6月和10月，中国气象局9210工程办组织2次专家验收，认为达到了全国布点的要求。10～12月，组织了20位科技人员分5个小组进行全国布点及现场培训。组织完成了9210工程业务应用软件的培训教材(技术文档)的编写印刷和应用软件第一版的介质出版。

8月，延庆气象培训中心(八达岭华风温泉大城堡)开始试营业。

年内下发了《国家气象中心产业创收分配及奖励办法》《薪点工资制实施细则》《中心企业董事会章程》，完善和修订了《国家气象中心科技企业财务管理办法(试行)》。对国家气象中心3个直属企业(环球气象导航中心、力达信息所和华宇虹科技有限责任公司)进行了企业化运行的试点，建立了与其相适应的管理、分配机制，实行严格的成本核算，自主经营，自负盈亏。10月对力达信息所进行资产重组，将其经营项目并入华宇虹公司。

综合经营 国家气象中心有企业实体11个，其中直属企业4个，台室企业7个。从业人数278人，其中正式职工260人，临时工18人。年内，国家气象中心科技服务、综合经营营业收入总额为3372万元，成本费1087万元，上交国家税金139万元，补助事业费用1218万元，年纯利润达928万元。

精神文明建设

年内，国家气象中心党委组织全体党员、干部学习邓小平理论。11月17～19日，举办了处以上干部及有关人员邓小平理论研讨班。组织学习全国人大和政协会议精神以及朱镕基总理在国务院第一次全体会议上的讲话，学习了江泽民总书记在抗洪救险表彰大会上的讲话和江泽民关于深入开展反腐败斗争的重要讲话。

3月30日，中国气象局副局长颜宏、刘英金参加为中央气象台作为“文明服务示范单位”举行的揭牌仪式，国家气象中心领导和干部近100人参加。调整充实了国家气象中心精神文明建设领导小组和文明服务示范单位监督检查小组成员；修改了《国家气象中心创建文明单位、文明科和文明个人的实施方案》。开展“希望工程”定点救助活动，为张家口地震灾区和洪水灾区幕捐95902.0元，捐衣被等7994件。坚持每月升国旗制度。3月5日成立了“青年志愿服务队”，义务清理办公楼垃圾通道等。

开展体育活动，活跃职工文化体育生活。参加中国气象局“巾帼风采”登山比赛获团体第一名，个人第一名；参加中国气象局第四届运动会获团体第一名。在庆祝党的十一届三中全会召开20周年中国气象局文艺汇演中获两项第三名。

1998年派出3名处级干部参加中国气象局党训班学习。4月，天气预报室短期一科、通信台通网科被评为中国气象局“青年文明号”集体。施培量被评选为“中央国家机关优秀青年”。

北京区域气象中心

主要会议 4月12～14日在山东省威海市召开了第十届北京区域气象局长联席会议，63位代表出席。会上，北京区域气象中心主任裘国庆做了题为“开拓进取，深化改革，把北京区域现代化气象事业推进到一个新的水平”的工作报告，区域中心副主任施培量对气象卫星综合应用业务系统(9210工程)应用软件开发情况做了通报。听取了“中尺度有限区域模式的开发和应用”和“开展高空、太阳辐射资料话路传输方案”的报告。区域各省(区、市)气象局分别介绍了本省(区、市)在气象现代化建设、防灾、减灾气象预报服务等方面的情况和经验。会议提出,今后两年要加速气象卫星综合业务系统的业务运行、应用和管理;做好天气预报业务技术流程的改革;加速数值预报产品释用技术的开发;增强决策气象预报服务意识,提高服务效益;加强区域协作和交流。

4月14日,在山东省威海市召开了华北基金委员会议。会议根据1998年北京区域气象技术开发课题指南和局长联席会议确定的任务,对各省(区、市)局申报的项目进行了审查,确定了24项课题及经费支持额度。

10月20～22日,在天津市蓟县召开了北京区域气象测报管理工作协作会。会上,各省(区、市)气象局交流了测报管理工作经验,介绍了关于地面测报、持证上岗工作的进行情况。

12月15～17日,在国家气象中心召开了区域中期天气预报技术交流会。会上交流了论文11篇。

科研开发 3月,北京区域气象中心与河北省气象局联合研制开发中尺度MM5模式预报方法。6月开始,北京区域气象中心每天实时试运行中尺度MM5模式,计算以北京为中心100×100个格点(格距15公里)、每3小时一次的降水量预报,采用远程拷贝、自动传输的方式提供给河北省气象台预报员使用。与北京市气象局合作的项目"中尺度业务系统的改进与完善",完成了MM5系统中并行化版本的升级,并与美国专家JOHN合作,完善和优化了MM5系统。 (贾秀娥)

国家卫星气象中心

概　　况

领导班子 4月30日中国气象局任命张文建为国家卫星气象中心副主任,其他领导成员职务无变化。

机构设置 国家卫星气象中心下设:办公室、业务处、人事处、计财产业处、党委办公室(监察审计室)、卫星气象研究所、总体技术处、计算机处、运行控制处、运行处、应用服务处、北京气象卫星地面站、风云卫星科技公司。

人员编制 1998年底国家卫星气象中心职工总数455人,比上年度净减少16人。其中,技术人员408人,占89.7%;一般人员47人,占10.3%;正研级高级职称19人,副研级高级职称80人,中级职称168人,初级技术职称124人。

年内大事 4月8日,风云二号静止气象卫星(FY－2A)天线消旋系统发生故障,国家卫星气象中心配合航天工业总公司八院、五院,国防科工委26基地进行调试和故障分析,确定将24小时运行改为每天6个半小时间断运行。

6月22日,科工委、总装备部、航天工业总公司和中国气象局协商决定风云一号02批第一颗气象卫星(FY－1C)推迟到1999年5月发射。国家卫星气象中心6月29日下达应用系统工程建设调整计划。

10月上旬乌鲁木齐开发区内祥平大厦对乌鲁木齐卫星地面站接收天线造成遮挡的问题,经乌鲁木齐市政府的协调,达成解决方案。12月初,评审通过了"乌鲁木齐气象卫星地面站极轨气象卫星接收新址(黑山头)可行性论证报告",报中国气象局审批。

年内完成了3个中心(资料处理中心、运行控制中心、影视中心)机房改造。5个重点实验室(大气辐射实验室、遥感信息处理实验室、总体技术实验室、计算机工程实验室、遥感应用服务实验室)的建设和北京、广州、乌鲁木齐3个地面站的改建扩建任务。

业务与服务

卫星资料接收处理 除FY－2A实行每天6小时半间断运行外,自6月19日零时起由北京气象卫星地面站开始试收NOAA－K(NOAA－15),停止NOAA－12的接收。至此国家卫星气象中心共接收3颗国外NOAA极轨气象卫星资料(即广州、乌鲁木齐气象卫星地面站负责接收NOAA－12和NOAA－14,北京气象卫星地面站接收NOAA－14和NOAA－15和一颗日本GMS静止气象卫星资料及一颗欧洲静止气象卫星资料。

由风云卫星科技公司承担的GMS卫星接收系统改造,9月24日通过试运行和验收,于9月25日正式投入业务使用,提高了GMS卫星资料接收质量。

4月开始研制Meteosat－5欧洲气象卫星接收处理系统,7月21日试收成功,11月1日起正式投入业务运行，弥补了我国西部和上游天气常规预测和气象卫星监测资料的不足，其图像产品实时经9210卫星通信系统广播。

全年共接收处理NOAA极轨气象卫星7608条轨道资料，GMS静止气象卫星4862个时次资料，FY－2静止气象卫星2358个时次资料，接收处理成功率分别为99.7%、99.3%和98.3%。

卫星资料产品服务　向中央气象台每天提供GMS云图资料，中央气象台直接通过网络调用FY－2号气象云图资料。每天为中央电视台天气预报节目制作提供动画云图和FY－2云图资料。

为基层台站提供的服务产品包括：通过9210系统分发产品，5月1日开始增发了GMS－5卫星TBB产品；5月25日开始增发积雪产品。10月20日00Z起按新编目录运行，通过9210播发的气象卫星业务产品有FY－2卫星陆地云图、GMS－5陆地和海区云图、欧洲静止气象卫星（Meteosat－5全景圆盘图、TOVS产品（NOOA－14）、云导风（GMS－5）、OLR（NOAA、GMS）、SST（NOAA、GMS）、TBB（GMS－5）积雪公布、气象卫星环境监测数据、台风指导报、火情监测、水情监测、干旱监测产品。通过中央电视台《气象信息》节目每天向全国发送各种气象卫星云图资料和天气图资料。汛期增加传送云分析图供地、县台站使用。1998年对全年12个编号台风发送427次台风指导报。

1998年继续开展利用气象卫星资料监测自然灾害和环境变化，向气象部门和各级政府及国民经济有关部门提供了森林草场火灾、洪涝、干旱、积雪、海冰、植被长势等气象卫星遥感信息。

洪涝监测。1998年汛期，每天对七大江河流域监测2次。5～9月期间共处理洪涝区的气象卫星400余条轨道资料，获取晴空分区图320幅，其中重点洪涝区的洞庭湖32幅，鄱阳湖39幅，松花江、嫩江地区17幅。根据晴空图资料制作了70幅水情图像和68份水情监测报告。通过9210及其它方式向湖北、湖南、黑龙江省气象局传递气象卫星水情监测资料、为各级政府指挥抗洪救灾提供准确的科学依据。

森林草场火灾监测。1998年对全国重点林区和草场进行监测，全年共监测262次，发现火点（热源点）1361个，其中重点监测了内蒙古、云南和西藏发生的3次较大的森林和草场火灾。

干旱监测。1998年干旱主要发生在9～11月华北地区，影响到冬小麦的播种，利用卫星遥感进行了连续监测，并将监测资料报送到有关部门。

决策服务　通过通往中南海的气象信息系统向国务院每天发送卫星云图、实时灾情和环境监测资料，并向有关部门发送各种实时遥感资料。

资料存档　年内总计存储GMS图像产品资料带728盘，GMS原始资料带8736盘；AVHRR－1B资料带4368盘；TOVS－1B资料带344盘；NOAA拼图资料带246盘；OLR资料带12盘；SST资料带12盘；1.1Km环境监测数据集资料带36盘；全国植被指数资料带12盘；7天最小亮度合成图资料带125盘；NOAA卫星积雪资料带36盘；FY－2原始资料带3641盘。

科研与技术交流

科研　1998年国家卫星气象中心共执行70个科研课题。其中气候攻关课题3个，国家科委863项目课题2个，科工委卫星应用课题12个，国家自然基金课题2个，辐射校正场课题8个，国家科委重点攻关课题6个，中国气象局课题9个，国家科委四大科学试验课题2个，事业支持的课题17个，横向课题9项。年内共有17项课题结题，部分课题通过中期评估。

1998年获中国气象局科技进步二等奖1项、三等奖1项；获国家卫星气象中心一等奖1项、二等奖3项、四等奖1项。在各类刊物上发表论文27篇，其中2篇获北京气象学会优秀论文奖。

“百米量级空间分辨率遥感资料在农业中应用的模拟试验研究”是国家科委863项目，该项研究从1996年9月开始，1998年结题通过验收。

“全球变化中的中国生物群区遥感技术与相关模型研究”是国家自然科学基金重大项目。该项目从1994年开始，1998年结题。通过研究从宏观遥感范畴弄清了二氧化碳加倍以后中国的植被——气候格局，为资源开发、环境保护、农业的可持续发展提供了科学依据。

1998中国辐射校正场建设基本完成了实验场及基础设施分系统敦煌和青海湖场区工作用房建设；天气和环境观测分系统2套引进的自动气象站已经落实，与天津海洋技术研究所签定了1台浮标站和走船式水温仪研制合同，从国外引进的1台浮标站进行了技术谈判，签订了土壤湿度仪和能见度仪的进口合同；实验室定标、校正和标准传递分系统完成了主辐射定标实验室和次级定标实验室建设；场地和大气辐射分系统完成了第一批仪器的进口、验收培训工作。并签订了第二批仪器进口合同；资料处理存档和服务分系统完成了资料处理、存档和服务实验室建设，完成了系统的设计和设备的引进、安装、调试、培训工作。辐射校正场相关的6个科研课题按计划进行，在辐射校正方法研究、关键设备技术攻关、辐射校正有关规范和标准建立、资料处理模型研究和软件开发等方面都取得了一批阶段性成果，10月通过了由总装备部组织的专家中期评审。

技术交流 年内共有63人次赴美、日、法等10个国家和地区参加国际学术会议、技术培训和双边合作交流。邀请美国、法国、澳大利亚等国家和地区的专家来国家卫星气象中心讲学和学术交流。10月26～30日，承办了亚太经社会“气象卫星灾害数据库开发和管理应用讲习班”，向来自阿塞拜疆、孟加拉、裴济、印度尼西亚、韩国、马来西亚、蒙古、缅甸、尼泊尔、菲律宾、斯里兰卡、泰国、越南、印度等14个国家的21名学员介绍了我国防灾减灾成就和灾情预测系统。年内共组织17次回国人员学术报告会。

9月28日～10月18日应南京气象学院邀请，国家气象中心派出10名专家承担了国家卫星气象培训班讲义的编写和教学任务。

教育和培训 年内有9人参加成人高校学习，其中7人为在职攻读博士生和硕士生。围绕风云一号02批气象卫星应用系统建设组织在职职工参加各种业务岗位培训和其他各类培训达200多人次。

“风云”卫星工程进展

风云一号02批工程进展 年内完成了以下项目：北京、广州、乌鲁木齐气象卫星地面站接收系统设备的安装、调试、验收，国家卫星气象中心和广州、乌鲁木齐气象卫星地面站VSAT设备的安装、调试、验收，北京气象卫星地面站高速数据接口设备的安装，资料处理中心计算机系统的安装、调试和验收，运行控制系统的设备安装。NOAA软件部分移植到新系统上运行。完成了风云一号02批部分软件研制任务，12月底前完成了北京、广州、乌鲁木齐气象卫星地面站和资料处理中心的单站联调。12月9日中国气象局和总装备部签署了风云一号02批卫星发射、测控服务补充合同。

“风云二号”工程进展 1998年在完成风云二号卫星资料接收处理的同时继续完成工程遗留问题，进一步完善并提高地面应用系统稳定性。在CDAS站增加了同步控制器，在原有系统配合下可利用S频段对FY－2卫星进行工程控制，完成了DTC数据终端控制器的改造。在运行控制中心增加直接接收风云二号卫星遥测资料的功能；进行了由HPD230服务器替代原主机系统HP9000/1240计算机软件的移植。在三点测距系统方面，对三点测距系统的故障进行检查并基本排除故障，提高了云图的定位精度。

为保证风云二号B星2000年发射，中国气象局和航天工业总公司签订了风云二号B星研制合同，完成了风云二号双星管理改扩建工程项目建议书和可行性研究报告的编制，对研制周期较长18.5米的天伺馈系统进行了议标和评标。

年内对风云二号02批使用要求进行了论证。

风云三号卫星发展 根据“九五”至2010年气象卫星发展规划，继续开展风云三号气象卫星总体方案的可行性研究。10月28～30日中国气象局和航天工业总公司在北京联合召开了风云三号气象卫星总体方案可行性论证报告评审会，认为风云三号总体方案可行，建议申请立项。至此，全部完成了可行性论证，转入研究设计方案阶段。12月初在上海与航天工业总公司八院讨论了“风云三号气象卫星研制总要求”的编制问题。

气象卫星专项资金 7月30日由财政部主持，国家计委科技部、总装备部、国防科工委、航天工业总公司、中国气象局参加的气象专项资金座谈会，讨论了由中国气象局草拟的《关于建立气象卫星专项资金的意见》。12月25日财政部向国务院上报了《关于建立气象卫星专项资金意见的报告》。

科技产业和综合经营

科技产业 年内对外科技服务包括中美资料交换、为渤海石油公司进行卫星遥感海水监测和资料处理研究、为农业部草场火情监测，北京站、北京西客站广告信息服务。

国家卫星气象中心下属6个企业中3个从事高

科技开发,3个从事综合经营。1998年总收入847万元,比上年增加了260万元,利润总额52万元,比上年增加了28万元。企业的科技开发项目主要是气象卫星资料接收处理系统开发、日本MTSAT及美国EOS卫星资料接收处理系统先期研制和DCP数据收集平台。1998年共推广、安装极轨气象卫星资料接收处理系统3套,静止气象卫星资料接收处理系统9套(其中出口阿曼及澳门地区各1套)。

综合经营 办好托月楼宾馆,年内完成了托月楼宾馆的二期建设,8月投入使用并形成效益。

精神文明建设

年内,国家卫星气象中心继续组织干部职工学习邓小平理论。在全体职工中开展"主动、及时、准确、科学、高效"气象职业道德规范教育。4月召开了党支部建设研讨会,会议期间组织参观了西柏坡。在争创"两优一先"活动中,业务处党支部、张光武、王大昌被中国气象局机关党委分别授予先进党支部、优秀党务工作者和优秀党员的称号。

年内,[illegible]名党员因长期不交纳党费和不参加组织生活,作除名处理;1名党员因触犯刑律被开除党籍。

在抗洪救灾献爱心活动中,组织职工开展了捐款捐物活动。

在1998年汛期气象服务中,"静止气象卫星中规模利用站接收处理系统改造和设备维护组"和刘诚同志分别被授予全国防汛抗洪气象服务先进集体和先进个人称号。 (黄德印)

国家气候中心

概 况

领导班子 10月15日,中国气象局党组决定丁一汇主任任职时间延长至1999年12月。

机构设置 国家气候中心下设12个处级机构:办公室、业务发展处、科技教育处、人事政工处、产业开发部、党委办公室、气候预测室、气候诊断室、气候影响评价室、气候应用服务室、资料与计算机室、气候研究开放试验室。

人员编制 职工总数138人,干部134人,工人4人。其中,高级技术职务67人,(含正研级高级技术职务14人);中级技术职务42人,初级技术职务22人。拥有博士学位的17人,其中博士后研究人员4人;硕士26人。

年内大事 4月6日,"长江三峡工程大江截流气象保障服务课题"通过专家组鉴定。专家们认为,课题提供的研究成果在大江截流施工过程中为科学合理地安排施工进度,提前胜利截流,以及为后期工程顺利开展创造了条件,取得了重大效益。

5月1日～8月30日,由国家气候中心主持和主要参与的南海季风试验、淮河流域能量和水循环试验同时实施外场观测计划。中国、美国、日本及南海周边共12个国家和地区的科学家参与试验。

5月1日～8月31日,国家科技部对国家气候中心主持实施的国家"九五"重中之重科技项目"我国短期气候预测系统的研究"进行中期评估。中心承担的10个专题、38个子专题中,取得27个优、10个良、1个合格。

8月24日,国家气候中心丁一汇主任出席江泽民总书记主持的气象水利专家座谈会。会上总书记详细询问了气象与气候以及气候中心与气象中心的区别,厄尔尼诺现象与中国大洪水的关系等问题。

12月15～17日,国家"九五"重中之重科技项目"我国短期气候预测系统的研究"中期总结暨1998年年会在中国气象局召开。温克刚局长、邹竞蒙名誉局长、颜宏副局长出席并讲话。经评审,国家气候中心主持的动力延伸预报方法的研究、短期气候预测所需资料处理方法的研究、高分辨率区域气候模式的研制、短期气候预测综合业务系统的建立4个专题被评为优秀专题。

预报服务

趋势预报 1998年,国家气候中心作出的年度、月和汛期预测取得成功。各项预报评分均超过多年平均值,其中年度冬、春、夏季降水及温度预报评分分别获历史第一和第二。全年月形势、温度平均预报评分分别获历史第二和第三。3月底作出的全国汛期降水趋势预报,特别是"长江流域及江南地区夏季降水明显偏多"的预报准确;7月作出的"东北大部和江南大部降水继续偏多,部分地区可能有洪涝"的预报与实况完全符合,创造了预报评分的历史最好水平。预报江淮流域入梅期偏晚，趋势正确。预报长江三峡大部地区降水总趋势较常年偏多，初夏东南部多，盛夏西北部多，趋势基本正确。

预报南海季风爆发时间晚、强度弱，趋势正确。

汛期服务 1998年汛期，长江流域及嫩江流域发生特大洪涝灾害。3月底趋势预测："夏季(6－8月)有两条多雨带，一条位于长江至江南地区，另一条位于华北中部至黄河中、上游地区"，"夏季，长江中、下游及江南北部地区降水将偏多2～5成，局地偏多5成以上，可能出现较严重的洪涝；东北地区、华北中部、黄河中上游和新疆北部地区偏多1～3成，局地有洪涝。8月4日，国务院副总理，国家防汛抗旱总指挥温家宝在国家防总第三次会议上指出："由于今年长期预报比较准确，国家防总在5月份分析防汛形势时就提出今年长江流域可能出现象1954年那样的大洪水，这个分析的依据就是气象预报。它使得从中央到地方，从各级领导到有关部门，对长江流域大洪水有了比较好的思想准备，并做了比较好的防汛物资准备。"

汛期中，国家气候中心先后为江泽民等中央领导了解厄尔尼诺和拉尼娜现象对气候的影响、汛期旱涝趋势等问题，为国务院有关部委制订经济发展计划、安排生产，以及为中国气象局领导出席重要会议提供服务材料69份。国家气候中心组织编写了《关于厄尔尼诺/拉尼那及其影响简介》《98中国大洪水与气候异常》。有关专家接待新闻媒体采访124次。通过光缆向中南海传输《气象与农情》信息35期，提供月降水量、月降水量距平百分率、月平均气温距平及气候概述信息12期，为国家经贸委、国家计委、农业部、民政部等有关部委提供气候信息咨询服务25次。《旱涝气候监测系统》每日定时向中国气象局及农业部等单位提供实时旱涝气候信息和洪涝、干旱发展态势。

主要气候业务产品

年内，国家气候中心向社会提供了以下14种业务产品：《每月气候预测》《年度气候预测》《汛期旱涝趋势预测》《重要气候报告》《月全国气候影响评价》《年全国气候影响评价》《月气候监测公报》《年气候监测公报》《ENSO监测简报》《中国旱涝气候公报》《中国旱涝气候公报简刊》《中国主要气候灾害志》《中国气候公报》《国外天气气候简报》。

在《全国气候影响评价》中增加了气候变化内容，强调定量评估。在《中国旱涝气候公报简刊》中增加了发生洪涝台站的实时旱涝气候信息表，主要台站暴雨的日数、降水量历史排名、最大降水量发生年代等。《中国气候公报》增加了气候异常图幅和气候变化图幅。

业务系统建设

T63动力延伸预报模式、大气环流模式、OSU模式、海洋模式、ENSO预测模式及区域气候模式提供的试验产品先后参与月、汛期和年度预测会商，在海温和降水趋势预报中显示出良好效果。T63动力延伸预报和物理统计要素预报产品在南海季风试验与淮河流域能量和水循环试验中参与了南海季风爆发时间和江淮流域梅雨期的预报。

"华南地区旱涝年景评估系统"、"气候影响评估填图分析系统"、"气候应用专用数据库框架的研究与建立系统"、"历史资料的更新和实时资料的自动化处理系统"年内投入业务应用。经改进的"气候影响评价数据库"、移植后的"年气候监测诊断业务系统"自动化程度提高。"实时海温资料接收、处理及资料库"的建立，解决了海温资料的提取问题，提高了资料的精度。对OSU/ZW动力气候模式进行了改进和完善。

气候研究进展

科研项目 年内，国家气候中心主持和主要参与实施国家"九五"重中之重科技项目1项；国家自然科学基金委员会项目7项，其中重大项目1项；国家科技部攀登计划2项，攀登计划预选项目1项，国家计委气候变化协调小组课题2项；国家自然科学青年基金项目1项；人事部非教育系统留学回国人员科技活动择优资助项目1项；中国气象局项目2项。

获奖情况 "我国灾害性气候预测方法及其应用研究"获中国气象局科技进步二等奖。"热带西太平洋海气相互作用考察(TOGA－COARE)及诊断和模拟研究"获中国气象局科技进步三等奖。

研究进展 重大项目研究进展如下：

气候模式研究，依据国家气候中心模式发展计划进行以下研究：

海洋环流模式。与中科院大气物理研究所合作，研制全球海洋环流模式嵌套方案，进行单向嵌套试验。模式对热带太平洋温跃层位置和季节变化较原太平洋模式有明显改进。

简单海气耦合模式。初步形成了一个可用于预测太平洋海表面温度的海气偶合模式，预报结果有改进。

大气环流模式。用 T63 模式继续将 Gregory 的质量通量方案与原模式中的 Kuo 氏对流参数化方案进行比较，分别对 6、7、8 月进行预报。结果表明新方案对降水及环流的预报均有所改进。

区域气候模式。将质量通量方案(MFS)青藏高原地形等加入 RegCM2 中，对 1991 年江淮暴雨作数值模拟，得到更合理结果。

模式总装。对"我国短期气候预测系统模式"进行初步总装，并进行汛期预测，报出了我国华南、江南的多雨趋势及东北、西北部地区的多雨带。

古气候研究："中国历史气候基础资料系统及应用前景"课题研究工作启动。"历史蝗灾记录与气候条件研究"完成年度计划 。"我国两宋时期气候状况的取证"完成《宋会要辑稿》的整理。中国、比利时合作的"中国与西欧中世纪气候对比研究继续进展。"近代气候预测所需资料处理方法研究"继续进行年轮资料的整编工作。"400 年以来秦岭地区树龄图像密度与季风的季节变化研究"重点进行气候资料的处理分析工作。"中国西北地区 2000 年来气候变化研究"进行了树木年轮采样，完成陕西镇安 1755 年以来初春温度重建；秦岭地区历史时期初春温度重建已得出主要研究结果。初步完成中国北方全新世数字花粉资料数据库。

气候诊断和分析研究：利用对 NCEP 再分析资料的分析，对已开发的模式结果诊断分析系统部件进行试验和检测。完成了我国 ENSO 监测系统和 ENSO 预测业务系统框架设计，研究 COI、暖池等新的 ENSO 监测指标，对 ENSO 事件实行分类，研制了热带太平洋 SST 和 OLR 动态显示技术。建立了适合于 ENSO 预报的奇异谱最大熵、PC－CCA、滤波最优叠合、相似预报等 4 种统计预报模式，研究了 ENSO 预测模式的动态、静态及综合的客观评估方法。建立了我国东部各区域主要雨季严重旱涝与东北夏季及南方春季严重低温数据库，研究严重旱涝与低温发生规律，建立了积雪和 ENSO 对长江中下游旱涝影响的物理概念模型。

人类活动对气候影响与气候影响评价研究：提出气候异常对国民经济影响的综合业务评估系统框架设计；确定了减少气候异常对国民经济影响综合对策模型库的设计原则，构建减少气候异常对国民经济影响综合对策模型库的基本框架。建立连接陆地生态系统的东亚区域气候模式，用于三峡影响试验；中国西部高原与干旱区生态系统与全球变化的关系重点研究青藏高原作用；巴西案文中温室气体有效排放的量化评价及温室气体量化指标体系的建立研究完成 2 次专题报告，提交国家计委和有关部门，并作为赴阿根廷参加气候变化框架公约第四次缔约国大会中国代表谈判背景材料。

气候预测研究：研究海温、冰雪、季风、副高、阻高等 5 个因子与中国夏季降水的关系，成果在汛期预报中应用。研究了分区权重法和递归正权法两种新的预报集成决策方法，在汛期降水预报试验中取得较好效果。动力延伸预报准业务系统初步建立，开展了动力预报产品释用技术的研究与应用。短期气候预测业务系统框架设计完成。

外场观测试验：完成南海季风试验西沙海－气通量观测工作。取得较完整数据，获得了不同季风爆发阶段通量观测资料。

科技合作与学术交流

年内，与国内有关高校、中国科学院、国家环保局、国家科委、国家计委、国家教委、水利部、省(市)气象局等单位在短期气候预测、气候模拟、气候变化等方面开展合作研究。开放实验室举办了气候变化科学前沿论坛系列讲座，同时开展多边、双边合作项目 18 项。与美国、英国、加拿大、俄罗斯、越南、韩国、芬兰、比利时、哈萨克斯坦等国家签定了合作协议，内容包括气候预测、气候模式研究、古气候、气候影响和气候变化、东亚季风、气候资料分析等。

年内接待来自 21 个国家和地区的 28(团)次，53(人)次来访，派出 38 (人)次赴 18 个国家和地区出席会议、访问、交流和短期工作。

1 月 24 日，丁一汇等赴日本出席 GAME 第三次国际科学会议，就 IOP 站点、资料交换及在中国举办 GEWEX/GAME 会议等问题进行讨论和协调。5 月 17－23 日，李维京等访问韩国气象厅并参加 1998 年东亚夏季风气候预测联合会商会。11 月

30日－12月4日，丁一汇、赵宗慈赴法国出席IPCC第一次主要作者会议和政府间CLIVAR会议。会议讨论了IPCC编写大纲及CLIVAR计划实施问题，并就CLIVAR计划发表了联合声明。

科技产业与综合经营

年内对产业开发部人员进行调整，完善制度。科技服务领域涉及到水利、能源、城市建设、交通、旅游、厂矿、企业等领域，年收入15万元，纯收入5万元。综合经营继续开展电脑设计、印刷等业务，创收15万元，纯收入5万元。

精神文明建设

年内组织党委成员、青年干部学习邓小平理论，举办党务干部培训班。结合业务、科研、行政工作中的难点问题开展思想政治工作，工会、共青团组织了文体活动。

国家气候中心获中国气象局、中央国家机关工委颁发的"1998年抗洪抢险和四大试验先进集体称号"；开放实验室模式预报组、气候预测室、气候诊断室分别获国家科技部和中国气象局表彰的"汛期服务先进集体称号"；科教处获"中国气象局四大实验先进集体称号"；李维京获中央国家机关工委、国家科技部、国家防总和中国气象局颁发的"抗洪抢险救灾汛期服务先进个人称号"。（张　锦）

中国气象科学研究院

概　况

机构设置　中国气象科学研究院共设处级单位14个，其中研究机构6个：灾害性天气研究中心、地球环境和全球变化研究中心、人工影响天气研究中心、大气探测术研究中心、农业气象和遥测应用研究中心（应用气象研究中心）、气象科技信息中心。机关处级机构8个：办公室、科技管理处、人事处、计划财务处、行政管理处、科技开发和产业办公室、研究生部、党委办公室。

人员编制　年底共有职工389人，其中研究员（含研究员级的高级工程师）35人，博士师导师6人；副研究员（含副研级高级工程师、副编审等）124人；助理研究员（含工程师、馆员、编辑、翻译等）141人。博士学位研究人员19人，硕士学位研究人员54人。

年内大事　6月10～13日，中国气象局、吉林省人民政府人工影响天气联合开放实验室挂牌仪式在吉林省气象局举行。吉林省副省长刘淑莹、中国气象局副局长马年鹤及有关部门领导参加了仪式。仪式后举行了人工影响天气联合开放实验室第一届学术委员会会议。

6月，经国务院学位委员会批准，由中国气象科学研究院和南京气象学院联合申报的大气物理学与大气环境专业获博士学位授予权。年内补充了4名硕士生导师和2名博士生导师，还开展了申报博士后流动站的工作。

7月8日，气象科学研究院步步高饮料公司举行开业典礼。中国气象局局长温克刚及有关职能司领导和代表40多人应邀前往顺义出席了开业典礼。顺义县委、县政府等地方领导、国家科技部条财司、共青团中央少工委、步步高公司安徽东华集团以及50多家营销商等近200人参加开业典礼。中国气象局温克局长了讲话并与中国气象科学院领导，及顺义县委领导共同为公司开业剪彩，代表们还参观了公司所属的AD钙奶厂和制瓶厂。

10月，组建资料处理网络部，年底前完成了院级网络建设，开始为科研工作提供资料服务。

年内，完成了中国气象科学研究院第一阶段科技体制改革。上半年通过民主推荐组建了6个中心的筹备小组，下半年以公开招聘的方式选拔了6个中心的领导干部。

10月29～30日，在河北固城农业气象试验基地举办中国气象科学研究院中心领导班子学习研讨会。研讨加强中心领导班子建设和有关改革的问题

11月，各中心按照改革方案，进行双向选择，实施队伍优化、人员分流。

年内，出台了与改革相适应的配套制度和管理办法。制定下发了《气科院双向选择、优化科研业务队伍的方案（试行）》，修改了《气科院待岗人员管理办法（试行）》以及《气科院关于副研级专家退休有关问题的决定（试行）》。

1998年底，成立了行政机构改革研究小组，气科院机关"三定"工作全面开始，按照行政管理职能

和公益性服务分开，公益性后勤服务集中到服务部门，合并机关管理职能、精简职能处的思路实施，成立了服务部筹备组。

年内，中国气象科学研究院主持的两大试验取得成功，获“四大试验”气象部门司级先进单位称号；灾害性天气研究中心和极地气象研究室获先进单称号；梁海河、王明志、王金星、卞林根、逯昌贵获先进个人称号。

1998 年气科院农业气象研究中心情报预报室被国家科技部授予“全国科技界抗灾救灾先进集体”称号，陈菊英、张沛源获先进个人称号。中尺度气象研究所获全国气象部门防汛抗灾气象服务先进集体的称号，许继武获防汛抗灾气象服务先进个人称号。

正式启动“跨世纪青年学术骨干选拔和管理办法”，全院选拔 7 名跨世纪青年学术骨干，给予了重点培养和支持，拨给 56 万元(使用 2 年)研究经费。

业务与服务

汛期服务　汛期之前对多普勒天气雷达进行了全面检查维护，信号处理器作进一步调试和定标。参加局“重大天气气候联合服务专家组”的天气会商和气候中心主持的汛期会商会，提供了强风暴天气信息供专家会商使用。根据江西省气象局要求和中国气象局指示，派出 2 名专家赴江西支持防汛抗灾工作。

农业服务　为新华社提供 36 期农业气象专题分析材料，大部分在《人民日报》上刊登，同时被《中国信息报》、《新华社每日电讯》及多家省级报刊转载或电台、电视台播发；为国务院有关部委提供不定期的分析材料 30 次，对小麦、玉米、水稻等作物作了 15 期产量预报，比较准确；全年编写旬报 36 期、月报 12 期、季报 4 期和年报 2 期。

人工增雨、防雹“人工增雨农业减灾技术研究”专题的层状云野外物理试验在吉林、山东、河南开展，共使用飞机 4 架，开展人工增雨作业累计飞行 72 架次，飞行 160 小时，3 省大部地区受益，经济效益初步统计为 1.2 亿元。赴湖北省十堰地区火箭人工增雨。作业 4 次，经济效益 500 万元。结合课题，与内蒙、辽宁、河北省合作开展防雹作业 26 次。派出 6 名科研人员与西安飞行试验研究院合作，完成了我国自行研制的 Y7—200A 型飞机积冰试验的测试工作，使该飞机顺利取得了国际认可的许可证。协助空军气象局完成了国庆 50 周年人工消云(雾)催化剂成核率的检测及动力催化等实验工作。

计量检定业务　完成了气压、温度、湿度、风速、辐射等的量值传递和日常检定工作，包括各类自动气象站等大型综合性的测试工作。全年共检定、测量各类气压、温、湿度、风速辐射仪器(仪表)1135 件(支)。在完成对省局气象仪器检定工作同时，承担了对省局计量所的技术管理和指导。维修了 PPS；按时送检温度、湿度、辐射等标准器；按时比对气压、辐射、风速等标准器组；维修了大风洞的控制系统、温度检定槽等检定设备；完成了中越气象标准器共 19 件(支)的比对，为越方出具了比对数据和报告，完成了亚洲仪器中心北京仪器调查表的编写工作。

探测仪器生产　年内，完成了 1500 套 C 波段电子探空仪的生产任务，一次通过产品出厂验收，并全部交付中国气象局物资供应处。

自动气象站建设　从芬兰引进的 5 套 MILOS500 型自动气象站，分别在 5 个台站安装、调试、考核试验。同时完成了 5 套自动站业务软件的研制及编制工作，年内已正式投入业务使用。

南极考察　11 月明道赛等 3 人随南极考察队分赴南极长城站和中山站，实施第 15 次南极气象考察计划。中山站的考察队员除进行常规地面观测、辐射观测、高分辨卫星资料接收外，还进行 Brewer 臭氧观测。完成了 1998 年度长城、中山两站报表审核整编和 1994～1997 年度资料出版工作。

科研立项、进展及成果

科研立项　年内获准开始执行的国家自然科学基金资助项目共计 6 项，其中青年基金项目 1 项，面上项目 5 项，资助总经费为 89 万元。1998 年申报的 9 项面上国家自然科学基金资助项目 9 项、杰出青年项目 1 项，经审批后获准面上项目 2 项。

1998 年由中国气象局和中国科学院联合提出开展“我国重大气候和天气灾害的形成机理和预测理论研究”建议书，该项目是国家重点基础研究发展规划项目，年内项目建议书通过专家评审论证，并正式立项。该项目的第二部分为“我国重大天气灾害的形成机理和预测理论研究”，由中国气象科学研究院主持，首席科学家为倪允琪教授。

“农业生产环境气象信息保障和调控技术”，是我国“2116 工程”重大软科学计划项目入选 34 个项目之一。由中国气象局、中国科学院、农业部联合申请，可行性论证报告已于年内通过专家论证。项目建议主持人为中国气象科学研究院徐祥德研究员。

课题研究进展 1998年，在研课题共82项（国家自然科学基金委重大项目“长江三角洲地区低层大气物理化学过程及其与生态系统的相互作用”包含的11个专题未统计在内)，其中新立项10项。

“长江三角洲地区低层大气物理化学过程及其与生态系统的相互作用”是国家自然科学基金委员会“九五”重大项目，于1998年4月批准立项。中国气象科学研究院为主持单位，周秀骥院士为项目主持人。本项目通过在长江三角洲地区开展大气臭氧对主要农作物生态实验、生态效应及其影响机理探讨，为发展大气—生态系统动力学模型提供基本参数，并为该地区大气环境变化，特别是臭氧浓度增加对典型农业生态系统产量可能带来的影响提出科学评价。该项目批准经费500万元。年内已收集了长江三角洲地区26要素的气候资料和分析网格点，收集了10个站的环境资料。

“农业气象灾害防御技术研究”是“九五”国家重点科技攻关项目，于1996年10月批准立项，由中国气象局、农业部、林业部、水利部、中国科学院联合承担。1998年，项目通过了中期检查评估。项目负责人是中国气象科学研究院徐祥德、王馥棠研究员，本项目按不同灾种分为8个专题，中国气象科学研究院负责其中的3个专题及整个项目执行专家组的组织管理工作。该项目年内通过中期评估，对专题内部进行了调整，调整幅度达20～30%。完成了后两年合同的续签工作，课题进入了新的实施阶段。

由中国气象科学研究院主持承担的四大气象科学试验之一“第二次青藏高原大气科学试验(TIPEX)，在西藏自治区、青海省和四川省共设11个探空加密、地面加密及辐射观测站。整个观测期从1998年5月1日～8月10日为常规观测保证期，其中加密观测期为92天(5月10日～8月10日)。昌都、改则、当雄3个边界层观测基地于5月20日开始正式观测，拉萨指挥中心自5月27日起向北京首席科学家、项目办公室及中国气象局科教司发送简报和每日作业公报。至1998年年底，共发作业公报69期，简报19期。各观测基地均完成任务，加密观测工作结束后，即转入资料的审核、后续处理和信息化工作。按四大试验外场观测协议书要求，对高空、地面资料统一格式进行信息化处理、存盘。10月底，已将资料上报试验项目资料管理中心。项目实施办公室组织人员针对业务需要开展科研，参加了国内有关单位的科研合作。

“海峡两岸及邻近地区暴雨试验研究”是国家科技部“九五”期间攀登专项研究计划。1998年四大气象科学试验之一。中国气象科学研究院成立了“海峡两岸及邻近地区暴雨试验”项目办公室，分别与广东省、福建省气象局签署了外场观测协议书，落实了作业区内地面站、自动气象站、探空站、闪电定位系统、全球定位系统、数字化天气雷达和多普勒天气雷达的观测规范，成立了广州作业运行中心。试验期间获取了7次暴雨天气和1次登陆台风过程的加强观测期(IOP)观测资料，下半年项目专家委员会多次召开扩大会议，对暴雨试验外场作业观测运行中心第一阶段的试验工作进行总结，并布置下一步工作。至1998年底，该项目已初步建立了数据库的框架结构，基本资料已完成录入工作，并开展了相关的科研工作。

“九五”重中之重气候攻关项目“东亚地区地表特征分布的研究和新资料的建立”，按年度计划已完成：中国地表反照率资料的建立和分析；中国地区地表植被类型分析及覆盖资料的建立和分析；中国地区地表粗糙度资料的建立及分析。

国家自然科学重大基金项目“区域气候—空气质量—地表系统耦合动力学模式研究”，年内完成了三重双向嵌套网格45km→15km→5km区域非静力动力学模式，并已正常运行。

中日亚洲季风机制合作研究项目“青藏高原地区热量和能量平衡研究”，用1993—1998年的拉萨、那曲、日喀则、林芝4个地面AWS(自动天气观测站)的资料已计算出CD、CH等系数以及上述4个地区的动力和热力的日变化、月变化和年变化。

“人工增雨新催化技术系统研究”在附加环境气流的模拟条件下进行了碘化银焰剂的成冰效率检测。利用小型风机对碘化银焰剂在不同速度运行下的成冰效率进行了模拟检测。对国内已在使用的和新研制的几种碘化银焰剂进行了对比检测。本课题还根据初步试验检测结果，提出了3种含复合铜和不同碘化银含量的复合焰剂配方。

验收与鉴定 1998年经过鉴定验收的项目有6项：华北农业干旱监测预报与影响评估技术研究(徐祥德)、中国地区大气臭氧变化及其对气候环境的影响(周秀骥)、华北地区两高一优农业的水份和干旱问题研究(安顺清)、太阳天光辐射计(王炳忠)、长期预报理论和方法的研究(章基嘉、孙照渤)、高炮催化作用的实验和数值研究(胡志晋)。

获奖项目 本年度,中国气象科学研究院共评出科技进步二等奖2项:华北地区两高一优农业的水分和干旱问题研究;短期气候变化特征成因和预测物理方法研究。三等奖1项:声纳式蒸发遥测仪。

气象科技情报

图书情报整编 1998年全年订购各类期刊256种,购进新书590册。其中外文原版40册,外文影印期刊144册,中文期刊1200册,中文交换期刊504册,WMO特刊288册,购进中文图书220册。补充、完善了图书采购目录、期刊采购目录、WMO特刊目录、中文图书目录、西文图书目录、日文图书目录、会议文集目录等目录数据库。

图书、期刊阅览管理 全年共接待读者4740人(图书1200人、期刊库1600人、期刊阅览室1940人),借出书刊8556册(书库2800册、期刊库3400册、阅览室2356册),验办书、刊证100份,为读者复印各类资料2万余张。

刊物出版工作 全年出版《应用气象学报》4期、增刊1期,《中国气象科学研究院年报》(中、英文版)1期,出版《气象》12期、《气象科技》4期、《气象科技合作动态》6期。出版了《大气科学主题词表》,约50万字,该书的出版,填补了气象科技工具书这一领域长期存在的空白。出版了《美国气象科技发展动向的研究与分析》,约16万字。出版了《中文科技资料目录—气象学》2期,约8万字,并完成向中国科技信息中心万方数据库提供目录数据库约4000条。

情报检索服务 年内,完成图书馆自动化二期工程中主体工程部分—光盘网络系统的扩充及电子阅览室(兼计算机培训教室)的建设。完成《中目科技资料目录》1984～1997年DOS版本的合成制作,该库共含气象科技文献题录及部分文摘3.6万条。完成《中文科技资料目录—气象学》数据库与其它数据库重迭部分资源向该数据库的转移,共开发接口程序10个。利用已建成的数据库,向数10位用户提供多种形式的电子信息服务。

情报研究 完成"美国气象科技发展动向的研究与分析"的情报调研课题,已出版论文集。参与完成软科学课题"气象—经济决策理论在我国的应用前景研究"。主持编译《土木工程等施工技术安全指南》一书。参加《气象百科全书》中实验计划和气象出版物部分的选目、编辑工作,参加"大气遥感研究与应用进展"、"人工影响天气仪器设备情报研究"课题,承担国家科委社会发展科技司"社会公益性研究机构背景情况调查问卷(气象部分)"的数字统计和文字综合汇总工作研究课题。全年共在各类刊物(包括《新华社内参》、《气象学报》等)和学术会议上发表论文、译文、综述文章、调研报告50篇。

查新、专利业务 完成委托查新项目9项:华北地区两高一优农业水分和干旱问题研究;西北地区沙尘暴研究;静止气象卫星中规模利用站处理系统和信号接收、摄入一体化卡研制;长江三峡工程大江截流气象保障服务技术开发研究;耗散理论在暴雨分析预报中的应用;低温旱涝对农作物产量品质的影响及低温旱涝长期预报方法研究;灾害性冰雹过程的大气重力波布阵探测研究;吉林省雨季起讫期、长短、强弱及类型的预测。

1998年代办专利2项。

国际(地区)科技合作和交流

年内,共派出26人次,分赴14个国家和地区开展合作研究或参加国际会议。接待了83人次,来自12个国家和地区的专家学者参观访问。中外专家在地球环境、大气化学、中尺度气象、热带气旋、农业气象、人工影响天气、高原气象等领域进行了广泛的交流和合作研究。

1998年度主要的合作项目有:青藏高原合作项目。该项目的主要合作伙伴是日本气象研究所及日本筑波大学。在项目执行前期,中日专家多次交流、讨论在高原设站及资料交换等细致性问题,并分别在中国和日本召开了中日青藏高原项目联合协调委员会会议(JCC)。组织专家赴印度考察,同印方专家探讨在IOP观测期间,双方资料交换的问题。在青藏高原科学试验期间,美国UCAR主席Anthes等一行8人专程到西藏拉萨及日喀则进行考察,与高原项目首席科学家陈联寿研究员进行了座谈,双方专家讨论了今后的合作意向。试验期间,4位挪威专家自带仪器参加青藏高原昌都地区边界层观测。

长江三角洲项目。该项目立项后,美国佐治亚大学几位教授来华与中国气象科学研究院签订了合作协议，开展区域环境变化对农作物影响(China—MAP)的研究，紫外辐射的环境气象预报的研究，同时还在华南暴雨研究、农业气象领域、大气化学、中日季风项目以及气象仪器、装备领域等领域开展了合作。

为探讨全球观测系统的新需求，交流经验和寻求合作，在12月份中国气象局召开了的“中加大气观测系统研讨会”上，中国气象科学研究院3份技术报告与会交流。

科技服务与综合经营

年内，加强了对科技开发和产业工作的领导，充实了总公司班子，制订有关规章制度。完成了L波段二次测风雷达—电子探空仪系统中电子探空仪、测距仪和数据自动处理终端(含硬、软件)的开发和研制。电子探空仪一次通过了中国气象局L波段系统检验组的静态测试，测试项目全部达标。经对调整和改进，电子探空仪和测距仪探测距离现场考核达到196KM球炸，数据连续无误，达到了原设计技术要求，完成了701二次测风雷达电子控空仪的压、温、湿控空仪部分的开发，通过了现场施放。

通过对地面有线遥测自动气象站(I型)的研制，开发出了一系列自动气象站产品，包括CAWS600型全要素自动站、CAWS400型6要素自动站、CAWS200自动单雨量站等。

和云南866厂合作研制的8000米子母焰弹防雹降雨火箭通过了由云南国防工办和中国气象局科教司主持的检定，其中由中国气象科学研究院研制的催化剂部分经检定达到国际先进水平。

完成了富瓷彩印工厂的搬迁。组建了步步高饮料公司。1998年1月进入顺义县木林镇唐指山工业区筹备的“步步高AD钙奶生产线”，半年后产品进入市场。

1998年，全院实现了年创收240万元的目标，比1996年提高了1倍。

精神文明建设

组织全院党员干部学习邓小平理论，院中心学习组组织了专题学习。制定了反腐倡廉工作责任制。

参加中国气象局第二届职工运动会，获得团体总分第三名和精神文明奖。参加全局纪念党的十一届三中全会20周年文艺汇演，获得舞蹈表演第二名和优秀组织奖。

开展“治理整顿月”治理脏、乱、差，解决了楼道堆积物防火问题。坚持卫生清洁日活动，保持责任区清洁。进一步健全消防组织，完善消防安全管理制度，定期检查防火安全，1998年实现了无火情、无火险的目标管理。完成义务献血任务并超额1人。加强社会治安宣传管理工作，未出现违法和刑事案件。建立计划生育宣传教育和管理组织，各项指标均完成。做好交通安全宣传工作，包括50多名兼职驾驶员的管理和教育工作，全院全员年内无违章、无事故，并连续7年被评为海淀区交通安全先进单位，车管干部被评为北京市“交通安全积极分子”。

（黄幸媛）

行政管理局

概　况

行政管理局设：管理机构7个：办公室、党委办公室、人事劳动处、综合经营办公室、基建处、房地产管理处、大院管委会办公室；直属单位7个：保障部、服务部、门诊部、饮食服务中心、双榆树物业管理部、中国气象局小学、中国气象局幼儿园；承包经营单位2个：北京气象高新技术培训中心、双天大厦；直属企业2个：北京天勤科贸总公司、海云天建筑工程队。

年内，共有正式职工304人，其中处级干部23人，高级专业技术人员7人，中级专业技术人员71人。此外，全年使用顶岗临时工、季节工208人，现有离退休职工208名。

1月8日，中国气象局电话扩建一期工程竣工仪式在卫星中心东会议厅举行。李黄副局长出席会议并讲话，上海贝尔阿尔卡特通讯有限公司总经理谢亚德和北京市电话局等有关同志出席了仪式。

2月24～27日，中国气象局大院住房、医疗改革及基础设施建设研讨会在延庆温泉培训中心召开。李黄副局长、刘英金副局长出席会议，大院各直属单位领导及局机关有关司室领导参加了会议。

7月6日，行政管理局主持召开了“中国气象局大院供热、供水系统改造项目研讨会”。由行管局韩通武局长主持研讨会，中国气象局局长温克刚、副局长刘英金出席会议并讲话，大院各单位主管行政后勤负责人参加了会议。

10月29日，中国气象局局长温克刚到北京气象宾馆视察工作，并讲了话。12月7日，中国气象局副局长刘英金到行管局通报韩通武同志工作调整，调任计划财务司司长；行管局局长职务暂不免。

基本建设

年内，共完成基建投资4520万元，其中用于住宅建设的达3700万元，年竣工住宅和业务楼面积为13355平方米，在建住宅面积为18100平方米。

南区18号住宅楼工程于6月底前完成，室内及外围配套工程于10月份全部完成并投入使用。出版社业务楼已全面完工并通过验收，7月8日正式移交使用单位。南区16、17号住宅楼如期完成了前期立项和规划审批及《规划许可证》领取工作，年内完成了地上二层结构工程。东区5号住宅楼8月10日正式破土动工，11月15日提前完成了结构封顶工程。

年内，完成了西八里庄住宅小区建设的前期《规划许可证》申报工作，施工队伍筛选以及拆迁工作正在紧张进行。南区20、21号住宅楼建设，已批准立项，方案设计上报主管部门审批。北区值班公寓建设，完成了设计方案并上报。

年内，完成了大院生活用水系统改造工程，完成了西大门装修改造工程及封闭式垃圾站的设备更新改造。热力改造工程完成前期准备工作。

后勤保障

年内，重点加强了服务保障设备的维护检修工作，消除隐患，提高综合保障能力。完成了东区深井泵大修及更换变频器、供暖锅炉更换冷水壁管工作，较好地完成了供暖供水工作，锅炉房再次被评为北京市先进单位；推行了宿舍楼IC卡用电管理制度，先后完成了气象报社楼暖气、电缆改造；改造南区地下水管网和供电线路，解决了长期存在的水压不稳和用电负荷低问题；进行了大院电话主干管线和室内线改造，以解决电话线路老化问题；重修了俱乐部门前广场方砖地面及部分主干道路面，提高了保障能力。

新程控电话交换机一期工程于1月8日举行了竣工仪式，3月1日通过北京市电话局组织的验收正式开通运行；二期2000门电话已经全部安装调试完毕，开始试运行。各单位全力以赴做好汛期保障服务和大院防汛工作，重要业务保障服务单位实行24小时值班制和上门服务。

饮食服务从加强承包管理机制入手，拓展服务领域，提高饭菜质量，使用餐人数大幅度增加。门诊医疗较好地完成年度职工2725人的体检，为历年人数最多，同时还完成部分人员幽门螺旋杆菌检查；加强了药品管理，药品价格接受群众监督。

10月份组建成立了双榆树家委会，加强对局外居民小区的管理和服务工作，开辟了离退休人员活动室，服务水平有明显改善和提高。完成了小学校园环境整治和教学楼综合维修改造。幼儿园完成了大修改造工程，开展学年优化组合工作，较好地巩固了定级定类的成果。

10月，开展了服务质量调查活动，对全局服务承诺项目和主要涉及群众服务窗口的14个项目进行了满意度调查。共发出600份调查问卷，多数同志对大院服务工作基本满意，其中水暖维修达92%、液化气供应89%、电梯88%。

后勤改革与管理

年内，制定了行政后勤改革方案。调整产业运行机制，实现了经营管理和经营实体的分离。综合经营部分已实行企业化管理，基本实现自收自支。

对目标管理责任制从各方面做了进一步完善，实行分季检查落实，增强了职工的责任感，确保了各项目标任务的实现。经中国气象局考核验收，被评为优秀达标单位。局内各单位目标管理经考核全部达标，小学被评为优秀达标单位。

年内，完成了《中国气象局后勤管理制度汇编》的编辑出版工作；制订了《行政管理局公务住宅电话管理暂行办法》、《行政管理局无线移动电话管理暂行办法》；拟订了《行政管理局下岗分流人员管理暂行办法》和《北京高新技术培训中心人事管理暂行办法》等规章制度

加强院政管理。在保洁方面，落实卫生区责任制，加强日常监督检查，增强了保洁员的责任心；在绿化方面，加强对树木、花草的日常维护管理，完成

重大节日摆花任务；完成了以治安、消防为重点的综合治理整顿月的宣传、部署、整治、检查工作，开展交通安全和防火宣传周活动，效果较好。整顿了西大门和商业街秩序，对外来人口和出租房进行了清理，院内秩序有所改善。计划生育工作继续坚持“三不变”“三结合”方针，利用多种形式进行宣传教育，举办全局计生干部培训班，认真落实目标管理责任制，圆满完成各项必达指标。

完成了房改售房方案、实施细则的拟定工作；落实了住宅楼的产权问题，售房工作平稳有序，全局第一次售房内外共售出楼房住宅 1343 套，共计 86589.8 平方米，占批准可售楼房套数的 70.9%，应收总房款 5214.1 万元，首付款已收 3104.54 万元。

年内完成了全局 98 套现房、156 套期房、321 套旧房，共计 575 套住房分配工作，较好地完成了分房中换房验收、集资款、押金收退等工作。加强了住户家庭居室装饰装修管理，对引进的装修队伍进行资质审查，保证了装修质量，为职工提供了方便。完成年度公积金缴交比例调整工作，至年底，公积金收集已达 600 万元。

综合经营

年内，天勤总公司及建筑维修、通讯、电力、电梯、水暖等经营单位和服务实体在认真做好局内各项工程任务的同时，积极承揽社会工程，取得较好的经济效益。各经营实体全年实现利润 200 余万元，比上一年增长 28%。

培训中心于 98 年底已基本具备营业条件，计划下年初试营业。

全面完成双榆树业务楼全年承包任务；完成了中国气象局招待所的三年承包各项指标及移交工作。

精神文明建设

组织实施了“工会建家”活动；加强了对青年骨干力量的培养和锻炼。水暖队被直属机关团委授予“青年文明号”光荣称号。

加强领导班子建设。对有关处室和科级单位的班子进行了充实调整；组织处级、科级和新党员邓小平理论学习班，提高理论素质。以邓小平理论为指导，加强干部职工的思想道德建设，提高整体素质。

教育职工爱岗敬业，组织职工分两批参加国管局承办的经济管理学习，组织职工参加工人专业等级考核培训和考试；推行持证上岗，支持在岗人员参加考试取得岗位资格证。

开展精神文明创建活动。组织了春节联欢会、“首都文明市民知识竞赛”、纪念周恩来诞辰 100 周年、“庆十一、迎中秋”等便民服务等活动；组织了行管局第五届职工运动会；参加了中国气象局第四届职工运动会，获优秀组织奖；在中国气象局组织的文艺汇演中，获独唱一等奖和合唱三等奖。

与中国气象报社合作开办了“后勤扫描”专栏；开办了《行政后勤简报》、《大院信息》，起到了交流情况，表彰先进，弘扬正气，激励进步的作用。

加强离退休职工的管理和服务工作。组织了离退休职工春、秋游及书画制作展，支持离退休职工门球队训练及比赛，定期组织合唱练习。为离退休职工活动室购置了健身、娱乐设备，活跃了他们的文化生活。

年内，获中央国家机关和北京市颁发的荣誉称号共有：“首都文明单位”、“首都文明居民区”、“首都花园式单位”、“首都义务植树红旗单位”、“中央国家机关文明单位”、“中央国家机关交通安全先进单位”、“中央国家机关绿化美化先进单位”、“北京市献血先进单位”、“北京市敬老先进家委会”、“北京市计划生育先进集体”、“北京市先进供暖集体”、“北京市节水先进单位”；保障部被评为“1998 年中国气象局重大气象服务先进集体”。　　（牛国良）

总体规划研究设计室

概　况

1998 年总体规划研究设计室处级机构设：综合处、发展研究处、系统设计处、信息研究处（含气象软科学编辑部）。中国气象局机关和总体室科学技术委员会成员未有变动，阮水根任科技委主任，萧永生、章国材任副主任。年内在编职工 17 人。职称结构：高级专业技术职务 9 人（其中正研级 2 人），中级专业技术职务 3 人；学历结构：博士 1 人，在职攻读博士 1 人，研究生学历 4 人，大学 11 人。年内 1 位同志赴福建省气象局挂职，另分别从青海、江西、河北、辽宁聘请5人担任客座研究员(时间1～6个月),“大网络”特约兼职研究人员未有变动。年内享受政府特殊津贴人员4人。1人获中央国家机关优秀青年奖励,1人获全国优秀青年气象科技工作者奖励,获省部级科技进步二等奖1项。

年内,举办了“全国气象软科学研究应用交流研讨会暨气象软科学委员会会议”和“知识经济时代与气象事业发展问题研讨会”,组织了“知识经济与气象事业发展”的专题征文。

继续承担中国气象局机关和总体室科学技术委员会的领导和日常管理工作,组织制定了《中国气象局机关和总体室科技委章程》和《气象软科学科学技术进步奖评审和奖励试行办法》,完成了1998年度气象软科学科技进步奖的评审、奖励和推荐更高一级科技进步奖评审等工作,评出一等奖1项和二等奖2项。由科技委推荐的“气象服务效益评估研究”和“气象中、高级工程技术资格评审条件”两项课题(项目)获得了中国气象局科技进步二等奖和三等奖。继续承担中国气象学会气象软科学委员会挂靠单位的有关组织管理工作。

总体规划和系统设计

承担了“全国气象科技发展规划(2000～2015年)”的研究编制任务,先后完成了规划的编制方案和详细提纲的拟订,组织了调研,开展了气象科技发展战略、重点任务、科技体制改革、科技发展需求分析和环境分析等5个专题研究工作,草拟了《全国气象科技发展规划(2000～2015年)(初稿)》,召开了多次研讨会座谈会,作了两次问卷调查,广泛征求了意见。此外,还组织了全国气象事业发展规划滚动修订和编制下个世纪气象事业第一个发展规划的准备工作。

组织完成了9210工程应用软件测试验收有关的规范制订工作,并参与该系统在武汉、沈阳的测试验收工作。先后起草《9210工程应用软件测试验收大纲》及其《附件》、《9210工程应用软件测试项目说明书》、《9210工程应用软件测试项目表》和《9210工程应用软件测试验收组织管理办法》等文件。此外,还继续组织进行中国气象局国家级骨干网络系统和国家级存储检索系统设计工作,先后完成了可对外提供的《国家级骨干网络系统需求分析报告》和《国家级存储检索系统需求分析报告》(简写本),完成了技术方案的初稿。同时,还完成了北区综合楼6单位与局大院管理信息系统和INTERNET网络升级和互连方案设计工作。

软科学研究和专项任务

年初,局党组成立由李黄副局长任组长,由总体室具体负责,有关职能司以及行管局、机关服务中心等单位参加的课题组,专门研究气象事业单位的改革问题。年内,先后向中国气象局党组提交了《气象事业单位列入国家财政拨款的理由》、《中央财政拨款可确保和支持气象队伍人员总量分析》和《确保基本气象系统正常运行所需经费的测算分析》等阶段研究报告,完成了《气象事业单位改革对策研究》,提出了今后一段时期内我国气象部门事业单位改革的总体格局、中期目标方案和现阶段组织实施方案以及一系列有关机构改革的政策、策略和对策措施,党组中心学习组和邓小平理论研讨班研讨了《气象事业单位改革对策研究》。年内,与有关单位合作开展了新一代气象服务体系研究,主持专项气象服务现代化问题专题研究,承担气象服务软科学专题的部分研究任务,分别完成了《未来我国气象服务发展战略浅析》、《专项气象服务与战略性调整》和《专项气象服务的对象、领域和需求的初步分析》等研究报告。此外,还完成了“气象软科学应用实例研究”的课题研究任务,编辑出版了《气象软科学应用实例研究》;“气象技术政策”完成结题评审;完成了“气象事业发展长(中)期规划方法研究”阶段研究任务;承担了国家科技部软科学项目“国家可持续发展中气候资源利用和气候变化影响的对策研究”。

参与了中国气象局大气监测自动化领导小组和中国气象局无线电频率规划工作组的有关工作,主持大气探测综合试验基地技术委员会,参与组织了L波段二次测风雷达一电子探空仪系统考核验收工作,组织制定了考核试验方案(包括雷达静态试验、探空仪静态试验、数据处理评估、系统动态测试方案等)。此外,还承担了上海市气象局灾害性天气中尺度数值预报业务系统引进高性能计算机的可行性论证,完成了《上海市气象局灾害性天气数值预报业务系统引进高性能计算机的可行性报告》。参与完成了《中国气象事业在改革开放中前进》(《气象现代化建设辉煌二十年》)、《可持续发展全书(气象卷)》(《气象与可持续发展》)、《气象科学管理研究与实践》等书的编写。主办了“中加大气观测系统研讨会”。组织赴美信息网络和存储检索培训和考察，分别访问了10个代表世界先进水平的网络和存储高科技公司以及NCAR、NOAA等有关气象单位，参加赴日气象访问考察团对日本气象厅进行了访问考察。此外，还分别组织有关人员到安徽、黑龙江、浙江等省进行调研。采用INTERNET、信函等方式组织了大量的调研。

期刊出版与信息工作

本年度共编辑出版《气象软科学》4期，刊出稿件55篇，处理稿件近150篇，约50万字，编辑出版了《气象软科学研究应用论文选集》《新一代气象服务体系研究阶段成果汇编》等文集以及《气象服务效益分析方法与评估》一书，约45万字。年内，共收集各类中英文信息近25万字，翻译外文信息近5万字，并对其中80%的信息进行了加工和整理，编辑出版了3期分别以国外气象部门现状、电子信息技术对气候变化的影响和知识经济等为专题的信息专集。此外，编辑刊发了《气象规划研究设计简讯》8期、《气象事业单位改革研究课题进展简报》7期和《中国气象局大气探测综合试验基地技术委员会简报》5期。 (张洪广)

气象出版社

概　况

1998年气象出版社的机构设置为：办公室、总编室、第一、第二、第三、第四、第五编辑室、图书发行部、出版服务部全社有在职人员59人，其中编审1人，副编审12人，中级技术职务20人，年内办理退休2人，辞退1人。

全年出版图书270种（新书202种，重印68种），新排字数5836万字，总码洋约2121万元，总印数197万册，用纸约14122千印张。期刊出版7种35期，其中英文刊物1种，中文刊物6种。与1997年相比，1998年新出图书品种略有增加，重印图书增加了20种，重印率提高了4个百分点，超过了25%。1998年出版了近20种重点专业书，也出版了一些面向社会的书。

年内，参加了香港、马来西亚、德国莱比锡3个国际书展。

7月8日，新业务楼交付使用。

9月17日，召开气象出版社成立二十周年纪念座谈会，周诗健总编主持会议，出席会议的有中国气象局局长温克刚、副局长马鹤年、刘英金及名誉局长邹竞蒙、前任局领导骆继宾，会议还邀请了局内各职能司和直属单位的主要负责人，中国出版工作者协会伍杰副主席、中宣部出版局张晓影副局长、科技出版委员会周谊主任、新闻出版署图书司科技出版处李建臣处长和海洋、地震、农业等科技出版社的负责人以及中科院院士丑纪范、工程院院士李泽春、大气物理所王明星、北大教授黄嘉佑、五笔字型发明人王永明等专家学者出席了座谈会。毛耀顺社长作了“二十年艰辛结硕果，跨世纪奋发展宏图”的工作报告，温克刚、邹竞蒙、伍杰、张晓影、周谊等领导同志讲了话。同时，出版了《气象出版社二十年》纪念画册，宋健、陈俊生等领导同志为画册题了词。

10月13～16日，中宣部、新闻出版署召开“全国第二届百佳出版工作者”颁奖大会，我社周诗健总编辑被评为第二届百佳出版工作者，并出席了颁奖大会。

10月1～2日，一编室《’98中国大洪水与气候异常》及时出版并由温克刚局长在10月12日的中共十五届三中全会期间分送中央领导同志和与会代表。

出版发行

各编辑室加强了选题策划，提高了市场意识和精品意识。许多图书一再重印，如《民间择吉通书》已重印八次，新开发的《98王码(五笔字型)标准键盘指法练习卡》当年就加印两次，累计印数达到了17万张。

2月18日下午，召开《中国气象百科全书》第一次编委会。会议由邹竞蒙名誉局长主持，毛耀顺社长、周诗健总编、王存忠副总编出席。会议审议了《中国气象百科全书》编写的指导思想和基本原则，还审议了编写大纲、出版总体计划和年度计划，并对编委会委员的编写工作进行了分工。

4月8日，马鹤年副局长主持《中国气象百科全书》编委会指导小组会议，研究各分编委组成名单和全书的编写框架等问题。

6月19日，气象科技学术著作出版基金委员会召开第一次评审会，会议由委员会主任马鹤年主持，审定通过对《大气化学》等3部学术著作的出版资助。

7月2日，温克刚局长主持《中华天气气候灾害大典》编委会第一次会议，明确大典的编撰工作由气候中心负责落实，出版社协助。

12月18日，《特殊儿童与早期教育》获文化部、广电总局、新闻出版署、中国残联共同主办的第二届"奋发文明进步奖"的图书奖提名奖。

12月23日，《全国气象百科全书》协调指导小组会议，由马鹤年副局长主持，毛耀顺社长、周诗健总编、陶国庆主任等同志参加了会议，审定了由分编委会汇总的2900个条目，提出了修改、调整意见，并就下阶段工作提出了指导性安排。

全年新开拓发行网点165个，其中国营的120个，集体、个体的45个。同时，在各类报刊、杂志上发表图书宣传介绍性文章60余篇，在津、沪、渝发行部做单页征订宣传，在西安全国书市上举行了新书发布会。自办发行总码洋比1997年增长了43%。

重点图书简介

《变化的洋流——厄尔尼诺对气候和社会的影响》本书从一个社会科学家看待物理科学的角度，用简明的语言，介绍了什么是厄尔尼诺，如何预测它，以及它对人类的广泛影响，重点是厄尔尼诺对气候环境、对经济与社会的影响。全书既通俗易懂，又富有科学内涵。

《'98中国大洪水与气候异常》 本书是一本面向政府决策层和社会各界的高级科普读物，由国家气候中心执笔，详细介绍了1998年中国大洪水的雨情、汛情及灾情，回顾了历史上的大洪水，分析了1998年大洪水的气候成因，介绍了洪水期间的气象预报和服务，并提出了大灾之后的思考。

《天气预报技术的若干进展》 本书介绍了天气预报的若干新技术，不但涉及到传统的动力与统计预报方法的一些最新进展，而且深入论述了非线性大气动力学、投影算子技术、多媒体技术、大气突变理论、雷达与卫星图像解译技术、集合预报和气象信息综合分析处理系统等的主要原理及其在天气预报和警报中的应用。

《东亚季风和中国暴雨——庆贺陶诗言院士八十华诞》 本书共分三部分。第一部分是陶诗言院士关于东亚季风及中国暴雨研究方面的代表作；第二部分集中反映了陶诗言院士在季风、暴雨、卫星气象及中小尺度研究方面的突出贡献；第三部分体现了陶诗言院士的国内外弟子及友人在季风、暴雨、卫星气象、中小尺度等方面研究的最新观点和成果，以及在辐射、波流相互作用及稳定性等研究方面的新进展。

《新编气象知识丛书》 该丛书用生动、活泼的语言介绍了地球的演变、地球气候资源、保护地球环境、大气中的各种天气现象以及气象观测中采用的先进科学仪器的作用等气象科普知识，特别适合青少年阅读。该丛书共有8本，现已出版《天地沧桑》、《我们赖以生存的气候资源》、《保卫蓝色天空》、《撩开地球的神秘面纱》、《识破天机的现代神探》等5本。

《98版五笔字型自学系列教材》 该系列包括《98王码自学教材》、《98王码自学练习册》和《98王码无拆分字典》。98王码是王永民教授在原"五笔字型汉字录入方法"基础上开发出的第二代五笔字型录入软件，比原"五笔字型"更好学、更好用，速度更快。"无拆分编码法"源于王永民教授对汉字图像视觉认知规律的深入研究，以及对数以千计的五笔字型录入操作员打字心理过程调查分析后发明的一种新型编码方法。此方法无需将一个个汉字拆分开，它极大地展现了汉字作为平面图形文字在认知教学中的视觉优势，使一般人认为"难拆难分，难学难记"的五笔字型录入方法在学习时形象生动、直观快捷。

《诺阿卫星探察隐伏构造、地热及水分布》 本书介绍了用NOAA气象卫星改进的甚高分辨率辐射扫描仪(AVHRR)红外通道遥感的地面温度信息，探察福建东部中低温地热资源和云南西部中高温地热资源；提出了不仅可以探察水热型，还可探察干热型地热资源的方法。在分析地面温度与地质构造层温度相关的基础上，探测新疆塔里木盆地及内蒙古与陕北的鄂尔多斯高原沙漠掩盖下的地质构造带与断裂带的平面展布，并与地球物理深部探测结果进行比较；还探察了内蒙古巴丹吉林沙漠下的隐伏大断裂。根据水体热容量大的特点，对照日夜地面温度图后，指出了鄂尔多斯高原及周边盆地内和巴丹吉林沙漠区地表水及浅层地下水的分布。

(张　斌)

气象出版社 1998 年版主要图书一览表

类别	书　　名	著译者
编著	牧区雪灾的分析研究	中国气象局气候司编
编著	城市灾害学原理	金磊编著
编著	城市可持续发展与灾害防御	北京减灾学会编
编著	气象统计年鉴(1996)	中国气象局计财司编
编著	河蟹育苗和养殖技术问答	李跃华编著
编著	草地遥感	李建龙等
编著	太湖地区大气—水环境的综合数值研究	逄勇等著
编著	高产、优质、高效农业气象技术研究	王春乙、于系民编著
编著	中国生态系统研究网络数据目录	网络科学委员会秘书处编
编著	中央级科学事业费决算数据集(1996)	国家科学技术委员会编
编著	中国气象年鉴(1997)	编委会
编著	设施农业技术	冯广和主编
编著	气象部门预算外资金管理文件选编	中国气象局计财司编
编著	气象诗歌一百首	宁波市气象学会
编著	全球气候变化和温室气体清单编制方案	林而达、李玉娥编著
编著	中国硒资源的开发与利用	苏晓云主编
编著	气象部门获奖科学技术成果汇编(1991—1995)	中国气象局科教司编
编著	远离毒品 100 问	战嘉怡主编
编著	鹦鹉	张子慧
编著	试验设计和分析	刘明辉
编著	农业生态学教程	陈阜
编著	气候变化的多尺度诊断分析和预测的多种技术方法研究	尤卫红
编著	农业资源评价管理与应用	由懋正
编著	皖西北近五十年旱涝研究	刘兴华
编著	苏鲁豫皖接壤地区资源开发、产业布局与环境整治	毛汉英
编著	太湖环境生态研究(一)	蔡启铭
编著	典型草原草地畜牧业优化生产模式研究	陈佐忠
编著	荒漠绿洲农业生态系统	李述刚
编著	中国沙区草地	张强
编著	豫北平原农业生态系统研究	傅积平
编著	诸子百家名言妙语全书	韩振峰

续表

类别	书　　名	著译者
编著	孙武子实用智谋大全	张建国编著
编著	巧治蔬菜灰霉病	中国科协普及部
编著	粮食及农产品干燥成套设备和技术	中国科协普及部
编著	安徽省防汛抗旱气象手册	刘志澄
编著	长江中下游地区大中型湖库资源调查与综合开发研究	全国农业区划办公室
编著	地面气象测报软件《AHDM40》版应用手册	中国气象局天气司编
编著	中国农业资源区划资料目录(1979—1995)	全国农业区划办公室编
编著	气象软科学应用实例研究	马鹤年主编
编著	中国气象局党务工作手册	局直属机关党委编
编著	创建文明气象行业的实践与思考	编委会
编著	电视气象之声	孙健
编著	JW 型无动力二氧化氯消毒装置及污水处理的有关技术	丁艳华
编著	天气预报技术的若干进展	柳崇健主编
编著	中国北方粳稻资源调查与开发	课题组
编著	概率天气预报及其应用	张军等编著
编著	生态工程	云正明等
编著	全国气象事业统计资料(1991—1995)	中国气象局计财司编
编著	环境与可持续发展	张坤
编著	贡嘎山高山生态环境研究(第 2 卷)	陈富斌
编著	长武农业生态系统结构、功能及调控原理与技术	郝明德
编著	全国气象局台站名录	编委会
编著	新编气象知识丛书——天地沧桑	谢世俊
编著	新编气象知识丛书——识破天机的现代神探	汪勤模
编著	新编气象知识丛书——我们赖以生存的气候资源	张家诚
编著	新编气象知识丛书——撩开地球的神秘面纱	王奉安
编著	新编气象知识丛书——保卫蓝色天空	李光亮
编著	大气环境和环境影响评价	编委会
编著	台州市气象志	编委会
编著	’98 中国大洪水与气候异常	国家气候中心
编著	’98 中国大洪水与气象人	中国气象局精神文明办
编著	气候学研究——气候与环境	南京大学大气科学系

续表

类别	书　　　名	著译者
编著	中国气象事业在改革开放中前进	中国气象局
编著	安徽省气象台天气预报手册	刘孝昌
编著	信息农业研究	田魁祥
编著	人寿保险系列丛书——世界寿险行	编委会
编著	人寿保险系列丛书——走近保险:投保释疑	编委会
编著	人寿保险系列丛书——成功有约　保险必读	编委会
编著	人寿保险系列丛书——爱的保护神:多彩的寿险险种	编委会
编著	人寿保险系列丛书——人生风险多　保险伴你行	编委会
编著	气象服务效益分析方法与评估	课题组
编著	区域矿产资源开发概论	沈镭
编著	省地气象台短期预报岗位培训教材	中国气象局科教司编
编著	南亚热带森林生态系统的能量生态研究	彭少麟
编著	诺阿卫星探察隐伏构造、地热及水分布	葛碧如
编著	园林营建丛书——园林设计	李征
编著	园林营建丛书——园林工程	梁依任
编著	园林营建丛书——园林制图	马晓燕
编著	园林营建丛书——园林植物育种学	杨晓红
编著	王码速成——五笔字型自学用书	王永民著
编著	98王码自学教材	王永民著
编著	98王码自学练习册	王永民著
编著	98王码无拆分编码字典	王永民著
编著	98王码(五笔字型)标准键盘指法练习卡	王永民著
编著	大气污染数值预报基础和模式	雷孝恩
编著	Phys. Chem. Biol。Processes and Math。Model on Air Pollution	雷孝恩
编著	波状低云的天气学研究——暴雨落区预报	蔡尔诚
编著	取名策划	张述任编著
编著	广西烟草与气候	编写组
编著	大气辐射传输实用算法	吴北婴
编著	中央级科学事业费决算数据集(1997)	科学技术部编
编著	吉林省地面气象观测员手册	崔桂兰、马宏滨编
编著	人工影响天气公务手册	本社编

续表

类别	书　　名	著译者
译著	变化的洋流——厄尔尼诺对气候和社会的影响	王绍武译
译著	全球变暖	戴晓苏等译
文集	空间物理前沿进展	濮祖荫
文集	大气科学研究与应用(十三)	上海市气象科学
研究所	大气科学研究与应用(十四)	上海市气象科学研究所
文集	大气科学研究与应用(十五)	上海市气象科学研究所
文集	国外云和降水研究	李斌等
文集	东北短期气候研究	王锦贵等
文集	热带亚热带森林生态系统研究(第8集)	编委会
文集	东亚季风和中国暴雨	中科院大气所
图集	山西气候资源图集	山西省气候中心编著

中国气象报社

概　况

1998年,中国气象报社机构设置为:经理部、总编室、新闻部、科教副刊部。全社总人数32人,具有高级专业技术职务任职资格的11人;具有中级专业技术职务任职资格的15人;具有初级专业技术职务任职资格3人。

1998年中国气象报社较好地完成了全年的宣传任务,报纸的质量和时效有了新的提高;报纸的发行稳定发展;报社的经营创收又有所进步。

1998年,中国气象报社进一步加强了采编自动化建设,“新闻采编自动化局域网络系统”已于年底建成初步框架,开始试运行;“新闻采编自动化远程网络系统”为17个记者站建成远程工作站,并在北京举办了学习班,投入业务运行;本社的“新闻采访系统”也按计划完成。

1998年,中国气象局对中国气象报社实行了目标管理,被中国气象局评为“优秀达标单位”。

1998年,派出科教副刊部副主任李中支援西藏工作。

宣传报道

为防汛抗洪服务的宣传取得重要成绩。1998年,我国南北同时发生严重的洪涝灾害。中国气象报社从4月份就开始宣传气象部门为汛期服务做好准备,对中国气象局的重大部署都及时进行了报道。尤其是进入汛期,党中央对天气情况非常关注,江泽民总书记先后5次给中国气象局领导打电话,询问灾区的天气情况,《中国气象报》以最快的速度进行了报道,并主动向各大新闻媒体推荐。

1998年是党的十一届三中全会召开20周年。中国气象报社除及时报道各级气象部门的纪念活动外,从10月份开始,在头版开辟《纪念改革开放20周年》专栏,共组织综合和专题稿件近30篇,全面反映了气象部门改革开放20周年来取得的成就和经验。

年内,对全国气象部门的重点工作进行了全面报道。并在一版开办了《焦点话题》栏目,针对气象部门改革和发展中的难点和热点问题,进行深入采访报道。

在“四大科学试验”宣传方面进行了认真安排,在第一阶段就发稿20多篇。

1998年中国气象报社将普及气象知识列入重要日程。结合厄尔尼诺、拉尼娜、臭氧层、暖冬、水资源短缺、黄河断流、环境污染和风能利用等社会关心的热点问题,开展科普宣传,受到广大读者的关注。

“云海”副刊进一步优化了版块,加强了栏目。“高原气象人”栏目,共发稿30多篇,热情讴歌了常年战斗在青藏高原、为气象事业无私奉献的气象工作者。1998年中国气象报在中央人民广播电台早间新闻联播中摘发《中国气象报》文章 6 篇，魏景云同志在汛期抗洪救灾宣传中，受到中国气象局及产业报协会、水利部办公厅的表彰。

报纸质量和发行

《中国气象报》从下半年开始实行第一读者的做法，使全年的错情率达万分之零点七，大大低于新闻出版署万分之三的要求。在第三届中央部委产业报编校质量抽查评比中，获得第 23 名，受到产业报协会的表扬。

1998 年全部改为进口纸印刷；从 8 月份开始，报社将原和华云公司合作录入报纸，改为自已管理。

1998 年，加强了报纸的时效工作。如“全国气象部门防汛抗洪气象服务总结表彰大会”10 月 28 日下午召开，10 月 29 日就见报；7 月 28 日江总书记给温克刚局长打电话询问天气情况的报道，《中国气象报》和各大新闻媒体同时发布。

年内，发行工作稳中有升。《中国气象报》每期的发行量全年平均为 29300 份，第四季度达到 30100 份。

1998 年，刊登的稿件注意了社会性和可读性。能抓住社会关心的气象问题，及时派出记者进行采访，并将这类稿件放在重要位置刊登；较多地采用了新华社的稿件。既提高了时效，也增强了社会性。

通联工作

1998 年 6 月，在青岛气象度假村举办了全国记者业务研讨会，围绕《中国气象报》如何适应社会主义市场经济、面向社会、面向市场等问题进行了广泛、深入地研讨。派出 4 位同志参加摄影学习。召开了“气象科普宣传座谈会”和“加强气象行业宣传座谈会”。

1998 年，中国气象报社推荐的作品：获第十二届部委产业报好新闻二等奖 1 篇，三等奖 2 篇；获第八届宣传人民代表大会制度好新闻三等奖 1 篇；获长江三峡工程大江截流好新闻纪念奖 1 篇；获中国气象学会第五届优秀科普二等奖 1 篇，三等奖 2 篇；获“全国气象好新闻”一等奖 2 篇，二等奖 1 篇，三等奖 2 篇，图片奖 3 幅。

1998 年，《中国气象报》第九届好新闻评出一等奖 6 篇(件)；二等奖 11 篇(件)；三等奖 20 篇(件)；好标题 15 个；好版面 5 个。评出先进记者站 8 个：北京记者站、上海记者站、安徽记者站、湖北记者站、河南记者站、河北记者站、辽宁记者站、福建记者站；评出优秀记者 20 名：曹冀鲁、王静达、徐凤莉、宋英华、王瑾、曾晓伟、颜家蔚、严桃林、马高飞、吴大成、刘立成、郑文新、赵茂忠、杜聪明、汪志祥、代随刚、连小芳、潘继鹏、李光亮、段溯舸；评出优秀通讯员 17 名：毛翠辉、张显涛、冯浩志、李祖茂、张广学、褚万江、张金平、林秀斌、邓志华、严春银、苏菡玲、李劭翌、李灿、向永龙、肖　祥、向德龙、戈忠恕。组织了计算机录入达标竞赛，有 6 位同志达标，并由中国产业报协会颁发了证书。　　(赵同进　任庆烽)

中国气象学会

概　况

1998 年是第 23 届理事会任期的最后一年。年内完成了第 24 届理事会的换届改选工作。12 月，中国气象局党组提名推荐梁景华同志为第 24 届理事会秘书长候选人，主持秘书处日常工作。学会秘书处下设：学术交流部、科学普及部、文献期刊部 3 个处级机构。在编正式职工 17 人，其中正研级编审 2 人，副编审 3 人，高级工程师 1 人，中级职称 8 人。

2 月 25 日，常务理事会第 6 次会议确定，10 月在青岛气象职工度假村召开本会第 24 届全国会员代表会议(后经批准改为代表大会)，通过了《中国气象学会第 24 届理事会选举办法》和《中国气象学会第 24 届理事会候选人分配方案》，确立了 24 届理事的分配原则是“基本稳定，个别调整”，理事会的实际人数控制在 120 名以内。10 月 13～16 日，24 届全国会员代表大会在青岛召开，出席大会的代表包括 23 届理事会成员，第 24 届理事候选人在内的各省、自治区、直辖市的代表以及特邀代表共 240 人。本次代表大会的任务共有 4 项：审议第 23 届理事会工作报告；修改中国气象学会章程；选举产生第 24 届理事会；举行学术报告会。曾庆存院士代表中国科协，马鹤年副局长代表中国气象局党组，崔锡柱副市长代表青岛市市委、市政府分别致词。23 届理事会理事长邹竞蒙作了《深化改革、开拓进取，为把一个充满活力的中国气象学会全面推向 21 世纪而奋斗》的工作报告。

大会经无记名投票，选举产生了由111人组成的24届理事会。经24届理事会第一次会议选举：丁一汇、马鹤年、王明星、王绍武、丑纪范、方宗义、刘建发、刘欣生、许绍林、伍荣生、孙照渤、陈联寿、李惠彬、李福林、恽耀南、徐一鸣、唐万年、钱永甫、黄嘉佑、章国材、曾庆存、裘国庆、颜宏、薛纪善为第24届理事会常务理事；曾庆存为理事长、唐万年、马鹤年、伍荣生、黄嘉佑、陈联寿为副理事长。

10月15、16日分别进行了24届理事会常务理事第一、二次会议，审议通过聘任邹竞蒙为名誉理事长，王雷、刘式达、汤懋苍、许健民、李泽春、吴贤纬、陆渝蓉、洪钟祥、萧凯书、彭光宜、温克刚为名誉理事，并通过了本届常务理事会议事规则；以及各学科(工作)委员会的设置建议和挂靠单位、主任委员的人选提名。

学术与交流

年内，在北京举办了“台风灾害的预报和防御”“人工增雨及防雹”“雷电灾害”专家论坛；为配合中国科协成立40周年举办的“科学技术面向新世纪”的学术年会，主办了“天文、空间与地球科学技术”分会场，气象专家高登义等在会上就人们关心的气象学问题作了报告；在24届会员代表大会期间，举行了综合性的学术活动，18位专家作了报告，内容涵盖了大气科学各主要分支学科的新进展，未来发展趋势以及新技术在气象中的应用；在四川成都召开了第四届全国优秀青年气象科技工作者学术研讨会，共收到天气、动力气象、农气、卫星气象、大气物理、气候、数值预报、大气化学以及计算机等学科的论文210篇。

年内还召开了热带气象学术研讨会；中国干旱研究学术交流会；中国云雾物理人工影响天气40年进展和展望学术研讨会；第二届全国雷电物理、监测及防护科学讨论会；第七次数值天气预报学术会等。

应美国气象学会的邀请，以邹竞蒙理事长为团长的中国气象学会代表团一行8人1月赴美参加美国气象学会78届年会，其中6位专家在大会上宣读了论文，并于回国后组织了大型访美学术报告会。年内，协助举办了首届亚太地区国际遥感学术会议和第二届亚太地区大气环境会议。

5月常务理事温克刚率团赴台湾参加“海峡两岸邻近地区暴雨与季风研讨会”，并就两岸灾变天气会商、资料交换等问题与台湾气象学会达成共识。

科普与期刊

以“天气与人类活动”为主题的第17届全国青少年气象夏令营于7月在广西举行，来自14个省(市、区)的190多名营员参加了总营的活动；为纪念中国科协成立40周年，9月19日在军事博物馆前举办了以“掌握科学技术，迎接新世纪”为主题的大型科普咨询活动；8月，举办了第五届全国气象科普作品评奖活动(获奖名单见附表)。并完成了96、97年度全国气象科技扶贫工作奖的评审工作。另外和有关省级学会共同参与组织了科教电影和电视宣传片的创作和摄制工作，和中央电视台合作编制的“冰清玉洁话霜雪”、“趋利避害话暴雨”气象录像片分别在中央电视台科技博览栏目播出。1998年中国气象学会被全国青少年科技活动领导小组评为全国青少年科技活动先进集体。

1998年《气象学报》又在中国期刊500名排行表中名列第42位，在地球科学类中排序第10位，按“影响因子”排序在第5位。根据中国科技论文与分析数据库1998年10月提供的“期刊检索报告”，《气象学报》中文版在最具权威性的国际6大检索中，被英国的SA和日本的科技文献速报两大检索系统收录，从而得到中国科协的择优经费资助。

《气象知识》开辟了“校园百叶窗”等栏目，吸引了广大中小学生。为配合1998年发生的特大洪涝灾害的宣传，专门到灾现场组织编发了一期特刊。

其它工作

12月20～24日，作为中国科协第三届青年学术年会的卫星会议，在四川成都召开了第四届全国优秀青年气象科技工作者学术研讨会。会议表彰了自1994年第三届全国优秀青年气象科技工作者学术研讨会以来在气象科技领域作出显著成绩的108位优秀科技工作者，黄嘉佑副理事长到会讲话并代表理事会向获奖者颁奖。　　(吴建忠)

附表 1：

中国气象学会第五届全国优秀气象科普作品获奖名单

一、科普影视作品

获奖等级	作品	作者	制作、播出单位	完成时间	责任编辑
一等奖	《黑风》	齐鸿炳等	中国气象学会 宁夏影视中心	1994.4	
二等奖	《天气、气候对军事活动的影响》	刘健文等	总参气象局 空军第七研究所	1996.	宗气科
	《怎样收看电视天气预报》	李　庆等	华风气象影视中心 中国气象局办公室	1996.	
	《CO2 施肥—温棚增产新技术》(上下)	汪永钦等	河南省气科所 河南省电视台	1996.4	张书琴
三等奖	《暴雨》	刘　旭等	中国气象学会 宁夏气象影视中心 武汉气象局	1995.	
	《山东省农业气象灾害电视讲座》	杨洪昌等	山东电视台 山东省气象局	1995.7	门如田等
	《风云二号静—止气象卫星》	韩宝华等	中央电视台 国家气象卫星中心	1997.	
	《风云变幻话预报》	朱耀中等	上海电视台 上海气象局	1996.5	朱耀中

附表 2：

二、科普书籍

获奖等级	作品	作者	出版单位	完成时间	责任编辑
一等奖	贵州气候与养殖业	许炳南等	贵州科技出版社	1995.1	陈克贤
二等奖	人工增雨与人工防雹	党积明	青海人民出版社	1995.8	陈考全
	责任重于泰山	金　磊等	气象出版社	1996.1	成秀虎
三等奖	可知的风霜雪雨—天气预测	张牟勤	吉林教育出版社	1997.4	
	福建海岛气候	宋德众	气象出版社	1996.4	陶国庆
	四川农村科技历书	曾熙竹	四川科技出版社	94—97 年	

附表 3：

三、科普文章

获奖等级	作　品	作　者	发表单位	完成时间	责任编辑
一等奖	龙卷风状告名记者	杨玉春	科技潮	1996.11	刘忠枝
	请不要埋怨气象台	束家鑫	科技画报	1995.11	陆正华
二等奖	闰八月与自然灾害没有必然联系	杨义文	中国气象报	1995.3	汪勤模
	二十四节气漫话	刘立成	长江日报	1997.1—12	向必颖
	周末天地—气象科普系列	朱应珍	福州日报	1997.	
	解不开的疑团:厄尔尼诺	陆亚龙	上海科技报	1997.8	
	北京气候漫谈	吕伟林	北京广播电台		
	黄沙蔽日为哪般	程　显	中央人民广播电台	程　显	
	肆虐的沙尘暴	李雨桥	地理知识	1995.6	陈守绮
	气候与中国古代文化	张家诚	气象知识	1994.10	马丹妮
三等奖	难忘“75.8”	庄肃明	气象知识	1995.8	童乐天
	林火监测的太空卫士	汪勤模	辽宁气象	1996.4	王奉安
	浅谈厄尔尼诺现象及其影响	翟盘茂	气象知识	1997.6	马丹妮
	气象科学与战争（广播稿）	周京平	北京教育台	1995.7	周京平
	阴晴冷暖早知道	王念生	中央人民广播电台	1994.3	
	湍流—空中无形的飞行险区	张国杰	军事气象	1997.1	李国泉
	看风水中的迷信与科学	王子安	内蒙古科技报	1995.3	
	云的自述	罗春田	辽宁气象	1996.4	
	天气雷达在城市减灾中的作用	王忠范	吉林省计委	1996.12	王　刚等
	闰八月并不兆祸福	陈永生	黑龙江日报	1995.5	
	防雷，一个并不轻松的话题	郦仲华	杭州日报	1997.5	吴　新
	春天气候变化与发病率的关系及防病	方汉杰	杭州168科普热线	1997.3	丁华君
	旱涝灾害触目惊心	左其伟	安徽减灾与发展	1997.3	

续表

获奖等级	作　品	作　者	发表单位	完成时间	责任编辑
	利用气象信息经营巧夺天工	魏维宽	人民日报市场报	1997.7	李　玲
	雪姑娘昭雪记	刘兆华	科技潮(北京市委)	1997.2	刘忠枝
	为老天爷看病	赵昭昕	江西教育出版社	1997.3	
	武当山的“雷火炼金殿”	戈忠恕	气象知识	1994.8	张金枝
	冰轮—气候档案馆	戈忠恕	中国气象报	1997.199	
	让都市回归自然	李建云	气象知识	1994.3	
	“空中怪车”事件揭秘	刘人禾	中国气象报	1995.3	汪勤模
三等奖	充分利用贵州气候资源加快优质烤烟基地建设	岑士良	贵州科技报	1996.4	段其仁
	腾冲气候的旅游特色	吴述德	保山报	1994.4	温仁红
	高处不胜寒	王玉辰	陕西气象	1994.10	王玉辰
	《气象之声》广播专题稿	杨宏中	甘肃人民广播电台	1995.11	
	从气候资源看青海农牧业生产的潜力	张国胜	民族经济与社会发展	1997.3	李少武
	四时节气总关人	李光亮	辽宁气象	1996.8	
	青岛地区的“亮山”现象	殷宝魁	气象知识	1997.6	周　煜

南京气象学院

概况　学院现任党委书记屠其璞教授,院长孙照渤教授。党委副书记靳道弟,副院长蔡云祥、周军。6月25日,中国气象局党组决定党委副书记靳道弟兼任纪委书记,陆维松任南京气象学院副院长,免去郑昌圣党委副书记兼纪委书记的职务,办理退休手续。9月21日学院任命李刚副教授担任院长助理职务。学院设:气象学系、应用气象学系、大气物理学系、基础科学系、计算机与信息工程系、社会科学系和成人教育中心;设气象学(天气动力学方向)、气候学、农业气象学、大气物理学与大气环境(包括大气物理与大气探测两个方向)、计算数学及应用软件、英语、计算机及应用、信息工程、应用电子、会计学、行政管理学等11个本科专业和1个专业方向;设数学、物理、化学、物理实验技术、财务会计、经济信息处理自动化、中文等10个普通专科专业以及12个成人教育专科专业。学院还设有气象科学研究所、研究生部、世界气象组织(WMO)区域气象培训中心。

年内,在校学生达到4110人,其中博士研究生29人,硕士研究生133人,本科生2273人,普通专科生894人,成教专科生近781人。在编教职工622人,其中教授、副教授、高级工程师104人;讲师、工程师等177人。学院聘有50多名国内外知名的专家、学者担任名誉教授、兼职教授。经国家教委同意,从1998年起,学院开始招收港、澳、台地区学生。

2月下旬,学院召开了第三届教职工代表大会。院长孙照渤作了《瞄准“211”目标,为把我院建设成为全国一流大学而努力》的工作报告。

3月8日,中国气象局副局长李黄来院视察工作。并题词:"立足气象、多科发展、教书育人、贡献社会"。

4月7～12日,中国气象局专家组对学院制定的《今后5～10年现代化建设规划》进行了论证。中国气象局局长温克刚出席论证会并在学院中层领导干部会上讲话。8月26日,中国气象批准了《规划》。

5月4～6日,中共江苏省委高校工委组织的党委工作评估组,对学院党委的工作进行了评估。7月22日,江苏省委教育工委宣布学院为党委工作评估达标单位。

5月23日,中国气象局副局长颜宏来院参加研究生论文答辩并视察工作。

7月16日,教育部同意将北京气象学院并入南京气象学院。9月16日,中国气象局发出通知,北京气象学院并入南京气象学院后,设南京气象学院北京分院,主要承担继续教育和岗位培训任务。

9月,首批外国留学生入学。

11月,经第四届专家组核议评审和人事部、全国博士后管委会研究决定,在南京气象学院设立大气科学学科专业博士后科研流动站。12月14日,组织了美国佛吉尼亚州6名大学生与本院学生的交流活动。

年内,31名九八届毕业生志愿到军队工作,占届毕业生总数的11.65%。

暑假完成了北教学楼的改造工程;9月28日,占地3082平方米、建筑面积9458平方米的图书馆和亚洲区域气象培训中心综合大楼破土动工;10月20日,15号教工住宅楼也开始动工;国家、学院、职工三方集资在市区委托代建120套教工住宅启动;03号、04号、05号筒子楼的改造工程顺利进展;11月底,学院参与江苏省教委联合建设的中堡村高教新村44套住房峻工。

年内,学院在院内建设校园网和虚拟电话网,在学生宿舍全部安装了具有长途直拨功能的电话分机,网内各单机通话免收话费。电话网建成后,学院的电话通讯条件得到根本改善。

教学和管理 按照教育部学科专业目录调整的精神,将原来的气象学(天气动力学方向)、气候学和大气物理学与大气环境3个专业合并为大气科学专业,新设环境科学、资源环境与城乡规划管理、物理学等3个本科专业,并对原有教学计划进行修订。同时搞好"两课"建设,注重学生的素质培养,促进德智体全面发展。

开展"师表工程"建设,提高教师素质。从校外引进具有中、高级职称的各类教学和科研人才10人。开展在职学历教育,选拔优秀应届毕业生充实师资队伍,师资队伍的年龄、学历、职称和专业结构得到较大改善,现任教师的平均年龄40.5岁,35岁以下的约占52%;教师中具有硕士学历的占教师总数的33.3%,教授、副教授占教师总数的31.3%。

年内,有6名中青年教师入选江苏省"333工程"培养对象,2名中青年教师入选"青蓝工程"优秀跨世纪学术带头人,评选了9名优秀青年骨干教师,建立了优秀青年骨干教师校内津贴。

6月19日,国务院学位委员会批准学院设立系统分析与集成学科、专业硕士学位授予点。学院新增了"大气物理学与大气环境学"博士学位授予点。学院共有7个硕士点和2个博士点(现有博士生导师14名)。

学院首次组队参加全国大学生数学建模比赛。参赛的3支代表队除1队因故退出比赛外,1队获江苏赛区一等奖,1队获江苏赛区二等奖。获一等奖的队被选送到北京参加全国评选,获二等奖。

科研和学术交流 1998年共承担各类科研项目126项:国家自然科学基金项目14项,其中重点项目2项(一项是与中科院大气物理研究所合作的"ENSO循环对亚洲季风年季变化影响的研究",一项是与南京大学合作的"中国区域气候变化和机理研究"),面上项目12项。国家攀登项目2项("青藏高原科学实验"、"南海季风实验"),"863"项目1项,"九五"攻关项目9项,省部级科研项目18项。科研经费到款157.10万元,其中国家自然科学基金项目经费57.90万元,国家计委、科技部专项经费项目40.80万元,其他项目经费58.40万元。

年内,学院有6项科研项目获得省部级以上科研成果。其中,学院参加的"中国酸沉降及其生态环境影响研究"获国家科技进步一等奖;由章基嘉、孙照渤等人完成的"长期天气预报理论和方法的研究"和由罗哲贤、马镜娴等人完成的"中国西北地区干旱气候成因、预测和对策研究"获气象科技进步二等奖;由施能、丁裕国、屠其璞等人完成的"多元分析及短期气候异常诊断预测理论方法的研究"和由学院为主要完成单位的“短期气候预测理论和预测方法的研究”获气象科技进步三等奖；由王宝瑞、张培昌等人完成的“非均质轴对称形状气象粒子电磁散射理论研究(含试验)”获气象科学三等奖。

4月24～25日，由南京气象学院、中国环境科学研究院、加拿大环境部联合主持的“气候变化与区域可持续发展”中国—加拿大国际科学研讨会在学院召开。近20名中外专家学者参加了研讨会。

9月21日至10月18日，学院为来自19个国家和地区的27名学员举办了“卫星气象”国际培训班。10月12日到12月底，为来自香港天文台的学员举行了中、高级气象科技知识培训班。

1998年学院共接待5个国家和地区的11位专家和学者来访。

改革　学院进行了结构调整，开展了定编、定岗工作，实行双向选择、全员聘任，减少行政管理人员、教辅人员和工勤人员，增加专任教师。专任教师人数达到教职工总数50%。

加大对总务后勤部门的改革力度，车队实行“单车承包核算制”。

改革机关考勤奖分配办法，逐步实行以职务为主进行分配。

综合经营　1998年校办产业经营总产值达260万元，全年实现利润比上年增加9.5万元，上缴学院的收入比上年增加10万元，增长幅度超过30%。

(陈爱军)

成都气象学院

概况　学院党委书记兼院长段廷扬，党委副书记兼纪委书记杨羽，副院长董豹、黄宗捷、吴显奎。

1998年，成都气象学院对处级单位进行了调整，对科级单位作了大幅度精减，由原来的40个减少为16个。处级干部由原来的40人减少为39人，平均年龄由47.3岁降至44.8岁。有22人进行了岗位交流，调整面为58%。完成了党政管理岗位的定编工作，定编数为165人，向教辅部门、企业、服务性实体等单位分流50余人。

1998年，学院对系科专业进行了调整，新成立了计算机系。原大气电子工程系的电子工程本专科归并到电子系，计算机及应用本专科并入计算机系。将原大气电子研究所下属的计算中心和各系的计算机房进行合并，新成立了学院计算中心。组建了“成都新气象科技实业股份有限公司”和“新气象小区物管中心”。

1998年学院占地117亩，建筑面积10万平方米。现设：气象系、电子系、计算机系、经贸与外语系、基础科学系和大气电子研究所。设气象学、电子工程、通信工程、会计学、计算机及应用和应用电子技术6个本科专业。还设立了计算机及应用、通信工程、应用电子技术、经济信息管理(商业信息与计算机应用方向)、国际商务、会计学等专业的普通专科。并办有成人专科、函大和夜大学。

学院现有教职工498人，其中教授17人，副教授(含高级工程师)112人，讲师、工程师145人，聘请外籍教师1名。年内调入7人，接收大专院校毕业生12人，调出4人，退休23人，自动离职1人，死亡1人。

年内学院招收普通本、专科生680人，其中本科生480人，专科生200人。1998年普通本、专科毕业生423人，其中本科生180人，专科生243人。成人教育录取专科生417人，其中脱产班313人，夜大学56人，函大48人；毕业549人，其中脱产班366人，夜大学134人，函大49人。目前学院有普通本、专科在校生2186人，其中本科生1335人，专科生851人；有在校成人学生1050人，脱产生709人，夜大学147人，函大194人。

1998年学院对实验室进行调整后，共有基础课实验室、技术基础课实验室、专业课实验室10个。单价在800元以上的教学科研仪器设备1616台(件)，其中新购进仪器设备452台(件)，投资186万元。有计算机506台(含党政办公用机)，报废教学科研仪器设备354台(件)。

学院图书馆有中外文期刊634种，其中中文刊425种，外文刊209种，藏书23.2万册(含装订成册的期刊)。出版《成都气象学院学报》4期，《成都气象学院院报》9期。

1998年10月28～29日，四川省教委组织评估专家组对学院物理实验室、电子技术基础实验室、综合气象台进行了考察评估。11月20日，四川省教委公布，成都气象学院物理实验室、电子技术基础实验室、综合气象台3个基础课教学实验室评估合格。

教学与管理 1998年，学院召开了“强化质量意识，提高教学质量”为主题的教改研讨会。重点进行系科专业调整、教学计划修订与调整、计算机辅助教学和实验室的建设，组织实验室教师和技术人员参加省教委专家组对学院基础课教学实验室的评估工作。

气象系开展了VISAT系统软件上机实习，开展新增专业的调研，调整了课程。加强对学生的思想和专业教育，进行学生思想和学习状况调查，开办了由教授、副教授主讲的系列专题讲座，邀请参加全国优秀青年气象科技工作者表彰会的学院毕业生回校作报告。电子系制定了新的电子信息工程专业教学计划，在基础实验教学中引入计算机辅助实验教学，在专业基础课中引进“MATLAB”等计算机辅助教学软件，设置开放实验室。开展了“优秀教学质量奖”评比活动，举办了“教学方法研讨会”。计算机系确定以办公自动化计算机网络与软件和计算机接口技术的应用与开发为学科发展方向，对教学计划进行修订，建立了计算机组成原理(含接口)实验室和计算机网络实验室。经贸与外语系对教学计划作了大幅度调整，增加了计算机应用课程比例，成立了会计电算化教研室和会计电算化实帐实验室。与一家大型商品化财务软件公司开展了会计电算化研究及合作，并在国际商务专业中增加电子商务专业课程。6月8日，该系受中国气象局计财司委托，举办了3期新的预算会计制度和电子商务业务为内容的全国气象系统财会人员业务培训班，共培训人员177名。基础科学系作为“四川省高等非数学教育面向21世纪教学内容和课程体系改革项目”的主研单位，开展了数学教学课程改革。在工科专业的本科中将MATLAB软件应用于线性代数教学，进行了数学实验课程试点，在高等数学和线性代数课程中开设了数学实验。

学院召开了外语教学工作研讨会，决定提高英语四级考试通过率和英语教学质量。

年内，学院课程建设委员会对1994年以来进行重点建设的课程进行了验收和优质课程评审。合格验收的重点课程有《动力气象》《大学英语》《大学生物及物理实验》《高等数学》《线性代数》《电路分析基础》《低频电子线路》7门课程，其中6门课程被评为优质课程。

加强文化素质教育。成立了文化素质教育综合教研室，新开设了5门人文学科类选修课程。在学生中开展了多种文化素质教育活动。

各教学单位注重计算机辅助教学，1998～1999学年第一学期，有19门课程使用了CAI计算机教学，总计达608学时，参加学生达28761人次。

年内，学院用中国气象局追加经费投资建设的项目有：更新了计算中心的低档微机，购置一批较高档次微机；增建2个电子教室；建设电子商务模拟实验室；购置“图书馆鑫盘计算机集成管理系统”；为“两课”建设配置了计算机设备等。

科研和学术交流 1998年，成都气象学院争取科研经费146.52万元，比去年增长95.4%。在研项目35项，其中国家自然科学基金1项，国家“九五”攻关项目2项，中国气象局软科学2项，四川省应用基础研究项目1项，四川省重点软科学项目1项，横向科研课题4项，学院确定的院级科研课题24项。通过验收和鉴定的国家及省部级项目有6项。学院科研成果中获奖项目有：大气辐射与卫星遥感研究室的“冰晶粒子光散射、卷云参数的卫星遥感反演和水云短波辐射参数化的研究”获中国气象局科学奖二等奖；李祚泳教授、邓新民副教授的“环境质量分析与评价的新理论与新方法”获首届四川省教委科技进步奖二等奖。获得四川省教委首届科技进步三等奖1项。有1人选为四川省跨世纪杰出青年学科带头人培养对象，获得了四川省青年科技基金资助。2人获得中国气象科学青年基金资助。有6人次参加了国际会议及学术交流，发表论文120多篇，邀请国内外专家来学院与青年教师开展学术讲座14次。

4月27～30日，北京华云—罗奥公司助理总经理Rred. Brenner和公司美方股东代表Mr. Tracy到学院，对计算机系和电子系分别承担的“中国下一代多普勒天气雷达中信号处理器”和“数据压缩”2个项目的研制情况进行研究评审。

学院新技术研究所科技人员到地、县和老、少、边、穷地区的气象台站，免费检修、检定了25台XDR－WRDPS天气雷达。无偿向XDR－WRDPS天气雷达的使用单位提供新的软件。在陕西、河南等地新安装了4台XDR－WRDPS天气雷达，加快了新型双偏振雷达的外场试验。

1998年学院先后邀请了美国Temple大学数学系S. Lipschutz(利普舒茨)教授、美国国际系统科学研究所所长、宾西法尼亚州Slippery Rock大学数学系林益教授,日本气象厅获野谷成德博士、直江宽明博士和日本科技厅佐藤威博士、日本东京海洋商贸大学岩坂直入教授、日本千叶大学高村民雄教授,法国国立卢兹理工学院Yves TARDY教授,来院讲学或合作科研。

6月25日,四川省人民政府外事办公室向学院聘请的加拿大籍专家埃德蒙德,莫非(Edmund, Murphy)颁发了“金顶纪念奖”新聘了外国语言文教专家Marius Boelsma先生任教。

改革 1998年,学院党委制定了《干部选拔任用暂行办法》,人事部门制定了《成都气象学院教职工录用调配工作暂行规定》。确定了新的改革分配制度的实施原则。修订了《关于评选优秀毕业生的实施细则》《并轨学生评优奖励实施细则》等6项管理制度,制定了《关于对贫困学生缓交、减、免学费和困难补助暂行办法》和《学生勤工助学管理办法》,适应“并轨招生”制度改革的进一步深化。试行大学生医疗保险,对灾区学生实行特困补助资金,缓交或减免学费,提供勤工助学岗位。

为加强院领导与师生员工的联系,学院建立了“院领导接待日”制度。

综合经营 1998年学院的综合经营实体有新气象广告公司、金画速印公司、成都图新高科技研究所、新气象宾馆、四川省电子工程科技开发公司、成都新气象科技实业股份有限公司,从业人员29人。主要经营广告制作、轻印刷、科技信息技术、房屋出租和宾馆服务等。3月,学院校办产业被四川省教委评为校办产业先进单位,并获得二等奖。

学院图新公司推出“综合气象信息查询系统”,气象部门和银行、厂矿、机场等单位投入使用。电子系推出了以低成本接入Internet网络的全套解决方案和实施技术,通过该系所属科兴电子技术公司推向市场。 (伍丽伦)

北京气象学院

概况 院党委书记、院长刘志刚3月份离任、退休。常务副院长王强主持工作。党委专职副书记张世英,副院长郑祖光、段从众,副院级调研员陈高远。

学院设置处级机构13个:院办公室、人事处、计划财务处、教务处(与继续教育处合署办公)、学生工作处、总务处、党委办公室、组织部、宣传部、基础科学系、社会科学系、计算机科学技术系、大气科学系(与高级进修部为一个机构、两块牌子)。另外,图书馆、工会、综合经营开发部和离退休干部办公室分别配专职副处级干部。

学院有教职工234人。其中,中国科学院院士1人,具有正高级专业技术职称12人,副高级专业技术职称53人,中级专业技术职称105人。聘请长期外国专家1人,短期外国专家3人,外籍兼职教授3人。有学生217人,其中本科生99人,专科生118人。有函授、夜大学生812人,其中函授702人,夜大110人。毕业学生157人,其中本科30人,专科127人。函授夜大毕业学生207人,其中函授171人,夜大36人。继1997年停止招收普通全日制本科生后,1998年停止招收全日制大学生。成人教育招生333人,其中函授297人,夜大36人。

9月,根据国务院南极考察办公室的要求,王玉兴赴南极考察。

教学与管理 学院重点发展高层次继续教育。4月10日,学院召开由有关职能机构负责人参加的继续教育研讨会,研讨继续教育年度任务及其完成措施;继续教育师资队伍建设措施;继续教育发展前景和发展战略。

1998年办各类研讨、培训班35个,共培训1343人。举办了管理干部高级研讨班、工程师高级研修班、党校班、管理骨干培训班、省级规划人员培训班、英语高级培训班、短期预报人员培训班、气象系统财务人员培训班、9210工程培训班等。11月举办了全国气象部门邓小平理论学习研讨班。

下半年,学院与北京应用技术大学联合办学,招收学生180人。

加强对在校本、专科生的管理,抓教学质量的提高，改善办学条件，严格考试纪律。抓好学风校风建设，开展基础文明教育和“养成”教育。全院学生进行了德、智、体综合测评，评出获一、二、三等奖学金 65 人，院级三好学生 13 人，优秀学生干部 8 人。1 个班被评为北京市先进班集体，3 名学生被评为北京市三好学生，1 名学生被评为北京市优秀学生干部。

成人教育实行规范化管理。完善了规章制度和管理办法，重新修订了函授教学计划和教学大纲。

开展了“双文明”建设。包景东获“民族团结先进个人”奖；谯季蓉获“北京市三八红旗手”奖；王雪臣获“北京市教育系统德育先进个人”奖；俞小鼎被评为 1998 年度北京地区高等学校（青年）学科带头人；吴洪、王梅华、范红、杨锡平被评为 1998 年度北京地区高等学校优秀青年骨干教师。

科研与学术交流 1998 年，全院共承担科研课题 36 项（当年开题 5 项，科研经费 41.15 万元），其中国家自然科学基金项目 6 项，中国气象局重点项目 8 项，北京市自然科学基金 1 项，合作项目 3 项，院内自选课题 18 项。年内完成国家自然科学基金项目并结题 1 项。年内，在国内外发表论文 28 篇，其中在国外学术刊物上发表 7 篇，全国性学术刊物上发表 3 篇，地方性刊物上发表 18 篇。年内获中国气象局科技进步三等奖 1 项。学院进行了院优秀论文评奖工作，共评出二等奖 2 项，三等奖 6 项。

改革 7 月 16 日，教育部批准北京气象学院并入南京气象学院。北京气象学院目前在校的两届学生，转为南京气象学院的学生。9 月 16 日，中国气象局发出通知，北京气象学院并入南京气象学院后，设置南京气象学院北京分院，实行与南气院相对独立的管理体制，分院领导由中国气象局任命和管理。12 月 20 日，中央机构编制委员会批准北京气象学院更名为中国气象局培训中心。培训中心仍为正司局级机构，实行中心主任负责制，中心领导由中国气象局任命和管理。中国气象局培训中心以气象部门高层次继续教育和高层次的岗位培训为中心任务。承担的主要任务是：气象部门中高层次管理干部、中高级技术干部的继续教育；高新技术培训；岗位培训中业务骨干和师资的培训；培训教材的制作；对省（区、市）气象局培训中心进行指导。院党委制订了《关于北京气象学院转建为中国气象局培训中心和南京气象学院北京分院的实施方案》，成立了机构改革调研小组。

继续深化后勤改革。转换运行机制，实施以适应高层次继续教育为重点的后勤改革，提高后勤服务质量，建立了严格的内外监督机制。根据北京市政府房改办、中央国家机关房改办和国家教委有关住房制度改革的精神，开展出售公有住房工作。落实国务院、教育部关于改造高等学校筒子楼、改善单身教职工居住生活条件的精神，制订了学院 1 栋宿舍楼改造方案，完成了设计。

综合经营 1998 年，学院各企业积极适应市场需求，摸索市场规律，调整经营方向，加强内部管理，降低成本，增加盈利，实现了正常运转。发展联合办学，为社会培训急需人才。

1998 年，创收 114 万元。 （王家骏）

湛江气象学校

概况 校长、党委书记吴扬，副校长张兵，党委副书记兼纪委书记刘自强，副校长李永治。

学校设：气象通信、气象、农业气象、计算机、马列、基础文科、基础理科等 7 个教研室，设学校办公室、党委办公室、人事科、保卫科、教务科、学生科、财务科、总务科、伙食科、设备科等 10 个管理科室，还设有工会、团委和发展服务公司。

学校有教职工 213 人，其中具有高级职称的 18 人，中级职称的 80 人。1998 年调入和聘用教职工 11 人，退休 5 人，调出 6 人。在校生总数 3532 人，其中国家任务生 620 人，委托培养生 2912 人。

4 月下旬，中国气象局防雷办派专家组一行 5 人抵校，对开设气象与防雷专业进行咨询、论证和办学条件的考察。

11 月中旬，中国气象局党组任命学校新的领导班子。12 月，中共湛江市委组织部副部长李桂英来校宣布新班子任命决定。

教育、管理及改革 1998 年招生 937 人，其中面向全国招收气象类国家任务生 110 人（气象专业 85 人，气象通信专业 25 人），面向广东省招代培生 827 人，全部招初中毕业生。1998 年秋季在校生达 3532 人，其中校本部 3058 人，校外班 474 人。新开设了气象与防雷和法律专业，使办学专业增加到 12

个。经中国气象局科教司批准，从气象专业分流部分学生到气象与防雷专业就读。

各专业积极适应人才市场的需求，调整专业培养方向，调整教学计划、大纲，组织开展第二课堂活动，组织计算机和英语等级考试。年内教职工在市级或市级以上刊物(含学术会议)发表论文 54 篇。

新建电教楼和 8 间教室。新建多媒体教室和语音室，增加气象、气象通信、农业气象和计算机等专业实验室教学设备。新建了投资财务实验室，气象实习台安装了卫星云图接收装置，开始安装 VSAT 小站。校园内铺草坪 2000 平方米。

深化内部管理改革，制定学校管理目标，年内基本达到各项目标。修订内部分配制度，实施了教师课时津贴和行政工作量津贴发放办法；加强财务管理，开通了中国气象局计财司的会计电算化数据计算机网络。

精神文明建设 继续开展“文明校园”、“文明单位”、“文明班级”、“文明宿舍”创建活动；开展“学雷锋、树新风”和“爱心基金会”活动。据不完全统计，年内师生做好事两万余件，达 18000 人次。学生为灾区和贫困学生捐款达 8.3 万元。

1998 年学校通过市“花园式单位”复查验收，被评为市爱国卫生和计划生育先进单位。校党委被评为市直机关“先进党委”，机关党支部被评为教育战线“先进党支部”。发展党员 26 人，其中教工 2 人，学生 23 人。

校办产业 1998 年继续扩大办学规模，办学创收达 1027 万元，加强对门店租赁和校内服务业的管理，综合经营收入 22 万元。 (李永治)

南昌气象学校

概况 校长、党委书记陈汀，副校长严智雄、罗小平，党委副书记蔡聪耀，纪检书记卓峰。学校设：基础课文科、基础课理科、气象、农业气象、电子、体卫等 6 个教研室，学校办公室、党委办公室、人事科、计划财务科、保卫科、教务科、学生工作科、总务科、伙食科、产业科等 10 个科室，并设有校团委、教育工会、纪检、监察、审计和江西绿色技术开发公司。学校共招收新生 502 人(其中普通中专 448 人、在职中专 18 人、气象大专函授生 36 人)。年末，在校学生总数为 2006 人(其中 4 年制学生 765 人、3 年制学生 1125 人、高中后 2 年制学生 116 人)。共有教职员工 215 人，其中高级职称 29 人，中级职称 65 人。学校设有气象、农业气象、电子技术、电脑动画等 18 个专业，同时继续承担北京气象学院气象专业的大专函授教学任务，并组织有关面授和考试工作。

年内，校长陈汀当选为江西省中专教育研究会常务理事，体卫教研室窦榕滨被江西省教委、体委任命为省中专体育协会副主席并代主席。校团委张雪黎被赣青学联任命为省中专共青团工作协会常务理事长，同时被省团委授予“江西省优秀共青团干部”称号。校教育工会被评为“省级先进工会”，气象室工会小组被 评为“全国模范职工之家”。校暑期“三下乡”服务队被中央宣传部、教育部、团中央评为“暑期文化、科技、卫生‘三下乡’优秀服务队”，其中 2 名学生被评为江西省“三下乡”先进个人。教师杨建军被评为江西省中专学校优秀班主任。

4 月 20 日中国气象局李黄副局长来校视察。

12 月，经中共南昌市委和南昌市人民政府的检查验收，学校被授予“南昌市文明单位”称号。

教学、管理及改革 年内，学校召开了暑期教学工作会议，强化了教务的教学管理。制定了《教学管理暂行规定实施细则》，编印了《教研组工作手册》和《教学备课本》，拟定了教学管理规定，完成了各专业的教学计划、教学大纲以及实验实习指导书的编写、修订工作，规范了试卷印刷工作，继续实施教学联合周制和教研组集体达标、教师个人达标管理，开展了教学工作综合评价指标体系的课题研究。

开展联合办学和成人自考组织工作，提高学校教育的学历层次。完成了北京气象学院的函授教学与管理(学校荣获北气院“先进函授站”称号)，与南昌航空大学、南昌业余大学联合办学，举办了成人高考辅导班、防雷技术成人大专函授班和计算机应用及信息管理成人大专函授班。

完成了校园网络的第一期工程建设以及气象地面观测室、天气会商室、观测场等实习场所的现代化建设，改选了计算机房、添置了机房设备，组建了计算机硬件实验室和电子音响设备实验室，学校闭路电视系统与南昌市有线电视台联网。

完成了气象专业教学计划和教学大纲的校稿与

出版工作，完成了农业气象、仪器与仪表、电子技术及应用、计算机技术及应用、文秘与档案、成人中专3个专业的重点专业建设课题，加强了各专业毕业和生产实习的管理工作。组织开展了普通话比赛、英语词汇竞赛、英语角活动，参加了全省中专英语演讲比赛和中专语文口语比赛(分获第三和第二名)、音乐欣赏讲座、书画作品展。承担了全国中专艺术协作组刊物《美育通讯》的编辑和印刷发行工作。进行了文秘与档案专业驾驶培训和初级计算机程序员考试、电子中级工技术等级考试。举办了第十五届田径运动会、健康教育和学生体质训练班、冬季体育锻炼和长跑活动、体育达标等活动。学校荣获江西省中专学生健美操比赛团体冠军和全省中专学生计算机大赛团体第三名。

制定了《南昌气象学校教学带头人、后备教学带头人考核办法》《南昌气象学校聘用代课教师管理办法》，选定了教学带头人和后备教学带头人。开展了专业教师的培训教育工作，进行了微机等培训。学校被江西省人事厅批准为全省气象类继续教育培训基地。

1998年省内中专实行招生并轨改革。学校派出人员到外省和本省联系生源。编印招生宣传册，在江西省电视台、南昌有线电视台、《光明日报》、《信息日报》作了招生宣传。

精神文明建设　组织学习邓小平理论、党的十五大文件。组成中心学习组、中层干部组、青年教工组开展学习。开办了业余党校、培训班。举办了知识竞赛和经验交流会。

开展了精神文明建设的系列活动，进行学雷锋、“五四”成人宣誓，组织青年志愿者、文化科技卫生“三下乡”活动。向特困生献爱心，举办全民健身、文体竞赛、赈灾捐赠活动。举行了改革开放20年、周恩来诞辰100年和邓小平逝世一周年的纪念活动。

赈灾捐赠中，全校共捐款22409.70元、棉被61床、衣物2400余件。　　　　(程明忠)

兰州气象学校

概况　3月6日，甘肃省气象局党组任命崔振乾为校长、党委书记，王程温为副书记，吴英成、包应宗为副校长。8月4日，任命祁克顺为副校长。学校设：教务科、学生科、总务科、办公室、人事政工科、保卫科、培训部、产业部、产业科(物业管理中心)8个职能科室，设气象、计算机、电子技术、财会、基础课5个教学专业科。在校生人数1975人。教职工188人，其中高级讲师15人，讲师44人。

7月15日，中国气象局马鹤年副局长来学校检查指导工作。7月22～28日，全国气象院校办公室主任会议及后勤工作研讨会在兰州气象学校召开，就校园网暨办公自动化建设和后勤改革情况进行了研讨和交流。9月16～20日，中国气象局直属院校毕业生就业工作研讨会在兰州气象学校召开。1998年，兰州气象学校获甘肃省气象局1998年度目标任务考核一等奖。崔振乾校长获中共甘肃省委、甘肃省政府优秀教育工作者“园丁奖”。教师杨映红被甘肃省教委授予“优秀班主任”荣誉称号，高伟东、高娟、朱保美、谢花玲分别被授予“优秀学生干部”、“三好学生”荣誉称号。

教学、管理及改革　加强教学督查，检查教案、抽查教学进度，进行学生和专家评教。开展骨干教师示范授课的观摩教学活动，对青年教师进行传帮带。实施“模块化”教学，组织教材改革，补充增设了防雷、心理卫生等内容，计算机操作做为每个专业的必修课目。修订完善了《兰州气象学校教学管理办法》《教师课时津贴发放办法》，制定了《教学事故处理办法》。举办心理学、教育学和公共关系学讲座。组织专业教师和学生到基层气象台站调研了解业务发展的新技术、新趋势。推行教师聘用上岗和督导评估制度，对不胜任教学工作的教师挂黄牌，扣减课时津贴。强化教研管理，调整学科结构，在专业教研室的基础上设立了专业科，加强对学生的综合管理教育。强化毕业生实践技能训练，设立了毕业生就业咨询服务机构，举办“市场营销”专题讲座和就业形势分析报告会，指导毕业生择业，推荐348名毕业生双向选择。适应市场经济社会急需人才培养的需求，调整专业结构，组织了人才市场调研，开设新专业，扩建了多媒体计算机室，新建了电子电工实验室和家用电器维修实验室。

兰州气象学校列入甘肃省中专学校首批并轨改革的单位，与甘肃职业技术专修学院联合办班，培养高职人才，开展大专层次函授学历教育和短线自考辅导。

学校实施了“封闭式管理，开放式教育”，建立并规范了总值班制度和科级干部例会学习制度。开设了学生的专周劳动课。后勤工作推行企业化管理，实行承包经营，并清理整顿了经营实体，拓展面向市场的服务。

科研工作 教师蔡晓军、赵仲莲参与的《青藏高原热力异常对西北气候影响的诊断与数值试验》获甘肃省气象局1998年气象科技进步一等奖；王澄海参与的“西北地区干旱预测系统研究”专题甘肃分专题项目《北半球500hpa高度场与西北春季降水的耦合相关》获二等奖。

精神文明建设 举办了教职工学习理论专题研讨会、座谈会。开展了“三观五业”(世界观、人生观、价值观；敬业、爱业、乐业、精业、勤业)的主题教育活动。各专业科组织了智力竞赛和文艺汇演、广播体操比赛、越野比赛、球类比赛。纪念十一届三中全会召开20周年期间，举办了第二届师生书画印艺展。全校评选出1997年度16个先进集体和335名先进个人。设立校长奖励基金，对见义勇为、拾金不昧、劳动课成绩显著、文艺汇演有突出表现者进行嘉奖。开办了第三期、第四期业余党校，70人参加学习并结业。组织为三江洪涝灾区、贫困地区学生献爱心损款、捐物计6万余元。3月，中共兰州市城关区委、区政府授予学校“精神文明建设先进单位暨城市管理工作先进单位”荣誉称号。甘肃中专体协评选学校为体育工作先进单位。

年内，完成一栋住宅楼的建设。 (汪大金)

其它部门的气象工作情况

中国科学院大气物理研究所

概况 中国科学院大气物理研究所现任所长王明星(研究员),党委书记吴北婴(研究员),名誉所长叶笃正(院士)。大气所有正式职工489人,其中科技人员409人,包括高级科研人员150人,有叶笃正、陶诗言、曾庆存、黄荣辉和吴国雄五名中科院院士,研究员61人。研究所设:科技处、组织人事处、综合处和财务处,并设有3个开放实验室(其中两个为国家重点实验室),3个研究中心(其中两个为国际性中心,一个院级中心),4个研究部,3个科技支撑系统。主要研究领域包括地球流体动力学的理论和数值模拟、短期气候变化机理及预测理论和方法、大气化学、中层大气和大气探测、东亚区域气候变化的理论和模拟,以及中小尺度气象、减灾的理论和模拟等。大气所是国内培养大气科学高级研究人才的主要基地之一,设有研究生部和博士后流动站,1998年度在站博士后13人,在读博士生74人,在读硕士生37人。研究所主办《大气科学》(中文版,英文版)、《大气科学进展》(英文版)和《气候与环境研究》等刊物。

科研立项与攻关 1998年大气所申报了两项国家重点基础研究发展规划项目(973)。其中,“我国重大气候灾害的机理和预测理论研究”(首席科学家为黄荣辉院士)被列为正式启动项目,“我国生存环境演变和北方干旱化趋势预测研究”(首席科学家为符淙斌研究员)被列为培植项目。王斌研究员获杰出青年基金A“全球定位卫星系统与全球大气预报模式的资料四维同化”,丁敏芳教授获杰出青年基金B“中国夏季降水时空变化规律之研究”,并获11项国家自然科学基金项目。

1998年承担科技部、基金委和中国科学院重大、重点项目40余项,其中包括主持两项国家攀登计划预选项目:“我国未来生存环境变化趋势预测研究”和“气候动力学及气候预测理论的研究”;参加3项国家攀登计划预选项目:“青藏高原地—气系统物理过程及其对全球气候和中国灾害性天气影响的预测和理论研究”、“南海季风试验研究”和“大规模科学工程计算”;科技部“九五”重中之重项目“我国短期气候预测系统的研究”;国家自然科学基金委员会重大项目“内蒙古半干旱草原大气—植被—土壤相互作用”,“淮河流域能量与水份循环试验(HUBEX)”;“九五”重点项目“关于季风与ENSO循环相互作用的研究”;中科院“九五”重大项目“华北地区水资源的变化与调配研究”、“大气污染预测的理论和方法研究”,“亚洲季风变迁和全球变化”、“南北极典型资源地区与全球变化研究”和“大气—水圈重大灾害的规律、减灾机理、预测和减灾典型研究”等。除此以外,大气所还承担了“921”、“863”计划项目以及20多个国家自然科学基金委员会面上项目。

科研成果及推广应用 1998年大气所科研人员在国内外正式学术刊物、正式出版物发表学术论文206篇,其中SCI刊物发表8篇。共有5个项目获得国家及部委奖励,分别是:曾庆存院士主持完成的“气候系统模式研制、气候预测理论”获中科院自然科学一等奖;石广玉研究员主持的“大气K—分布辐射模式的研究”获中科院自然科学二等奖;黄美元研究员等参加的“我国酸沉降及其生态环境影响研究”

获国家科技进步一等奖；王昂生研究员等参加的“我国台风暴雨灾害性天气监测预报业务系统”获国家科技进步二等奖；雷孝恩、韩志伟等参加的“重庆市大气污染控制规划研究”课题获得重庆市科技进步二等奖。

王昂生研究员获“联合国灾害防御奖”，钟青研究员获世界气象组织“青年科学家研究奖”。

1998年底，由大气所承担的中科院“九五”重大项目“大气污染预测理论和方法研究”顺利通过中期检查。其成果已应用于天津、沈阳等城市的大气环境质量试预报，受到与会专家的一致好评。

科研管理和学术交流 1998年大气所把原有的7处2办精简成4个处，机关人员从原有的48人精简成29人。并采取公开招聘的形式选聘处长。另外，还将原计算中心和信息中心合并成计算信息中心。

年内，几个传统国际合作项目如与美国能源部的“CO2的气候效应”合作研究、与德国夫琅荷费研究所关于“中国湿地甲烷排放的合作研究”、与意大利世界实验室关于“干旱沙漠化”的合作研究、与美国NCAR关于“资料网络”的合作等均继续取得满意进展。并派4人出访NCAR，带回了约80GB的大气科学资料，并已完成再开发提供所内外使用。

举办了“亚洲季风及其可预测性”以及“第一届亚太地区大气环境空间遥感大会”两个大型国际学术会议，举办了“青年学者大气、环境国际研讨会”、“亚洲区域气候模式应用高级培训班”和“第三世界科学院数值预报培训班”等3个国际学术活动。还举办了两岸青年学者大气科学研讨会。

全年共有约120人(次)出国开会或短期工作；共接待外宾200多人(次)，有9位外国学者在大气所工作一个月以上。 (程新金)

中国科学院兰州高原大气物理研究所

概况 中国科学院兰州高原物理研究所(以下简称兰高所)现任所长刘欣生(研究员)，党委副书记兼副所长卫国安(研究员)，副所长董文杰(研究员)，名誉所长高由禧院士。兰高所设有“高原气候”、“西北干旱与环境”、“大气雷电和雹暴”3个研究中心和“信息与计算机技术部”。兰高所现有职工211人，从事科技活动120人，其中高级研究员54人。有在读博士生19人，在读硕士生14人。

科研立项及攻关 1998年将3个研究中心的研究方向集中为“高原及周边气候环境动力学”和“对流风暴和雷电物理学”两个重点学科方向，分析论证并提出了近期的创新目标。全年共有在研课题62个，其中主要参加的项目有九五攀登项目：“青藏高原环境变化与区域可持续发展”、“气候动力学及气候预测理论的研究”和“青藏高原地气系统物理过程的观测实验和理论研究”。国家攻关项目：“我国短期气候预测系统的研究”和“农业气象灾害防御技术研究”。国家自然科学基金重大项目“内蒙古半干旱草原土壤－植被－大气相互作用”。主持中国科学院重大项目“强风暴天气系统雷电放电综合预测及防护研究”和重点项目“西北干旱气候的变化规律、形成机理和预测方法研究”。参加的中国科学院重大项目有：“中国华北地区水资源变化与调配的研究”；“亚洲季风变迁与全球变化”和“大气污染预测的理论和方法研究”。同时还承担了国家自然科学基金项目、军工项目和地方政府项目。

科研成果及推广应用 1998年兰高所向中国科学院上报登记重要成果5项，其中国家自然科学基金重点项目“人工引发雷电和雷电物理研究”于1997年结题，并由中国科学院组织有关专家于1998年9月在兰州召开了鉴定会。该项目经过9年的野外预测实验和研究，发展完善了人工引发雷电技术，并研制和采用多种先进的测量手段，对人工引发雷电和自然雷电进行了长期广泛的野外预测实验，同时还对有关问题进行了理论分析和数值模拟研究，取得了一系列重要成果。

1998年全所在国内外期刊上共发表论文76篇。“甘肃平凉防雹减灾试验研究”获中国科学院奖。

科研管理和学术交流 1998年扩大了合作领域，有国际合作项目5项，其中有中日合作项目：“高原地区能量和水份循环观测试验研究”、“中国内陆高原雷电的综合观测”、“全球雷电和地面观测”、“中国西藏那曲和安多地区云和降水的多普勒雷达观测”；中欧合作项目：“气候变化对干旱区农业生态和水资源的影响”。进展顺利，部分合作项目已开始商谈10～15年的继续合作问题。

1998年派出11批13人(次)出国参加国际学术会议和合作研究。全年共接待来所访问、合作研究的学者17批74人(次)。

1998年兰高所承办了"第二届全国雷电监测与防护科学讨论会",来自全国30多个单位的80余人参加了会议,会议期间广泛讨论了雷电监测与防护等问题。 (原永泉)

中国农业科学院农业气象研究所

概况 中国农业科学院农业气象研究所现任所长林而达,党委书记兼副所长梅旭荣。全所有职工82人,其中科技人员70人:研究员4人,副研究员20人,博士11人,硕士11人。

全所设有5个研究室:全球变化研究室、区域发展研究室、环境工程研究室、农业减灾研究室、应用基础与信息产业研究室。并设有科研处、行政办公室、科技开发服务中心及家业气象试验站。主办了北京齐民生物技术开发公司、北京福瑞通科技有限公司和北京绿鸟草坪技术中心3个高技术企业。目前专职从事科技开发20人,兼职从事科技开发18人。中国农业科学院节水农业综合研究中心和中国农学会农业气象研究分会挂靠在本所。

1998年11月18日,国务院副总理李岚清到中国农业科学院视察期间,参观了节水中心和气象所与厂家合作推出的"润佳"重力滴灌系统。

科技课题立项及成果 1998年注意发挥"九五"课题群的优势,突出重点,坚持严格按合同规定合理使用经费,保证各专题顺利通过了中期评估。

本所1998年作为第一主持单位共承担1项课题,9项专题,23项子专题,部门重点2项,国家自然科学基金2项,国家自然科学基金重大项目二级课题1项,国家重大基础研究(973攀登预选项目)项目二级课题1项。院长基金1项,院重点支持课题1项,院一般支持课题4项,其他项目3项。

1998年气象所的科研人员参与了科技抗洪救灾电视节目制作,并为晚间新闻、走进科学等栏目提供了资料。

1998年作为第一主持单位有3项成果通过农业部组织的专家鉴定。李久生博士主持的"喷头水力性能及喷灌条件下土壤水分空间分布特性的研究",为降低喷灌均匀系数设计值,减少投资,进一步节约喷灌用水从理论上开辟了一个新的研究方向。王一鸣同志主持的"抗旱型种子利用复合包衣剂的研制及产业化开发应用",有针对性的解决了困扰北方旱区春播保苗的难题,为抗旱增产、节水农业提供了一项简易有效的新途径。"新型抑制蒸腾剂的研制及节水增产机理研究",通过简易的叶面喷施,即能减小作物气孔开张度,抑制水分蒸腾,提高根系活力,从而提高水分利用效率,达到抗旱增产的目的。

由中国农科院气象所为第一主持单位,有水利部水利信息中心、中国林科院森林生态环境研究所、国家海洋局发展战略研究所等单位参加的《气候变化对农业、水文水资源、森林及沿海地区海平面的影响及对策》获1998年国家科技进步二等奖。

由中国农科院气象所作为第一主持单位,有8个单位参加的"晋东豫西旱农类型区农林牧综合发展优化模式"获农业部科技进步二等奖。

本年度出版专著1部:为林而达、李玉娥合著的《全球气候变化和温室气体清单编制方法》(气象出版社)。此书介绍了联合国政府间气候变化专业委员会(IPCC)推荐的编制国家温室气候排放清单方法、中国适用的排放清单编制方法以及减缓温室气体排放的对策,涵盖了由于人类活动引起的温室气体主要源和汇。

年内,共发表论文34篇,其中2篇被SCI收录。

科技开发 1998年继续进行种衣剂开发工作,制定行业标准和办理"三证",与有关种子公司开展合作,创造了较好的技术性收入。所办北京福瑞通科技有限公司,加大了果蔬产地气调保鲜技术应用的开发力度,先后完成了山东、河北气调保鲜库项目,并与山东、河南等地签订了技术应用意向合同,创产值500多万元,纯收入80万元。所办齐民生物技术开发公司,继续完成系列高渗农药、助剂的研制、生产销售,实现产值160余万元,技术性收入60余万元。其它科技开录,包括电子技术、环境测控、水处理、技术咨询服务、合作开发等,共创技术性收入20余万元。

国际合作与学术交流 4月,接待欧洲气候列车访问团英国 East Anglia 大学环境科学学院 Ben Matthews 先生，就气候变化和温室气体排放开展交流；接待了俄罗斯种子磁化专家阿米尼亚连柯教授，并进行现场种子磁化处理；接待了日本农林水产省农业环境技术研究所林阳生先生，讨论中日合作项目“气候变化情况下亚洲水稻生产力变化趋势估测方法”。8 月，日本千叶大学园艺学部中山敬一教授在农气所做“灵活利用水资源增加粮食产量”的学术报告。9 月，英国伦敦大学教授 Tony Allan 及其博士生在农气做学术报告“Understaning Globle Water：The Role of China and MiddleEast”，并就有关缺水与食物安全和世界粮食贸易等学术问题进行讨论。10 月，日本著名设施园艺、温室环境调控技术专家、东海大学开发工学部生物工学科教授林真纪夫博士，到气象所做(1)设施园艺、温室环境调控技术(2)植物工厂化栽培学术报告。（尹燕芳）

长春气象仪器研究所

概况 长春气象仪器研究所所长吕凤华，党委书记王锡科，副所长许殿义、肖建伟、邢鹏，党委副书记朱双全。研究所下设 3 个研究室，1 个经营办公室，1 个信息中心，10 个为科研、生产服务的管理科室，2 个电子车间和 1 个机加车间。国家气象仪器产品质量监督检验中心、中国仪器仪表学会气象水文海洋仪器分会挂靠在该所。

1998 年底共有职工 228 人。专业技术人员为 122 人，其中高级技术职务 32 人，中级技术职务 58 人，初级技术职务 32 人；技术工人为 91 人，其中技师 5 人，高级工 30 人，中级工 38 人，初级工 18 人。

科研立项及攻关 原机械工业部的基金项目共有 5 项。1998 年 12 月 24 日，原机械工业部技术发展基金委员会在长春主持召开了 SS－1 型散射式能见度仪、双盐氯化锂露点传感器和气象海洋数据采集器等 3 个基金项目的鉴定会。鉴定委员会认为：该 3 个项目均已达到 90 年代初国外同类产品的先进水平，同意设计定型。其余 2 项熔融石英膜盒气压传感器和通用型气象自动观测系统也完成了结题的有关技术文件。

1998 年，研究所共签订课题 77 项，合同额 362.5 万元人民币。当年完成 72 项，收入 240 万元。

科研成果及生产应用 1998 年，研究所研制了 2 套多要素气象观测系统，并顺利通过测试和部队靶场考核；为沈阳环保部门开发并生产了 4 套环境气象自动监测系统；利用工业控制机为长春供热公司开发了供热网络监控系统。在攻克部分产品遗留技术难题上，散射式能见度仪改进了结构设计和原材料选用，大大提高了产品的可靠性、稳定性和对环境的适应性。自动测风站 3 台考核样机重新进行了检修和改进，在通讯环节增加了光电隔离，提高了可靠性，完成了样机的改型换代和运转试验。年内，为北京、西藏、内蒙古、武汉、长春、丰满等地研制出自动气象观测系统、长期气候站、梯度观测仪、系留气球、轻便观测仪、多点测风仪等多种气象采集系统，推广应用了研究所的成熟技术成果。

制作完成了 EC9－1 型测风传感器 218 套，FC－1 型测风传感器 20 套，VF－1 型风向风速传感器 10 套，HTF 型电动通风干湿表 26 套，HBW 型风向风速传感器 82 支，BSC 型湿度传感器 38 支，XDZ－D3 型野战气象仪 35 套，MFY 型风向风速仪 160 套，环保监测仪 4 套，系留气球 1 套，各种综合气象观测系统 8 套，综合遥测气象仪(型)1 套，供热网络监控系统 1 套，散射式能见度仪 6 套，自动测风站 3 套，火焰加热枪 750 把，烤炉 10 套。

机加车间除全面完成研究所下达的各项机加任务外，还承揽了所外加工任务。全年共创产值 47 万元。其中所内 21 万元，所外 26 万元。

行业工作 国家气象仪器产品质量监督检验中心(简称质检中心)全年共检定各种成套设备 117 台(套)，各种传感器 204 支，为所外十几个单位测试各种传感器 40 余支。全年横向创收 1.7 万元人民币。

质检中心完成了《管理手册》初稿和修改稿的编写工作。并对设备逐台进行了维修和检定，对档案进行了归类整理，对全体人员进行了培训。

中国仪器仪表学会气象水文海洋仪器分会和长春气象仪器研究所共同主办的科技期刊《气象水文海洋仪器》(季刊)全年共出版发行了 4 期。中国仪器仪表学会气象水文海洋仪器分会完成了换届选举，并被中国仪器仪表学会评为 1998 年优秀学会二等奖。

完成了国军标(8QX01)征求意见稿，完成了 1

个国家标准和20个专业标准修改任务，共创收3万元人民币。

科研管理及经营 科技处除完成各种统计报表、生产调度等本职工作，还签订合同额10多万元。工艺处编写了经工艺验证了的有关文件、方法和步骤；对有些产品提出了制造工艺的改进方案的设计图纸；对批量大的产品外包装进行了彻底改进，设计了内包装的发泡模具和外包装纸箱，使包装简单规范、安全可靠。质检处除把好出所产品最后一道检验关外，还加强了产品的中间检验。对产品的每批次机加零部件都进行严格检验，同时提出解决和处理的办法。此外，还制定了质量检验管理办法，使全所的质量意识有较大提高。

经营办先后与总参气象局、国防科工委、中科院、上海船研所等多个单位签订了产品销售和开发合同共28项，合同额200多万元。全所职工也都积极参与经营活动，利用各种渠道，签订大小合同共41项，合同额达160多万元。 (杨啸秋)

空军气象学院

概况 1998年，学院院长唐万年，政治委员白景峰，副院长徐银盟、曹光明、秦松寿。学院设：教务部、政治部、军务处、教保处、总务处等5个机关；设基础部、气象一系、气象二系、大气探测系、气象电子工程系等5个部系。

全院现有教员400名，教员中具有高级技术职务的占38.2%，其中教授40名，中级专业技术职务160名，占44.4%；硕士生以上学历177名，占48%，其中博士32名；35岁以下教员184名，占49%。

硕士生开设：气象学、应用数学、流体力学和信号与信息处理等4个专业，并具有硕士学位授予权。本科生开设气象学、大气探测学、气象雷达、气象信息工程、气象电子工程等5个专业。

1998年10月召开了学院第十次党代表大会，总结了过去5年的工作，部署了今后5年的任务，选举产生了新一届学院党委委员、常委、正副书记。

教学管理及改革 组织深入学习邓小平教育理论，广泛开展教育思想大讨论，有效地转变了教育思想和教育观念，在充分调查论证的基础上，制定下发了《关于加强素质教育的若干意见》。

加大教学管理力度。组织了学员队干部、系(部)参谋教学管理集训，成立了院、系两级教学质量评估组，制定了教员教学工作量化标准及奖励办法。开展了青年教员教学基本功训练和竞赛活动。继续坚持了教学工作例会和形势分析等制度。建成全军气象干部继续教育中心，先后为总参、空军、海军和民航举办了各类培训班。

进一步深化教学改革。修订了全院主干课程教学大纲，加快了重点教材和试题库建设的步伐。制定了《空军气象学院2000年至2010年学位与研究生教育发展规划》。加强了教学设施的配套建设，加大了重点学科、重点实验室建设的投入，引进了新一代网络服务器，新建了游泳池水处理装置。注重改进教学手段，电视教材《分形》获全军优秀电视教材一等奖，《雨的形成》获全国电视教材二等奖。

科研和学术交流 年内，在研科研项目50项，其中军队重点项目和国家自然科学基金项目13项。科研成果有8项获科技进步奖，3项获空军军事理论研究成果奖，5项被评为全军优秀推广应用软件。另有18项成果通过技术鉴定，有8项成果申报国家科技进步奖。组织学术交流20余次，出科教长廊两期，对20个学术团体进行了改选。建立了中国学术期刊(光盘版)检索站和学院研究生学位论文数据库。

全年编辑出版《空军气象学院学报》4期，《气象仪器装备》4期，《教学与研究》2期，前两种刊物分别被批准在国外和国内公开发行。

思想政治工作 坚持举办邓小平理论读书班和党委中心组学习等制度，多层次、有重点地开展了邓小平理论和十五大精神的学习教育。有计划、分阶段地组织各级干部学习了高科技知识。在全院深入开展"高举旗帜"、"拥护改革，服从大局"、"学伟人风范，走伟人道路"系列教育，组织"为迎接新世纪刻苦学习"和迎澳门回归倒计时活动，深化了"四个教育"。按照江总书记提出的"十六字方针"，加强了党委的民主集中制建设。以开展"讲学习，讲政治，讲正气"教育和学习贯彻党的三代领导核心关于高级干部教育管理配偶子女的重要论述为重点，认真抓了党性党风教育。坚持了对各级干部的考核讲评制度，确定了高素质青年教员重点培养对象，开展了优秀教员和优秀教员标兵评比活动。坚持用健康的文化体育活动，占领校园文化阵地，开展了丰富多彩的第二课堂活动，举办了学院艺术节。参加抗洪抢险被地方政府评为“抗洪抢险先进单位”。 （单景舟）

北京大学地球物理系大气科学专业

概况 大气科学专业设大气物理学和天气动力学2个教研室，室主任分别由秦瑜和刘式适担任。本专业设：大气物理实验室，微波遥感试验室、天气分析与预报试验室、多媒体微机室、暴雨监测与预报国家重点试验室。配备有先进的监测与资料处理设备，配置了高性能超级计算机和高档图形工作站，可随时综合探测资料。大气探测专业培养本科生和硕士生，大气物理、天气动力学和气候学3个专业培养本科生、硕士生和博士生，并设1个博士后流动站。研究方向是大气辐射、云物理和云雨化学、大气湍流和边界层物理、大气遥感以及大气环流、中长期预报、大气动力学、数值预报、气候学等。大气科学专业被国家教委批准为“基础学科人才培养基地”。1998年北大百年校庆之际，中国气象局赠送大气科学专业气象卫星通讯系统(VSAT)和气象信息综合分析系统(Micaps)1套。

教学、管理及改革 大气科学专业攻读学士学位实行学分制。为了提高研究生的科研能力，提出了研究生毕业前要发表论文的要求。按照“加强基础、淡化专业，因材施教、分流培养”的教学方针，大气科学专业本科生的课程只保留大气物理、大气探测、天气学和大气动力学4门必修课。利用VSAT系统和Micaps系统建成的实时气象天气分析预报系统，为现代天气学课程教学服务。加快多媒体可视化教学软件的开发与研制工作，利用方正奥斯多媒体制作软件平台，已制作完成温带天气系统的多媒体教学软件，内容包括气团、锋、气旋和高空急流。

为加强基础课和专业课的教学，制定了一系列向年轻教师倾斜的政策，在年轻教师住房和工资待遇上也采取了相应的措施。

科学研究和学术交流 大气科学专业承担的部分研究课题有：青藏高原对中国灾害性天气的影响（国家攀登项目）；青藏高原中尺度系统研究（国家自然科学基金项目）；我国短期预测系统的研究（国家95攻关项目）；20世纪中国与全球气候变率的研究（国家自然科学基金重点项目）；卫星资料库及对ENSO的监测（国家攀登项目）；南海季风气候（国家自然科学基金项目）；北半球大振幅波包的数值研究（国家自然科学基金项目）。

1998年大气科学专业有4位教师到美国、德国、韩国和香港访问并开展合作研究。（赵强）

中山大学大气科学系

概况 大气科学系主任范绍佳，副主任温之平。大气科学系设：天气动力教研室、天气环境教研室、热带气象研究室、气象台、大气探测实验室、计算机信息处理实验室、系行政办公室；大气系设有气象学博士点、气象学硕士点；本科专业设天气科学和应用气象学两个专业；成人大专设计算机应用专业。

全系现有教职工40人，其中教授8人（包括院士1名）、副教授10人、讲师5人、助教3人、高级工程师3人、工程师（实验师）7人、助工2人，聘请兼职教授5人。

1998年毕业学生56人，其中硕士4人，本科生28人，专科生24人；招收学生99人，其中硕士研究生5人（澳门生1人），本科生50人，大专生44人；现有在校生199人，其中硕士研究生8人（澳门生2人），本科生147人（含留学生5人），计算机应用成人大专班学生44人。

教学、管理和改革 1998年，大气科学系通过博士点的评审，增设气象学博士点。罗会邦教授、贺海晏教授通过博士导师的评审，可从1999年招收博士研究生。

本科教育实行按“专业招生、分流培养”的方针，以向社会输送“基础扎实、适应性强、后劲足”的人才为宗旨，调整教学计划，逐步向培养“通材”的目标努力。在加强基础和专业课的同时，加强了外语、计算机等应用课程的教学；在全校范围内开设各类应用性知识讲座，并为本系毕业生开设专家讲座。大气科学系2名学生参加全省大学生“数学建模”竞赛获三等奖。

为迎接国家教委本科教学优秀学校评估，进一步完善了课程的教学文件及教学档案。《天气学》课程参加全省重点课程评估并通过了初步鉴定；承担国家教委大气科学教学改革、教学研究项目1项，发表教学研究论文3篇。组织任课教师赴珠江三角洲及粤东地区大气科学教学调研2次，派2人到广州区域中心气象台进修学习。

在师资队伍建设方面，1998年留校硕士1人，1人从德国进修回来任教。1人在职攻读博士学位，2人在职攻读硕士学位。

微机应用短训班1998年为社会培养约200名微机应用人才。

科学研究与学术交流 1998年共承担研究课题13项，其中国家级6项，省、部级1项，横项课题5项，完成各类课题6项。获各种奖4项，发表论文(著)34篇(本)。

1998年，大气科学系共接待国内外专家学者20余人来访、讲学，接收几内亚进修生1人，有3人(次)参加了国际学术会议。1名副教授应邀出访美国进修学习。 (王同美)

兰州大学大气科学系

概况 兰州大学大气科学系主任王式功，副主任霍应希、张镭，丑纪范院士仍任名誉系主任。

大气科学系下设：气象学教研室；大气物理与大气环境教研室；天气分析与预报技术实验室；大气物理与大气环境实验室；大气化学实验室；大气数值模拟研究室；系行政办公室。全系共有气象学、大气物理与大气环境和计算机应用(专科)3个专业。气象学专业具有硕士学位和博士学位授予权，大气物理与大气环境专业具有硕士学位授予权。

至年底，在编教职工37人，其中教授5人(3人为博士生导师)、副教授4人、高级实验师3人、讲师7人、工程师1人、实验师2人、助教2人、助理工程师2人。全系共有学生423人，其中博士研究生10人、硕士研究生21人、本科生227人、专科生31人、自学考试应用型专科生134人。1998年6月共毕业学生61人，其中博士生2人、硕士生8人、本科生51人。9月，共招收新生151人，其中博士生1人、硕士生9人、本科生70人、应用型专科生71人。

年内，邱崇践教授当选为中国气象学会第24届理事会理事；王式功教授当选为甘肃省气象学会第8届理事会副理事长，并被确定为“甘肃省高等学校跨世纪学科带头人”。1998年，气象学博士点被甘肃省批准为“甘肃省高等学校重点学科”。经全国优秀博士学位论文评选专家会议评定，产生我国首批优秀博士学位论文100篇，兰州大学有2篇入选。两名硕士生获《兰州大学汇凯奖(优秀研究生)》，各获奖金2000元；两名本科生获《1998年宝钢教育奖(优秀学生)》，各获得奖学金2000元；张镭副教授获《1998年宝钢教育奖(优秀教师)》获奖金5000元。

教学、管理及改革 1998年兰州大学对全校各院系的教学工作做了全面的评估，大气科学系的教学工作得到了专家组的充分肯定。认为大气科学系能高质量完成本科生、专科生及研究生的教学任务，培养出不同层次的合格人才，教学成绩突出。

按照加强基础、重视应用、分流培养的模式，大气科学 系于1998年1月完成了“气象学”、“大气物理与大气环境”两个专业的教学计划的修订。修订后的教学计划突出了大气科学类专业的“5+1”课程方案，并适当增加了计算机应用课程和大气科学应用及基础理论选修课。1998年底，按照国家新调整确定的本科专业目录，对上述教学计划又按“大气科学”、“应用气象学”两个专业进行修订，确定从1999年开始，按“大气科学”、“应用气象学”两个专业招生；1999年只招大气科学专业，应用气象学暂缓招生。修订本科教学计划的同时，按国家新颁布的博士、硕士研究生专业目录，对研究生培养方案也进行了修订。1998年9月完成了“气象学”、大气物理与大气环境两个专业博士、硕士研究生培养方案，从98级开始执行。修订后的培养方案，加强了基础理论课、拓宽了专业课、增加了选修课。从而完善了课程体系。

科学研究和学术交流 1998年大气科学系共申请到国家自然科学基金资助项目3项、省部级科研项目6项，总经费74万元人民币。全年共发表学术论文27篇。鉴定研究成果3项。

1998年陈长和教授申请获准的国家自然科学基金资助项目1项，题目是：应用卫星遥感资料反演城市气溶胶的研究，研究经费18万元；王式功教授申请获准的国家自然科学基金资助项目:“兰州地区日间稳定边界层形成机制研究”,研究经费13万元,及甘肃省环保科技项目:“城市空气污染预报业务系统研究及应用”;戴新刚副教授申请获准的国家自然科学基金资助项目:“自适应分辨率全球正压准地转小波谱模式之研究”,研究经费18万元人民币。程麟生教授主持的国家自然科学基金资助项目“我国西部灾害性暴雪机理的诊断和数值模拟研究”,年内共完成研究论文6篇,已发表3篇。陈长和教授主持的国家自然科学基金资助项目“兰州城市气溶胶与边界层的相互作用”完成年度计划,发表论文3篇。

袁九毅、陈长和、余金香等主持的“兰州西固发展环境影响评价”项目获甘肃省科委三等奖。王式功主持完成的“兰州城区冬季空气污染预报研究”项目,获“甘肃省科技进步”三等奖,他参加主持完成的“黄河上游大中型水利工程对生态与环境影响的研究”通过甘肃省科委组织的鉴定,并获水利部黄委会水文局“科技进步”二等奖。张镭副教授主持完成的“兰州市区大气污染治理方案的研究”于1998年5月22日通过甘肃省科委的鉴定。

9月,邀请英国伦敦大学学院 John Murlis 教授来校访问期间,就“可持续发展研究”、“城市空气污染研究”问题进行学术交流,并作了两场学术报告。

(霍应希)

杭州大学资源与海洋工程系气象专业

概况 浙江大学西溪校区资源与海洋工程系气象专业主任翟国庆。该专业设气象教研室、天气动力学硕士点、大气探测实验室、大气信息实验室和气象实习台。现有教职工17人,其中教授5人(兼职教授2人),副教授8人,讲师、工程师3人,助教1人。在校学生91人,其中本科生89人,硕士研究生2人。

4月30日,浙江大学、杭州大学、浙江农业大学、浙江医科大学等4所大学合并为新浙江大学的筹建工作正式启动。

9月15日,新浙江大学成立。党和国家领导人江泽民、李鹏为合并后的浙江大学题词。中共中央政治局常委、国务院副总理李岚清出席了新浙大成立大会,并作重要讲话。

教学、管理及改革 1998年,根据国家教委大气科学教学指导委员会南京会议精神,以及新浙大的“努力把浙江大学建成一所高层次的综合型、研究型、创新型,具有世界先进水平的一流大学”的奋斗目标,和“加强基础、注重素质、突出能力、面向一流”的教学改革目标,对教学内容和课程体系作了改革。在4个方面做了具体改进。1、增开“线性代数”课;加强英语课教学的辅导工作,提高英语四级统考成绩在90分以上者,获外语成绩优秀奖学金,对未通过四级考试者不授予学士学位;适当削减专业课时,增加计算机教学时间,并在专业课中开展计算机教学。2、对专业课及毕业论文的要求:增设“气象遥感”课,使学生掌握气象自动化技术;削减大气实习课,加强基础课教学时间;增加毕业论文时间,改为从第7期学期就开始进行;3、学分制:修满学分,可提前毕业,本科各专业学分为150~170学分。学生只要修满学校规定的学分,经学校及国家有关部门批准,即可提前毕业4、继续采取德、智、体综合测评方法,全面考核学生。综合测评结果与学生的评优挂钩。

科学研究和学术交流 年内,共承担国家、省部级研究课题12项,完成课题3项。获省科学技术进步优秀奖1项,省教委科学技术进步奖三等奖1项。

11月19~20日,高坤教授和斯公望教授参加了浙江省气象学会第十次代表大会,并分别作了题为“中尺度数值天气预报的进展”和“对流层上部的气流发散区与梅雨锋暴雨发展的关系”的学术报告。

(周钦华)

中国农业大学农业气象系

概况 农业气象系主任由资源与环境学院副院长郑大玮教授兼任,卢志光教授任副主任。

系内设应用气象专业,下设农业气候资源开发利用与保护、生物环境监测与调控2个专业方向,具有学士和硕士学位授予权,建有农业气候与农业减灾中心及生物环境仪器培训与咨询中心。系下设气象、农业气象和外系农业气象等3个教研室,另有资料室、微机室和综合实验室。

至年底，全系有教职工 13 人，其中教授 3 人，副教授 5 人。在校本科生 60 人，硕士生 10 人。共开设 30 门课程，其中硕士生学位课 6 门。对外专业本科生开设的农业气象课，听课学生 100 余人。本年度 3 名教授均通过了博士生指导教师资格审定。

1998 年中国农业大学被列入“211”工程，并进入国家 17 所重点大学之列。1998 年 9 月，国务院和中央组织部分别任命了新任校长江树人和党委书记李晶宜。

教学、管理及改革 1998 年，农业气象专业改名为应用气象专业。农业气象仍然是该系教学的主要内容。同时，对基础课教学内容进行了调整。增加了与其它专业的共同的内容，保持了理科专业的特点，但较其它农科类专业对数理基础的要求更高。总学时从 2800 学时压缩到 2500 学时，选修课有较大幅度增加。每学期由 21～22 周减少到 20 周。

科学研究和学术交流 1998 年该系教师主持和参加各类科研项目共 12 项。由该系主持的“九五”国家攻关基础上的“内蒙古后山旱农区综合治理与农业稳定发展的研究”专题顺利通过由科技部和农业部组织的中期考核，在北方旱农各试验区中的排名上升。年底进行了题为“内蒙古阴山北麓坡耕地改造与建设稳产基本农田技术体系的研究”的阶段成果鉴定，专家认为该项研究是本地区中低产田改造和科技进步的重大突破，已正式申报农业部科技进步奖。

卢志光教授主持的“全息农业气象灾害预测与气候风险决策研究”和冯利平副教授主持的“虚拟小麦——小麦生长的可视化研究”，均完成了年度计划。该系教师还参加了国家重点引智兼国家总理重大基金项目的子课题“冬麦北移气候区划”项目、留学回国人员基金项目、国家重中之重攻关项目的子专题及各类科研项目 7 项。

郑大玮在北京市气象局工作期间主持的“北京市西南山区小流域综合治理示范研究”获北京市 1997 年度科技进步二等奖，同年获中国气象局和中国气象学会颁发的全国气象科普先进工作者证书。

全系教师参加国际学术会议共 3 人(次)。参加国内学术会议 20 余人(次)，举办“冬麦北移气候区划”培训班并编写了教材。

3～4 月，冯利平副教授参加了世界气象组织在以色列兴办的“作物天气模型培训班”。还参加了科技部 863 项目评估。5 月，吴连海教授和冯利平副教授参加了香山科学会议第 95 次学术讨论会；6 月，参加在南京举行的“作物—天气—土壤—害虫系统模式及其在作物可持续生产上的应用”国际学术研讨会，并作学术报告。5 月，郑大玮教授代表中国农学会参加全国第 3 届减轻自然灾害学术研讨会的筹备工作，任学术委员会副主任，并作题为“影响我国粮食生产的主要自然灾害及减灾对策”的学术报告，论文收入会议文集；12 月参加在广西北海由中国灾害防御协会和北京减灾协会共同组织的首届中国 21 世纪安全减灾与可持续发展战略高级研讨会，作“我国粮食生产的主要自然灾害及减灾对策”大会报告，并起草和修改建议书。

为准备世界气象组织农业气象委员会 1999 年 2 月召开的“21 世纪的农业气象学——需求与前景”国际学术研讨会，11 月 5～7 日由中国农学会农业气象分会在西安召开了小型学术研讨会，郑大玮和吴连海参加并作了专题报告。会后郑大玮与中国农科院气象所梅旭荣整理出题为“21 世纪的中国农业气象——需求与前景”会议文件，作为提交国际会议学术的论文。前农业气象委员会副主席洛马斯博士应邀到会指导并作了专题发言。

年内吴连海当选为中国自然资源学会理事，冯利平当选为中国气象学会理事。郑大玮任中国气象学会农业气象专业委员会副主任。

全年发表论文和报告 20 余篇。 (郑大玮)

沈阳农业大学农业气象系

概况 1998 年，原农业气象本科专业调整为应用气象专业，原应用气象硕士研究生授权学科调整为气象学学科。应用气象仍为农学院中的一个系，系主任刘新安。杨继武教授为应用气象学科带头人。应用气象系设气象和应用气象两个教研室。至 1998 年底全系共有教职工 17 人，其中教师 13 人，其它教学人员 4 人。教职工中有教授 1 人，副教授 4 人，计量讲师、工程师 6 人。年内有 1 名青年教师获得博士学位，1 名获得硕士学位。

年内制定了 1998～2010 年应用气象学科发展规划。

教学、管理及改革 年内，全系共完成本科和研究生 30 余门课程和教学，工作量为 3000 多学时，12 名任课教师，人均 250 学时，超额完成教学任务。经教学检查和教学质量评估，教学质量较好。

注意加强对青年教师的培养，以缓解教师队伍断层带来的问题。指定老教师对青年教师进行传帮带；实行一人担任 2 门以上的课程，一门课程安排 2 名任课教师；鼓励青年教师在职攻读学位；支持青年教师参加老教师主持的科研项目。

按新的硕士研究生专业目录制订了气象学硕士研究生培养方案和教学计划。对学位课和方向必选课的任课教师进行了调整，培养中青年教师承担研究生课程的教学。组织专业教师按新的本科专业目录评论和修订了应用气象专业的教学计划。

实验室实行了仪器由系统一使用，分教研室管理的办法。进行了实验室清产核资工作。实现了微机升级，加强了微机室的安全防范措施。

编著了《农业气象多元统计分析程序设计》教材，参编《工厂化高效农业的理论和技术》等教材。编写了教学用计算机软件和题库。

科学研究和学术交流 承担国家“九五”重点攻关项目中的子专题 2 项，国家自然科学基金项目 1 项，农业部项目 1 项，省重点课题 1 项，校青年基金课题 1 项，与国外合作课题 2 项。其中国家自然科学基金项目年内已结题。

系内举办学术报告会 1 次，有 4 人(次)作了学术报告。参加国内课题学术年会 4 人(次)，并发表了阶段性研究报告。

年内共发表论文 9 篇，其中国外 1 篇，全国性学术刊物 2 篇。提交辽宁省第三届青年学术年会论文 4 篇，有 3 篇获省科协优秀学术论文三等奖，1 篇获省气象学会二等奖。

年内有 1 项科研成果获省政府科技进步三等奖。

（杨继武）

青岛海洋大学
海洋环境学院海洋气象学系

概况 1998 年系领导班子换届，罗德海、孙即霖为系副主任，罗德海主持工作。经国家有关部门批准，增设大气科学博士后流动站，并有大气科学和大气环境两个硕士点。全系在岗教授 8 人，博士生导师 7 名(含兼职 2 名)，副教授 4 人，高级工程师 3 人，教职工共 20 人。1998 年毕业博士生 3 人，硕士生 2 人，本科生 25 人。本科毕业生的一次就业率达到 97%，目前在校博士研究生 6 人，硕士研究生 12 人，本科学生 100 人。

教学管理及改革 1998 年 11 月，青岛海洋大学召开了为期 3 天的教学工作会议，提出了“转变思想观念，强化质量意识，深化教学改革，培养创新人才”的教学改革目标，及加强教学管理体制改革、加强基础教学建设和加强文化素质教育的工作思路；深化教育思想观念的改革、深化教学内容和课程体系改革；构建符合 21 世纪社会发展需要的，基础宽厚、实践能力强，具有海洋基础知识的创新人才。按照学校教学改革的精神，海洋气象学系修订了教学计划。修订后的教学计划具有下述几个特点：一是加强了外语、计算机教学时间和内容，以体现“外语、计算机教学 4 年不断线”的精神，并利用学校“211 工程”建设经费在 1998 年新建“大气海洋数值模拟实验室”，使学生从一入校便可自由上机。二是增加学生选学内容的“自由度”，任意选修课(包括跨学科选修)程的学分增大到总学分的 30%，三是计划课程的设置既遵照“大气科学教学指导委员会”确定的基本课程，又体现海洋特色。四是新增与“海洋文化”有关的课程。1998 年的教学活动中，组织了低年级学生参观民航、气象台和参加“大学生社区服务专业知识援助”的活动。

胡基福教授编著的《气象统计原理方法》获青岛海洋大学优秀教材一等奖，王衍明教授编著的《大气物理学》获青岛海洋大学优秀教材二等奖。刘连吉教授编著出版了《气象仪器与测量》。

科学研究和学术交流 1998 年，由本专业教师和研究人员主持和参加的国家自然科学基金重点研究项目“南海海洋环流时空结构及其形成机制的研究”，面上基金项目“吕宋海峡黑潮流套及其与副热带环流关系的研究”、“南海水温季节内振荡的研究”，国家自然科学基金重大项目“中国海海洋生态动力学研究”，国家“九五”专项“南沙群岛及其临近海区综合科学考察”，国家“九五”攻关项目“近岸带灾害性动力环境模拟”，国家“八六三计划”课题“风场诊断模式及海面风场多源遥感信息数值同化技术”等都有显著进展。周发秀教授主持的研究项目“南海水温的低频振荡”获国家教委科技进步三等奖。

1998年孙即霖教授赴日本气象厅对“中日副热带环流合作调查研究”项目，进行为期两周的交流。7月，邀请了在MIT工作的杨嘉岩博士，在美国从事研究工作的刘征宇博士、邱波博士、赵峄博士等人参加国际海洋遥感会议“PORSEC'98”，刘秦玉教授等人也参加了“PORSEC'98”会议。刘秦玉教授等人4月赴加拿大、12月赴澳大利亚进行学术访问，访问期间，与国际同行在气候、海洋遥感在气候中的应用、副热带海气相互作用、海洋环流等领域中进行了广泛的交流。9月邀请日本北海道大学谢尚平教授、台湾大学海洋研究所刘卓腾教授等人来院访问，对热带海洋大气相互作用、ENSO动力学理论、赤道海洋大气非线性动力学理论、赤道海洋大气气候平均态的形成机制等学术领域进行了较为深入的探讨。

(孙即霖)

中国民用航空总局
空中交通管理局气象处

概况 中国民用航空总局空中交通管理局气象处处长李惠彬，现有人员10名。中国民航总局气象部门现有：华北、华东、中南、西南、西北、东北气象处，乌鲁木齐航气处，民航飞行学院航务处。民航北京、上海、广州、成都、西安、沈阳、乌鲁木齐气象中心。全国现有民航气象台、站140个(其中22个隶属民航行业管理)。各类气象人员2352名，其中具有中级以上技术职称者约占22.3%，具有大专以上学历者约占50.1%。

飞行气象服务 1998年达到了民航总局规定的安全目标，杜绝了因空中管制原因造成的飞行事故和空中危险接近，因空中管制原因造成的飞行事故征侯为历年最低。

1998年度中国民航有1100多条航线，其中国内航线967条，国内通航城市135个。民航全体气象人员圆满完成了日常航班飞行和各种专业、通用航空飞行，特别是专、包机飞行的气象保障服务。出色完成了江泽民主席等党和国家领导人出访、克林顿总统等外国领导人访华专机的气象保障工作。在夏季洪涝灾害期间，主动配合抗洪抢险工作，加强了台风、暴雨、雷雨天气的预报、监测和服务工作。全年保证各类飞行157.2万架(次)，比1997年增长5%，没有发生因气象原因出现的责任差错及事故征候等问题。

业务建设及管理 民航气象数据库及卫星传真广播接收系统于1998年8月20日通过验收。11月1日起，各机场气象台按照业务要求向北京数据库发报；11月10日北京气象中心开始对外广播图形产品。提出了世界区域预报系统(WAFS)产品的GRIB数据的入库及反演技术，从而完成了北京、上海、广州三地四套WAFS产品资料进入民航气象数据库及反演工作。

完成了国际民用航空公约附件三《国际航空气象服务》第71号修改篇(1998年11月5日实施)的翻译工作并下发。

组织了《中国民用航空气象工作规则》初审会；制定修改了《民用航空气象技术装备管理规定》、《民用航空气象机务工作规章》、《民用航空气象技术装备使用许可证管理暂行办法》；继续组织、指导了全国47个机场气候志编写工作，下发了阶段性编写工作的指导意见，协调了各地区原始气候资料整理以及气候志数据处理软件的编写、审查和应用培训。

颁发气象人员执照183份，收回(改行、离岗)人员执照16份，办理气象执照检查员聘书18份。

进行了海口美兰机场多普勒气象雷达安装，组织了汕头、郑州机场气象观测系统(AWOS)的验收，进行了秦皇岛等15个机场自动气象遥测站(AW11)的安装、建设工作。

进行了气象数据库系统、卫星传真广播接收系统等气象设备的Y2K问题的测试工作。

科研和学术交流 组织了气象预报员、气象观测员、气象机务员基础理论、气象研究生课程、气象观测员大专班面授等各类业务技术培训共10期，培训人员416人(次)，另有国外培训35人(次)。组织民航气象设备维护经验技术交流会，与会代表交流了多普勒气象雷达、自动气象观测系统等气象设备管理、维护、使用方面的经验和体会。与香港科技大学合作进行珠江三角洲地区MM5气象数值预报研究试验第一阶段的工作，圆满完成了阶段性的任务。

6月参加在泰国召开的第二届ICAO亚太地区通信/气象/导航/监视会议。10月香港天文台台长林鸿鋆先生、助理台长杨继兴先生访问了民航总局空中交通管理局、民航北京气象中心，民航华东管理局上海气象中心。 (白秋华)

新疆生产建设兵团气象局

概况 兵团气象局局长李志荣，副局长胡寻伦。兵团气象局现有师局、垦区中心气象站43个，团场气象站38个。气象专业技术人员260人。有8个师(局)的64个农牧团场常年开展人工影响天气工作，投入作业的“37”高炮303门，711数字化雷达6部，WR—1B型增雨防雹火箭发射架22具，无线电台345部，人影专业人员1394人。

1月13～15日，召开了兵团人影工作会议和1998年气候趋势预测研讨会。总结交流了1997年气象人影工作经验，颁发了防雹炮点达标匾牌，表彰了1997年气象人影工作先进单位，安排和布署了1998年的工作任务。

1月21日上午，兵团副司令员胡兆璋、气象局局长李志荣、副局长胡寻伦等前往中国气象局，就兵团气象人影事业发展基本情况和计划单列有关问题作了专题汇报。中国气象局副局长马鹤年听取了汇报并就有关问题做了指示。

3月10日，在乌鲁木齐召开《新疆生产建设兵团气象人工影响天气事业发展规划(1998～2010年)》(以下简称《发展规划》)审查论证会，参加论证会的有自治区气象局、自治区人影办，兵团计委、财务局、编委和农业局等部门专家20多人，并形成了论证意见。根据论证会专家对《发展规划》提出的意见，3月25日召集自治区和兵团有关部门商讨如何修改《发展规划》，会议决定委托兵团工程技术咨询中心承担《发展规划》修改工作。

3月10日～4月10日，兵团和农一、六、七、八师分别举办人工影响天气工人技术等级定级考核培训班，参加培训总人数159人，约占兵团人影作业技术工人总人数的15.2%。其中，22人升高级工，47人升中级工，99人获初级工称号。同时，各师局和有关团场也开展了多种形式的岗位和岗前培训工作。参加人员610人。

4月20～22日和29～30日，兵团联合自治区人影办分别在阿克苏市和沙湾县举办WR－1B型火箭防雹技术培训班。邀请航天工业总公司四院41所专家现场授课。

5月下旬，兵团农七师奎屯雷达站设备安装与调试工作顺利完成并通过验收，即投入防雹减灾工作。

6月15日，兵团农四师昭苏垦区气象雷达站数字化改造和高架工程顺利通过验收，同月投入防雹减灾工作。

8月25日～9月6日，开展兵团炮点达标验收工作。农一、四、五、六、七、八师有39个炮点取得达标资格。截止年底，累积有122个炮点达标，占炮点总数的51%。

10月19～26日，中国气象局派调研组赴兵团，就兵团气象计划单列有关问题进行调研。调研组一行先后前往兵团农四、六、七、八师听取师领导汇报，并深入国境线附近和沙漠边缘的兵团气象站、雷达站调研考查工作。

11月，和自治区人影办一起完成兵、地气象人影雷达组网拼图工作，联合建成新疆人工影响天气广域网，并投入冬季人工增雪业务使用。

年内，兵团继续委托自治区气象局对20个兵团级气象站的气表－1进行机审机制工作，1989～1995年历年积压未审报表全部审核完毕，共完成年度和历年报表806份。

主要气象事件和评述 垦区大部地区年平均气温略高，年降水量各师均偏多30%～70%，但各季分布不均；春季降水量尤其偏多，部分垦区达年降水量的50%多。春季，大范围降水、大风、倒春寒和局地暴雨洪水等气象灾害使13个师局的大部垦区受灾严重。并且，北疆大部垦区终霜偏晚5天左右，加上频繁的降水天气，使棉花播期推迟、播种时断时续，进度缓慢。截止4月20日兵团共播完689.27万亩，比上年周期少播204.84万亩。夏季，大部垦区的平均气温比历年偏高1℃～2℃，仅次于1962年，是近50年中的次高年份，使≥10℃积温比常年偏多100℃～350℃。弥补了春季低温多雨造成的热量不足。

年内，受厄尔尼诺影响，各种气象灾害频繁发生，大风、冰雹、洪水和低温霜冻的影响尤为突出。

4月17～23日，兵团北疆、东疆的农四、五、六、七、八、九、十师、乌管局和哈管局垦区先后出现罕见的以风暴为主的灾害性天气过程。以18～19日特大风暴为最重；期间，平均8级以上大风有8～10小时，其中12级(34M/S)以上大风持续2－3小时，个别垦区并伴有雨雪天气。狂风引起多处火灾，造成数百万元的财产损失和人员伤亡；4月23日，南疆的农一师再次出现大范围风沙、浮尘和低温天气，农一师百万亩棉田普遍受灾。4月23日凌晨1～8时，北疆大部垦区和东疆哈密垦区出现大面积严重霜冻，地面温度普遍降至－5℃。狂风、雨雪、霜冻使全兵团263.4万亩棉花、甜菜、玉米、小麦等农作物的地膜全部被大风吹开刮掉；已播的种子被吹走，作物幼苗被风沙折断、吹干枯死、冻死；沙土掩埋的面积达42.13万亩；蔬菜、甜瓜大棚被吹毁；1041个总计30万平方米的牲畜棚圈被吹毁，损失各类牲畜17530只(头)。此次大风造成的直接经济损失2.72亿元。

5月12～14日，兵团农一、二、三、四、七师大部垦区先后出现一次风雹天气过程，风力普遍达5～11级，持续时间3～36小时。致使通讯中断，大树被刮倒，重灾区棉苗被连根拔起。5月12日18:40分至19:10分，大风、冰雹和暴雨袭击了农七师所属的5个团场和水利二处，最大风力10级，降雹近20分钟，冰雹直径6毫米左右，平地积雹厚度达3厘米。个别团场高压线杆被刮倒，树木被刮断和连根拔起，风灾面积4.5万亩；雹灾面积6.23万亩。其中，重播面积2万亩，补种面积4.23万亩。

5月17～21日，兵团大部垦区先后出现强寒潮天气过程。最大风力为9～10级，持续时间30小时；最大降水量64.7毫米，引发山洪，冲毁水库等水利设施，部分垦区出现雨转雪，气温急剧下降，最低气温达－3℃～－7℃。积雪深度普遍为2～25厘米。据统计这次寒潮造成兵团农作物受灾面积245.53万亩，其中需重(改)播面积64.63万亩。

7月29日下午，农六师西线垦区芳草湖农场、新湖农场和一一一团遭受严重冰雹、暴雨和大风灾害，冰雹最大直径达35毫米，瞬时风力10～12级，棉花、西甜瓜等作物受灾总面积5.98万亩。受灾棉花叶片被打碎，棉桃花蕾被打落，其中3.2万亩棉花整株被打成光杆。

9月14～20日，受西伯利亚南下强冷空气影响，兵团农二、六、七、八师大部垦区普降中雨后转雪，气温急剧下降，至18日北疆农六、七、八师垦区最低气温达－3.4℃，棉花中上部叶片和未吐絮的棉铃受冻害严重，个别地块受害棉铃坚硬如核桃。各类农作物受灾面积235.7万亩，其中棉花受灾面积231.22万亩，直接经济损失5.3亿元。

年内，据农一师雷达站统计，全年雷达开机627小时，监测到防区内强对流天气44次，降雹日15个，强降雹天气2次，累积农作物受灾总面积15.9万亩，其中重灾5.5万亩。

气象服务　3月北疆垦区气温比历年偏低0.7℃左右，3～5月兵团北疆主要棉区气温持续偏低，降水偏多，给春耕春播工作带来了极大的困难。兵团各级气象站积极发布适播期天气预报，并根据当地农业生产的实际和气候特点，提出一系列合理化建议。

年内，各站在做好中、短期天气预报的同时，积极开展长期天气趋势预报和农牧业气象年景分析工作，预报准确率明显提高。农六师一O二团气象站预报1998年终霜结束时间比历年晚10天，实况为4月23日，比历年晚10天；预测初霜时间为9月20日，实况为9月18日；预测无霜期为150天，实况为148天；预测1998年降水量略偏多，实况为降水明显偏多。主要气候趋势都预测准确。为师、团领导制定和实施农牧业生产计划和防灾减灾决策提供了准确、及时可靠的科学依据。

4月22、23日，八师人影办根据气象台的预报，成功地组织了全垦区人工防霜作业。防霜指挥人员连续两晚上每半小时收集1次各气象站(哨)的温度变化资料和云天状况，及时发出防霜点火指令。凌晨，百万余亩棉田被烟雾笼罩，有的地块垂直能见度小于10米。冷空气过境后，棉苗大部分安然无恙，经济效益显著。

农二师二十一团气象人员成功地预报了于4月22日和5月14日出现的霜冻天气.他们彻夜值班，每半小时观测一次地面温度，并向领导报告观测结果，以便掌握防霜点火时间。这次的准确预报和及时防御，使全团2万亩早春经济作物未遭冻害。

1998年，高炮火箭人工防雹进点日期4月1日，撤点日期9月30日，历时168天，全兵团6部雷达总开机时数1669小时，监测到强对流天气366次，其中雹云天气137次，较强降雹天气25次，完成作业指挥346次，作业后云体明显减弱，普降暴雨、软雹和霰。防雹增水农田保护区面积550万亩，减少农田雹灾面积217万亩，增水受益面积127.4万亩。 （康永义）

气象台站新风貌

黑龙江省哈尔滨市气象台（局）

1996 年原松花江地区与哈尔滨市合并成立了新的哈尔滨市。为了适应哈尔滨市社会经济发展的需要，在中国气象局、黑龙江省气象局和哈尔滨市、市政府的关心支持下，1998 年 3 月 18 日新的哈尔滨市气象局（台）挂牌成立。市气象台现有技术人员 16 人，全部为大学本科毕业生，其中研究生 3 人，高级工程师 4 人。市气象台按着高标准、高起点建设的要求，使新建成的市台平面一体化业务系统达到国内 90 年代末气象现代化先进水平。

1998 年夏天，正在组建中的市气象台经受住了百年不遇特大洪水的考验，为全市抗洪抢险提供了准确、及时的气象服务，受到各级领导的好评和表彰。

哈尔滨市委副书记董克勇、副市长张松龄等一行在省、市气象局领导陪同下视察哈尔滨市气象台并听取气象专家的天气趋势汇报。

市局领导班子以出色的服务工作，赢得了市委、市政府对气象工作的重视和支持。

预报员正在讨论天气。

1998 年松花江出现百年一遇大汛，市台按省局的统一部署，在松花江哈尔滨防洪纪念塔前设立现场气象监测点。

吉林省敦化市气象局

吉林省敦化市气象局是国家基准气候站，改革开放以来，坚持两个文明一起抓，重视做好为地方经济发展服务，当好气象科技参谋。大力发展避雷检测、气球广告、庆典礼炮、电视天气预报节目制作等气象科技产业。同时还特别重视加强精神文明建设，建成园林式、花园式台站，被评为精神文明建设标兵单位，在市场经济大潮中步入快节奏、高速度发展的轨道，成为全省气象部门的佼佼者、排头兵。

中国气象局名誉局长邹竞蒙视察敦化市气象局。左图为市局黄金生向中国气象局、省局领导汇报工作情况。

中国气象局、省气象局领导同志等与市局全体同志合影。

市局开展庆典礼炮、气球服务。

江苏气象部门狠抓文明行业建设

江苏省姜永荣副省长、姜道远副秘书长视察省气象台。

1998年4月11日，江苏首批创建文明行业的20个系统在南京鼓楼广场宣传社会承诺，接受社会监督。省政府领导正在拔打“121”气象自动答询电话。

江苏省省级机关工委、省气象局为全省气象部门14个创建文明行业示范单位授牌。

江苏盐城市气象局新落成的办公大楼。

江苏宝应县气象局天气预报室一瞥。

内蒙古自治区阿荣旗气象局

局长、党支部书记 **田时春**

阿荣旗气象局始建于1957年，现有职工12名。42年来，几代气象人忠于职守，默默耕耘，使这个名不见经传的小站成为全国气象部门双文明建设先进集体。

在改革开放的大潮中，全局同志抓住机遇，迎接挑战，奋力开拓气象工作新局面。1990年至1998年，先后8次受到中国气象局和盟、旗两级地方党委、政府的表彰。并被自治区精神文明建设指导委员会和自治区气象局授予文明服务示范单位称号。

阿荣旗气象局业务楼

用汗水和心血建设花园式的庭院

团结向上，奋发进取——全局气象职工的共同信念

人工增雨作业人员整装待发

浙江省气象台站展新姿

“九五”以来，浙江省气象局提出了“工作创一流，生活奔小康”的目标，加大气象台站基础设施建设的力度。按照省局基本建设工作“转变观念，加强管理，争创双优（工程质量优良、环境优美）的新要求，全省累计完成投资达6170万元，建设规模为48085平方米，其中业务用户25336平方米，职工住宅21749平方米（238套）。全省已有56%的气象台站完成了基础设施改造，站容、站貌逐步改观，干部职工的工作生活条件得到较大改善。

诸暨市气象局

绍兴市气象科技大楼

浙江省气象局气象业务楼于1997年5月全面投入使用

杭州国家基准气候站

龙游国家农业气象试验站

浙江省绍兴气象事业50年

绍兴市气象局局长、党组书记

王益镛

新中国成立后，经过艰苦创业，绍兴市先后成立了5个县气象站和市气象台。改革开放以来，绍兴市局高举邓小平理论的伟大旗帜，大胆创新，闯出新路，使台站建设、业务现代化建设和精神文明建设得到全面发展。

现已建成由VSAT卫星网、公用数据交换网和程控电话拨号网组成的广域网和包括NT、NETWARE或SCO UNIX服务器的局域网组成的计算机网络，实现数据远程传输和计算机资源的共享。以数值分析预报产品为基础，MICAPS系统的业务化实现了预报制作和发布的现代化。市气象台在指导预报、灾害性天气联防和信息方面的中心作用得到了加强。

市局共有职工91人，具有工程师以上职称47人。在改革的大潮中，全局同志团结一致，积极探索气象科技面向社会的多种服务方式和多项服务的手段，有效地增强了台站的自我发展能力。

新落成的市气象局、市气象科技中心业务大楼

市气象预报值班室机房一角

市气象台VSAT通讯机房设备

我国著名气象学家竺可桢纪念馆，新设在市气象局业务大楼内。

诸暨市气象局

花园式全景

绍兴市局领导与诸暨局领导班子共商创建文明示范单位

嵊州市气象局新貌

嵊州市气象局局长商颂民与班子成员讨论汛期气象决策服务工作

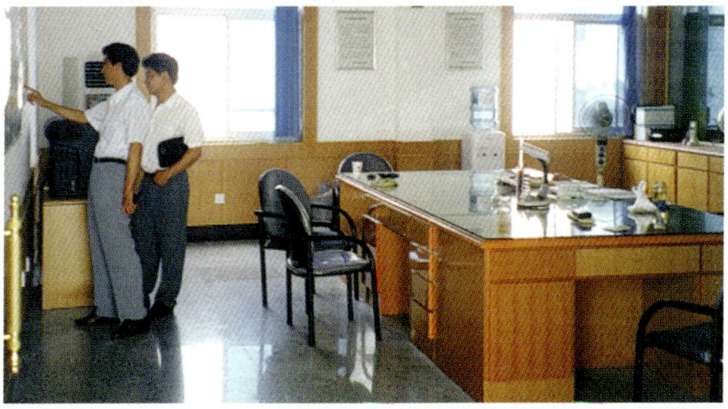

不畏高寒艰苦　共创气象未来

——青海省果洛州气象局盛开精神文明花

党组书记、局长 **塔巴扎西**

果洛藏族自治州地处青海省南部，平均海拔近4000米，是全国最艰苦的地区之一。长期以来，就在这个全国唯一不长树的自治州，果洛州气象局不仅培育了一支有较高水平的专业技术队伍，而且全体职工发扬“扎根高原、艰苦创业、开拓奋进，无私奉献”的高原精神，为地方经济建设和发展发挥了重要的作用，多次受到表彰和奖励，1998年，又被果洛藏族自治州政府授予“精神文明单位”称号。

优秀测报员在认真进行交接班

微机技术培训学校的学生在学习

果洛州气象局部分职工在荣誉匾下合影

现代化的卫星通信（9210）正在运行

乌鲁木齐气象卫星地面站

党委书记、站长 **李四成**

乌鲁木齐气象卫星地面站始建于1978年。是中国气象局卫星气象中心下属的3个地面接收站之一，主要任务是：承担我国风云系列和国外气象卫星资料的接收、处理和传输任务，开发利用卫星遥感资源为地方经济建设服务。

经过20多年的努力，现已建成现代化的极轨气象卫星和静止气象卫星资料接收、处理、传输系统，既可接收国内气象卫星资料（已圆满完成了我国“风云一号”、“风云二号”气象卫星资料的接收、处理、传输任务，受到中国气象局、国家卫星气象中心和自治区气象局的表彰），又可接收国外气象卫星资料。这些卫星遥感资料不仅用于对天气的监测，还广泛地用于对资源、环境、灾害的监测，并可和国外进行卫星资料的交换；以及为有关部门提供信息，产生了明显的社会效益和经济效益。

成功接收《风云一号》C星第一张云图后，自治区及有关部门领导与全体职工合影

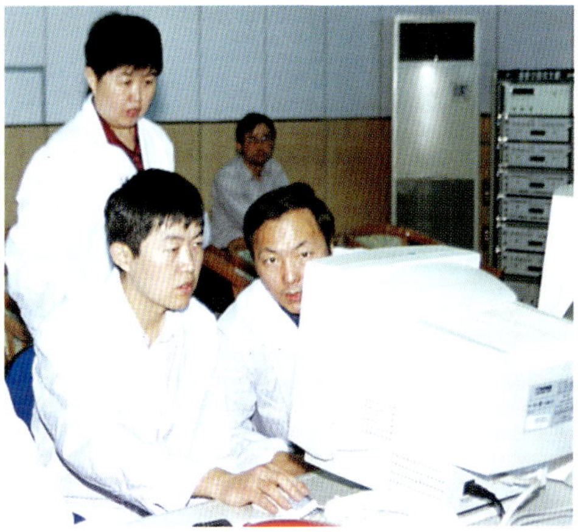

云图接收指挥台

专家组对黑山头新站区进行考察

业余时间开展文化娱乐活动

新疆生产建设兵团农七师中心气象站

农七师中心气象站站长

姚丽花

农七师中心气象站建于1958年，至今已有了41年的历史。近几年，开展了24小时预报以及年景分析等各项短、中、长期预报，并配合地区农业生产，开展了农业气象系列化服务，为本地区农业丰产丰收提供合理准确的组织和指挥生产的决策依据。随着气象事业的现代化水平不断发展，农七师气象站于1998年5月份与石河子气象局9210气象工程联网，并于同年底建成农七师气象局域网，这在兵团同行业中属于首家。为满足日益发展的科技服务和高新技术产业的需要，该站在兵团和师领导的大力支持下，建成农七师卫星地面接收站，更好地为全师经济和农业服务。

工作人员正在观测

全站工作人员

工作人员会商天气

1998年12月建成局域网

新疆生产建设兵团农七师
人工影响天气办公室

人影办主任、高级工程师 **贾昭茂**

新疆生产建设农七师人影办有雷达站两座，防雹（增雨）高炮49门，车载火箭四套，通讯电台对讲机79部，程控电话13部、微机8台（其中7台联网）。50%的团场与雷达站实现了有线传输联网，形成以师、团两级领导为核心的人工影响天气指挥领导小组。以人影办为指挥参谋中心，雷达站为龙头，各团人武部为支柱，各炮（火箭）点为作业单位，复员民兵为基层骨干的防雹组织体系，共有职工243人，80%以上有专业技术职称和工作技术等级证书。1992年以来，师人影办连续6年7次被评为兵团、自治区先进单位，“人工防雹”被兵团评为科技进步三等奖。

自1996年以来，人影办共有：4篇论文入选气象学会大气物理委员会的论文集；2篇论文在云降水物理及人工影响天气科学技术交流会上交流，有3篇论文入选中国云雾物理人工影响天气40年学术研讨论文集；贾昭茂同志撰写的《人工增雪对冬麦冻害的影响》录入世界气象组织（WMO）论文集。

人影办全体工作人员

人影办副主任劳任怨 **蔺志善**

严阵以待，抗击雹云

开机监测雹云

江西省遂川气象局

遂川县气象局局长 **吴云樟**

江西省遂川县气象局与新中国同龄，为国家基准站，曾先后两次跨入全国先进行列，多次被江西省气象局评为先进单位和标兵站；1998 年还被江西省委宣传部命名为“为人民服务，树行业新风文明窗口示范单位”。在荣誉面前，全局干部职工满腔热情，继续努力，以更优越的成绩迎接新世纪的到来。

气象局的现代化设施

局属蓝天综合开发公司大楼

新改建的业务楼

江西井冈山气象局

井冈山市气象局是国家基本站，江西省气象干部井冈山培训中心也座落在井冈山市气象局大院内。井冈山气象局在抓好基本业务工作的同时，大力发展“旅游气象”，开展电视景区景点天气预报服务、水口彩虹、黄洋界云海、龙潭索道雷暴等专项服务。气象为旅游服务，旅游促进了气象发展。

井冈山市气象局一角

井冈山市气象局全体职工

各级领导参观市气象局

江西省气象干部井冈山培训班一角

前进中的周口地区气象局

河南省周口地区气象局局长、
党组书记 **傅元民**

河南省周口地区气象局建于1979年5月14日，辖10个县（市）气象局。

改革开放以来，周口气象事业快速发展：初步建成了比较现代化的气象业务体系，拥有一部711B气象测雨雷达，建成了省—地—县计算机网络，建成了9210工程地级卫星通讯系统，并投入了运行，建成了地—县气象信息服务终端。实施“人影”带动战略，地区和所属各县市都成立了人影组织，建立了作业指挥网络，多数县市落实了地方编制。电视气象服务、121自动答询等成为科技服务的支柱项目，寻呼业成为产业发展的“重头戏”；科研工作取得丰硕成果，完成各类课题63项，其中，省级24项；精神文明建设成绩显著，全区气象部门全部建成文明单位，其中省级1个（地区局），地级6个。

周口地区华兴实业公司微机培训中心

周口地区气象减灾防灾寻呼台一角

周口地区天气预报会商室一隅

周口地区高炮人工增雨作业准备现场

上海气象台站新风貌

近年来，上海区县气象部门在市局的领导下，抓住机遇，以实现大气探测自动化、信息服务网络化、预报会商可视化的“三化”为目标，大力发展地方气象事业，在气象服务、现代化建设、科技服务和精神文明建设等各方面都取得了明显的成绩，为地方的农业生产和经济建设作出了突出贡献，受到当地政府的好评。

青浦县气象局积极争取地方领导支持。图为地方领导参观青浦县气象局。

奉贤县气象局坚持两个文明一起抓，上图为气象职工进行理论学习。

浦东气象中心狠抓现代化建设。图为浦东气象工作者正通过可视会商系统与市中心气象台会商天气。

中国气象局大气探测综合试验基地

中国气象局大气探测综合试验基地座落在北京南郊大兴县红星区，占地面积67亩。它是为适应我国大气探测自动化建设的需要，以北京市气象局观象台为基础，于1997年7月1日正式挂牌成立的。基地现有38人。它既是北京大气探测业务运行的实体，又是我国大气探测业务试验、示范及对外技术交流的基地。担负着探测仪器的选型与新旧系统平行对比试验、样机和业务化考核，以及技术指导、人员培训和国际交流等任务。

中国气象局和北京市农办、气象局领导同志出席基地挂牌仪式。

七十年代以来历届观象台领导合影

外国专家参观基地业务工作

首次大规模探测装备考核试验

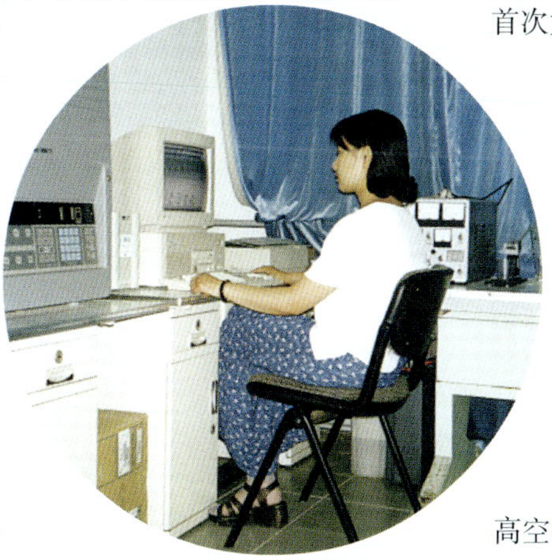

先进的GPS定位探测系统

新落成的基地业务试验楼

高空探测接收系统

基地内高空、地面、试验三个观测场区全貌

广东气象部门创建精神文明活动一瞥

近几年来，广东省气象局广大职工认真学习邓小平理论，解放思想，开拓进取，务实创新，在加快气象现代化建设，努力提高气象服务水平，大力发展科技产业的同时，坚持“两手抓，两手都要硬”的方针，广泛开展了群众性创建精神文明活动，已初见成效。

广东省气象局十分重视台站工作、生活条件的改善。图为佛山市气象业务大楼全貌。

广东省气象局于1998年9月28日召开了全省气象部门创建文明行业会议，力争在本世纪末建成全省文明气象行业。

广东省气象局在创建精神文明活动中，组织各种有益身心健康的文艺体育活动。

山西省阳泉市气象局

阳泉市气象局成立于1978年，前身是气象站，始建于1954年。全局现有职人60人。

1992年以来，市局积极进行结构调整和加强业务现代化建设，使全局的业务质服务效科技产业创收等方面都有较大发展。因此，多次受到上级部门的表彰奖励。1993–1998年连续6年被评为全省气象部门"双文明单位"，1997年评为"文明标兵单位"；受到市委、市政府的数次表彰奖励，先后记集体二等功、一等功各一次；1996年，中国气象局授予"八五期间全国气象部门双文明建设先进集体"。

阳泉市气象局防灾雷达办公楼

中国气象局名誉局长邹竞蒙在省局和市委市府领导陪同下，视察市局9210机房

市局党组成员、局领导正在通过卫星云图会商近期天气

市委市府领导与阳泉市气象局职工合影

湖南省衡南县气象局

衡南县气象局

衡南于1954年4月建农业气象试验站，1973年4月改建为县气象局，现有在职职工8人。近几年，该局在两个文明建设中取得了显著成绩。

1997年新建了气象业务楼，建立了县级气象业务系统、气象服务警报系统、“121”气象电话答询系统等，创造了较好的经济和社会效益。1993年至1998年连续6年获得全市气象目标管理竞赛第一名。气象科技服务与综合经营取得突破，向社会辐射气象信息产品的能力明显增强；气象事业得到地方党政领导部门的高度重视与支持，近5年地方气象事业费投入达70万元；局里配置了专门阅览室和文娱室，已初步建成花园式单位。1989年及以后一直被衡阳市委、市政府授予地市级双文明单位，1998年被湖南省气象局树为省气象系统文明示范单位。

县气象局局长 **戴平**

县局会议室（荣誉陈列室）

县局全体气象职工

新建的县局气象业务楼

湖南省新化县气象局

县气象局局长 **谭月余**

新化县气象局于1956年10月建站，现有职工12人，其中工程师2人。近几年来，全局团结进取，艰苦创业，勇于创新，在国家级贫困县探索出了一条县级气象事业发展的新路子，各项工作取得了显著成绩。

在气象主管部门和地方政府共同支持下，于1998年建成了6层气象业务综合楼，地方气象事业财政投入每年达10余万元，先后建立了计算机网络业务系统和气象卫星广播接收站。基础业务质量逐年提高，气象服务工作主动及时，科技产业每年创纯收入10多万元，在娄底地区气象部门综合目标管理评比中连续3年荣获第一名，县委、县政府授予县局文明创建先进单位称号。

县委、县政府领导与气象主管部门共商新化气象事业的发展

新化县气象局综合大楼

县局被授予文明建设先进单位称号

县局全体气象职工

三河市气象局办公楼外景

市局多功能活动室

前进中的河北三河市气象局

地处京、津之间的河北省三河市气象局，始终坚持“自我加压求生存，努力拼搏求发展”的宗旨，积极为当地经济建设和农业生产服务，业务、服务、精神文明建设取得显著成绩，多次受到当地政府表彰，被三河市委、市政府评为文明单位。河北省气象部门实施县（市）强局建设工程以来，极大地调动了三河市局的积极性，他们抢抓机遇，在做好业务服务工作的同时，不断加强气象现代化建设和综合改善工作。1996年率先进入全省第一批三级县（市）强局，1998年又严明升为二级县（市）强局。

观测场全景

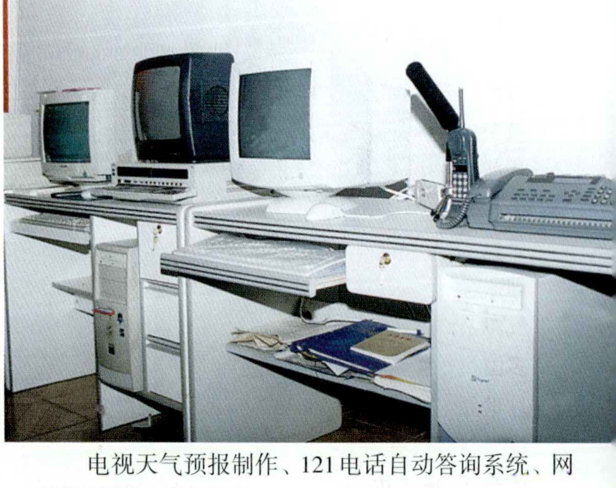

电视天气预报制作、121电话自动答询系统、网络终端等现代化设备

国际合作与交流

综　　述

1998年的气象外事工作利用多边、双边和民间等多种渠道开展对外交流与合作，全年派出161批、405人(次)学习、访问；接待来访外宾72批、359人次，承办了5个国际研讨会和1个国际培训班，签署了2个双边气象科技合作协议。

国际气象合作　1998年，颜宏副局长当选为世界气象组织大气科学委员会副主席，填补了中国在世界气象组织8个技术委员会中主席、副主席的空白。年内邹竞蒙名誉局长率团参加了世界气象组织执行理事会第50次届会和政府间气候变化专业委员会第14次全会；李黄副局长率团参加了世界气象组织仪器和观测方法委员会第12次届会；颜宏副局长率团参加了大气科学委员会第12次届会和基本系统委员会特别届会；还派员参加了世界气象组织执行理事会技术合作专家咨询小组、长期计划工作组、南极气象工作组、教育与培训专家组、基本系统委员会组织与结构特别工作组、气候学委员会咨询工作组、世界气候研究计划联合科学委员会、基本系统委员会卫星工作组和通讯工作组等一系列专家组和工作组会议，参与了会议议程的讨论和审议。在政府间气候变化专业委员会中，继续派员参加了该委员会的全会、主席团会和有关工作组或专家组会议，还派专家参与了第一工作组评估报告的编写和评审工作。承办了热带气旋第4次国际研讨会、世界气象组织二区协(亚洲)全球通信系统技术和协议区域培训研讨会、台风委员会研究协调小组会，在南京区域气象培训中心举办了卫星气象国际培训班。组织了多国别气象考察团和热带气旋专家组来华考察。通过世界气象组织自愿合作计划向喀麦隆、科特迪瓦、古巴、朝鲜、老挝、马达加斯加、毛里塔尼亚、菲律宾、卢旺达、乌干达、亚美尼亚、马来西亚和泰国提供了气象仪器装备援助。

双边气象科技合作　1998年2月温克刚局长率团访问法国期间与法国气象局局长贝松先生签署了双边气象科技合作协议，与欧洲气象卫星组织莫尔(MOHR)博士签署了在气象卫星和卫星气象领域的合作协议，召开了中越、中哈、中芬、中英、中丹双边气象科技合作联合工作组会议，确定了40多个新的合作项目。中国气象局还组团到马来西亚、泰国和美国进行气象业务管理、气象服务和气象信息网络系统的考察和培训；国家气象中心、北京市气象局和黑龙江省气象局先后组团赴日本进行对气象预报技术、气象信息产品的开发和利用等方面的考察，。中国气象局与气象科学研究院、局总体室分别主持召开了中美长江三角洲地区大气化学与大气物理和生态环境之间相互作用、中加大气观测系统研讨会。在中韩两国气象科技合作协议的框架下，浙江省气象局局长席国耀访韩期间签署了浙江省气象局和釜山地区气象厅气象科技合作谅解备忘录。

重要的国际会议

世界气象组织第39届主席团会议　会议于1月28日至30日在日内瓦举行。参加会议的有世界气象组织主席、副主席、秘书长与一区协和第三区协主席、俄罗斯和美国常任代表(由其国际事务官出席)。中国在世界气象组织的常任代表、中国气象局名誉局长邹竞蒙应邀出席了会议。

会议审议了世界气象组织第49届会议以来的情况和后续工作，听取了附属机构届会的工作报告，审议了世界气象组织第13个财务年度的计划和预算、第5个长期计划、第50届执行理事会的准备工作。会议还对世界气象组织面临的问题以及秘书长任期等进行了讨论。

世界气象组织执行理事会技术合作专家咨询小组第2次会议　会议于2月5～6日在日内瓦举行。该技术专家小组是在第12次大会上决定成立的。出席这次会议的有该小组主席，世界气象组织第一副主席，英属加勒比领地气象局长贝雷奇(DR. C. E. BERRIDGE)和小组成员马里、捷克、印尼、中国(邹竞蒙)的常任代表以及邀请的法国、德国、西班牙、美国、波兰、埃及、澳大利亚、芬兰、巴拉圭和日本的专家。

会议审议了技术合作活动的实施情况、成员国最迫切的需求以及在预算方面对技术合作计划的支持等问题。会议还对未来计划有关的问题提出意见和建议，强调了技术合作计划对所有成员国的重要性。

世界气象组织大气科学委员会第12届会议 会议于2月23日至3月4日在马其顿共和国举行，来自38个国家和地区及两个国际组织的70名代表出席了会议。中国气象局副局长颜宏率3人代表团参加了会议。

会议回顾了自上次届会以来本委员会在大气科学研究领域取得的主要进展，着重讨论了全球大气监测、天气预报与热带气象学研究、人工影响天气等问题，确定了今后工作计划及重点，选举产生了新一届主席和副主席，颜宏副局长当选为副主席，并进入新成立的咨询工作组。本次会议上还建立了环境污染和大气化学工作组、世界天气研究计划指导委员会、热带气象学研究工作组、云物理和化学及人工影响天气工作组。科教司肖永生和气象科学研究院丁国安分别被指定为世界天气研究计划指导委员会和环境污染和大气化学工作组成员。会议还邀请3位科学家分别就天气、气候和大气化学方面的关键科学问题作了专题介绍。

世界气象组织长期计划工作组第3次会议 会议于4月20～24日在日内瓦举行。世界气象组织第二副主席印度气象局局长森罗伊先生(DR. N. SEN. ROY)主持了会议，参加会议的有哥伦比亚、加拿大、肯尼亚气象局长，世界气象组织中国常任代表邹竞蒙，法国气象局的局长代表兰伯杰恩先生(LAMBERGEON)。美国因常任代表换人，失去了执行理事会的资格，不再是小组成员，没有参加会议。俄罗斯局长因病没有出席，书面发来意见。世界气象组织秘书长出席了开幕式，副秘书长和助理秘书长，以及世界气象组织有关的司长参加了会议。

会议根据议程安排，讨论和修改了世界气象组织第5个长期计划和长期计划的监测、国家气象水文部门的作用和职能，审议了基本系统委员会与仪器和观测方法委员会的合并问题。

第4届国际热带气旋科学大会 会议于4月21日至30日在中国海口市举行。来自美国、澳大利亚等38个国家和地区的120名专家、学者与会。海南省副省长王厚宏会见了全体会议代表，中国气象局副局长颜宏，海南省省长助理李东生等出席了会议并讲话。

这次大会总结了过去4年多以来在全球热带气旋领域的研究和业务进展，并对今后热带气旋的研究提出了建议。会议以专题报告和小组技术讨论交替进行的方式进行了学术交流，对热带气旋的登陆过程、强度和结构、热带气旋的运动、预报技术方法、热带气旋的影响等5个方面进行重点讨论。

本次大会一个重要举措是世界气象组织将考虑允许国际传媒向可获得多种渠道的热带气旋的信息和指导预报的地区发布热带气旋信息和警报。

世界气象组织仪器和观测方法委员会第12次届会 会议于5月4～12日在摩洛哥王国的卡萨布兰市举行。出席会议的有来自世界气象组织的55个会员国和两个国际组织的代表以及特邀专家共103人。中国气象局副局长李黄率中国气象代表团一行4人参加了会议。

本次会议共有议程18项，审议文件32个，它们是本委员会各工作组工作报告、气象仪器发展、对比、仪器和观测方法方面的教育与培训以及未来计划等。会议选举印度斯瑞瓦斯塔瓦博士(PROF. SRIVASTAVA)为新一届委员会主席、澳大利亚坎特福特博士(PROF. CANTERFORD)为副主席，委员会除设立咨询工作组外，还建立了地面测量工作组和高空观测工作组，中国气象科学研究院徐宝祥、胡玉峰和郭亚田分别担任上述工作组成员。会议通过专门小组研究同意北京区域气象仪器中心承担编制出版气象仪器目录。本次会议还用较长时间讨论了本组织与基本系统委员会合并问题。

会议期间还召开了各区域仪器中心主任(徐宝祥同志参加)会议，交流了各中心工作开展情况，讨论了仪器中心今后发展的设想及需要列入的工作计划，并形成了文件纪要。

世界气象组织执行理事会第50次届会 会议于6月16～26日在日内瓦举行。出席会议的有世界气象组织主席、三位副主席、六位区域协会主席及26位当选的执行理事会成员及其顾问、技术委员会主席、水文顾问等120余人。中国气象局名誉局长、世界气象组织常任代表邹竞蒙、中国气象局副局长颜宏偕顾问 6 人参加了会议。

会议审议了世界气象组织执行理事会上届会议以来各项计划的执行情况，研究确定了未来一年的活动计划，会议还就本组织的一些重大问题，诸如气象水文资料和产品的国际交换、国家气象水文部门在社会经济发展中的作用、本组织结构调整等问题进行了研究。会议还讨论了将在 1999 年 5 月召开的第 13 次世界气象大会的准备，通过了大会议程及被邀出席大会的国际组织机构名单，初步讨论了提交明年大会通过的世界气象组织第 5 个长期计划(2000 年～2009 年)和第 13 财务期(2000 年～2003 年)的计划和预算，并就限制秘书长的任期等作出决定。

青年科学家研究奖是世界气象组织于 1967 年第 5 次世界气象大会设立的，每年评选一次。中国推荐的中国科学院大气物理研究所青年科学家钟青的论文“物理守恒律保真格式构造与数值预报斜压原始方程传统改进研究”被评为 1998 年度青年科学家研究奖。这是由中国正式提名的青年科学家首次获奖。

世界气象组织南极气象执委会第 7 次工作组会议　会议于 9 月 7～11 日在澳大利亚塔斯马尼亚洲霍巴特召开。出席会议的有澳大利亚、俄罗斯、乌克兰、德国、芬兰、智利、阿根廷、英国和中国的执委会成员以及国际组织的代表。中国气象局副局长马鹤年偕助手参加了会议。

本次会议主要讨论通过了该工作组主席的工作报告，以及与南极有关的世界天气监视网、第 5 个长期计划、南极在认识和监测全球变化中的作用、与其它国际南极组织的合作、未来研究计划等文件。

工作组根据目前南极观测网的现状，要求各国南极站按照全球气候观测系统的要求，通过全球通信卫星系统发送地面和高空气象报。建议各国南极站用现代测量技术，重新确定测站的海拔高度，并将结果上报世界气象组织。会议还确定南极天气报中风速的编报用海里/小时，不用米/秒制。

世界气象组织基本系统委员会(CBS)98 **特别届会**　会议于 9 月 30 日至 10 月 9 日在德国卡尔斯鲁厄召开，出席会议的有世界气象组织 55 个成员国和国际组织或机构的 101 名代表。中国气象局副局长颜宏率 4 人代表团出席了会议。

会议主要议题：讨论通过了 CBS 结构调整方案，由原设的 7 个工作组调整为 5 个(咨询、综合观测、信息系统和服务、资料处理和预报、公共天气服务)，其中咨询工作组将负责协调和监督各工作组的活动和 CBS 新结构的效率，并为 CBS 主席指定的各专题任务组和专家小组的召集人提供咨询。咨询工作组由 CBS 正副主席、各工作组主席和有关区协代表组成，颜宏副局长作为亚洲区协代表参加；讨论了目前全球观测系统(GOS)面临的主要问题，重点对观测资料的需求、特殊观测系统的发展、(GOS)与全球气候观测系统的关系等问题进行分析，提出了对 GOS 手册的修改意见和对 GOS 重心设计的构想；审议通过了全球通信专家工作组提交的工作报告；讨论了全球资料处理系统方面观测资料字符代码的修改，资料管理中贯彻 40 号决议问题、灾害性天气预报的制作方法，月、季、年预测业务和研究的发展，数值预报的应用，工作站在资料加工和预报中的应用；对因特网使用和 2000 年计算机问题进行了研讨。

在本次届会前，代表团还参加了 9 月 28～29 日在同地召开的基本系统委员会综合高空观测技术会议。会议从高分辨率数值天气预报、中尺度预报警报、气候研究和监测预测对高空观测不断增加需求的情况下，分析了现有高空观测网的现状和存在的问题以及面临的发展机遇，研讨了综合高空观测系统的发展。

政府间气候变化专业委员会(IPCC)**第 14 次全会**　会议于 10 月 1～3 日在奥地利维也纳举行。中国派出了以 IPCC 中国首席代表、中国气象局名誉局长邹竞蒙为团长的中国代表团与会。代表团由外交部、国家发展计划委员会、科技部、农业部、水利部、国家环保总局、国家海洋局、中国科学院和中国气象局等单位组成。来自 130 多个国家、地区和国际组织的 300 名代表参加了此次会议。IPCC 全会前 9 月 29～30 日还召开了 IPCC 各工作组会议。

本次 IPCC 全会继续讨论了 IPCC 第 3 次评估报告主要内容，确定了 IPCC 综合报告的通过程序，讨论和审议了 IPCC 工作原则和议事规则，讨论了国家温室气体清单计划重组问题并作出相应决定，审议通过了 IPCC“土地利用、土地利用变化和森林与碳排放”特别报告编写大纲。此外，本次 IPCC 全会批准了 IPCC 未来工作计划和预算。

世界气象组织大气科学委员会世界天气研究计划科学指导委员会第 1 次会议　会议于 11 月 18～23 日在中国香港特区召开。出席会议的有科学指导委员会12名成员和世界气象组织代表，中国气象局副局长、大气科学委员会副主席颜宏（特邀）和科技教育司司长、世界天气研究计划指导委员会成员肖永生参加了会议。会议对热带气旋登陆研究计划、沙尘暴研究计划、地中海灾害性天气与气旋研究计划、悉尼（澳大利亚）2000年奥运会预报示范计划、飞机结冰研究计划、可预报性与最优观测系统试验计划、阿尔卑斯中尺度研究计划、东亚暖季持续性强暴雨研究计划（含降水预报检验计划建议）等8项研究计划建议进行讨论和审议。

亚太经社会/世界气象组织台风委员会第31次届会 会议于12月1～7日在菲律宾马尼拉举行。参加这次会议的有来自12个正式成员国的49名代表，中国气象局副局长颜宏率中国气象代表团一行7人出席了会议。

本次届会重点审议了1998年台风委员会在气象、水文、防灾减灾、科学研究和培训等方面的活动，确定了西北太平洋地区热带气旋的命名原则、命名方法和实施步骤，对1999年及其以后的活动作出了安排。会议选举了菲律宾气象局长为本届委员会主席、韩国气象局长和泰国气象局副局长为副主席。

我国代表团成员裘国庆在会上作了98特大洪水的成因和对策方面的报告，引起与会代表的关注和兴趣。

国际气候变化及其预测性研究计划会议 由国际科联理事会、政府间海事委员会和世界气象组织联合举办的国际气候变化及其预测性研究计划会议于12月2～4日在法国巴黎举行。参加会议的有60多个国家近300位科学家和科学管理部门负责人，中国科学院大气物理所副所长、中国气候研究委员会秘书长黄荣辉院士率团，由中国科学院、中国气象局（科教司司长肖永生、气候中心主任丁一汇）、国家海洋局、北京大学和国家自然科学基金会的代表组成的中国代表团参加了会议。

会议开幕式上，世界气象组织副秘书长宣读了秘书长奥巴西教授的致辞，政府间气候变化委员会前主席做了全球环境变化对国际研究计划的需求报告；世界气候研究计划委员会主席介绍了气候变化及其预测性研究计划在世界气候研究计划中的位置；气候变化及其预测性研究计划科学指导委员会主席详细介绍了此计划的构成和科学目的以及此计划的科学问题演变等；此外，一些著名科学家介绍了该计划的主要科学问题、目标和科学背景。会议还用了一天时间，由近20个国家报告了本国的气候变化及其预测性研究计划，我国代表团团长黄荣辉在会上报告了“中国气候变化及其预测性研究计划框架”；会议最后讨论了该计划实施的科学问题以及讨论通过了会议的共同声明。

中加大气观测系统研讨会 中加大气观测系统研讨会于12月9～11日在北京举行。会议除了中国和加拿大大气观测领域的业务和管理专家外，还特邀了日本、韩国、马来西亚、香港、澳门的专家参加了会议，会议代表共30余名。

会议围绕大气观测长期计划、高空地面观测自动化、新一代天气雷达及中尺度建设、特种观测计划等进行了深入的交流和研讨。会议共交流了21个专题报告。

研讨会闭幕式上，中国气象局副局长李黄和加拿大大气环境局监测技术处处长格雷.皮尔逊（GRAAY. PEARSON）分别代表中加双方致辞，他们对研讨会所取得的成果表示满意，并表示双方今后在大气观测系统规划、建设、维护与维持等方面保持交流与合作。

会议期间，代表们还参观了位于北京南郊的大气综合探测试验基地，听取了基地领导的情况介绍和观看了正在现场进行的对比试验。

主要来访

热带气旋专家组（PTC）访华 应世界气象组织热带气旋专家组的要求，中国气象局于3月23日至4月2日组织了热带气旋专家组成员、专家组技术处和世界气象组织代表一行11人来华考察。

参加本次考察的主要人员均是业务预报员，针对这一特点，重点向外宾介绍了广东热带海洋气象研究所、上海台风研究所和国家气象中心结合各自特点自行开发的预报模式、预报服务方式以及我国近年来在台风预报研究上取得的主要成果。考察最后一天颜宏副局长主持了讨论会，对代表们提出的建议作了响应。他说：热带气旋专家组成员都是中国的友好邻邦，中国历来十分重视与PTC成员的合作。尽管中国是发展中国家，我们的资金有限，技术也有限，但我们会尽力帮助发展中国家发展气象事业。今后与PTC合作可通过三种渠道：1、双边渠道，这种合作应该是互利互惠的；2、有些气象仪器和消耗性器材可通过世界气象组织VCP渠道提出申请；3、凡购买中国气象仪器可通过中国华云公司。颜宏副局长还通报了南京区域气象培训中心情况。

考察团在华访问了广东省气象局、佛山市气象局、上海市气象局、浦东新区气象中心、国家气象中心、国家卫星气象中心和气象科学研究院。

丹麦气象代表团访华 根据中—丹大气科技合作协议，以丹麦交通部副国务秘书尼尔斯·瑞默尔(MR. NIELS REMMER)为团长的丹麦气象代表团一行7人，于5月10～16日来华访问，并参加中—丹第二次大气科技合作联合工作组会议。

5月11日，中国气象局局长温克刚会见了丹麦气象代表团一行，并进行友好交谈；颜宏副局长向代表团介绍了中国的气象工作情况，丹麦气象局局长普拉姆(DR. LARS P. PRAHM)先生也介绍了丹麦的气象工作情况。在此基础上，颜宏副局长率中国气象代表团与丹麦气象代表团就未来两年气象合作活动进行会谈，并在区域/中尺度非静力模式研究、大气污染扩散模式开放、烟雾/臭氧预报和警报、动力气候预测与区域气候模拟、中小尺度海—汽相互作用、道路状况预报/警报、卫星资料接受与应用、业务系统的计算机环境开发、风能应用等方面达成一致意见。5月15日温克刚局长与普拉姆局长签署了《中国气象局与丹麦气象局联合工作组第2次会议纪要》。

联合工作组会议期间，丹麦气象代表团参观了国家气象中心、卫星气象中心、国家气候中心、气象科学研究院、北京市气象局和江西省气象局。

越南水文气象代表团访华 根据中越气象科技合作联合工作组第3次会议纪要安排，越南水文气象总局阮德语(NGUYEN DUC NGU)总局长率领的越南水文气象代表团一行7人于5月17～26日来华访问，出席中国—越南气象科技合作联合工作组第4次会议，同以中国气象局局长温克刚为首的中国气象代表团举行了会谈。

双方回顾了上届工作组会议以来中越气象科技合作交往情况，由于双方的共同努力，上届工作组会议纪要项目已经全部执行完毕，“重要天气研讨会”等项目取得了较好的效果。经友好协商，双方对1998－2000年上半年的双边合作计划达成一致意见，决定在天气预报、气象通信、气象科研、教育培训、仪器装备等领域开展合作与交流，并决定将《中华人民共和国国家气象局与越南社会主义共和国水文气象总局气象科学技术合作谅解备忘录》和《中华人民共和国国家气象局和越南社会主义共和国气象水文总局关于恢复重建北京—河内气象电路的协议》的有效期延长到2003年2月17日。

代表团在华期间参观了在京所属中国气象局有关业务单位并到广州、深圳、珠海进行参观访问。

哈萨克斯坦气象代表团访华 应中国气象局的邀请，哈萨克斯坦水文气象总局副局长、天气局局长戈扎赫米托夫. 白乌山(KAZHAHMETOV. PAIYSHAN)偕助手叶什尔克洛娃. 伊林娜(YESSERKEPOVA. IRINA)于6月2～10日访华，并参加中—哈气象科技合作第2次工作组会议。

由中国气象局副局长李黄率中国气象代表团与哈气象代表团举行会谈。双方回顾了上次工作组会议确定项目的执行情况，对今后的合作前景充满信心。根据平等、互利、务实的原则，在友好和相互理解的气氛中，讨论了未来两年的合作项目，并就在气象情报和灾害性天气预报产品的交换，天气预报(包括短期、中期天气预报和短期气候预测)，畜牧生产和牧区草场中气象研究成果和卫星信息的应用，区域气候及其变化的研究，交换科研成果出版物，沙暴动力学的研究，气象卫星资料的接收、处理和应用，经贸等领域开展合作达成一致意见。

哈萨克斯坦气象代表团访华期间，双方各自介绍了两年来气象事业的进展。哈方客人除在北京参观了国家气象中心、国家气候中心、卫星气象中心、气象科学研究院外，还前往甘肃省气象局和新疆维吾尔自治区气象局进行访问。

多国别气象考察团访华 应世界气象组织要求，中国气象局通过向世界气象组织提供的自愿合作计划项目，于9月1～10日组织了由埃及、苏丹、叙利亚、突尼斯、也门、巴基斯坦、马其顿、孟加拉8个国家气象局的局长或副局长及世界气象组织代表共9人来华考察。

考察团先后在北京、西安、兰州参观了中国从国家到县各级气象设施。结合阿拉伯国家的气候特点，考察重点突出了人工影响天气方面的服务情况，在甘肃省安排参观了定西地区气象局干旱气象试验基地利用自行研制的大型称重式蒸渗计进行土壤水份的动态监测。

考察最后一天，在颜宏副局长的主持下，考察团成员与中国气象局有关部门领导就如何发展气象事业进行了座谈。座谈会上，考察团成员结合本国情况，畅谈了考察中国气象部门的感想。世界气象组织代表哈桑(M. Hassan)就如何进一步开展中国与阿拉伯国家之间的气象合作提出了建议。在听取考察团成员发言后，颜宏副局长就代表们提出的一些问题做了回答。

考察团在京期间，温克刚局长会见了代表团成员，颜宏副局长陪考察团赴外地访问。在西安、兰州期间，陕西省副省长张伟和甘肃省副省长贠小苏还分别会见了考察团成员。

以色列气象局局长访华 应中国气象局的邀请，以色列气象局局长热维. 艾尔普森先生(MR. ZVI ALPERSON)偕助手艾. 曼斯(A. MANES)博士于10月2～14日来北京、上海和南京等地访问，这是以色列气象局首次正式派高层领导访华，目的是探讨开展中以气象双边合作的可能性。

在京期间，中国气象局温克刚局长会见了艾尔普森局长，双方还各自介绍了本国的气象工作情况。10月12日李黄副局长代表温克刚局长与艾尔普森局长讨论了双方可能合作的领域，并就教育与培训、农业气象、人工影响天气、季节预报、空气污染领域的合作达成共识。访问结束后，中以双方局长以通信方式签署了《中国气象局与以色列气象局气象合作会谈纪要》。

客人在华期间除参观访问了国家气象中心、卫星气象中心、气象科学研究院和国家气候中心外，还前往江苏省气象局、南京气象学院和上海市气象局进行参观访问。

主要出访

中国气象学会代表团访问美国 以中国气象学会邹竞蒙理事长为团长的中国气象学会代表团一行8人于1月11～16日参加了美国气象学会在凤凰城召开的第78届年会。会议注册代表2400人，其中外国代表350人，来自政府气象部门、军队、大学、研究机构、私人公司等各个方面。会议内容包括气象观测与仪器、综合观测系统、人工智能、天气分析与预报、数值预报、飓风、全球气候变化、气候预报、海气相互作用、森林火险、海岸带气象与海洋预报、水文等17个专业分会，并举办了5个系列讲座。会议参展的有136个公司，展出摊位325个，参展工作人员达900人，展出内容包括各种与气象科技有关的系统软件、设备、图书等。代表团还分工参加了大部分专业分会，参观了展览。并在会下与美国同行进行广泛接触和交流。

会议结束后，代表团赴华盛顿先后到美国国家环境预测中心(NCEP)、国家环境卫星资料信息中心(NESDIS)、大气研究办公室(OAR)、国家科学基金会(NSF)等进行了考察和访问。在NESDIS、NSF等处代表团向美国同行介绍了中国气象卫星方面的新进展和在今后将要开展的几个大规模气象科学试验，并向美国方面赠送了风云二号卫星的部分产品与一些科学论文。

代表团在美期间，美国气象学会历届主席、秘书长以及一些高层领导都会见或宴请了邹竞蒙一行。代表团在美还抽时间会见了留美的中国学者，访问了马里兰大学气象系，出席了华盛顿地区中国留美学者与中国海洋大气协会为代表团举行的欢迎聚会，向他们介绍了国内在气象业务现代化与科学研究方面的成就。

中国气象代表团访问法国 应法国气象局长让·皮埃尔·贝松(MR. J. P. BEYSSON)的邀请，中国气象局局长温克刚率团一行5人于2月19～21日访问了法国气象局。

2月19日下午，温克刚局长与贝松局长共同签署了“中国气象局与法国气象局气象科学技术合作协议”。中国驻法国科技参赞霍立浦和二秘董立群参加了签字仪式。中法气象科技合作协议是1997年2月法国气象局长贝松访华时在北京商定并草签。这次在巴黎正式签署标志着中法气象科技合作进入了一个新的阶段。签字仪式后温局长和贝松局长均发表讲话，表示将尽力促进中法气象科技合作的发展。随后双方就中国派2人赴法国卫星气象中心工作、数值天气预报方面的合作、湖南洞庭湖防洪项目等问题进行了讨论。

法国气象局对中国气象局温克刚局长率团访问给予高度重视。法国气象局局长贝松先生亲自陪同温局长一行赴法国南部的图卢兹气象业务中心、气象研究中心和法国气象学院参观访问，同时还安排代表团参观了位于拉尼翁的国家气象卫星中心。

中国气象代表团访问欧洲气象卫星组织 应欧洲气象卫星组织主席莫尔(MOHR)博士的邀请，中国气象局局长温克刚一行访问法国气象局后，于2月22～27日对该组织进行工作访问。

访问期间，中国气象代表团与欧洲气象卫星组织代表就今后的合作进行了会谈。2月24日温克刚局长和莫尔博士代表双方签署了"中国气象局与欧洲气象卫星组织在气象卫星和卫星气象领域合作协议"。协议签署后,双方还就未来合作项目进行了广泛讨论,并对校正场的合作、互定标、LRPT格式标准、小工作站通信规程中表现层和应有层的要求、卫星导风、资料交换、卫星主要计划、通道选择等方面合作的有关事宜进行了会谈,并由温克刚局长和拉迪尔先生(MR. RATIER)代表双方签署了会谈纪要。

中国气象代表团访问德国气象局 中国气象局温克刚局长一行在访问欧洲气象卫星组织期间,利用2月26日一天时间顺访了德国气象局,参观了德国气象局的全球降水气候中心、计算机中心、卫星处和卫星开发与应用小组、新闻媒体服务中心。德国气象局局长嘉特纳先生(MR. U. GARTNER)设宴招待了温局长一行,并就双边合作事宜进行了讨论。双方先相互通报了两国气象部门的近期进展情况,然后对德国气象局向广州区域气象中心提供的数值预报模式、德方向中国方面索取的降水资料、北京一奥芬巴赫气象电路升速等问题交换了看法。

中国气象代表团访问芬兰国家气象局 应芬兰气象局局长雅第拉博士(PROF. E. JATILA)的邀请,中芬第五次联合工作组会议于4月14~19日在芬兰举行。以中国气象局副局长马鹤年为团长、名誉局长邹竞蒙为顾问的中国气象代表团一行5人出席了会议。

会议双方回顾了过去两年在大气污染观测、气象研究和应用中卫星资料的利用、可再生能源方面所进行的活动,并就今后两年在大气污染(特别是与全球大气监测计划有关的活动)、卫星和雷达资料在气象研究和应用中的使用、可再生能源以及臭氧和紫外线辐射领域的合作达成一致意见,商定了具体合作项目和联系人。

代表团在芬兰参观了芬兰气象局总部,包括预报中心、空气质量研究处和地球物理研究处,并参观了瓦依萨拉公司,就今后探空仪发展的趋势进行了讨论。此外,代表团还参观了位于帕拉斯的全球大气监测站、苏达基拉臭氧探测站,出席了庆祝臭氧观测十周年的活动。

中国气象代表团访问马来西亚 应马来西亚气象局长的邀请,中国气象局副局长刘英金率中国气象代表团一行12人于5月31日~6月6日访问了马来西亚气象局。

访问期间,代表团听取了马来西亚气象工作情况介绍,并就双边气象科技合作问题与张阿乐副局长进行了交谈。会谈中,马方表示,愿意通过双边合作继续执行1995年中马双方签定的《中国和马来西亚气象科技合作项目实施计划》中尚未执行的项目。经过协商,双方就南海季风试验、马方购置气象卫星接收设备、应用软件转让和聘用气象专家问题达成共识。

6月1日上午,马来西亚气象局长林中泰先生(DR. LIM JOO TICK)会见了刘英金副局长一行。会见中,林中泰先生表示,由于东南亚金融危机对马来西亚的影响,政府拨款减少,延缓了两国气象科技合作项目的实施,希望中方给予谅解,但双方可以积极探讨,寻找合作渠道。刘英金副局长对此表示理解,并说中马两国是友好邻邦,关系一直很好,开展中马气象科技合作有着良好基础,中方愿意就南海季风、人员招聘、技术转让等方面与马方探讨合作步骤。林中泰局长对此表示感谢。

在马期间,代表团参观了马来西亚气象局各有关业务单位,并访问了排水和灌溉局、国家公共行政学院、吉隆坡新国际机场以及马六甲气象站等单位。

中国气象代表团访问泰国 应泰国气象局长的邀请,中国气象局副局长刘英金率中国气象代表团一行12人访问马来西亚后,于6月6~10日访问了泰国气象局。

6月7日,泰国气象局长曼纽恩.阮吉思先生(DR. MANUN. RUANGIS)会见了刘英金副局长一行,双方交换了中泰两国在气象领域的双边合作愿望。访问期间,代表团还听取了泰国气象工作情况介绍,参观了泰国气象局所属业务单位以及地震处等。

中国气象代表团访问英国 应英国气象局长伊文斯先生(MR. P. D. EWINS)的邀请,中国气象局副局长李黄率中国气象代表团一行5人,于9月14~18日访问了英国气象局,并出席了中英大气科技合作联合工作组第3次会议。

访英期间,代表们听取了英国气象局1996年4月以来开始按"专项交换资金"机制运作的情况、商业化服务、气象卫星和空间计划、统一预报模式、卫星资料应用、热带气旋预报、气象预测与研究以及2000年等问题的介绍。参观了英国国家气象中心、技术信息部、商业与产业部、英国气象学校、遥感部、哈得来气候预测与研究中心。

在参观的基础上，中英双方就商业化问题、培训、数值天气预报、遥感、2000年问题、热带气旋、气候等领域商定了具体合作项目和意向，并签署了中英两国气象局第3次联合工作组会议纪要。

应英方要求，李黄副局长向英方介绍了1998年中国洪涝灾害以及中国气象部门提供准确及时的长、中、短期天气预报和气候预测情况。

代表团在英期间访问了欧洲中期天气预报中心，听取了该中心主任作的未来发展计划的介绍并参观了主要业务设施。

气象信息网络和资料存档检索系统代表团赴美国培训 为了了解美国信息技术的发展，特别是网络技术和存储技术的应用现状和发展动态，为我国建立气象网络系统和存储检索系统的设计提供经验和技术，经我国智力引进办批准，中国气象局派出总体规划研究设计室主任阮水根为团长的网络和存储技术培训代表团，于11月9～24日赴美接受培训。

代表团在美期间先后在位于旧金山、博尔德和华盛顿特区的计算机公司和美国国家海洋大气局、美国国家大气研究中心等单位进行了培训，听取了美方55人(次)、26场的报告，还就有关技术问题与美方专家咨询和讨论。通过培训对网络和存储系统设计中的若干关键技术问题，有了新的认识。

中国气象代表团访问亚美尼亚 应亚美尼亚水文气象局的邀请，以中国气象局科技教育司副司长汤绪为团长的一行5人气象代表团，于11月12～21日访问了亚美尼亚气象局。

代表团这次访问，受到亚方的高度重视，代表团抵达当天，就安排了与亚水文气象局局长、该局全体司长与各中心负责人会面。亚美尼亚国家电视台采访了考德约彦(G. KODJOYAN)局长、汤绪团长和我国驻亚美尼亚朱兆顺大使并在当日新闻和一周新闻回顾中播出。

代表团这次访问除考察了解亚气象工作情况外，还与亚方进行了双边气象合作会谈，双方在坦诚友好的气氛中对可能合作与交流的领域、合作与交流的方式、合作与交流的步骤设想等方面形成了共识，并希望能在亚方派团访问中国时商定具体合作项目。

港澳台主要活动

海峡两岸及临近地区豪(暴)雨与季风研究研讨会 会议于5月24～26日在台北希尔顿饭店举行，中国气象学会常务理事温克刚为团长的代表团一行13人参加了会议，会议对海峡两岸共同感兴趣的暴雨与台风问题进行了学术研讨，并对有利于两岸经济社会活动和人民生命财产安全的灾害性天气会商等事宜进行可行性研讨。期间，代表团考察了“台湾气象局”系统的气象预报中心、气象资讯中心、地震预报中心等业务单位。温克刚常务理事还与台湾气象学会理事长谢信良就两岸进行灾害性天气会商、华南暴雨的合作研究、气象资料的交换以及第4届东亚及西太平洋天气与气候研讨会等问题进一步达成共识。会后5月27～29日，代表团考察了台湾四等气象测报机构日月潭气象站，三等气象测报机构台南气象站和恒春气象站。

香港天文台台长一行来内地访问 应中国气象局的邀请，香港天文台台长林鸿鋆先生偕助手林超英、陈积祥、卫翰戈先生分别于10月11～24日来北京、南京、上海等地访问。这是香港天文台首次派团来内地正式访问。

在京期间，中国气象局温克刚局长和李黄副局长会见了林台长一行，李黄副局长和林鸿鋆台长还分别介绍了各自的气象工作情况。10月14日双方根据1996年12月签署的《中国气象局和香港天文台气象科技长期合作谅解备忘录》商谈了今后两年气象业务合作事宜，并在资料交换和通讯、气象服务、科学试验和研究、人员培训和交流、加强粤港澳气象业务合作等方面达成一致意见。

在京期间，林鸿鋆台长一行还参观了国家气象中心、卫星气象中心、气象科学研究院、国家气候中心和北京市气象局。林鸿鋆台长还访问了江苏省气象局、南京气象学院、无锡市气象局和上海市气象局。

(吴亚香)

全国天气气候综述与影响评价

全国气候概况

(1997.12—1998.11)

1998年度，我国气候持续偏暖，年平均气温全国大范围异常偏高；从季节来看，秋季偏高幅度最大，冬季次之。年降水量，全国大部地区接近常年或偏多，其中长江中下游、东北大部等地明显偏多。

气　　温

年平均气温　据全国336个气象测站的资料统计，全国年平均气温在－3.8℃～27.1℃之间，大致由北向南随纬度的降低而增加(见图1)。东北大部地区年平均气温在0℃～10℃之间，其北端的漠河为－3.8℃，为本年度年平均气温最低的地方。华北大部地区年均气温为8℃～16℃，长江中下游地区为16℃～20℃，华南地区为20℃～27℃，位于海南岛南端的三亚为27.1℃，是全国年平均气温最高的地方。

地形地势对气温的分布影响很大。气温随地势升高而逐渐降低。青藏高原的年均气温要比同纬度的长江三角洲低12℃～16℃，例如西藏的班戈本年度年均气温为－0.2℃，江苏南通为16.8℃，由于地势高低悬殊，两者气温相差17.0℃。西部地区受地形影响，气温分布还表现为平原盆地高、山区高原低的特点。四川盆地、柴达木盆地、塔里木盆地、准噶尔盆地等为高温区，而阿尔泰山、天山、祁连山、唐古拉山等为明显的低温中心。

与常年平均气温相比，全国年平均气温普遍偏高1℃～2℃，东北东部和内蒙古大部偏高2℃以上(见图2)。除东北北部、新疆大部、贵州大部等地外，全国其余大部地区的年平均气温均为建国以来同期的最高值或次高值。

气温的季节变化　1998年度，不仅全国年平均气温偏高，而且冬、春、秋三季全国大部地区平均气温显著偏高，仅夏季气温接近常年或稍偏高。

冬季(1997.12—1998.2)。平均气温与常年相比，南方一般偏高0.5℃～1℃，北方大部一般偏高1℃～2℃，其中东北大部、内蒙古及青海北部等地偏高达2℃～4℃，成为自1987年度暖冬以来的连续第12个暖冬。其中尤以2月气温偏高明显，北京、河北、山西、内蒙古、辽宁、吉林、黑龙江、上海、江苏、浙江、安徽、山东、河南、陕西、甘肃、青海、新疆等地的月平均气温为1961年以来同期的最高值或并列最高值，天津、云南、宁夏为次高值。虽然暖冬比较明显，但1月份气温起伏变化较大，上旬，全国大部地区继12月之后仍呈冬暖态势；中旬气温急剧下降，全国旬平均气温由上旬的偏高急转为大范围偏低，除海南、云南、西藏等地偏高1℃～3℃外，其余大部地区偏低2℃～3℃，其中东北、华北、西北等地的部分地区偏低达4℃～5℃；新疆的哈巴河、福海、阿勒泰、青河、巴里坤，甘肃野马街，青海西宁，内蒙古巴林左旗等地的旬平均气温为建国以来同期的最低值或次低值。下旬，气温有所回升。

春季(3～5月)。全国绝大部分地区平均气温持续偏高，其中西北东部及南方偏高在1℃以上，东北大部异常偏高，达2℃～4℃。由于气温偏高，使一些地区日平均气温稳定通过0℃、10℃的日期明显提前，冬小麦返青、春小麦播种均比往年早。终霜提前，对农作物生长有利。虽然春季气温偏高，但3月中下旬，受强冷空气影响，全国大部地区气温急剧下降，

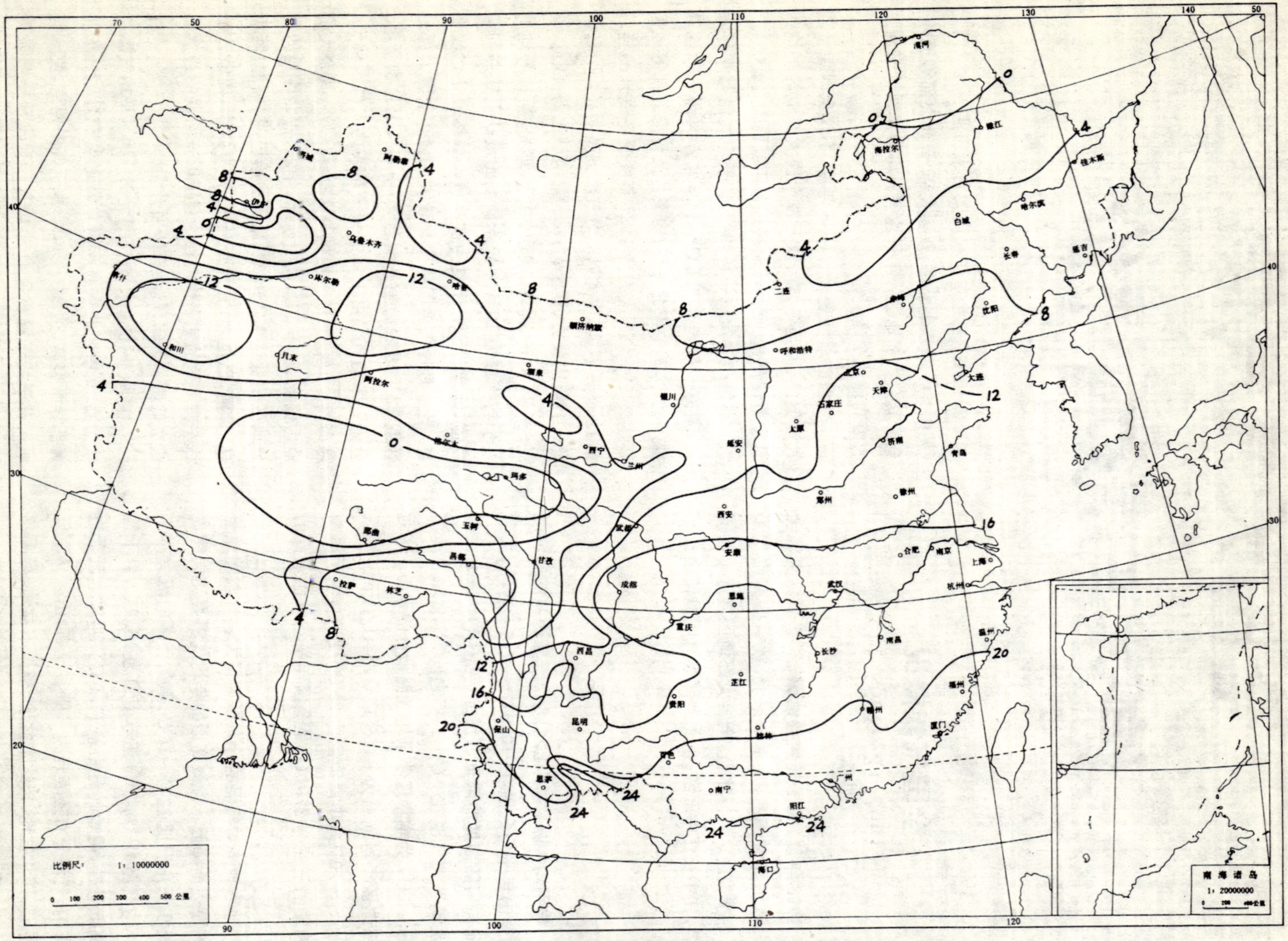

图 1　1998 年度中国年平均气温（℃）分布

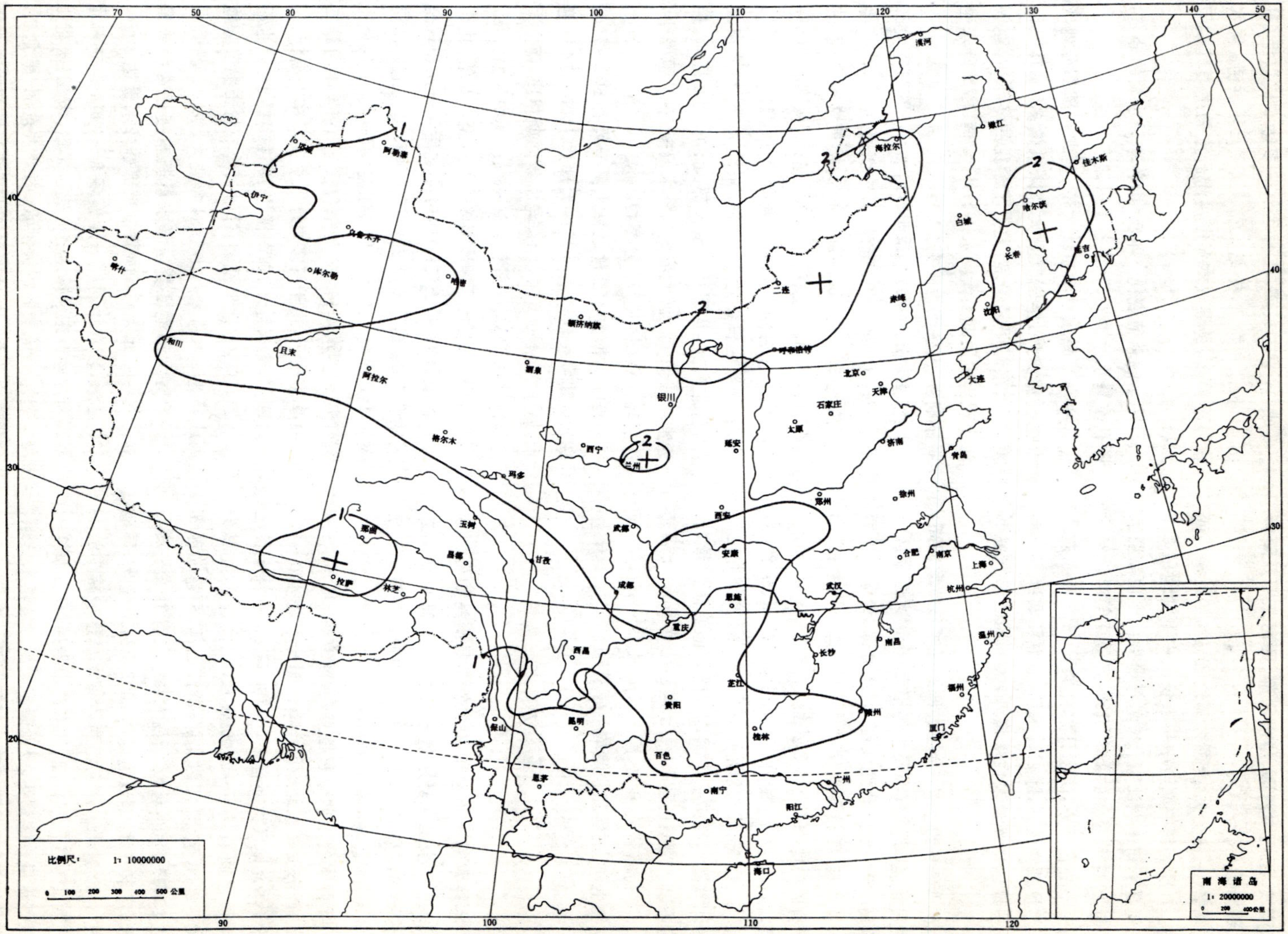

图2 1998年度中国年平均气温距平（℃）分布

致使中、下旬平均气温的偏高幅度和范围较3月上旬明显缩小；中旬，西北大部偏低2℃～4℃；下旬，汉水流域、江南中西部、华南西部、西南东部及新疆中北部偏低2℃～4℃。

夏季(6－8月)。全国大部地区气温接近常年或偏高。7月上旬中期至中旬末长江中下游地区及8月上旬至下旬中期江南、华南等地持续出现高温天气。与1997年炎热的夏天相比，日最高气温≥35℃的高温中心在南方，高温日数也少于1997年。东北地区热量条件较好，除吉林东部、黑龙江北部和东部的一些地区出现阶段性低温外，大部地区未发生低温冷害。

秋季(9－11月)。全国大部地区气温持续偏高，秋暖明显。季平均气温与常年相比，全国大部地区一般偏高1℃～2℃，华北大部、西北大部、青藏高原西部以及黄淮、江淮等地偏高达2℃～3℃，内蒙古、山东等省区局地偏高达3℃以上。石家庄、太原、郑州、济南、西安、兰州、银川、南京、上海、杭州、长沙、合肥、武汉、重庆、成都、昆明、南宁、广州、福州等地的季平均气温均突破了建国以来同期的最高记录，成为建国以来最暖的秋季。由于气温持续偏高，光热充足，北方初霜普遍偏晚，南方寒露风天气不明显，对秋作物生长、成熟和收晒均十分有利。

降　水

年降水量　据全国336个气象测站的资料统计，1998年全国年降水量一般在50～2500毫米之间，广州阳江最多，为3140毫米，内蒙古额济纳旗最少，只有18毫米。

年降水的空间分布特点是，南方多，北方少；东部多，西部少。东北地区年降水量一般为400～700毫米。华北地区大部有300～700毫米。黄河至长江中下游之间有700～1400毫米，江南地区大部为1500～2000毫米，江西北部、浙江西部、福建北部等地达2000～2800毫米。华南大部地区有1000～2000毫米，广东、广西部分地区达2000～2400毫米，局地超过3000毫米。从东到西年降水呈逐步减少的态势。西北地区深居内陆，又有高山阻挡，来自海洋的潮湿气流很少能到达，因而降水稀少。塔里木盆地、内蒙古西部、甘肃西部等地年降水量一般只有20～80毫米，是全国降水最少的地区(见图3)

与常年降水量相比较，除华北南部、西南东南部等地偏少2成左右外，全国其余大部地区降水偏多，其中东北西部、淮河流域大部及江南大部偏多2～5成，内蒙古东部、江西北部偏多达5成以上(见图4)，长江和嫩江、松花江流域遭受严重洪涝。降水量显著偏多，是导致本年度洪涝严重的主要气候因素。

降水的季节变化　本年度，各季降水量的分布，除秋季降水偏少外，其它各季以偏多为主。

冬季　降水量除东北大部、西北东部部分地区及南疆偏少外，全国其余大部降水偏多，尤其是江南、华南东部明显偏多，发生了罕见的冬汛，福建闽江出现历史同期最大洪水。另外，青南、藏北降水也明显偏多，发生严重雪灾。

春季　降水量较冬季明显增加。长江以南大部地区一般为500～700毫米，其中江西、广西、广东等省区部分地区达700～900毫米，接近常年同期；北方冬麦区北部一般有100～300毫米，南部有300～500毫米，较常年同期明显偏多，一般偏多5成至1倍，部分地区偏多达1～2倍；东北大部、华北东北部、西北东部、北疆及西南大部为50～200毫米，接近常年或偏多。因大部地区降水偏多，春旱范围小，程度轻，对农业生产十分有利。

夏季　南方大部地区降水量一般有500～1000毫米，其中长江中游及江南大部达1000～1400毫米，局地在1400毫米以上。与常年同期相比，南方大部地区降水偏多，一般偏多2～5成，其中江西大部、湖北南部、湖南北部等地偏多达5成至1.5倍。由于降水量显著偏多，长江继1954年之后又一次出现全流域性大洪水，干支流的沿江地区和沿湖地区洪涝灾害十分严重。1954年是长江流域百年一遇的全流域性特大洪水年；1998年是仅次于1954年的第二个夏季多雨年，由于其多雨地区主要集中在沿江、江南及四川、重庆等地，故范围比1954年要小。但也应该看到，江西东北部及湘、鄂、川、渝等省市的部分地区或局地降水总量则比1954年要大。

北方大部地区夏季降水量基本接近常年或偏多。其中东北大部、内蒙古东部季降水量达300～500毫米，较常年同期一般偏多2～4成，其中东北西部和内蒙古东部偏多达5成至1倍，嫩江、松花江发生超历史记录的特大洪水，内蒙古东部、黑龙江、吉林涝灾严重。与建国以来松花江流域的大洪水年1957年相比，1998年雨季来得早，6～8月降水量要多于1957年。

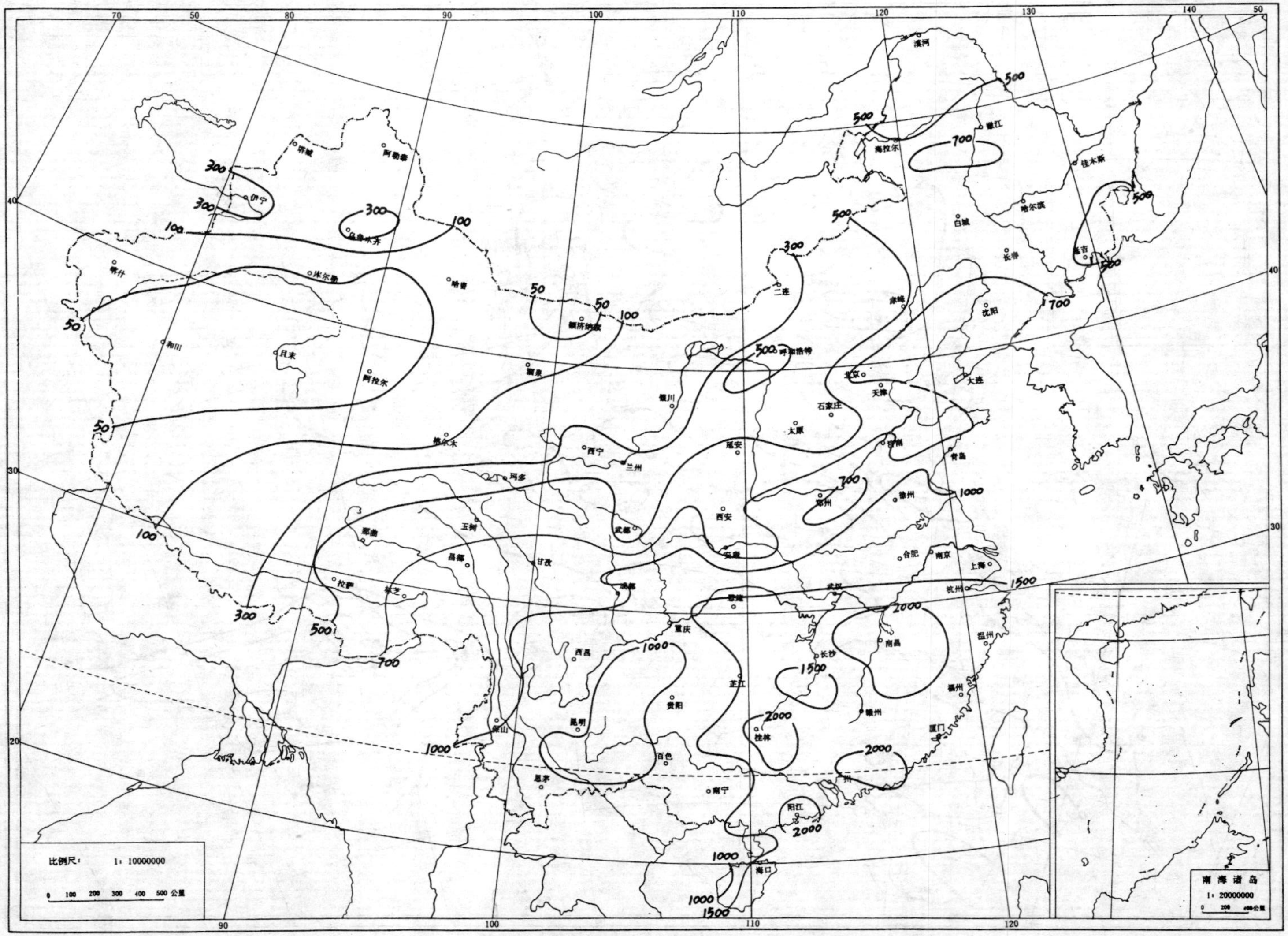

图 3　1998 年度中国年降水量（毫米）分布

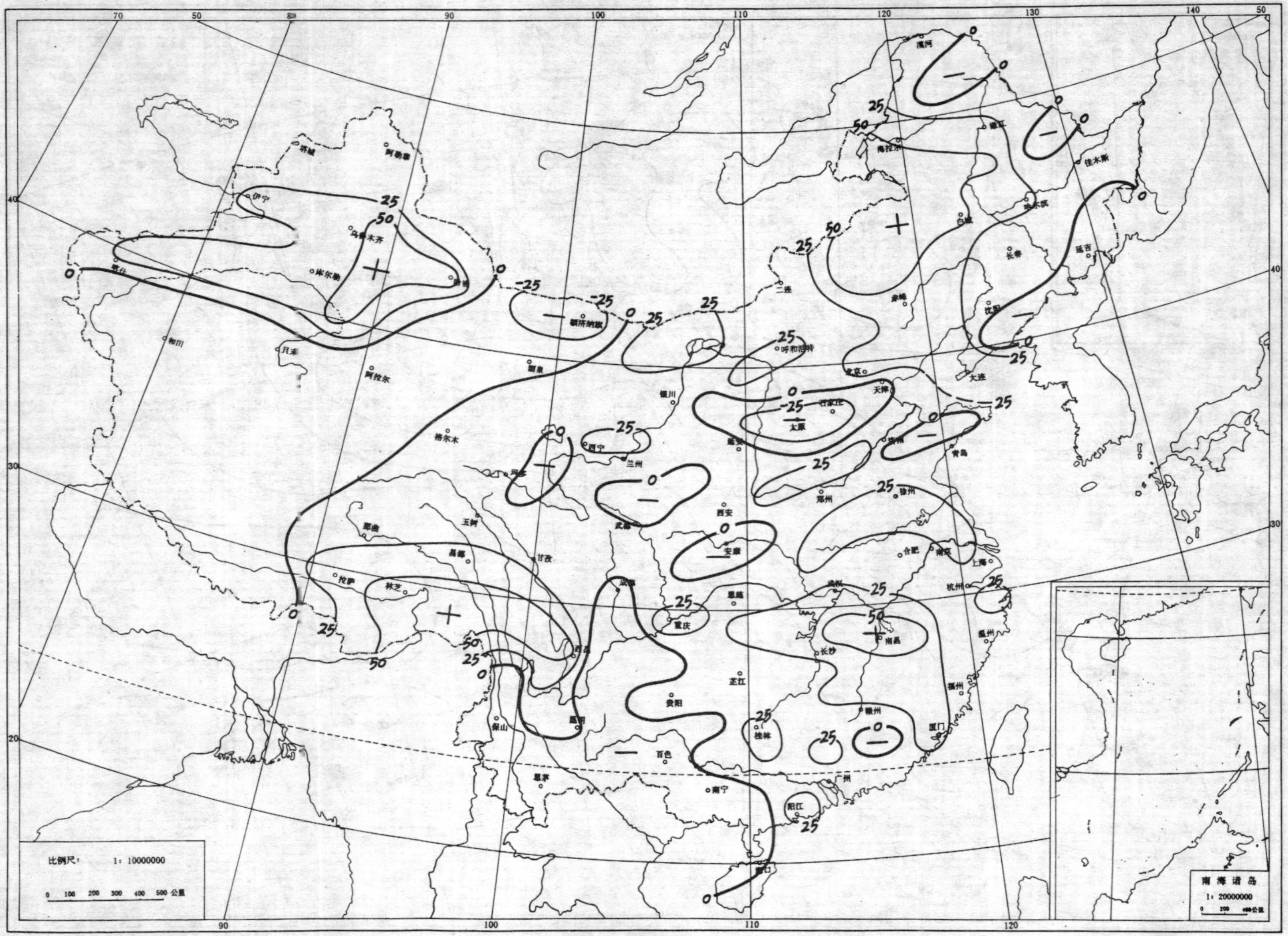

图 4　1998 年度中国年降水量距平百分率（%）分布

秋季　全国大部地区降水明显减少，其中北方冬麦区大部及江淮地区一般只有10～70毫米，较常年同期偏少5～8成，豫北、鲁西南、冀南、晋东南等地仅10毫米左右，偏少9成以上。由于雨水持续稀少，北方冬麦区及南方部分地区出现秋旱。

日　照

年日照时数　本年度日照时数分布为：东北大部、华北北部和西北大部一般有2500～3000小时，其中内蒙古中西部及新疆、青海的部分地区在3000小时以上；华北大部及四川西部、云南大部等地一般有2000～2500小时；南方大部地区一般在2000小时以下，其中四川大部、贵州大部、湖南南部、广西中部和北部、广东西北部和福建中部等地不足1500小时，四川盆地大部仅800～1200小时(见图5)。与常年相比，全国大部地区正常偏少，一般偏少100－200小时，其中我国东部沿海地区及东北中部、新疆东北部、四川西部等地偏少200小时以上，部分地区偏少达300～500小时(见图6)。

日照时数的季节变化　本年度各季日照以秋季最为充足，全国大部地区日照时数以偏多为主，其它三季较差，出现大范围日照时数明显偏少的地区。

冬季　我国西部地区日照时数基本接近常年，东部地区则比常年同期偏少，其中江南东部、华南大部及四川东部和北部等地偏少100～150小时，对冬作物的生长有一定影响。

春季　日照时数比常年同期明显偏少的地区是华北、黄淮地区及西北大部地区，一般偏少100～150小时。由于日照不足，小麦灌浆成熟受到一定影响。东北、江南、华南大部及西南东部等地日照时数接近常年或稍偏多。

夏季　除西北地区日照时数基本接近常年外，全国其余大部地区普遍偏少50～150小时，湖北、贵州、四川等地的部分地区偏少200小时以上，对作物的正常生长发育不利。

秋季　除东北平原、华北平原东部、东南沿海等地偏少50小时左右外，全国大部地区日照时数正常偏多，其中淮河汉水流域、长江中下游大部地区及西南东部等地比常年同期偏多50～100小时。日照充足，对大秋作物的成熟、收获十分有利。

主要气候事件及其灾害

1998年度，受强厄尔尼诺影响，我国出现了干旱、洪涝、风雹、台风、低温、冻害、雪灾、大雾等多种气象灾害，其中以洪涝灾害影响最为突出。

洪　涝

1998年，我国暴雨洪涝出现范围之广、洪水持续时间之长、造成经济损失之重是历史上罕见的。

南方地区自1997年11月中旬至1998年3月一直多雨。1997年12月，华南及苏皖等地曾出现初冬时节少见的暴雨天气。1998年1～2月，南方又多次出现大范围的强降水过程。3月上旬，江南、华南等地又连降大雨，暴雨，降水量一般有50～200毫米，普遍比常年同期偏多1～3倍，其中江西大部、两广北部及湖南、福建两省部分地区的旬降水量为建国以来同期的最大值。由于持续多雨，出现罕见冬汛，部分地区春汛提前，湘江、赣江、闽江、北江等干流相继发生洪水，浙、赣、苏、皖等省部分农田发生严重渍涝。

夏季，南方强降雨阶段性发生较明显，特别是长江流域降雨强度大，范围广，持续时间长，间隔时间短，发生频率高，致使长江发生了继1954年之后的第二次全流域性的大洪水。主要降雨时段为：6月11～27日，主要强降雨带一直在江南、华南等地徘徊，赣、浙、闽、粤、桂、湘等地出现了7～15天暴雨或大暴雨，降雨量一般有250～500毫米，部分地区达600～900毫米，江西的弋阳、横峰等地超过1000毫米，致使江河湖库水位迅速上涨，信江、湘江、闽江等江河出现历史最高水位，许多地方山洪暴发，赣、湘、浙、闽、桂、皖、粤、黔、川、滇、渝等省市区发生不同程度的洪涝灾害。6月28日至7月3日，四川、重庆、三峡区间及清江流域出现强降雨，降水量一般有100～200毫米，局地200～300毫米，长江上游形成第一次洪峰。7月14～16日，重庆及清江流域一带再次出现较强降雨，与上游来水重叠，形成长江上游第二次洪峰。7月20～31日，长江中下游再次出现持续性强降雨，降水量一般有90～300毫米，部分地区达300～550毫米，局地超过800毫米，比常年同期偏多1～5倍，造成洞庭湖、鄱阳湖水位猛涨，长江上游形成第三次洪峰，洪水上压下顶，防洪形势十

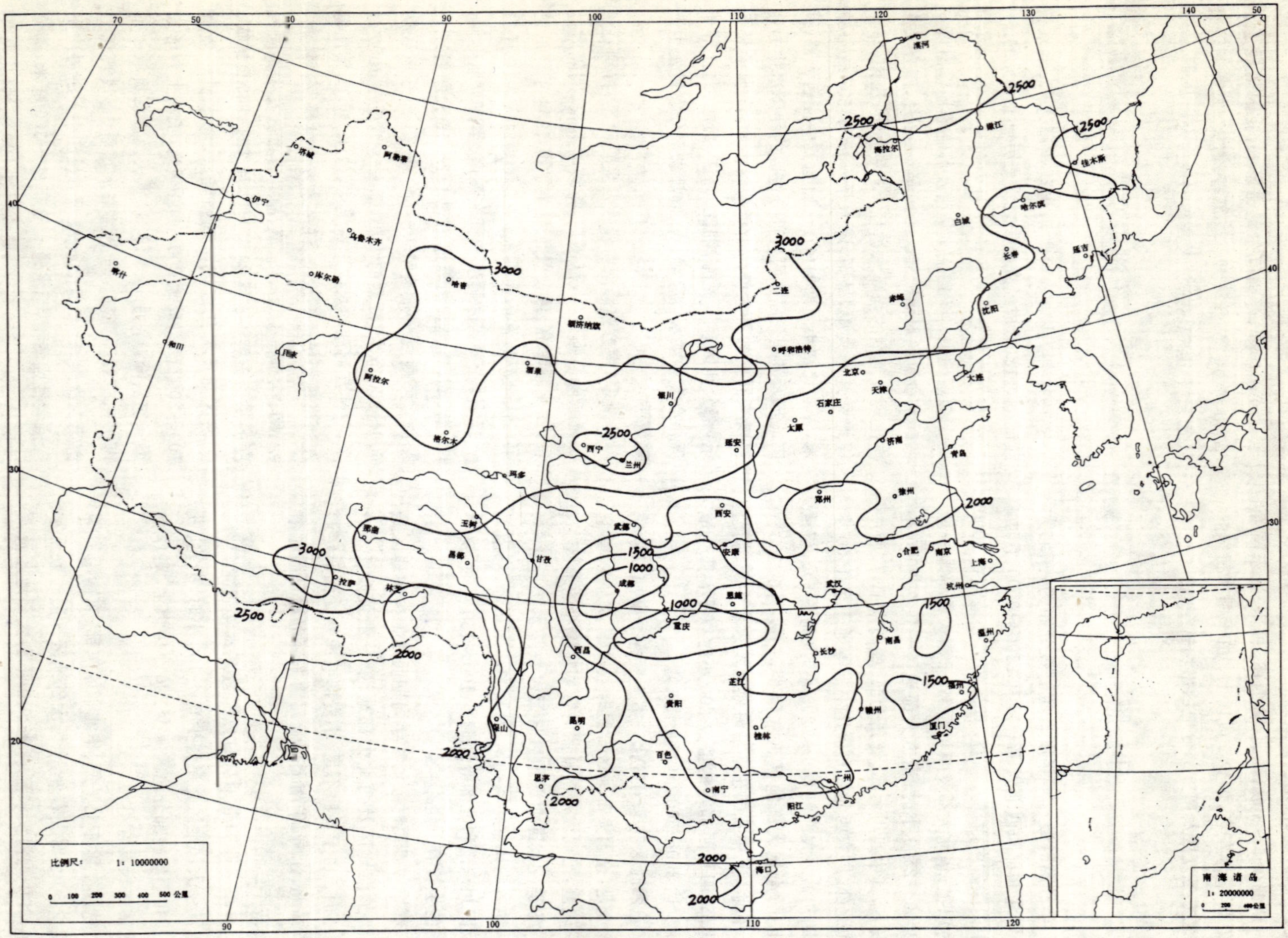

图 5　1998 年度中国年日照时数（小时）分布

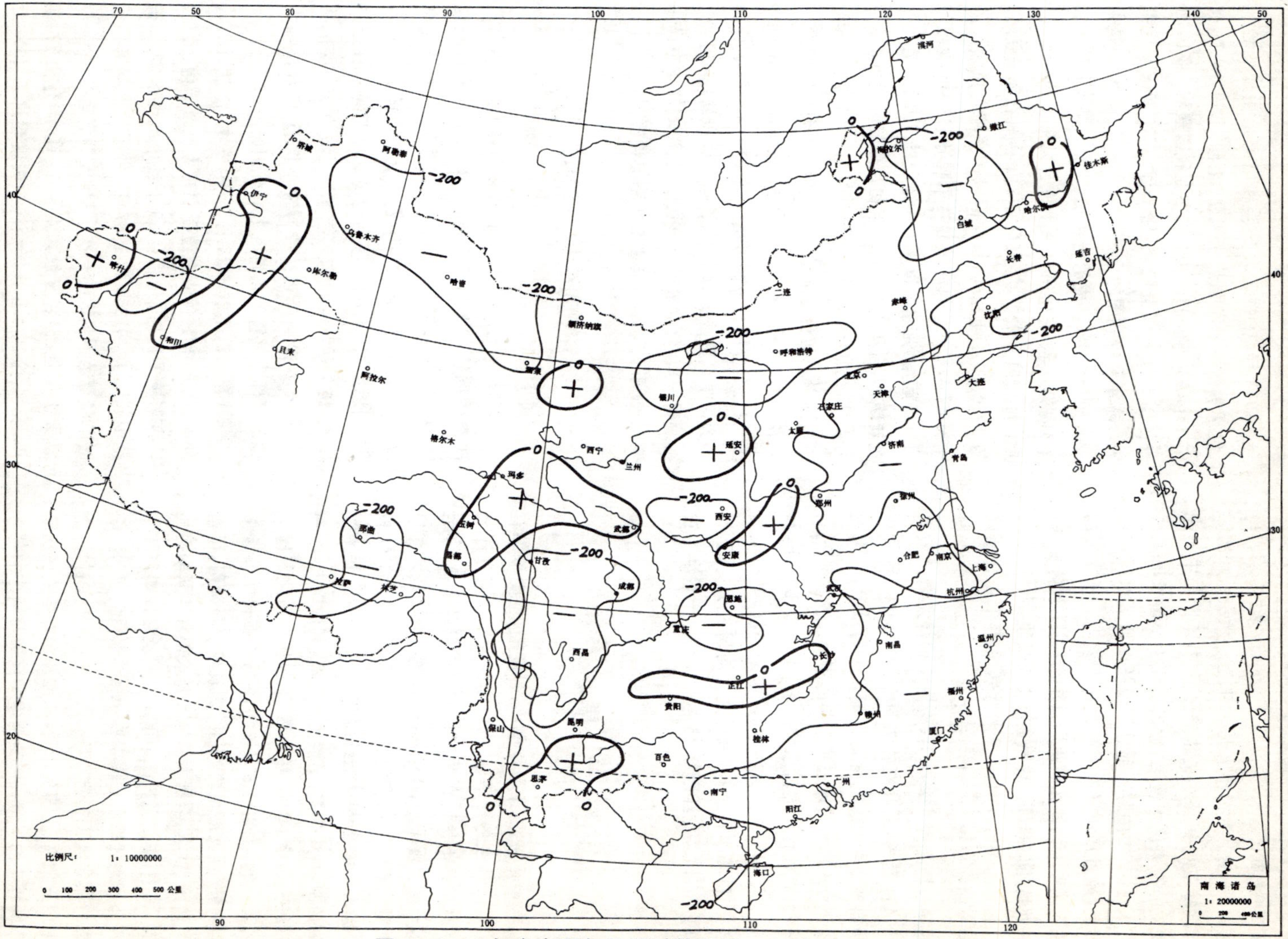

图 6　1998 年度中国年日照时数距平（小时）分布

分严峻。8月，四川、重庆和三峡区间及清江、汉江流域降雨频繁，明显的降雨达六七次之多，月降水量一般有200～300毫米，局部达350～450毫米，致使洪水迭起，长江上游接连出现第四、五、六、七、八次洪峰。洪峰在向中、下游的推进过程中，不断与中游先期发生的特大洪水遭遇，造成长江中下游长时间维持高水位，其中中游大部分江段超过警戒水位达两个多月，超过历史最高水位达一个多月，干支流的沿江地区和沿湖地区遭受严重洪涝灾害，损失巨大，其中以赣、湘、鄂、川、渝等省市受灾最重。

北方的嫩江流域雨季来得早，5月下旬开始降水天气明显增多，28日黑龙江省甘南县降了63毫米的第一场暴雨。6～8月，嫩江流域降水量一般有300～450毫米，部分地区达500～700毫米，较常年同期偏多2～9成，部分地区偏多1倍以上；不少地区3个月的降水量超过了常年的年降水量。长时间的降雨，造成嫩江支流水位上涨，干流洪峰迭起，嫩江、松花江多次发生大洪水，洪水来势猛，其持续时间之长、洪峰水位之高、流量之大均超过历史记录；内蒙古东部、黑龙江西部、吉林西部发生严重洪涝灾害。

干 旱

本年度，我国干旱范围小，程度轻，主要干旱有北方部分地区冬春旱、北方冬麦区秋旱及南方部分地区秋旱。冬春时节，北方雨雪过程较频繁，部分地区虽一度出现干旱，但干旱时间较短，大部地区春旱不明显，仅东北西部和内蒙古东部3、4月间旱情较重。进入5月后，旱情陆续缓解。盛夏，江南、华南受副高控制，晴热少雨，旱情迅速发展，其中以湘中、湘南、赣中、赣南、粤北、粤西南、琼西和桂东北等地旱情较重。7月上旬至8月中旬，河北中部降水显著偏少，旱情一度发展很快；下旬，出现较明显降雨，旱情得到缓解。秋季，全国大部地区降水较常年同期明显偏少。其中，华北至长江中下游之间及江南南部和华南西部等地区降水量偏少5～9成，豫、鲁、冀、晋、皖等省的部分地区3个月降水量仅10毫米左右，加之气温明显偏高，土壤失墒快，江淮及北方冬麦区出现了不同程度的旱情，湘、赣两省中南部及两广的部分地区伏秋连旱，给秋播、冬种带来困难。

台 风

1998年，在西北太平洋和南海上生成的台风（包括热带风暴和强热带风暴，下同）共有14个，其中3个（9802、9803、9806）先后在我国登陆。9810号台风虽未在我国登陆，但给福建、广东造成一定损失。本年影响我国的台风活动异常，其特点：一是生成台风异常少，生成的台风（14个）比常年（平均28个）偏少一半，是建国以来生成台风最少的一年；二是登陆台风异常少，年内只有3个台风在我国登陆，与1950、1951年相同，是建国以来登陆台风最少的年份之一；三是台风起编异常偏晚，9801号台风于7月9日起编，是建国以来起编最晚的一年；四是初台登陆晚，末台登陆早，1998年初台登陆时间出现在8月4日，比常年初台平均登陆时间偏晚1个多月，是建军国以来初台登陆最晚的一年，末台登陆时间出现在9月19日，比常年末台平均登陆时间偏早20多天；五是登陆台风强度弱，损失轻，3个登陆台风均为热带风暴或强热带风暴。由于强风暴雨范围小，持续时间短，仅给福建、广东、浙江、海南等省造成一些损失（表1），总损失比常年明显偏轻。

风雹与龙卷风

1998年全国有29个省市区、1100多个县（市）次遭受冰雹或龙卷风袭击，其中约48%出现在夏季，45%出现在春季，其它季节只占7%。据不完全统计，风雹与龙卷风使全国累计受灾面积5800多万亩，倒塌房屋14万间，损坏房屋201万间，死亡200多人，伤1万多人，直接经济损失101亿元。总的来看，1998年全国降雹次数与常年相近，但经济损失偏重。部分风雹与龙卷风影响事例如下：

风雹　3月20～23日下午，安徽、浙江、江西、湖南、江苏、福建等省在遭受寒潮大风及暴雨、大雪、冷冻影响的同时，先后有89个县市出现冰雹，降雹范围超过了1973年和1987年，为近几十年来初春时节降雹范围最大的一次。其中江西省有24个县市遭受冰雹袭击，冰雹最大直径21毫米，仅万安、遂川、修水、余江4县直接经济损失就超过了4000万元。

4月6～8日，贵州省有24个县市区出现雷雨大风和冰雹，其中瓮安县冰雹最大直径65毫米，风雹持续约20分钟。据统计，全省有101个乡镇受灾，死亡6人，伤病200人，农作物受灾面积71万亩，成灾38万亩，绝收5万亩，倒塌房屋100多间，损坏房屋9.6万间，直接经济损失3亿元。

4月22日傍晚，江西萍乡市受冰雹大风袭击，冰雹最大直径超过75毫米，最大风力达10级，降雹时间半小时；受灾地带长约60公里，宽10～15公里，局部地区冰雹堆积厚度达10厘米以上。冰雹大风强度之大、持续时间之长，为该地有气象记载以来所未见。据不完全统计，全市毁坏农作物20万亩；一输电铁塔倒塌横卧铁路，致使浙赣线中断8小时；倒塌房屋800多间，损坏房屋3万间；仅市级医院收治受伤者就达120余人，其中死亡2人；28个国家储备粮库受损，损失上千万元；倒断电杆近3000根，烧坏变压器近50台，造成大范围停电、停水、停气和通讯中断。全市直接经济损失达3亿元。

5月19日夜间至20日凌晨，河北、北京、天津3省市有30多县市区遭受大风、冰雹袭击，风力一般达到8级以上，降雹时间一般10～30分钟，雹粒直径一般10～30毫米，严重地区地面积雹厚达10厘米左右。农作物受灾面积100多万亩，成灾面积80多万亩，直接经济损失约3亿元。

6月2～3日，山东、河南、河北3省有30多个县市区遭受大风、冰雹袭击，最大冰雹直径20毫米，最大积雹厚度2厘米。农作物受灾面积300多万亩，倒折树木5万多株，损坏房屋、大棚2000多间(座)，伤86人，直接经济损失约7亿元。

表1　1998年台风(热带风暴)主要灾情

台风编号	登陆时间	登陆地点	最大风力(级)	受灾地区	受灾面积(万亩)	死亡(人)	受伤(人)	倒塌房屋(万间)	损坏房屋(万间)	经济损失(亿元)
9802	8.4 8.5	台湾台东一新港 福建福清	11 8	福建	8.70				1105	3872
9803	8.11	广东阳西	9	广　东	67.70			1410		40860
				海　南	5.18				305	1284
9806	9.19	浙江普陀	10	浙　江	148.99	1		768	6397	78364
				上　海			3			21
				江　苏	40.00					
9810				福　建	86.50	5	3	1697	1400	76500
				广　东	87.42			2270	9150	20900
合　计					444.49	6	6	6145	18330	221801

龙卷风　4月22日夜至23日凌晨，江西省丰城市遭受了特大龙卷风袭击。直径40多厘米的白杨树被连根拔起，10多辆蹬士车被吹上天空130米高处，1辆装有30多头生猪的卡车被刮出200多米远；剑南中学学生宿舍倒塌，30多名学生被压，造成15人受伤，1人死亡；105国道被吹倒的树木堵塞；部分高压线被刮断，造成城区和部分农村停电；赣江大桥灯柱全部被吹断。据不完全统计，全市共死亡12人，重伤100多人，轻伤1000多人，损坏房屋3612幢，倒塌房屋200多幢，直接经济损失1.4亿元。

7月2日凌晨，江苏省东海、滨海、涟水等县部分乡镇出现龙卷风，最大风力12级以上。5万亩农作物受灾，苹果落果140多万公斤，损坏房屋6400余间，倒塌房屋240多间，刮倒刮断树木7万余棵，仅东海县经济损失就达5000多万元。

8月22日夜晚，山东省威海、烟台两地有5个县市区遭受龙卷风、暴雨袭击，最大风力达到12级。

农作物受灾面积234万亩，成灾145万亩，绝收1万多亩，损坏房屋1万多间，倒塌房屋2000间，落果2700多万公斤，刮倒树木6万棵、电线杆800多根，受损船只100多条，伤79人，死亡3人，直接经济损失9亿元。

雪灾、冻害

1998年度我国大部地区低温冻害范围小、程度偏轻，但部分地区雪灾严重，冷冻、雪灾给农牧业生产及工业、交通、通讯等造成较重损失。

雪灾 1月21～23日，湖北、湖南、江西、浙江等省部分地区出现大到暴雪，工农业、交通、通讯等受到危害，湖北崇阳降雪量达42.9毫米，积雪深度32厘米，咸宁、黄冈等地受灾，仅咸宁地区有122个乡受灾，倒房3800余间，农作物受灾面积19万多亩。浙江绍兴、金华两地灾害较重，绍兴各地积雪16～26厘米，发生交通事故百多起；大雪使10个地市电网不同程度受损。安徽皖南地区积雪4～32厘米，黄山市宣城地区农作物受灾25万多亩，成灾11万亩，主要国道省道中断，黄山机场一度关闭。湖南22日出现30年一遇的大雪，冰雪使京广线供电中断、铁路信号消失，南下列车出现大塞车。

1～3月，新疆和静县巴音布鲁克草原连降大雪，造成百年不遇的大雪灾，大部草场积雪厚70～80厘米，部分地区超过1米，有1.2万户牧民、50万头（只）牲畜受灾，造成3人受冻死亡，损失牲畜8400多头（只）。3月6～10日，哈密地区2县1市普降大雪或雨夹雪，其中降雪持续72小时，积雪厚度一般40～60厘米，最厚达1米左右，致使4500多人受灾，农作物受灾面积近2800亩，成灾2100亩，死亡牲畜8500头（只），同时造成公路、铁路交通中断。

1997年初冬至1998年1月，青海玉树、果洛两自治州持续出现降雪和低温天气，造成大部地区积雪成灾，仅玉树州雪灾面积就达12万平方公里，受灾人口6.12万人、牲畜94.4万头（只），死亡牲畜9万多头。3月23～25日，果洛州又降大雪，积雪深度一般8～25厘米，部分地区30厘米，灾害严重。

3月，西藏6个地市降大雪，阿里地区100%受灾，其中特重灾害人口达4.4万人，占全地区受灾人口的74%，牧区90%草场被雪覆盖，全区死亡牲畜71万头（只匹），死亡率达26%，部分地区超过50%。那曲地区有200万头（只匹）牲畜死亡，死亡率达40%，雪后交通中断，有6万多灾民被冰雪围困。

冻害 3月中旬后期至下旬前期，受强冷空气袭击，我国大部地区出现大风和强降温天气，其中，黄淮地区极端最低气温降到－1～－4℃，长江中下游沿江地区降至－1～－2℃，江南至华南北部降至4℃以下，致使农作物普遍受冻害。其中，河南受冻小麦861万亩，油菜225万多亩；安徽受冻小麦2800万亩；江苏仅苏南地区三麦、油菜受冻面积就达1700万亩，常州市小麦幼穗冻死率达40%；江西已播的早稻、棉花出现不同程度的烂种、烂芽或死苗现象，并使油菜分段开花、结荚，开花数量减少，产量受到影响。广西因低温阴雨，早稻播种育秧受到较大影响，局部地区出现烂秧，损失稻种47.6万公斤。

5月16日，青海海西自治州德令哈地区出现晚霜冻，最低气温－1.5℃，农作物大面积受冻，受灾农作物6.7万亩，其中油菜2.7万亩，50%以上的油菜被冻死。

5月下旬，内蒙古大部地区出现晚霜冻，其中巴盟5月28日地面最低温度降到0.9～1.1℃，仅五原、临河两县就有30万亩农作物受冻；包头市受冻农作物7700多亩；赤峰市北部先后3次出现霜冻，作物受冻面积40万多亩。

气候对国民经济的影响

1998年，受强厄尔尼诺影响，干旱、暴雨、洪涝、风雹、低温、冻害、暴风雪、沙尘暴等气象灾害在我国频繁发生。其中最为突出的是暴雨洪涝，发生范围广，灾情重，是建国以来少有的重涝年份之一。这些气象灾害给我国国民经济带来很大影响。现将1998年气候对我国国民经济的影响简述如下：

农　业

1998年度，我国农业气候条件有利有弊，总的来看，属于一般年景。现将几种主要农作物生育期的农业气候条件评述如下：

冬小麦(生长期：1997年9月下旬～1998年6月上旬)

1998年度，北方冬小麦生长发育期间，热量较充足，降水条件前期较差，后期较好，但光照偏少，部分地区持续出现阴雨天气。总的看，气候条件属于一般年景。1997年夏季干旱，底墒差。初秋，大部地区普遍降雨，墒情改善，对小麦播种有利。但10月至11月上旬降水明显偏少，发生秋旱，对小麦播种、出苗及分蘖生长影响较大。11月中下旬，麦区出现几次降水过程，大部旱情得到缓解，但北京、冀北、晋中北仍少雨干旱。入冬后，12月上旬华北平原普降雨雪，使前期干旱的京、津、冀、鲁等地的土壤墒情得到不同程度的改善；1998年1、2月份，麦区又出现雨雪天气，进一步缓解了前期的旱情，麦田墒情增加，对小麦越冬十分有利，加之气温偏高，小麦得以安全越冬。初春，大部地区降水偏多，墒情良好，对小麦返青、分蘖生长有利，苗情较好。但气温起伏较大，3月中旬至下旬初，由于较强冷空气入侵，降温幅度达13～18℃，而此前气候偏暖又使小麦返青早、抗寒力弱，致使部分地区小麦遭受冻害，其中豫、苏、皖等省一些地区冻害较重。4月份，大部地区小麦进入拔节期，光热条件好，降水适宜，小麦长势良好，但因气温持续偏高，小麦生育加快，致使幼穗分化时间短，不利形成大穗；下旬华北东部地区阴雨多、日照少，对小麦抽穗开花十分不利。5月，大部产地的小麦进入灌浆成熟期，月内降水偏多，月日照时数比常年同期偏少60多小时，多雨、寡照，对小麦灌浆、乳熟不利。特别是6～17日，黄淮地区阴雨连绵，豫南、苏皖北部田间积水，发生渍害，小麦根系早衰，导致灌浆停止，千粒重下降，加之部分地区下暴雨，小麦大面积倒伏，江苏省受灾面积100万亩，安徽省受灾面积1000万亩，对产量影响较大。6月，大部地区天气多晴，光照比较充足，对小麦成熟、收割有利。

水稻

双季早稻

华南稻区　播种育秧期热量不足，特别是3月中旬后期出现强降温天气，下旬大部地区又遭冷空气袭击，出现5～8天日平均气温低于12℃的低温，且多阴雨，对水稻适时播种育秧十分不利。4月上中旬光热条件明显好转，降水较前期明显减少，气温偏高，有利早稻移栽返青。4月下旬到5月上旬，大部稻区气温仍偏高，且降水适宜，对早稻移栽后早生快发形成壮蘖有利。但5月中旬至6月上旬期间，大部地区出现阴雨天气，日照不足，光合作用率低，对早稻分蘖、孕穗极为不利，华南南部还出现大雨、暴雨，致使部分水稻受淹。6月中下旬，早稻进入抽穗开花期，而此时华南大部地区降雨明显偏多，下旬还出现大雨、暴雨，广西等地出现洪涝，雨打禾花，早稻抽穗扬花授粉受到严重影响；而且日照明显偏少，结实率降低，影响产量形成。进入7月后，热量较为充足，上、中旬华南大部地区降雨明显偏少，气温偏高2℃～4℃，但出现最高气温达35℃～38℃的晴热高温天气，早稻遭受高温逼熟危害，千粒重下降，不利产量形成；下旬除华南西部出现大到暴雨，对水稻成熟、收晒不利外，东部和中部降水较少，日照充足，利于早稻及时抢收。总的看，华南早稻生育期气候条件属一般偏差年景。

江南稻区　播种育秧前期出现低温阴雨，光热条件差，但4月上中旬大部地区多晴少雨，气温偏高，有利培育壮秧。4月下旬至5月上旬，大部地区以晴雨相间天气为主，有利早稻移栽及返青生长。5月中旬至6月上旬为早稻分蘖孕穗阶段，前期大部多阴雨天气，西部地区低温阴雨寡照不利水稻分蘖生长，后期中北部光温水匹配较好，有利早稻孕穗，但南部多阴雨，日照不足，水稻光合作用差，早稻孕穗发育受到较大影响。6月中下旬，江南大部持续出现大雨、暴雨，局部特大暴雨，造成雨打禾花，江西、湖南等地还出现大范围洪涝灾害，对早稻孕穗、抽穗及开花十分不利。7月上旬，大部地区结束了大雨、暴雨天气，有利水稻灾后恢复生长。7月中、下旬，早稻进入成熟、收获阶段，此期间大部降水偏少，利于收割、晾晒，但出现了多日晴热高温天气，部分早稻出现高温逼熟现象，产量受到影响。总的来看，江南早稻生育期气候条件属一般偏差年景。

双季晚稻

华南稻区　7月上中旬大部地区光温条件较好，有利晚稻播种育秧，仅西部上旬降水偏多，日照少，气温偏低，播种育秧一度受到影响。7月下旬西部再度出现大雨、暴雨，秧苗正常生长受到一定影响，但东部和中部光温水条件适宜，秧苗生长及移栽顺利。8月上旬大部降水偏少，有利缓解前期多雨洪涝所造成的不利影响。8月中、下旬，大部气温偏高，降水量不足10毫米，部分地区旱情发展，对晚稻返青、分蘖生长不利。进入9月后，雨水增加，部分地区旱情缓解，且气温偏高，光照较充足，对水稻分蘖、孕穗及幼穗分化比较有利。10月上中旬，大部地区天气晴好，有利晚稻开花、授粉及充分灌浆。10月下旬到11月上旬，晚稻进入成熟、收获期，此间除福建和广东东部10月下旬降水偏多，日照少，对晚稻灌浆及适时收晒不利外，大部地区天气多晴，光热充足，晚稻收晒、归仓较顺利。总的来看，华南晚稻生育期气候条件属一般偏好年景。

江南稻区　播种育秧期间，大部时段气温偏高，光照充足，雨水适宜，对秧苗生长有利。7月下旬，江南北部出现暴雨洪涝，对秧苗生长不利，但南部光温水适宜，晚稻栽插顺利。8月上旬，江南大部降水偏少，有利缓解北部地区洪涝灾害的不利影响。但南部因持续少雨，气温偏高，部分地区出现旱象。8月中下旬，大部地区降水持续偏少；湘南、赣南等地旱象有所发展，对晚稻返青、分蘖有不利影响。9月上中旬为晚稻抽穗开花期，此间大部地区雨水有所增加，光热条件较好，有利晚稻开花授粉。9月下旬，北部和东部气温略低，对晚稻充分灌浆不利。10月份，大部地区光热充足，对晚稻成熟、收晒十分有利。总的来看，江南晚稻生育期气候条件属一般偏好年景。

一季稻

东北稻区　4月中旬至5月中旬，大部地区光热条件好，适宜水稻播种及培育壮秧。5月下旬至6月上旬，水稻进入移栽返青期，此间除南部6月上旬气温偏低不利水稻返青生长外，其余时段大部地区光热条件好，水稻生长正常。6月中旬至7月上旬，光温水比较适宜，有利水稻分蘖生长。7月上旬，大部地区降水明显偏多，日照显著偏少，且气温偏低，对水稻分蘖和提高成穗率有一定影响。7月下旬，大部地区天气以晴雨相间为主，光热适宜，有利水稻孕穗发育。8月上中旬，出现大雨、暴雨天气，洪涝严重，对水稻抽穗开花十分不利。8月下旬至9月下旬为水稻的灌浆成熟期，除8月下旬大部地区气温偏低，吉林部分地区出现低温冷害外，大部地区其余时段天气多晴，气温偏高，光照较充足，对水稻成熟、收晒比较有利。总的来看，东北一季稻生育期气候条件属一般年景。

江淮、江汉稻区　4月中旬至5月上旬，气温偏高，光热条件好，有利水稻适时播种及培育壮秧。但5月中旬出现低温阴雨天气，日照不足，水稻育秧受到一定影响。5月下旬至6月中旬，温、光、水较适宜，有利水稻移栽、返青，禾苗长势良好。6月下旬至7月下旬，除湖北及湖南部分地区降水明显偏多，出现洪涝灾害，对水稻生长发育不利外，其余大部地区光、温、水匹配较好，有利水稻分蘖、孕穗。8月份，大部地区气温正常，降水适宜，日照较充足，对水稻抽穗、开花有利。9月份，大部地区天气多晴，日照充足，气温偏高，水稻成熟、收晒顺利。总的来看，江淮、江汉地区一季稻生育期气候条件属一般偏好年景。

西南稻区　3月下旬至4月下旬，大部地区气温偏高，光照充足，水稻播种育秧气候条件较好。5月份，大部地区气温正常，降水适宜，有利水稻移栽及返青生长。6月上旬，大部地区出现阴雨天气，降水多，日照不足，且气温偏低，对水稻分蘖生长不利。6月中旬，贵州部分地区暴雨成灾；6月下旬至7月中旬，大部地区持续阴雨寡照天气，日照明显不足，对水稻分蘖、孕穗十分不利。7月下旬，四川盆地东部和贵州大部出现较大降雨，部分地区发生洪涝，对水稻生长发育又产生不利影响。8月份，除部分地区曾出现低温阴雨外，大部地区光、温、水适宜，利于水稻开花、授粉及灌浆。9月份，大部地区以晴为主，光热充足，水稻成熟、收晒顺利。总的来看，西南一季稻生育期气候条件属一般年景。

玉米

1998年北方玉米生长发育期间，大部地区水热条件适宜，但光照条件欠佳。总的来看，气候条件利大于弊，属一般偏好年景。

东北春玉米产区　玉米生育期间，水份及热量较充足，但光照偏少。播种出苗期，光热条件较好，南部雨水充沛，墒情良好，有利播种出苗；西部少雨干旱，玉米播种、出苗受到较大影响。进入5月后，出现几次降水过程，大部旱区旱情解除，土壤墒情良好，对玉米播种出苗及幼苗生长十分有利。6月份，除上中旬北部气温偏低1℃～2℃外，其余地区气温适宜，而且降水丰沛，土壤相对湿度在60%～80%之间，有利玉米生长发育。7月份，大部气温正常或偏高，降水偏少，但土壤墒情仍较好，且光照比较充足，利于玉米拔节及幼穗分化，仅黑龙江东部由于降水明显偏少，土壤相对湿度小于60%，对玉米生育有一定影响。8月份，降水比较频繁，气温基本接近常年，大部地区光、温、水匹配较好，有利玉米抽雄吐丝及灌浆。但黑龙江西部、吉林西部因降雨过多，发生严重洪涝，对玉米抽雄吐丝及灌浆十分不利。7、8月份，东部部分地区气温一度偏低，对玉米正常生长发育，特别对灌浆乳熟影响较大。进入9月后，气温普遍偏高，日照充足，降水也适宜，对玉米灌浆成熟十分有利，玉米成熟度较高，收晒顺利。

华北北部春玉米产区　玉米生育期间光温水条件基本适宜。播种期，大部地区降水丰沛，气温偏高，玉米播种出苗顺利。5月中下旬，土壤墒情适宜，有利于玉米幼苗生长，但6月上旬华北东北部气温偏低1℃～3℃，加之光照少，局部地区出现低温冷害。6月中旬玉米开始进入拔节期，此后至8月上旬，热量充足，光照基本适宜，大部地区雨水调匀，利于玉米拔节、抽雄吐丝，玉米长势良好。但山西6月下旬降水量一般不足10毫米，土壤含水量明显下降，耕作层土壤相对湿度低于50%，给玉米生育造成一定影响。8月中下旬，大部地区气温偏高，光照充足，降水适宜，对玉米灌浆成熟有利。9月份，为春玉米成熟、收获季节，此月天气多晴，秋高气爽，温光水匹配较好，玉米成熟度高，收晒适时。

西北春玉米产区　玉米生育期，大部时段光热条件较好，降水条件稍欠缺。播种出苗期，大部地区雨水充沛，气温偏高，玉米播种出苗顺利，苗齐苗全。5月中旬产区西部部分地区降水偏少5成以上，玉米生长受到一定影响，但中旬末至下旬初出现10～30毫米降雨，有效地补充了土壤水分，有利玉米苗期生长，此后至6月上旬，光温水条件较为适宜，玉米长势较好。6月中旬至7月上旬，大部地区光热充足，土壤墒情较好，利于玉米拔节、孕穗，但陕西6月降水偏少5～9成，玉米正常生育受到一定影响。7月中旬至8月上旬为抽雄吐丝期，此间大部地区气温偏高，光照充足，土壤墒情适宜，光温水匹配较好，对玉米抽雄吐丝及灌浆有利。8月中下旬，温度适宜，光照充足，降水充沛，有利玉米灌浆成熟。9月，河套地区降雨显著偏少，耕作层土壤相对湿度降至60%以下，对玉米籽粒形成不利。产区东部曾出现4～6天阴雨天气，对玉米收晒有一定影响，但产区大部光热充足，玉米成熟度较高，收晒顺利。

黄淮海夏玉米产区　玉米生育期间，降水和热量条件较好，光照条件稍差。6月份，气温偏高，光照充足，但产区北部、南部及西部降水偏少5～9成，耕作层土壤相对湿度一般不足60%，墒情较差，玉米播种出苗受到一定影响。7月上中旬大部地区有80～150毫米降水，墒情改善，气温正常或偏高，光照较充足，对玉米苗期生长及拔节有利。7月下旬至8月中旬为玉米拔节至抽雄期，此间大部地区降水适宜，土壤墒情良好，气温正常或偏高，有利玉米拔节、抽雄吐丝及灌浆。但8月上中旬期间，产区南部和东部出现连阴雨天气，日照偏少；河北中部降水明显偏少，旱情发展，对抽雄吐丝及灌浆有一定影响。8月下旬，华北中部出现较大降雨，河北旱情解除，同时各地光照较充足，有利玉米抽雄灌浆。9月，大部地区多晴少雨，光热充足，墒情适宜，对玉米灌浆、成熟及收晒十分有利。

棉花

1998年,我国主要棉区棉花生育期,大部地区热量充足,光照条件一般,水分条件较差,特别是幼苗生长到棉花现蕾期,出现持续低温阴雨天气,花铃期部分棉区光照又甚少,但裂铃期大部棉区光温条件好。根据光温水条件综合评判指标及类型划分结果,本年各棉区气候条件均属一般年景。

播种出苗期,气温持续稳定回升,大部棉区积温偏多,热量条件好;除新疆降水偏少外,其它棉区初春降水多,墒情好,达到"一播全苗",苗全苗壮。苗蕾期,前期气温偏低、后期气候偏高,大部棉区积温偏少,降水偏多,光照较少,光温水匹配较差,对棉花幼苗生长及现蕾不利。其中,河南棉区5月低温阴雨时间长,光照不足,棉苗移栽成活受到影响,棉苗发育缓慢,瘦弱的高脚苗较多;5月下旬初至6月初,还出现2次大到暴雨天气,致使中南部地区田间湿度过大,同时气温偏高,这种阴雨寡照、高温高湿天气,影响了棉花的正常生长发育。湖北棉区5月份中北地区多次遭暴雨或大暴雨袭击,出现渍涝,棉田缺苗断苗现象普遍,重播比例大,苗情长势差。花铃期,大部棉区气温偏高,积温偏多,但光照不足、降水偏多,对棉花开花结铃的影响利弊兼有。例如,河北棉区7月上旬至8月上旬,气温偏高,光照充足,利于结铃,但中部地区7月降水偏少5～9成,旱情较重,影响棉花结铃。河南棉区7～8月份降水丰沛,气温适宜,利于棉花开花结铃,但棉区8月阴雨寡照,又遭暴雨洪涝,对开花结铃不利。湖北棉区汛期暴雨使全省290万亩棉田受灾,其中20万亩绝收。裂铃吐絮期,9月上旬至10月中旬,大部棉区气温持续偏高,降水少,晴天多,光照足,没有连阴雨天气,延长了棉花后期的生育时间,不仅利于棉花产量和品质的提高,也有利于棉花的裂铃吐絮及采摘晾晒,是本年度棉花生育阶段中气候条件最好的时期。

畜牧业

1998年度,我国草原牧区的牧业生产气候条件大部地区较好,仅西藏牧区偏差。

内蒙古牧区 冬季,异常偏暖;降雪分布不均,东部偏少5成左右,锡盟发生黑灾(旱灾),牲畜饮水困难;中、西部降雪多,部分地区出现白灾(雪灾),对牲畜放牧不利。春季气温持续偏高;降水量除北部和西部偏少外,大部地区偏多。这种相对湿暖的气候条件非常有利畜牧业生产,牧草返青早、长势好,牲畜提前饱青,膘情恢复快,接羔育幼工作进展顺利,幼畜成活率高。夏季大部降水偏多,对牧草生长有利,牧草长势喜人,但东北部因雨水过多,发生洪涝灾害,造成部分草场受灾,22万头(只)牲畜死亡。秋季气温仍偏高,但降水分布不均。因夏季降水偏多,无明显旱象发生,气候条件对牧业生产仍是利多弊少。

新疆牧区 冬季,平均气温均偏高,其中2月份平均气温偏高达4～6℃,有利牲畜越冬及冬羔生产。降水分布不均,东疆和北疆北部降水偏多,南疆大部偏少。北疆部分地区因降雪多发生雪灾。部分草场被积雪覆盖;阿勒泰地区约有30万头(只)牲畜无法外出觅食。春季,平均气温接近常年,仅部分地区气温变化较大。降水量大部地区偏多,其中5月份北疆及天山两侧地区降水异常偏多。总的来说春季气候条件对牧业生产有利,大部牧区牲畜转场和接羔育幼工比较顺利,但寒潮、低温、大风、暴雨、冰雹等灾害也给部分牧区带来一定的损失。夏季,全疆气温正常偏高,降水量分布复杂,局地性较强,天山中部和西部、阿尔泰山一带降水偏多明显,水热条件比较适宜牧草生长,产草量高于常年。牲畜膘情普遍较好。秋季,全疆气温较常年普遍偏高1～3℃,降水东、西部偏多,中部偏少,南疆中部部分地区滴水未降,秋旱明显。西部局部地区,9月中旬遭大雨、暴雨袭击,发生洪涝灾害。

青海牧区 冬季,平均气温西北半部偏高,东南半部稍偏低;降水量大部地区偏多,部分地区一度发生雪灾。其中玛多至玉树一带雪灾较重,造成转场困难,交通中断,牧民被大雪围困。春季,气温持续偏高,北部偏高2℃以上;降水量分布大致是东部偏多,西部偏少。其气候条件既有利于牧区牧草的返青生长,也有利于成畜度青,接羔育幼。夏季,平均气温正常偏高，总降水量正常偏多，对牧草生长发育有利。秋季，牧区大部气温偏高，降水偏多，尤其9、10月气温显著偏高，延缓了牧草枯黄期，也有利牲畜放牧。

西藏牧区 冬季，平均气温西部稍偏低，东部稍偏高；降水量除拉萨、藏东南地区外，其它大部地区偏多，其中那曲地区偏多1倍左右，发生严重雪灾。由于降雪过程多，持续时间长，积雪面积大，且气温又低，造成交通堵塞，部分草场被冰雪覆盖，牲畜无法觅食，农牧民生活极为困难，那曲地区灾情最重。春季，平均气温普遍偏高，降水量藏东南偏多，其余地区偏少。其中3月份降水偏多明显，再度出现大范围雪灾，阿里、那曲地区受灾最重，部分牲畜死亡。夏季，全区大部气温正常偏高，同时降水偏多，其中7月降水异常偏多，有利牧草生长发育，但也给部分地区带来洪涝灾害，导致草场被淹，牲畜被冲走以致死亡。秋季，季平均气温偏高，降水大部偏多，有利于延长牧草的生长期，也有利于放牧。

交　通

1998年夏季，我国长江和嫩江、松花江流域出现了百年不遇的特大洪水，湖北、湖南、江西、黑龙江、内蒙古等省区遭受了特大洪涝灾害，属建国以来少有的特大洪涝年份之一。在气候对交通的影响中，暴雨洪水对交通的影响所占比重最大，因而1998年也就成为气候对交通产生危害的大灾年。

暴雨洪涝对交通的影响 1998年汛期，我国主要多雨中心位于长江流域及东北西部、内蒙古东部一带，夏季全国大部地区降水明显偏多，交通遭到的水毁灾害明显多于和重于往年。

6月12～26日，湖南省出现3次持续性大强度的集中降雨过程，造成山洪暴发，江河奔涌，湘、资、沅、澧和洞庭湖水位陡涨。全省有6条国道和18条省道交通一度中断。洪水冲毁路基1212公里，冲毁桥梁53座，局部毁坏桥梁64座，4622公里的路面被洪水毁坏，还有1377座涵洞被毁坏，水毁造成公路交通的经济损失达3.32亿元。

5月初至7月下旬，重庆市20多个县市相继遭受特大暴雨的袭击，国、省级公路及县级公路遭受前所未有的破坏，其中国道210、212、318、319、326线遭受水毁最为严重，交通多次中断，渡口码头、桥梁涵洞等基础设施也严重受损，全市公路因水毁造成的经济损失达5000万元。

7月，长江三峡坝址出现了三峡工程开工以来的最大洪峰，洪峰流量持续在每秒5万立方米左右。由于长江三峡河道狭窄，一般当洪峰流量达到每秒4.5万立方米时，三峡江段已基本不能行船。为确保过往船舶的安全，从7月10日14时10分起，三峡临时船闸停运，从11日22时起，三峡导流明渠开始封航。三峡坝址断航后，大批从重庆方向下行的船舶被阻隔在三峡坝址上游。另外，葛洲坝一号船闸在经过近4个月的封航后，于10月29日下午14时恢复通航。

新疆山区暴雨引发的洪水灾害对交通的影响也十分突出。7月13日，一场特大山洪将兰新铁路了墩至十三间房东站之间的线路冲毁26处，受灾线路总长度约15公里，其中受灾最重的是1461公里至1462公里之间的路段，该处长393.21米、高10米至12米的路基被洪水冲走，钢轨被冲断后埋入河床的泥沙中；了墩至十三间房东站之间的通讯电缆多处被冲断；兰新铁路运输被迫中断，行驶于这个区段的客货列车63辆受阻在沿途各站。这次暴雨使交通中断4天，经济损失巨大。8月12日出现的山洪将兰新铁路金胜台至七泉湖车站之间的线路冲断15米，七泉湖至煤窖沟之间冲断5米，交通被迫中断，有3趟旅客列车滞留在沿线各站达4个多小时。

大雾对交通的影响 1997年12月中下旬，华北平原及长江中下游地区相继多次出现大雾天气。受大雾的影响，12月13日，沪宁高速公路常州段发生37辆车相撞的特大交通事故。12月17～18日，由于雾浓，首都国际机场能见度下降到620米左右，致使机场航班延误或降外地，候机室内有近万名旅客滞留。京津高速公路连续发生两起40余辆汽车追尾事故，造成9人死亡，41人受伤。京石、京津唐高速路被迫全线关闭。宁夏银川市因大雾弥漫，能见度只有10米左右，导致109国道贺兰段发生交通事故8起，10多辆汽车相撞。1998年10月30日，京津地区、河北的中部和东部、淮北和江淮地区出现大范围大雾天气，给交通运输带来极大不便。受大雾影响，合肥至南京高速公路肥东段发生一起重大交通事故，82辆汽车以数辆或十余辆的组合追尾相撞，6人当场死亡，13人受伤，事故现场长达8公里，受阻车辆最多时达四五百辆。12月2日早上8点半，重庆江北机场一直被大雾笼罩，到下午2点浓雾才渐渐散去。除前往北京、上海、广州的8个航班在此前起飞外，由重庆飞往深圳、香港等地的航班均被迫推迟。因雾共有80个航班被延误，近6000名进出港旅客滞留机场。

大雪对交通的影响　1998年1月22～23日，江南地区出现大雪或暴雪天气，受这场大雪影响，浙江省10个地市受到不同程度影响，其中绍兴、金华两地较为严重，绍兴市积雪深度达16～26厘米，22日夜间全市交通中断，发生交通事故百多起，其中重大交通事故6起，死亡7人。安徽省皖南山区暴雪成灾，主要国道、省道以及黄山机场空中运输一度中断。江西省交通运输也受到影响，赣北地区由于积雪较深，且气温较低，修水、武宁等部分县市交通受阻，汽车停开。11月21日凌晨，北京地区下了入冬后的第一场大雪，一直到当日傍晚才慢慢减弱，第二天又接着零零星星飘雪一天，地面积雪厚达10厘米，由于气温迅速降到－8℃左右，大多数积雪很快冻成了冰，北京通往周边城市的高速公路及108、109、110国道和京郊山区公路先后被关闭，首都国际机场也被迫关闭5个小时，数千名旅客滞留机场。

（李翠金）

气象服务效益事例选编

重大社会活动专项服务

＊3月5～22日，第九届全国人大和第九届全国政协在北京召开。会议期间，北京市气象台针对冬春季节气候转换，冷暖变化比较剧烈等特点，加强天气预报会商，及时提供预报服务，共为“两会”提供重要天气报告11期，专题气象预报21期。3月18～21日，北京市受强冷空气影响，出现大风降温天气。气象台准确预报，及时提供服务，通过各种天气报告，提醒“两会”代表以及广大市民做好防寒防冻准备，深受各界好评。

＊为保证4月1日云南省文山建州40周年庆典和文山国际三七节、民族节(简称“一庆双节”)各项活动的顺利开展，文山州气象局从3月25日～4月2日逐日向组委会提供滚动式天气预报，“一庆双节”的气象服务获得圆满成功，尤其是开幕式预演和开幕式的天气专题分析预报，对各项活动安排起到了重要作用。文山州“一庆双节”组委会对气象服务工作给予“工作主动，服务优质”的评价。

＊5月份福州已进入雨季。14日，一场罕见的大范围暴雨一 大暴雨天气刚刚过去，残余云团仍滞留在华南沿海。福建省气象局组织全体预报员认真研究分析，提前3天预报：20日福州天气阴转多云，凌晨有小雨。提前2天预报：20日，福州天气多云。并通过各新闻媒介及时宣传报道。5月20日，福州召开建城2200年暨’98福州国际招商月活动纪念大会。保证大会开幕式如期举行。

＊8月15日～9月15日是“沈阳国际友好活动月”，在活动中仅万人以上的露天活动就有十余次，为做好这次大型活动的气象保障服务工作，辽宁省气象局在活动期间派专人进行现场服务，发布未来3天逐日滚动预报，为开幕式、大型广场文艺晚会和闭幕式提供了优质高效的天气预报服务，省气象台和沈阳市气象台获得了“沈阳国际友好活动月”贡献奖。

防汛、防台

＊6月16～21日，浙江省乌溪江水库水位急升，达229.14米，为汛期结束控制水位，面临着水库是否放水的决策问题。衢州市气象台针对这一情况，经过认真的会商，认为近期库区还有一次大范围降水，应适当放水，降低水位。市防汛抗旱指挥部根据气象预报，决定对水库提前泻洪，确保洪峰期间调洪削峰作用。实况24日全市出现暴雨，25日大到暴雨。25日，该台又作出强降水过程结束，5～7天内以午后雷阵雨天气为主。据此乌溪江水库及时关闸，至6月底乌溪江水库蓄水达到预定高度(16亿立方米)，同时为夏收下种用水提供了充分保障。

＊6月18～27日，广东省西、北江流域及粤西部分地区普降暴雨到大暴雨，局部特大暴雨。加之受西江上游广西境内连降暴雨，有关流域发生洪水的影响，致使该省北江、漠阳江、潭江及西江水位暴涨，分别出现10年、20年、50年或100年一遇的洪水，该省气象台站在上游广西出现暴雨时，就开始监视，在西江第一站超警戒水位前4天便向省领导呈送《昨日广西境内出现暴雨到大暴雨，西江水位将明显上涨》的急件。24日上午，省局领导主动向省领导建议召开省三防成员防洪紧急会议，提出在西、北江两股洪水相互顶托和天文大潮顶托的共同作用下，洪水高水位状况将长时间维持，并预报27日起雨势减弱。有关气象台站同时开展了以预报和雨情为主的服务工作，为各级领导有效地组织防洪抗灾提供了决策依据。在6月29日樵桑联围崩决后，有关台

站立即开展抢险复堤气象服务，给复堤指挥部专门安装了气象警报接收机，开辟了1～3小时短时天气预报，提前报准了3次雷雨大风天气，有效地配合复堤截流工作和救灾复产工作。有关领导称赞气象部门"是抗洪救灾工作的好参谋"，"为指挥防洪抗灾做出了卓越的贡献。

＊6月18日，在安徽省黄山市市委扩大会议上，市气象局再次发布了22日前后全市将有一次强降水天气过程的预报。为确保水库安全度汛，市领导当即决定：各水库要利用6月19～21日的暂短晴好天气提前放水。实况是6月23～25日，黄山市大部分区县降水量超过200毫米，其中祁门县最大为269毫米。由于气象部门提前4天左右发出了预报，市政府准备充分，措施有力，各水库提前放水，尤其是东方红、丰乐两座中型水库分别提前放水腾出500万和1500万立方米库容，为拦截上游洪水，大大减轻对下游的压力作出了贡献。

＊7月上旬至7月12日，四川、重庆等长江上游地区自西向东多次出现大范围的暴雨天气，如果流量超过65000立方米/秒时，这使处于高水位的三峡坝区施工人员和设备将被迫紧急撤离，工程建设将会受到严重影响。中央气象台利用现代化工具和数值预报产品，进行三峡地区的降雨量预报。于13日预报"15～17日三峡地区的降雨量为30－40毫米，相应的洪水流量为57000－ 59000立方米/秒"。实况证明，预报相当准确。由于准确的气象预报服务，三峡施工现场继续施工，为防御后期第六次洪峰赢得了宝贵的时间。

＊山西省屯留县气象局6月底预报本县7月上旬将会出现降水量集中超常的情况，并向县领导和防汛指挥部提出对全县各乡镇大中小型水库进行放水的建议。实况是7月8～11日连降大到暴雨，过程总降水量达150毫米。由于预报准确，放水及时，全县水库无一出现险情，无人员伤亡，社会、经济效益显著。

＊7月3日，长江石首段北门口水位达39.87米，与历史最高水位仅差0.02米。石首市气象局果断预报：副热带高压将北抬，本市降水结束，从7月4日开始，石首将持续两周左右的晴热高温天气。石首市防汛指挥部依据这份天气预报，采取全力抗洪、放弃破口行洪措施，避免直接经济损失15亿元。

＊7月1—4日，海南省保亭县出现罕见的连续性大暴雨天气，过程雨量548.8毫米，日最大雨量241.2毫米，对此，保亭县气象局提前12小时作出预报，并且积极开展跟踪服务，连续4昼夜不间断地通报雨情信息，特别是在暴雨连续3天之后，是继续排洪抢险还是关闸蓄水的关键时刻，县气象局经过认真分析、会商，果断作出4日还有暴雨的准确预报，使县政府及时作出各水库继续排水的重大决策。由于县气象局准确的预报和主动的服务，使县里提前采取了一系列防范措施，保障了该县10多座水库的安全，没有发生死亡事故，经济损失减少到最低限度。

＊7月4～7日，四川盆地60个县市降了暴雨或大暴雨，双流、温江两县的总雨量分别为372.9毫米和444.2毫米。由于降雨量大，部分地方出现严重洪涝灾害。四川省气象台加强对暴雨演变动态的跟踪监测。7月3～4日，连续发布短期暴雨预警、暴雨天气消息，对暴雨天气发生、发展，雨区分布及大暴雨落区均作出了准确的预报。同时，省气象局快速、准确地向省委、省政府领导及防洪、救灾等部门提供预报、雨情、灾情及降雨趋势。7月5日上午，及时组织有关局站加密雨量观测，从12时开始，每小时为省委、省政府提供一次降雨实况，为各级党政领导指挥部署抗洪抢险提供了可靠的决策依据。由于预报准确且时效长，各地提前组织，落实抗洪措施，转移低洼地带的人员和物资，使这次洪涝灾害损失大大减轻。仅成都市就减少直接经济损失约1.5亿元。

＊7月5日，在吉林省大安市上下紧急动员，准备迎战将于7月6日到达的嫩江第一次洪峰的关键时刻。大安市气象局预报"全市将有一次大到暴雨，伴有4～5级东北风"，并当即向市委、市政府和防汛指挥部进行了汇报。市委、市政府领导针对风大雨急的特点，紧急增派人员连夜抢修加固大堤。为增加堤坝抗风浪能力，采取超常规措施，临时调动大安港内全部6艘运货泊船，横布于最为关键的几处险工险段前。由于预报准确及时，防洪准备充分，嫩江堤防大安段安然无恙。

＊7月4～6日，云南省昭通地区气象局提前48小时和24小时连续发布"第一号重要天气消息"和"大雨、暴雨天气消息"。6日凌晨1时，根据全区雨情和各种资料综合分析，向地委、行署发布"暴雨、局部大暴雨天气紧急警报"，并提请及时通知关河及横江流域各有关县立即组织防洪抢险。盐津县县委、政府接到"警报"后，凌晨2时召开紧急抢险会，凌晨3时左右组织有关部门人员通知沿江危险地段单位和

群众，及时疏散700余人。据防汛部门最保守估计此次特大洪水，由于气象预报准确，服务及时主动，防御措施得力，减少了100人以上的伤亡损失。

＊8月6日，长江第4次特大洪峰在上游形成后，荆江告急。荆江分洪区33万居民奉命转移。湖北省防汛指挥部宣布进入紧急防汛期。7日，国务院副总理、国家防汛抗旱总指挥部总指挥温家宝亲赴荆江坐镇指挥长江抗洪抢险，表示要尽一切力量保证荆江不分洪。要实现这一目标，首先要达到过峰时没有大的降水。面对如此严峻的形势，湖北省气象局多次会商天气，作出在第4次洪峰到达荆江河段时，全省除西部有阵雨外，其余地区没有明显降水。根据这一预报，温家宝副总理指示，要不惜一切代价，严防死守荆江大堤。从8月8日开始，省气象局每天早上6时增加一次天气会商，于7时30分前经省防汛指挥部将长江、汉江中上游雨量实况和天气会商结果电传温家宝副总理。8日4时长江第4次洪峰顺利通过沙市，水位44.95米，超过1954年最高水位0.28米，荆江没有分洪，避免了分洪的巨大损失。

＊进入8月份，由于连降暴雨，致使内蒙古哲里木盟境内小河西水库水位猛涨，超库容162万立方米，超汛线5米，汛情十分严峻。在这关键时刻，气象部门依据上游雨量点上报的降水量测算出，水库将可能出现漫堤垮坝的重大险情。盟防汛指挥部接到警报后，立即召开紧急会议，研究部署小河西水库下游村屯撤离方案，连续撤离群众1.1万名。当小河西水库大堤决口时，未造成人员伤亡。

＊8月中旬，长江第6次洪峰在上游寸滩形成，洪峰流量49300立方米/秒，洪峰出峡后在湖北宜昌达66800立方米/秒，为建国以来第三大流量。8月16日，沙市水位涨至44.82米，超出1954年历史最高水位0.15米。据预测，水位还将继续上涨。此时，中央和地方十分关注荆江上游的三峡区间、清江流域、沮江河流域的降水情况。若降水持续，决定启动荆江分洪工程。荆江市气象台根据各种气象资料分析认为，24小时内三峡区间到本市只有小到中雨，以后天气转好，并及时向市防汛指挥部和长江前线指挥部汇报。晚上8时，沙市水位达45.01米，突破45米保证水位线。当晚8时30分，市气象局再次预报，指出三峡区间降水基本结束，本市仅有短暂弱降水。各级领导根据气象信息及水情资料，慎重作出“严防死守”的科学决策，避免了荆江分洪工程的运用，保住了920平方公里的土地、50万人口的安全，挽回经济损失100多亿元。

＊8月9日，内蒙古哲里木盟境内几条主要河流相继出现特大洪水，致使部分地区遭受洪水袭击，公路、铁路、通讯线路等基础设施多处被水毁，12万余人被水围困，特别是霍林郭勒和扎鲁特旗与外界失去联系。面对如此严重形势，赤峰市气象局派人工增雨工作的3803机组火速前往灾区紧急救援、空投。机组全体人员克服恶劣天气等不利因素影响，4天给灾区空投了近10吨物品、粮食、帐篷、药品，使灾民的生活和生命安全有了保障，与外界取得了联络。

＊8月15日傍晚，黑龙江省鹤岗市的大小水库全部达到或超过警戒水位，是否泄洪，领导将根据气象预报进行决策。鹤岗市气象局组织了全体预报人员会商，作出15日夜间有小到中雨，16日白天转为多云，未来两天无大雨的预报。当晚市防汛指挥部决定暂不开闸泄洪，险工要段要加紧把守，确保万无一失。此次气象服务为政府避免了上千万的经济损失。

＊9803号强热带风暴于8月11日在广东省阳西县沙扒镇登陆。广州中心气象台于8月7日(登陆前4天)，在发展成为热带低压时，就向省政府领导和重点单位报告。并与阳江、茂名等市有关台站动用了一切服务手段，开展全方位气象服务，提前3天准确发布强热带风暴的登陆地段、登陆时间和影响的风雨强度的预报。阳江市受强热带风暴正面袭击，3300艘渔船因听了预报提前回港避风，未造成人员伤亡；茂名市气象台在强热带风暴中心突然减弱，一些干部群众思想开始麻痹时，马上向市政府领导汇报，指出减弱只是暂时现象，未来必然继续加强。鉴此，市政府领导再次指示三防办公室落实防御措施。据该市三防办公室统计，这次对强热带风暴的准确预报使全市减少损失1亿多元。

抗　旱

＊4月，青海省湟源县出现少有的高温少雨天气，气温较历年同期偏高3.9℃，降水偏少50%以上，土壤旱情严重。已播种的大面积玉米、小麦带状田和地膜洋芋面临着拆种、改种。县委、县政府和有关部门领导多次向气象部门询问天气趋势，在此关键时刻，县气象站经过认真分析和会商，发出了第一场透雨将在5月9～11日出现的预报，并建议不必改种，而应及时利用此次降水加紧完成后期春播工

作。8～9日，降水日期而至。雨量达10.8毫米缓解了前期旱情。县委、县政府领导立即组织农民加快播种进度，使1500亩带状田的播种和地膜洋芋的种植任务得以如期完成。产生的经济效益达150万元以上。

＊湖南省永州市气象局在6月份的趋势预报中指出，6月底雨季结束前有两次强降水过程，提醒在确保防汛的基础上多蓄水。市政府根据预报，在6月18～19日和25～27日的两次大范围强降水时蓄足了16亿方水，比去年同期多蓄1.5亿方水，为抗御后期严重干旱打下了基础。

＊7月5～15日，湖北省重要粮棉基地天门市连续11天高温干旱，当时正是双季稻抢插需水的高峰期，境内水源枯竭，罗汉寺闸口每天以7000立方米/秒水量从汉江进水。7月21日15时35分，天门市气象局作出："今晚到明天白天，全市阴有暴雨"的预报，市防汛抗旱指挥部根据预报当即采取措施，关闭罗汉寺进水闸。实况与预报相符，22日天门普降暴雨或大暴雨。由于预报准确，服务及时，降低经济损失800万元。

＊7月20日，河北省气象局的预报人员作出了河北主汛期将出现伏旱的预报，指出："预计未来副热带高压较常年偏弱，位置偏南，河北大部分地区受西风气流影响，不易出现大范围暴雨天气过程，7月下半月处于相对少雨阶段，有关地区要因地制宜组织抗旱"。根据气象部门的预报，省长叶连松主持召开了河北省防汛指挥部第二次全体成员会议，适时作出了防汛抗旱两手抓的部署。实况证明，河北省气象局多雨阶段转伏旱的预报准确，为省委省政府科学决策提供了依据。

＊9月14～16日，陕西省榆林地区气象局在旱情十分严重的情况下，抓住有利时机实施高炮、火箭人工增雨作业。全区71个高炮点和4个火箭点相继作业共204门(次)，发射炮弹2040发，火箭弹20枚，使全区普降中雨，作业区平均雨量达15.4毫米，最大的达24.0毫米，有效地缓解了旱情，为抗旱保秋、蓄水保墒和全区冬小麦的顺利播种做出了贡献。

＊春夏之交，贵州省贵阳市持续少雨，特别是4月份的持续高温天气，造成息烽、开阳等县严重干旱，给春耕生产带来严重危害。5月26日，贵阳市政府采纳贵阳市气象局提出的火箭人工增雨缓解旱情，力保春耕生产实行满栽满插的建议。即日，贵阳市气象局及时在息烽的九庄、新场、流场等乡安装了3门WR－IB型火箭发射架和40枚人影火箭弹。6月1日13时36分贵阳市各炮点共发射火箭弹7枚，效益显著。九庄降雨29.9毫米、新场降雨22.6毫米、流场降雨28.2毫米，受益面积600平方公里，有效缓解了当地旱情，为实行满栽满插打下了坚实的基础。

农林牧副渔

＊1月22日，浙江德清县气象局发出暴雪警报，县政府紧急部署农业抗雪防冻工作。全县共发动21个乡镇300余自然村对水库、茶树、早园竹采取敲打、排雪等措施。据不完全统计，因预报准确，农业部门抗雪防冻措施得力，避免经济损失达2500万元，同时极大稳定农民情绪。

＊2月13日上午，深圳兴鹏海运实业有限公司的一艘货轮在航行到南印度洋马达加斯加附近海域时遭遇BELTANE强风暴，11级大风把船上一块20米长的钢板打掉，船上携带的动力油所剩无几，随时都有翻船的危险。在人命关天的紧张时刻，深圳兴鹏海运实业有限公司发出紧急求援，迫切希望中央气象台尽快告诉他们强风暴的预报情况。中央气象台在时间紧、任务急、责任重大的情况下，作出"影响船舶的BELTANE的风暴将于12小时后转向东南方移动，中心强度减弱到8～9级，7级以上的大风半径将由600公里减小到400公里左右，船舶所在之处的风向也很快转变成一致的WNW向，风力为7～8级，浪高为3.5～4.5米"的预报，并迅速将预报通告求援公司，建议指挥船不要向南引进，以保证已经破损的船只不再受旋转风的摧毁。从2月13～28日，中央气象台为该公司总部和海上监测室提供了多次服务。使价值2千万美元的货源脱离了危险，船员无一伤亡。

＊3月13日，河南省气象台预报3月18～19日本省有一次强冷空气影响，将使已拔节和春性品种强的小麦造成冻害。并及时向主管农业的王明义副省长作了汇报，王副省长听取汇报后，立即组织有关部门的领导和专家开会，讨论防御冻害的对策。随即，省政府向全省各地市发出《关于防止病虫冻害，进一步加强麦田管理的紧急通知》。3月16日，强冷空气逼近时，省气象局台的领导再次向王副省长汇报强冷空气即将影响的预报和对全省小麦冻害影响的分析。当日省政府再次发出《关于防御小麦冻害的

紧急通知》。准确的预报，及时的服务，使全省小麦的冻害损失降到最低限度。仅漯河市防御农作物面积达40余万亩，避免损失约2100万元。

＊天津市气象台3月16日预报19日前后有降水大风天气，17日又预报18～19日将出现降水和明显大风降温天气，陆地北风7～8级，渤海海面10级大风，最低气温可降至零下4度左右。市气象局及时向市政府、市农办等进行了汇报。由于此次过程预报准确，服务提前，农业部门及时采取防风、防冻措施，使寒潮造成的损失减至最低限度。

＊3月17日，甘肃省定西地区气象台发布了“48小时内，全区将出现寒潮降温天气，降温幅度在11～12度之间，最低气温达－0.6度”的预报，并及时向当地政府和用户进行了服务。实况与预报相符。由于预报准确、服务及时，各有关单位采取了有力措施，使全区未出现明显的灾情。

＊初春，由于旱象明显，吉林省辽源市政府准备打井抗旱。辽源市气象局根据长期预报及时提出，1998年春季3～4月高温少雨，但透雨及时，5月份降水偏多，不会出现象1997年的旱情。辽源市县各级政府领导根据这一预报，及时调整工作布署，全市比原计划少打了300多眼井，节省了大量的人力、物力和抗旱资金。

＊1～4月份，福建省气象局将每天作出的大于3级的火险预报在电视台播出，将大于4级的火险预报上报省森林防火办，在防范森林火灾、减少火灾损失等方面取得显著效益。据统计，1～4月全省发生森林火灾19起，没有重大损失和人员伤亡事故。有90%以上的县市实现了春防无火灾，全省森林火灾发生率、受害率与创历史最好成绩的1997年同期相比，分别下降了87.3%和93.4%。

＊年初，海南省三亚市气象局发布了“3月下旬～5月的旱情专题预报，提出加强瓜菜、芒果管理与5月前不宜大面积植树造林等意见，被各级政府所采纳。同时，编写了《三亚芒果生产与防灾减灾》《西瓜播种中的气象条件》等科技文章，通过多种渠道、大力宣传，取得很好的经济效益，仅三亚市的瓜菜生产就比上一年增加3.3万吨，增收1.7亿元。

＊宁夏海原县进入6月份后，出现了有史以来最为严重的“卡脖子”旱，部分夏粮开始干枯死亡。7月初，海原气象局作出了近期有一次可解除旱情的中等强度降水的预报。实况为7月4～6日全县普降中一大雨，基本解除旱情。县政府根据气象局的建议把原定500万元的抗旱资金用于救灾及部分秋作物的种植。节省了大量的人力、物力、财力，直接经济效益达1400万元。

＊9月，青海省气象台发布长期天气趋势预报：1～4月玉树、果洛等地降水量较历年同期偏多，气温略偏低，有雪灾发生；并及时向省委、省政府领导进行了汇报，建议提前做好牧区雪灾防御工作。据此，省委、省政府及时决策，有关厅局和玉树、果洛州政府积极筹集发放救灾物资，及时疏散受灾群众和牲畜。从而将雪灾带来的损失降低到了最低限度。

＊12月13～20日，陕西省气象局农业遥感中心相继监测到宁陕、太白、丹凤、镇安、紫阳、平利县等多起森林火灾。遥感中心利用互联网及时将监测实况图像和相关火点信息传送给省防火办，并多次向林业厅报告火情。据省防火办反馈情况统计，所报火点定位准确率达100%。准确的监测和优质的服务，大大减少了火灾损失，受到了有关部门领导的高度评价和表扬。

工业、交通、建筑

＊年初，北京市专业气象台对先后出现的3场大雪过程，均做出了降水性质、量级、持续时间等的准确预报。并在每次降雪过程中，准确地告之市内各地区降雪的大小，尤其夜间降雪时，还告之最低温度、地表气温，雪是否可融化等等，根据气象预报，提前调配人员、车辆，保证了全市91座立交桥、48条道路约700多万平方米面积的化盐融雪和群众扫雪铲冰工作的顺利完成。保障了北京市道路交通的畅通，市民的出行安全、环境的整洁。

＊3月17日，浙江省温州市气象台主动向国家重点工程—珊溪水库工程提供：“20～21日受冷空气南下影响，有大到暴雨”的预报，工程指挥部根据气象台预报意见，果断取消原定20日大规模挖洞浇灌水泥施工计划。由于预报准确，使工程部避免了价值20万元水泥在施工中被暴雨冲刷的损失，同时也保证了工程质量。

＊夏季松花江、嫩江流域发生了特大洪水，滨州铁路被冲毁，铁路运输受到严重影响。黑龙江省气象台与铁路局密切配合，昼夜值班，监视天气变化，并通过服务终端每天两次给哈尔滨铁路局所管辖的全线传输24～48小时天气预报、雨情和3—5天中期预报，及时提供气象保障，为铁路抗洪抢险，恢复

运输起到了重要作用。铁路局领导说："气象台的服务，为抢修滨州铁路、保证铁路各线运输畅通立下了汗马功劳"。

＊1998年，广西钦州市气象局着重抓好久雨转晴的短期预报和久晴转雨的短时预报服务工作，为盐业增产提供气象保障。为此，钦州盐产量取得了1994年以来的最好成绩，钦州湾沿海的盐产量达4.6万吨，价值达1770多万元，超额10％完成了上级下达的生产任务，盐业生产单位一致认为："今年能有这么高的产量有气象局的一份功劳"。

＊1998年初，浙江省秦山核电联营公司计划于11月中旬，进行1号反应堆厂房封顶，特大型穹顶"巨无霸"将实施一次性吊装。由于"巨无霸"直径有37米，高11米，重有180吨，要一次成功吊装在高44米反应堆筒身顶部，要求风力不能大于4级，并无小到中雨以上降水。针对上述要求，海盐县气象局从10月份开始就多次到现场了解工程计划和吊装时具体气象条件要求，并加紧收集各类预报信息资料，从11月6日起，每天向建设施工单位发布24～48小时晴雨预报和风力预报。根据预报情况，秦山核电站二期工程1号反应堆安全壳穹顶"巨无霸"于11月10日10时吊装成功。

商业、仓储及其它

＊6月29日、7月5日北京市气象局专业台均成功预报出市区大到暴雨。并且提前专门用电话、传真通知北京市商业储运公司，该公司帮达贸易储运公司由于提前接到预报，及时采取措施在库房门上安了防汛闸板，抽水泵提前做好起动准备，从而保证了价值8000万元左右的高档商品的安全。

＊7月21日，贵州省专业气象台发布贵阳市未来24小时暴雨预报，并及时向贵阳华联商厦提供天气预报服务。华联商厦将地下仓库的各种商品、物资及时转移；在大厦正门楼前堆放沙袋等防洪措施，使地处低洼地段的华联商厦免遭暴雨的积水灌淹(实况：12小时降水量达97毫米)，减免经济损失上百万元。

＊1998年夏季，苏州市出现罕见的高温天气。对此，苏州市气象台早在4、5月份就提醒苏州机电设备公司夏季高温日数较多且时间长，建议多备降温货源。6月中旬又再次用电话通知该公司，7月上旬有较长时间的高温天气。公司马上决定比常年多进1000台空调，并多安排安装人员。实况是7月2～21日，34℃以上的日数达15天，空调销售空前火爆。在很多商家空调货源不足，售后服务跟不上的情况下，苏州机电公司忙而不乱，销售额大增，7月份销售空调2000多台，为常年的两倍。7月底，气象台又发布8月份还有一段高温天气的预报，于是公司打破立秋后不进货的常规再次大量进货。结果，8月8～16日出现了罕见的连续高温，许多当年本不想买空调的市民又走向商店，机电公司再次以众多的品牌，良好的售后服务立于不败之地，8月份又售空调1500台，创下全年7、8月份空调销售的最高记录。

＊7月5日一场暴雨袭击四川省双流县，加之上游来水，使得县城顿成一片汪洋。5日上午，县看守所进水，且越来越深，看守所内在押的180余名人犯情绪极不稳定，严重影响到看守所的安全。未来暴雨是否持续，洪水是否还会上涨，已成为是否转移在押人犯的关键。县气象局在得知情况后，立即向县领导和公安部门提供了未来暴雨还将持续，洪水将继续上涨的专题预报和服务。县领导根据气象预报立即会同市公安局的领导现场决定，赶在洪水淹没之前，迅速转移在押人犯。县公安、武警200余人，根据周密的转移方案，快速敏捷地将180余名在押人犯顺利转移到了安全地方。

＊8月2日，浦口西南方乌云滚滚，西面江浦县正在下大雨，位于江苏南京浦口区的棉麻公司有9车棉花要卸车装船，需要3－4小时无雨的作业时间，如不及时卸货，耽误船期又要受到罚款。此时，该公司特向省气象台请求服务。省气象台预报员根据短时雷达观测，分析主要降水区在江浦以西，东移缓慢，抓紧时间可以避免雨淋。结果，货物装卸结束后1小时，该地开始降水并且雨势较大。准确及时的预报，使棉麻公司避免了较大的经济损失。

＊在1998年长江流域特大洪涝期间，重庆市气象影视中心从8月20日起开展为期1个月的《长江沿线天气预报》栏目赈灾义播，将广告收入全部捐献给灾区人民。该项活动受到市政府、市民政局的高度重视，以及社会各界的大力支持，反响非常强烈，捐献踊跃，款项达672.4万元。收入全部通过市人民政府救灾捐赠接受办公室捐助给正在抗洪抢险的灾区人民，社会效益显著。　(薛志芬 郑江平)

气象科技进展述评

1998 特大洪涝灾害的天气气候成因概述

一、1998 特大洪涝灾害的天气气候背景和特点

1998 年，我国天气气候十分异常。其主要特点是：1997 年冬季至 1998 年春季，西藏、青海等地降雪明显偏多；春季，南方异常多雨，部分地区冬汛明显，春汛提前。进入汛期后，长江流域主汛期降雨强度大、范围广、持续时间长、间隔时间短、发生频率高；嫩江、松花江流域雨季来得早，降雨量明显偏多。

1、1997 年冬至 1998 年春西藏、青海等地雪灾严重。

由于受厄尔尼诺事件和青藏高原西部低压槽影响，1997 年冬季至 1998 年春季，西藏阿里、日喀则地区，青海玉树、果洛地区等地连降大到暴雪。在此期间，上述地区共出现降雪 40 余次，其中强降雪 5 次，降雪总量较常年同期偏多 3～8 成，部分地区偏多 1～2 倍。由于降雪持续时间长、气温下降猛，造成了严重雪灾。特别是 1997 年 12 月 9～12 日，青藏高原南部和东部出现大范围强降雪，其中西藏南部的局部地区出现暴雪。

2、冬春季南方异常多雨，部分地区冬汛明显，春汛提前。

1997 年 11 月中旬到 1998 年 3 月上旬，南方大部地区降水明显偏多。一般有 300～600 毫米，部分地区达 700～900 毫米，较常年同期偏多 1～1.5 倍，江西中部和东部偏多达 2 倍左右。不少台站降水量为近 40 多年来同期降水量的最大值。2 月份闽江发生了历史同期最大洪水，并出现多年罕见的冬汛；湘江、赣江、闽江、北江等干流 3 月上旬也相继发生洪水，3 月 16 日长江汉口水位达 21.33 米，为有记录以来同期最高值，赣、湘等省的春汛提前约 1 个月。由于持续性的阴雨天气，使部份地区农田发生渍涝。

3、长江流域主汛期发生长时间大范围的强降水。

长江流域主汛期的降雨大致分为 4 个时段。第一时段为 6 月 11～27 日，江南北部和华南西部出现了入汛以来的第一次持续性大到暴雨。总降雨量一般有 250～500 毫米。江西北部、湖南北部、浙江西南部、安徽南部及福建北部、广西东北部等地的部分地区达 600～900 毫米。这次降雨强度之大，范围之广，持续时间之长，属历史少见。与常年同期相比较，一般偏多达 9 成至 2 倍。各江河湖库水位迅速上涨，不少江河先后出现历史最高水位。

第二时段为 6 月 28 日至 7 月 16 日，降雨主要集中在长江上游、汉水上游、清江和淮河上游。其中四川、重庆、三峡区间及清江流域出现强降雨，先后形成了长江上游的第一次、第二次洪峰。

第三时段为 7 月 20～31 日，降雨主要集中在江南北部和长江中游的沿江地区，降雨量一般为 90～300 毫米。其中，湖南西北部、江西北部、湖北南部等地的降雨量达 300～550 毫米，局部地区超过 800 毫米，一般比常年同期偏多 1～5 倍。鄂东南大部和赣北部分地区旬降雨量创建国以来同期最大值。长江中下游干流在前期已持续高水位且普遍超过警戒水位的情况下，防汛形势更加严峻。特别是洞庭湖水位和鄱阳湖水位急剧上涨，长江上游出现第三次洪峰。

第四时段为 8 月 1～27 日，降雨主要集中在长江上游、清江、澧水、汉江流域。其中嘉陵江、三峡区间和清江、汉水流域降雨量比常年同期偏多 7 成～2 倍。长江上游洪峰迭起，并于 8 月 7 日、12 日、16 日、25日和31日分别出现了(第四次至第八次)5次洪峰。

4、嫩江、松花江流域雨季早，汛期降雨量明显偏多。

5 月下旬，嫩江、松花江流域持续降雨，局部出现暴雨。6月上旬中期至下旬中期又出现连续性降雨,部分地区出现暴雨。继7月上旬降雨持续偏多,下旬再次出现持续性强降雨,部分地区出现暴雨。特别是8月1～17日,黑龙江西部、吉林中西部、内蒙古东部出现了持续的强降雨,降雨量一般达100～280毫米。长时间的频繁降雨,使嫩江各支流水位上涨,干流洪峰频繁,嫩江、松花江流域出现了超历史记录的特大洪水。

二、天气气候异常的成因初步分析

影响我国1998年夏季降雨异常偏多的气象因子很多,而且各种因子相互之间还存在着复杂的制约关系。汛期结束后,中国气象局的有关气象专家对天气气候异常的成因进行了初步分析。现将影响今年短期气候变化的因子和影响天气系统变化的因子归纳如下:

1、影响短期气候变化的主要因子

(1)厄尔尼诺事件。1997年5月发生的本世纪以来最强的厄尔尼诺事件,于年底达到盛期,到1998年6月基本结束。这次异常偏强的厄尔尼诺事件,对我国1998年夏季降雨有极其重要的影响,是造成夏季多雨的主要原因之一。厄尔尼诺发生的第二年,我国夏季多出现南北两条多雨带,一条位于长江及其以南地区,另一条位于北方地区。1998年即属于此类雨型。

(2)高原积雪。数值模拟、动力分析以及统计研究表明,冬春欧亚和青藏高原地区积雪多时,有利于东亚季风推迟,夏季季风弱,主要雨带位置偏南,长江流域多雨。如前所述,1997年冬至1998年春青藏高原积雪异常偏多,是影响1998年夏季长江及江南地区降雨异常偏多的另一重要因素。

(3)亚洲季风。夏季风与我国夏季主要雨带具有密切关系,当夏季风强盛时,我国的夏季雨带位置偏北;夏季风偏弱时雨带位置偏南。由于受厄尔尼诺事件和高原积雪多的共同影响,1998年夏季风较弱,暖湿气流主要活跃在我国南方地区,使我国主要雨带位于长江及其以南地区。

(4)东亚大气环流异常。1998年夏季(6～8月),赤道辐合带异常偏弱,台风异常偏少。常年同期有14～16个热带风暴或台风在西太平洋和南海海域生成,今年6～8月只有4个,为历史罕见;常年平均有4～5个在我国登陆,今年只有2个,也是历史上最少的年份之一;今年热带风暴初次登陆我国的时间为8月4日,为历史最晚。另一方面,夏季亚洲中纬度地区经常维持阻塞形势,经向环流异常偏强,冷空气活动频繁,致使西太平洋副热带高压位置明显偏南,我国主要雨带位置也相应偏南,造成长江流域多雨。

2、影响中短期天气变化的主要因子

(1)西太平洋副高强大稳定,偏南、偏西。1998年夏季(6～8月),西太平洋副热带高压非常强大,位置持续偏南、偏西,并且呈稳定的东北—西南走向,这是近40年所罕见。6月底以前,副高位置偏南,降雨带亦偏南,主要位于长江中下游地区;6月底至7月上旬,副高迅速北抬,位置明显偏北,北方进入雨季,而江南、江淮地区受副高控制,出现了10多天的高温天气。7月中旬开始,副高又突然南退。随后,副高位置持续稳定并异常偏南、偏西,持续了1个多月,致使7月下旬主要雨带回落到长江中下游,江西、湖南、湖北等省出现强降雨;8月上中旬,副高虽然加强北抬至长江中下游,但脊线呈明显的东北—西南走向,使长江上游地区一直处于西南气流与冷空气集中交汇之处,暴雨天气频繁出现,导致长江上游的水位陡涨,洪峰迭起。

(2)亚洲中纬度环流异常,阻塞高压活动频繁。1998年6～8月,在亚洲中高纬度的乌拉尔山、贝加尔湖西侧和鄂霍茨克海3个地区多次出现阻塞高压(简称阻高)形势,尤其是鄂霍茨克海阻高几乎稳定少动,亚洲西风带经向环流占绝对优势,有利于西伯利亚地区的冷空气频繁南下影响我国,这正是长江流域持续多雨所必须的冷空气条件。

(3)低涡切变线活动频繁。对流层中低层的低涡和切变线是造成1998年强降雨的主要天气系统。如6月中下旬位于长江中下游沿岸和7月下旬位于江南北部的切变线和低涡活动,形成了这些地区的特大暴雨。

(4)中亚阻高的稳定少动和东北冷涡是造成松嫩流域持续多雨、爆发洪涝的主要天气因子。

6月6～23日,乌拉尔山和鄂霍次克海分别有阻塞高压,此期间也是东北冷涡的多活动时期,这样的环流形势对维持松嫩流域的持续降水起了相当重要的作用。

7月6～11日,松嫩流域的持续降水主要是鄂霍次克海阻高的发展和稳定阻挡了上游系统的东移,对维持降水十分有利。

7月25日～8月19日,是东北冷涡活动和东阻型造成的松嫩流域的持续降水。 (张钛仁)

人　　物

省、部级先进工作者

郄秀书　女，35岁，中国科学院兰州高原大气物理研究所研究员。1998年获国家人事部、中央组织部、中国科技协会授予的"第六届中国科技青年奖"。甘肃省"巾帼十杰"称号。

郄秀书研究员1983年毕业于河北大学，1998年4月在中国科学院兰州高原大气物理研究所获中国理学博士学位。

郄秀书研究员是优秀中青年学术骨干和学科带头人，具有良好的学术道德和严谨的工作作风。在大西北艰苦的野外工作中，她吃苦耐劳，踏踏实实，对实验一丝不苟；作为年轻的项目负责人和学科带头人，在工作中既有独特开创精神，又能发挥团结协作精神，科研工作成绩卓著，先后负责和参加国家自然科学基金项目、国家攻关项目、中国科学院及部委级项目12项，在雷电的电磁辐射、雷暴的动力——电结构及雷暴云下近地面电结构等方面进行了较深入研究。已先后在国内外核心期刊上发表论文近30篇，研究成果曾获中国科学院科技进步二等奖和三等奖。她曾被中国科学院特批为副研究员和研究员，1995年获政府特殊津贴，1996年获中国科学院方树泉青年科学家奖。1996年出席中国科学院跨世纪年轻人才代表大会，受到李鹏总理等国家领导人的接见。1997年获中国科学院"十佳"杰出青年称号。

边巴扎西(藏族)　西藏林芝地区气象局局长、党委副书记。1998年被全国总工会授予"五一"劳动奖章。

边巴扎西同志1987年毕业于南京气象学院，先后在西藏嘉黎县、那曲地区、林芝地区气象局从事地面观测、农业气象、天气预报、气象服务等工作。他始终以极大的热情投入工作，克服困难，创造条件，为当地气象事业的发展做出了卓越贡献，受到国家、地方各级政府和自治区气象局的多次奖励。他主持、参与重点科研项目10余项，发表科技论文20余篇，获得省地级科技进步奖励9次，1995年破格晋升为天气预报高级工程师。

戴寿申　男，40岁。江西省上绕地区波阳县气象局副局长。1998年获江西省委、省政府授予的全省抗洪抢险功臣称号。

在抗洪抢险工作中，戴寿申肩负着波阳县气象预报服务和守护波阳县城沿河大堤的双重任务，一直坚守在抗洪抢险气象服务第一线。6月26日戴寿申同志冒着大雨和多处山体滑坡、交通、通讯中断，随时有被困途中的危险，跋涉7个多小时，完成了给镇领导传送重要天气预报的任务，并在镇党委、政府临时召开的领导成员紧急会议上做专题发言，提出了防洪减灾的对策和建议，又和领导深入到第一线指挥抗洪，使雨大、洪急、最危险的石门镇3000名群众和200多万公斤国家商品粮均得到安全转移。

抗洪抢险中，波阳县气象局承担了守护沿湖大堤新桥段圩堤的任务。在守护大堤的几十天中，他既是指挥员，又是战斗员，吃住在圩堤。县气象局负责守护的这段圩堤抗洪能力较弱，他紧急筹集防汛物资，带领职工运土石方120多立方加固圩堤。7月14日他们守护的这段大堤多次出现险情，他第一个跳进洪水中，奋战十几个小时排除了险情。

特大洪水冲毁了戴寿申老家的房屋，妻子参加了县救灾医疗队，孩子无人照看，寄住在朋友家。对此，他说"在抗洪抢险的危难之际，共产党只有舍小家，顾大家的选择"。

逝世的厅、局级干部

唐昭东 男，原中央气象局气象科学研究院党委书记、第一副院长，司局级离休干部，1998年9月24日在北京逝世，享年78岁。

唐昭东同志1920年6月生于河北省易县。1938年3月参加革命，同年11月加入中国共产党。1938年4月任晋察冀一分区独立支队文书、区队长；1940年4月在延安军政学院二队学习，任晋绥军区后勤部政治处干事；1946年2月任辽吉专署乾县人民政府副县长、代理县长；1946年7月任辽北长岭县人民政府副县长；1947年7月任辽北省昌北县人民政府副县长、兼中学校长；1948年10月任辽北省铁岭县县委宣传部长、兼联中校长；1949年4月任辽西省康平县人民政府县长、党组书记。1950年3月任辽西人民政府水产局副局长、代局长；1950年10月任东北人民政府公路管理总局人事处副处长、代处长；1953年1月任东北行政委员会交通局人事处处长；1954年9月任交通部公路总局第四工程局第一副局长、代局长；1956年9月任交通部公路总局技术处处长、公路处处长；1961年8月任中央气象局气象科学研究所副所长、观象台台长；1973年3月任中央气象局气象科学研究所所长；1979年10月任中央气象局气象科学研究院第一副院长、临时党委书记；1981年6月任中央气象局气象科学研究院党委书记。1983年12月离职休养。

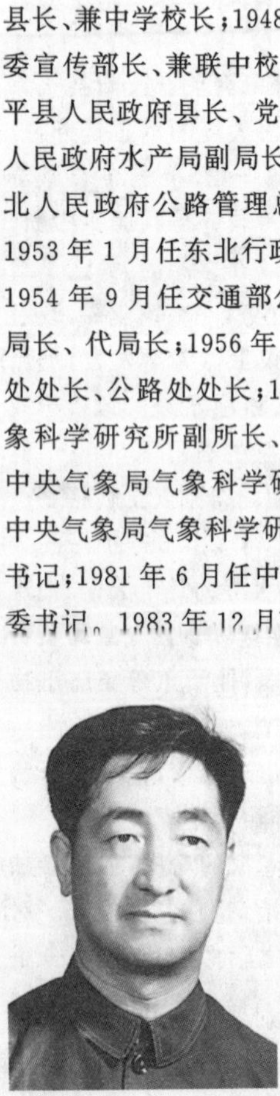

徐曼泽 男，原国家气象局办公室主任，司局级离休干部，1998年6月17日在北京逝世，享年66岁。

徐曼泽同志1932年7月生于黑龙江省齐齐哈尔市。1947年11月参加中国人民解放军，任第四野战军七纵队政治部宣传队宣传员，1949年4月加入中国共产党，同年8月任四十四军政治部机要组机要员、组长。1952年1月任中南军区司令部气象处机要科秘书、办公室机要秘书。1954年9月至1962年11月，先后任中央气象局办公室秘书，秘书科副科长、科长，局党组秘书。1962年11月以后，历任中央气象局办公室科技科科长，中央气象局办公室负责人，局科技处副处长，局科技教育部副主任，局办公室副主任。1982年10月，任中央气象局(后改为国家气象局)办公室主任。1992年10月离职休养。

赵玉璋 男，原中央气象局物资器材部主任兼气象仪器公司经理，司局级离休干部，1998年3月7日在北京逝世，享年84岁。

赵玉璋同志1914年3月生于河北省深县，1937年9月参加革命，任青年抗日义勇军战士，1938年4月转为人民自卫军。1939年7月在120师一旅二团卫生队工作，1939年10月加入中国共产党。1940年8月以后，先后担任晋绥行署粮食局科员，财政处阳高转运站副主任，洪涛印刷厂供给科长。新中国成立后任西北军区后勤部供给科长，1950年3月调任西南军区后勤部供给处负责人，1952年9月任军委气象局财经科科长。1953年10月军委气象局转为政府建制后，历任中央气象局计划科科长、计划财务处副处长，器材处处长、物资器材部主任兼气象仪器公司经理。1982年12月离职休养。

王宪钊 男，气象学家、正研级高级工程师，原中央气象局副总工程师，中国人民政治协商会议第四、五、六届全国委员会委员，1998年8月16日在北京逝世，享年82岁。

王宪钊同志1916年12月生于山东省福山县，1941年毕业于西南联合大学地学系。毕业后先后任清华大学航空研究所助教、中国航空公司气象员、福建省气象所所长、中央气象局广州气象台台长等职。新中国成立后，历任广州气象台负责人，中国人民解放军中南军区司令部气象处办公室主任，中央气象局台站处兼计划财务处高级工程师，中央气象局气象科研所预报处处长，中央气象局气象科研所副所长，中央气象局气象台总工程师，中央气象局副总工程师，中央气象局技术发展办公室主任等职。1988 年 8 月退休。

郝奇英 男，原内蒙古自治区气象局副局长、党组成员，1998 年 8 月 12 日因病于呼和浩特逝世，终年 82 岁。

郝奇英同志 1916 年 3 月生于内蒙古巴彦淖尔盟乌拉特前旗。1938 年 10 月参加革命，1939 年 6 月加入中国共产党。历任抗日游击队班长，中国人民解放军某部骑兵团排长、连长、副参谋长、副团长，青海省军区教导大队大队长。转业地方后，历任内蒙古贫协办公室主任、自治区政府机关事务管理局副局长等职。1983 年 5 月离职休养。

郝奇英同志在解放战争中，曾参加保卫陕甘宁边区的陇东、三边、榆林等战役，荣立三等功。1957 年 6 月，国防部授予其“三级独立自由勋章”和“三级解放勋章”。

杨昌业 男，原北京农业大学教授，1998 年 6 月 7 日因病逝世，享年 91 岁。

杨昌业先生系江苏无锡人，1907 年 6 月 17 日日生。1927 年考入国立中央大学地理系气象专业，师从竺可桢先生。1932 年起先后在中央研究院气象研究所、厦门大学、福建省气象局、南京临时大学工作。1946 年受聘北京大学农学院兼北京师范大学副教授主讲气象学。1947 年参加九三学社。1950 年任北京农业大学森林系副教授，1952 年任农学系教授，1956 年任农业物理及气象系副主任。曾任北京市第五届人民代表，北京市政协第五、六届委员，中国气象学会理事、中国农学会农业气象分会理事、顾问。1987 年退休。

杨昌业教授是中国农业气象教育事业开创者之一。1953 年由他招收的 5 名研究生，成为 1956 年我国第一个农业气象专业成立时最早的骨干教师，他还亲自参加了专业教学计划、课程设置方案及聘请苏联专家 1958～1959 年来华讲学计划的制定。

杨先生一生著作颇丰。早期论著着重研究气象理论及在农业中的应用，晚年在多次学术会议上强调要用统计学和运筹学来解决农业气象的实际问题，要将现代控制论、信息论和系统论引入农业气象领域。他对教学始终精益求精，酷爱读书，通晓四国外语，熟知国际学术动态，常有独到的见解。

重要会议

全国气象局长会议

全国气象局长会议于1998年1月11～15日在上海召开。各省、自治区、直辖市气象局，计划单列市气象局，气象院校，中国气象局各职能机构和各直属事业单位的代表，共160人参加了会议。

中国气象局局长温克刚作了题为《全面贯彻党的十五大精神，把充满生机和活力的现代化气象事业推向新世纪》的工作报告，上海市市长徐匡迪在会议开幕式上致词，中国气象局副局长马鹤年作会议总结。

会议的主要任务是，贯彻党的十五大精神，研究在新形势下加快气象事业改革和发展的主要任务和措施。会议审议通过了工作报告。审议了《1998年各省(区、市)气象局和计划单列市气象局主要工作目标》，表彰了1997年度重大天气气象服务先进集体和先进个人。

邓小平理论学习研讨班

1998年11月1～13日，中国气象局在北京举办了邓小平理论学习研讨班。各省、自治区、直辖市气象局，计划单列市气象局，气象院校，中国气象局各职能机构和各直属事业单位的主要负责同志共74人参加了学习研讨。

学习班研讨的主题是，以邓小平理论为指导，总结了气象部门改革开放20年的主要成就和基本经验；研讨深化气象事业单位改革问题。讨论了《在邓小平理论指引下蓬勃发展的气象事业》报告；着重研讨了事业单位改革的问题，集中讨论了《气象事业单位改革对策和措施研究》。有5个省的气象局领导在会上介绍了改革经验和体会，有38个省(区、市)气象局、院校和中国气象局直属单位提交了有关深化改革经验体会的书面交流材料。

学习研讨班结束时，中国气象局局长温克刚作了总结。

全国气象部门援藏工作经验交流会议

全国气象部门援藏工作经验交流会于1998年7月28～31日在成都召开。参加这次会议的有各省、自治区、直辖市气象局，气象院校，中国气象局各职能机构和各直属事业单位的代表45人、援藏干部30人。

中国气象局副局长李黄主持了会议。会议总结了第一批援藏干部的工作，对第二批援藏干部进行了进藏前的培训，交流了全国气象部门援藏工作经验。有10个单位在会上介绍了援藏工作经验。西藏自治区气象局局长索多以《历史的机遇，发展的动力》为题作了西藏自治区气象部门受援工作情况的汇报。

李黄副局长作了会议总结。

全国天气预报工作会议

1998年4月17～18日，全国天气预报工作会议在江西省南昌市召开。31个省(区、市)气象局、计划单列市气象局、国家气象中心、国家卫星气象中心的领导和业务处长及中国气象局职能司等有关人员共77位代表参加了会议。

中国气象局副局长颜宏作了《深化天气预报业务技术体制改革，促进天气预报业务走集约型发展的道路》的报告。会议研究了深化天气预报业务技术体制改革的问题，讨论修改了《天气预报业务规定》。与会代表讨论了《关于深化天气预报业务技术体制改革的意见》和《天气预报业务规定》。

9210 工程第三次全国工作会议

1998 年 4 月 19～21 日，9210 工程第三次全国工作会议在江西省气象局召开。各省(区、市)气象局、计划单列市气象局、国家气象中心、国家卫星气象中心、信息网络部、华信公司、北京气象学院、中国气象局有关职能司和 9210 工程办公室等单位的代表共 89 人参加了会议。

中国气象局副局长李黄作了题为《再接再厉，夺取 9210 工程建设的全面胜利》的报告和会议总结，江西省副省长孙用和到会讲话。会议总结了自 1996 年 4 月 9210 工程第二次全国工作会议以来，9210 工程所取得进展和存在的问题，对 1998 年 9210 工程建设的重点工作，应用软件的开发、验收和布局及全系统的准业务运行等项任务作了部署。

全国决策气象服务工作研讨会

1998 年 5 月 12～14 日，中国气象局首次“全国决策气象服务工作研讨会”在京召开。颜宏副局长作了题为《深化改革，加强发展，全面提高决策气象服务的能力和水平》的报告。会议总结交流了自第三次全国气象服务工作会议(1995 年)以来决策气象服务工作的成绩和经验；研讨了在社会主义市场经济的新形势下，建立决策气象服务的新思路、新措施。温克刚局长作了总结报告，并对 1998 年汛期气象服务做了部署。

1998 特大气象灾害与防灾减灾专家座谈会

1998 年 9 月 15 日，中国气象局“1998 特大气象灾害与防灾减灾专家座谈会”在北京召开。参加座谈会的有中国气象局局长温克刚，名誉局长邹竞蒙，副局长马鹤年、颜宏，气象界的知名专家，来自抗洪第一线湖北、湖南、江西、黑龙江省气象局的领导及中国气象局在京直属业务科研单位和有关职能机构的负责同志。国家计委、科技部、国防科工委、财政部、水利部水利信息中心和国家自然科学基金会的有关领导应邀参加了会议。

会议就全国范围的特大气象灾害与气象防灾减灾问题进行了座谈。叶笃正、陶诗言等部门内外的专家，湖北、湖南、江西、黑龙江省气象局的领导和水利部水利信息中心的同志，作了大会发言。温克刚局长、颜宏副局长讲了话。

全国防汛抗洪气象服务总结表彰电视电话会议

1998 年 10 月 28 日，中国气象局在京召开“全国防汛抗洪气象服务总结表彰电视电话会议”。中国气象局局长温克刚、副局长马鹤年、李黄、刘英金，局各职能机构主要负责人、各直属业务科研单位的负责人、北京市气象局的负责人、受表彰的在京先进集体和先进个人代表出席会议。出席会议的还有国家防汛抗旱总指挥部办公室常务副主任赵春明、民政部救灾司专员张玉秀、科技部高新技术司副司长陈贤杰、农业部种植业管理司副司长陈生斗、国家林业局防火办公室副主任肖兴威等，首都主要新闻单位的记者也应邀出席会议。出席全国 30 个分会场会议的有各省(区、市)气象局负责人和业务单位的领导、先进集体和先进个人代表。部分省(区、市)政府有关部门的领导也出席了会议。

会议由颜宏副局长主持。温克刚局长讲了话，马鹤年副局长宣读了“关于表彰 1998 年防汛抗洪气象服务先进集体和先进个人决定”。温克刚局长总结了防汛抗洪抢险救灾气象服务工作所取得的成绩和经验，提出了进一步加强气象服务工作的任务。国家防汛抗旱总指挥部办公室副主任赵春明在讲话中充分肯定了气象工作在防汛抗洪抢险救灾中发挥的重要技术指导和参谋作用，赞扬了广大气象工作者做出的突出贡献。

全国气象部门文明服务示范单位经验交流会

全国气象部门文明服务示范单位经验交流会于5月6～8日在山东省威海市气象局召开。来自全国气象部门20个文明服务示范单位的代表、特邀6省(区、市)气象局的领导参加了会议。

中国气象局副局长刘英金主持会议，局长温克刚做了《加大力度，加快步伐，早日建成文明气象行业》讲话。会议分析了全国气象部门创建文明行业的形势，总结了工作和创建经验，对今后创建文明行业的工作提出了要求。

青岛市气象局等20个文明服务示范单位的代表交流了做好文明服务示范工作的经验。会议还召集特邀到会的江西、四川、宁夏、新疆、天津等省(区、市)局领导就争取两年内建成文明系统及可采取的措施进行了座谈。

刘英金副局长做了会议总结。

统计资料

1998 年全国气象台站数

单位:个

地区和单位	气象业务科研台站合计	气象台站							气象台站以外独立台站
		合计	气象台			气象站	独立农业试验站	大气本底特种观测	
				专业服务实体	海洋台				
总计	**2636**	**2615**	**349**	**2**	**13**	**2206**	**56**	**4**	**21**
北京	25	25	2	1		22		1	
天津	15	15	3			12			
河北	147	147	12		2	135			
山西	117	117	12			105			
内蒙古	124	124	13			105	6		
辽宁	63	62	14			45	3		1
吉林	65	65	9			53	3		
黑龙江	87	87	13			72	1	1	
上海	12	12	1			11			
江苏	81	79	13		3	64	2		2
浙江	80	78	11		3	66		1	2
安徽	82	82	16			65	1		
福建	75	74	9			62	3		1
江西	92	92	12			79	1		
山东	119	119	16		2	102	1		
河南	127	127	18			106	3		
湖北	88	85	13			70	2		3
湖南	103	103	14			86	3		
广东	99	95	19		1	75	1		4
广西	105	105	11			89	5		

1998 年全国气象台站数

单位：个

地区和单位	气象业务科研台站合计	气象台站							气象台站以外独立台站
		合计	气象台	专业服务实体	海洋台	气象站	独立农业试验站	大气本底特种观测	
重庆	42	41	5			36			1
四川	183	181	20			159	2		2
贵州	91	89	10	1		78	1		2
云南	134	134	18			113	3		
西藏	41	41	8			32	1		
陕西	106	106	10			93	3		
甘肃	97	97	13			80	4		
青海	55	55	9			44	1	1	
宁夏	24	24	4			19	1		
新疆	127	126	16			106	4		1
大连	8	8	1			7			
青岛	7	7	1			6			
宁波	9	9	1		1	8			
厦门	2	2	1		1	1			
国家气象中心	1	1	1						
国家卫星气象中心	1								1
中国气象科学研究院	2	1					1		1

1998年全国气象部门人员情况

单位:人

地区和单位	合计			固定	合同制	临时	计划外
	计	其中					
		女性	农村劳动力	职工	职工	职工	用工
全国总计	**63390**	**21960**	**835**	**56741**	**3363**	**2222**	**1064**
北京	654	262	15	631	8	5	10
天津	523	212	2	479	21	1	22
河北	2440	1001	35	2182	170	32	56
山西	2215	875	67	1947	103	115	50
内蒙古	3473	1364	43	2865	363	130	115
辽宁	1979	725	17	1750	58	160	11
吉林	1500	485	2	1228	144	127	1
黑龙江	2116	687		1904	43	169	
上海	629	246		565	57	7	
江苏	1920	525	9	1810	11	50	49
浙江	1612	436	13	1540	30	28	14
安徽	1785	472	2	1699	36	50	
福建[①]	1600	479	4	1501	67		32
江西	1836	496		1534	260	35	7
山东	2590	838	18	2406	133	34	17
河南	2439	817		2237	82	70	50
湖北	2258	688	2	2090	64	54	50
湖南	2338	725	15	2080	177	81	
广东	2189	639	33	1809	217	103	60
广西	2039	632	13	1942	57		40
重庆	845	269	2	777	44	20	4
四川	3788	1280	33	3509	162	67	50
贵州	1585	538	11	1529	29	6	21
云南	2137	756	4	2028	90	18	1
西藏	1053	426		928	64	61	
陕西	2112	777		1840	147	125	

1998年全国气象部门人员情况

单位:人

地区和单位	合计			固定职工	合同制职工	临时职工	计划外用工
	计	其中					
		女性	农村劳动力				
甘　肃	2472	784	29	2184	158	52	78
青　海	1575	621		1321	170	40	44
宁　夏	850	284		792	18	40	
新　疆	3222	1372		2954	182	86	
大　连	254	95	2	226	15	8	5
青　岛	193	70		179	9	5	
宁　波	176	45	6	168	2	3	3
中国气象局机关②	338	102		333	5		
国家气象中心	656	338		621	5		30
国家卫星气象中心	495	208		384	71		40
国家气候中心	144	65	1	136	2	6	
中国气象科学研究院	409	162	6	386	3		20
行政管理局	466	191	131	274	14	178	
气象出版社	62	29		54	6		2
中国气象报社	33	16		32		1	
南京气象学院	696	251	49	609	13	2	72
成都气象学院	558	210	60	488	10	60	
北京气象学院	292	131	50	232	2	7	51
南昌气象学校	250	91	18	202	12		30
湛江气象学校	243	120	10	199	14	30	
北京物资管理处	30	7		26		4	
上海物资管理处	40	4		26			14
青岛度假村	59	21	17	27	10	17	5
太湖疗养院	31	15	18	10	2	15	4
华云公司	54	25	20	28	1	25	
华信公司	27	9		10		17	
华奥公司	9			9			

注:①　含厦门人员情况　　②　含机关附属挂靠单位

1998年气象部门拥有计算机数

单位:台

地区和单位	合　计	巨　型	大　型	中　型	小　型	工作站	微　型	袖　珍
总　　计	**20933**	**3**	**4**	**6**	**126**	**168**	**17432**	**3194**
北　　京	234				2	8	187	37
天　　津	177				4	1	134	38
河　　北	787				2	2	669	114
山　　西	652				2	2	470	178
内 蒙 古	714				4	1	444	265
辽　　宁	537				2	6	499	30
吉　　林	422				2	1	340	79
黑 龙 江	517				2	3	393	119
上　　海	265				10	8	235	12
江　　苏	695				2	2	619	72
浙　　江	673					1	583	89
安　　徽	622					7	589	26
福　　建	519						457	62
江　　西	418				2	2	407	7
山　　东	773				2	1	656	114
河　　南	843				3	1	780	59
湖　　北	797				9	5	698	85
湖　　南	576						478	98
广　　东	857				11	4	836	6
广　　西	556				4	2	407	143
海　　南	179				2	2	174	1
重　　庆	182						157	25
四　　川	1007				5	3	853	146
贵　　州	393				2	1	272	118
云　　南	697				2	1	487	207
西　　藏	252						165	87
陕　　西	428						376	52
甘　　肃	722				9	3	424	286
青　　海	535				3	1	261	270
宁　　夏	281				2	1	193	85
新　　疆	761				2	2	551	206

1998年气象部门拥有计算机数

单位:台

地区和单位	合计	巨型	大型	中型	小型	工作站	微型	袖珍
大连	58						48	10
青岛	63						63	
宁波	107						99	8
厦门	58						49	9
中国气象局机关单位	246						246	
国家气象中心	370	3	2	1	15	46	303	
国家卫星气象中心	269		2	3	11	12	241	
国家气候中心	99						98	1
中国气象科学研究院	356			1	3	22	312	18
南京气象学院	569			1		5	563	
成都气象学院	506				2	2	502	
北京气象学院	261				4	5	237	15
南昌气象学校	170						170	
湛江气象学校	441						424	17
行政管理局	73						73	
气象出版社	61					2	59	
中国气象报社	42						42	
北京物资管理处	6						6	
上海物资管理处	4						4	
青岛度假村	2						2	
太湖疗养院	1						1	
华云公司	23						23	
华信公司	10						10	
华奥公司	67				1	3	63	

1998 年气象部门拥有雷达数

单位:部

地区和单位	合计	测风雷达	天气雷达					其它雷达
			三厘米	五厘米		十厘米		
					多普勒		多普勒	
总　　计	**437**	**166**	**197**	**49**	**5**	**20**	**7**	**5**
北　　京	3	1		1	1			1
天　　津	2		1			1		
河　　北	15	3	10	2				
山　　西	12	1	10	1				
内 蒙 古	28	16	10	2				
辽　　宁	8	1	5	2	1			
吉　　林	11	5	5	1				
黑 龙 江	15	4	9	2				
上　　海	3	1				2	1	
江　　苏	19	4	11	3		1		
浙　　江	9	4	2	2		1		
安　　徽	13	2	9	1		1		
福　　建	7	3	2	1		1	1	
江　　西	9	2	5	2				
山　　东	20	4	14	2				
河　　南	16	4	9	3	1			
湖　　北	11	4	3	2		2		
湖　　南	13	4	6	3				
广　　东	20	6	9	1		4	1	
广　　西	21	9	8	2		2	1	

1998年气象部门拥有雷达数

单位:部

地区和单位	合　计	测风雷达	天　气　雷　达					其它雷达
			三厘米	五厘米	多普勒	十厘米	多普勒	
海　南	6	3		2		1		
重　庆	5	1	3	1				
四　川	22	10	11	1				
贵　州	8	2	4	1		1		
云　南	20	7	12	1				
西　藏	10	7	3					
陕　西	17	9	7	1				
甘　肃	23	16	6	1				
青　海	16	12	4					
宁　夏	4	1	2	1				
新　疆	30	16	12	2	1			
大　连	2	1		1				
青　岛	2	1		1				
宁　波	1		1					
厦　门	2	1				1	1	
中国气象科学研究院	5		1	1	1	1	1	2
南京气象学院	4		1	1		1	1	1
成都气象学院	3	1	1	1				
北京气象学院	1							1
湛江气象学校	1		1					

1998年邀请国(境)外来宾访华情况

单位:人(次)

来访国家(地区) 机构(组织)名称	本年来访批次(次)	本年来访人数(人)	按来访性质划分					
			考察访问	科技交流	会议	专家(技术引进)	贸易往来	其它
总计	**156**	**530**	**154**	**62**	**217**	**27**	**28**	**42**
朝鲜	1	6		4	2			
韩国	11	33	23	3	5			2
日本	13	39	1	12	17			9
蒙古	2	10		8	1			1
缅甸	1	4	1		1			2
泰国	1	9	2		5			2
菲律宾	2	5			3			2
越南	2	7			5			2
柬埔寨		1			1			
老挝		2			2			
新加坡		1			1			
印度尼西亚	1	2			1			1
马来西亚	1	4			2			2
印度	1	4			2			2
尼泊尔	1	2						2
巴基斯坦	1	4	2		2			
孟加拉国	2	6	3		1			2
斯里兰卡	1	5	1		3			1
马尔代夫		2	1		1			
哈萨克斯坦	2	4	2		2			

1998年邀请国(境)外来宾访华情况

单位:人(次)

来访国家(地区) 机构(组织)名　称	本年来访批次(次)	本年来访人数(人)	按来访性质划分					
			考察访问	科技交流	会　议	专家(技术引进)	贸易往来	其　它
阿塞拜疆	1	1						1
乌兹别克斯坦		1			1			
伊　朗		3			3			
文　莱		1			1			
叙利亚		1	1					
也　门		1	1					
阿　曼		2	1		1			
土耳其	1	2	2					
以色列	1	3	3					
丹　麦	2	8	7	1				
挪　威	1	4	4					
德　国		2			2			
芬　兰	2	2		2				
荷　兰	2	2				2		
英　国	1	4	1		2	1		
法　国	3	7	1		6			
俄罗斯	4	11	5	2	2	2		
马其顿		1	1					
埃　及	1	3	1		2			
苏　丹		1	1					
利比亚		1			1			
加　纳		2			2			
布隆迪		2			2			
坦桑尼亚		2			2			
突尼斯		2	1		1			

1998年邀请国(境)外来宾访华情况

单位:人(次)

来访国家(地区)机构(组织)名　称	本年来访批次(次)	本年来访人数(人)	按来访性质划分					
			考察访问	科技交流	会　议	专家(技术引进)	贸易往来	其　它
摩洛哥	1	1			1			
塞舌尔		1			1			
毛里求斯		1			1			
莫桑比克		1			1			
澳大利亚	9	23	5	3	8	7		
新西兰		1			1			
斐　济	1	4			3			1
巴布亚新几内亚		1			1			
所罗门群岛		1			1			
图瓦卢		1			1			
瓦努阿图		1			1			
西萨摩亚		3			3			
汤　加		1			1			
美　国	56	171	52	20	58	13	28	
加拿大	5	18	7	1	8	2		
墨西哥		1			1			
古　巴		1			1			
伯利兹		1			1			
哥斯达黎加		1			1			
巴巴多斯		1			1			
台　湾	4	15	13	1	1			
香　港	11	36	9	5	17			5
澳　门	3	13			13			
亚太经社会	1	2						2
世界气象组织	3	11	2		6			3

注:无批次数的国家为多国组团。

1998年公派出国(境)访问情况

单位:人(次)

出访国家(地区)名称	本年派出批次(次)	本年派出人数(人)	按出访性质划分						
			考察访问	科技交流	技术输出	贸易往来	劳务输出	会议	其它
总　计	**197**	**481**	**152**	**91**	**14**	**1**		**223**	
韩　国	12	18	4	10				4	
日　本	26	63	23	10				30	
蒙　古	1	8		8					
印　度	1	2						2	
孟加拉国	1	1	1						
越　南	3	9	6	3					
泰　国	4	15	12	1				2	
马来西亚	1	12	12						
菲律宾	3	4	1					3	
新加坡	2	3	1					2	
阿　曼	1	2			2				
卡塔尔	1	1						1	
以色列	1	1						1	
荷　兰	2	8	7					1	
比利时	3	8	7	1					
希　腊	1	1						1	
芬　兰	2	12	5	7					
奥地利	2	10	1					9	
瑞　士	9	24						24	
意大利	6	7	1					6	
英　国	9	14	6					8	
法　国	11	27	11	6				10	
德　国	11	36	11	10				15	

1998年公派出国(境)访问情况

单位:人(次)

出访国家(地区)名称	本年派出批次(次)	本年派出人数(人)	按出访性质划分						
			考察访问	科技交流	技术输出	贸易往来	劳务输出	会议	其它
俄罗斯	1	1		1					
亚美尼亚	1	5	5						
捷克	1	1						1	
南斯拉夫	1	1						1	
马其顿	1	6						6	
摩洛哥	2	8						8	
布隆迪	1	3			3				
毛里求斯	1	1						1	
坦桑尼亚	1	1						1	
南非	1	1						1	
澳大利亚	6	6		1				5	
新西兰	1	1						1	
美国	27	45	14	9		1		21	
加拿大	6	12	2	4				6	
巴西	1	1	1						
阿根廷	1	1						1	
厄瓜多尔	1	1						1	
台湾	10	41	10	16				15	
香港	16	44	8	4	3			29	
澳门	3	12			6			6	
南极	1	3	3						

1998年气象部门院校学生情况

单位:人

地区和单位	普通学生			成人脱产班			职工中专班		
	本年招生	本年毕业	年末在校	本年招生	本年毕业	年末在校	本年招生	本年毕业	年末在校
总　　计	**6673**	**4221**	**20679**	**928**	**605**	**2007**	**126**	**327**	**424**
河　　北	216		717					21	15
内 蒙 古	105		145				45	48	107
辽　　宁	58		203					29	15
黑 龙 江							19	50	59
安　　徽	413	242	1128						
河　　南	207		403						
湖　　北	210	407	1092				15	109	53
湖　　南	346	214	865						
广　　西			380						
四　　川	1050	885	2717						25
甘　　肃	375	309	1416				27	36	70
新　　疆	400	40	826						
中国气象科学研究院	18	7	36						
南京气象学院	1210	371	3227	615	239	1298			
成都气象学院	680	241	2010	313	366	709			
北京气象学院		35	179						
南昌气象学院	448	598	1803				20	34	80
湛江气象学校	937	872	3532						

1998年主要城市各月本站平均气压

单位:百帕

城市名 \ 月份	一月	二月	三月	四月	五月	六月	七月	八月	九月	十月	十一月	十二月	全年
北　京	1024.8	1021.5	1017.8	1009.8	1008.3	1000.9	998.8	1002.5	1008.4	1015.0	1017.9	1024.1	1012.5
天　津	1028.7	1025.2	1021.4	1012.8	1011.9	1004.5	1002.4	1006.1	1012.1	1018.6	1021.5	1028.0	1016.1
石家庄	1018.6	1015.3	1011.4	1003.5	1003.0	994.9	993.3	997.1	1002.7	1009.5	1011.8	1018.4	1006.6
太　原	933.5	931.5	929.5	923.4	924.7	918.6	917.6	921.0	926.2	931.0	930.3	935.3	926.9
呼和浩特	900.9	899.4	897.7	891.8	893.9	888.1	887.9	891.8	895.5	899.5	898.3	903.1	895.7
沈　阳	1021.1	1017.9	1014.2	1007.6	1005.6	1000.4	998.1	1002.2	1006.7	1012.3	1016.3	1020.7	1010.3
大　连	1014.3	1011.5	1009.0	1002.6	1001.5	995.9	992.8	995.0	1001.4	1006.9	1009.5	1015.0	1004.6
长　春	995.1	993.5	988.9	984.3	981.9	978.2	977.2	979.2	984.9	988.9	992.5	995.1	986.6
哈尔滨	1006.5	1005.2	998.9	994.8	991.2	988.5	987.9	989.6	995.0	998.7	1003.8	992.7	996.1
上　海	1025.4	1022.4	1020.8	1014.0	1012.6	1006.6	1003.9	1007.3	1012.0	1017.9	1021.1	1026.9	1015.9
南　京	1025.9	1022.3	1020.0	1012.5	1011.2	1005.1	1002.3	1006.0	1011.8	1017.7	1020.3	1026.9	1015.2
杭　州	1021.0	1017.8	1018.8	1008.9	1007.2	1001.9	999.6	1002.9	1007.3	1013.1	1016.3	1022.2	1011.4
合　肥	1022.5	1019.0	1016.3	1008.7	1007.6	1001.4	998.8	1002.6	1008.4	1014.2	1016.8	1023.6	1011.7
福　州	1012.5	1010.7	1009.3	1004.5	1001.9	997.8	996.8	998.8	1000.3	1005.0	1009.1	1013.5	1005.0
南　昌	1019.9	1016.5	1014.0	1007.3	1005.3	1000.2	998.6	1001.6	1005.8	1011.0	1014.6	1020.6	1009.6
济　南	1021.1	1017.5	1014.4	1006.3	1006.0	998.4	996.1	999.9	1006.1	1012.3	1014.4	1021.2	1009.5
青　岛	1018.5	1014.9	1013.1	1005.8	1005.2	998.9	995.3	998.4	1004.6	1010.4	1012.7	1018.9	1008.1
郑　州	1014.2	1010.7	1007.7	999.9	999.7	992.2	990.0	993.9	1000.1	1006.1	1008.0	1014.6	1003.1
武　汉	1024.6	1020.6	1017.9	1010.0	1008.8	1002.8	1000.3	1003.9	1009.8	1015.7	1018.6	1025.3	1013.2
长　沙	1018.1	1014.5	1011.7	1004.6	1003.2	997.5	995.5	998.9	1004.1	1009.4	1012.7	1018.7	1007.4
广　州	1015.4	1013.8	1011.4	1008.1	1005.2	1002.1	1002.5	1003.8	1004.4	1007.9	1011.7	1015.9	1008.5
南　宁	1011.0	1009.3	1006.1	1002.4	999.6	995.7	995.7	998.5	1000.4	1004.5	1008.2	1012.2	1003.6
桂　林	1002.9	1000.6	997.7	992.6	990.5	985.9	985.5	988.1	991.3	995.8	999.3	1004.1	994.5
成　都	963.5	961.6	958.6	952.4	953.1	949.4	945.8	950.1	955.7	960.4	962.0	967.3	956.7
重　庆	991.3	989.2	985.6	978.6	978.6	974.8	970.8	975.2	981.7	986.5	989.0	995.0	983.0
贵　阳	897.3	896.4	893.8	891.8	891.3	888.2	886.7	890.4	894.2	897.1	898.5	901.1	893.9
昆　明	810.2	810.3	809.7	810.2	809.2	807.3	806.9	809.9	812.4	813.5	814.1	814.6	810.7
拉　萨	649.1	649.9	649.5	653.8	653.5	652.0	653.3	654.7	656.7	654.9	655.9	655.2	653.2
西　安	979.7	975.9	973.2	965.7	967.0	959.6	958.0	962.5	967.7	974.2	975.1	980.7	969.9
兰　州	851.2	848.8	847.0	845.0	846.5	842.9	842.2	846.3	849.0	852.6	852.7	855.5	848.3
西　宁	769.3	768.8	768.2	769.1	770.5	769.4	768.9	772.1	774.0	775.2	774.2	774.9	771.2
银　川	896.0	893.4	891.8	886.5	888.4	882.9	882.3	886.4	889.6	894.4	894.1	898.6	890.4
乌鲁木齐	919.3	915.9	916.0	912.5	912.9	907.1	905.2	908.2	912.8	917.6	917.4	921.9	913.9
海　口	1015.1	1014.1	1011.4	1009.1	1006.1	1003.0	1003.8	1005.3	1005.7	1009.1	1012.4	1016.5	1009.3

1998年主要城市各月本站平均气温

单位:摄氏度

城市名 \ 月份	一月	二月	三月	四月	五月	六月	七月	八月	九月	十月	十一月	十二月	全年
北　京	−3.9	2.4	7.6	15.0	19.9	23.6	26.5	25.1	22.2	14.8	4.0	0.1	13.1
天　津	−4.3	1.5	7.5	15.5	20.2	24.4	27.0	25.6	23.0	15.3	5.2	−0.6	13.4
石家庄	−1.7	4.0	9.2	16.2	20.7	26.9	28.1	26.8	24.4	16.4	7.4	2.0	15.0
太　原	−5.9	0.9	5.6	15.6	17.7	22.6	24.2	22.7	19.0	11.8	4.9	−1.2	11.5
呼和浩特	−11.8	−3.2	2.3	13.3	15.4	21.3	22.8	20.3	17.6	8.4	−0.1	−6.6	8.3
沈　阳	−11.8	−2.7	3.9	14.1	18.2	21.7	24.6	23.2	19.4	12.7	−0.7	−5.8	9.7
大　连	−4.0	1.1	5.6	10.6	16.2	19.1	23.1	24.0	21.9	16.8	6.0	1.5	11.8
长　春	−16.2	−5.1	1.1	13.1	17.1	21.0	23.3	21.5	17.4	10.4	−5.6	−9.8	7.4
哈尔滨	−18.8	−7.9	0.2	11.8	17.3	20.9	23.7	21.3	16.3	8.9	−8.5	−19.0	5.5
上　海	4.7	7.6	9.6	17.2	20.4	23.8	29.5	29.8	24.4	20.6	16.1	9.4	17.8
南　京	2.3	6.6	9.1	17.9	20.5	24.2	29.5	28.6	23.6	18.9	13.2	6.0	16.7
杭　州	4.1	8.2	10.1	19.2	21.7	24.4	29.7	29.5	23.5	20.2	15.1	8.6	17.9
合　肥	2.0	6.8	9.5	18.5	20.9	25.1	29.7	28.5	24.5	19.1	14.2	6.2	17.1
福　州	11.0	12.4	13.9	22.1	23.9	26.6	29.8	29.7	26.1	23.8	19.2	14.8	21.1
南　昌	4.4	9.4	10.5	21.1	23.4	24.9	29.3	30.1	25.2	21.4	16.3	9.6	18.8
济　南	−0.5	4.5	9.5	17.8	20.8	26.5	28.2	26.6	25.5	18.6	10.6	3.7	16.0
青　岛	−0.2	3.0	6.1	11.5	16.1	19.4	25.6	25.4	23.5	18.5	11.1	4.1	13.7
郑　州	0.2	5.2	8.9	17.0	19.7	26.0	27.7	26.1	23.7	17.4	9.8	3.8	15.5
武　汉	3.2	8.1	10.4	20.0	22.1	26.2	29.9	29.7	25.4	20.1	15.2	7.6	18.2
长　沙	3.6	8.8	10.2	20.7	22.0	24.9	29.4	30.0	24.1	19.7	15.2	8.5	18.1
广　州	13.2	15.2	18.8	24.4	25.9	27.5	28.8	29.4	27.2	25.4	21.4	16.9	22.8
南　宁	12.9	15.2	18.0	25.3	26.8	27.8	28.8	29.7	28.3	25.5	20.8	17.4	23.0
桂　林	6.7	10.6	12.5	21.9	23.3	25.8	28.1	29.3	26.5	23.2	17.8	13.0	19.9
成　都	0.1	8.8	11.3	21.3	21.5	24.1	26.2	25.0	22.7	18.5	14.7	8.4	17.4
重　庆	8.0	10.2	13.3	23.1	23.5	24.9	28.5	27.1	24.6	20.7	16.3	10.4	19.2
贵　阳	4.2	7.9	10.8	19.7	24.7	25.9	24.3	28.7	21.4	17.9	13.4	8.8	17.3
昆　明	10.4	12.1	15.7	17.6	20.8	20.4	20.4	20.4	19.4	16.7	13.6	10.6	16.5
拉　萨	−0.2	2.6	4.3	8.0	14.0	18.2	16.0	14.9	14.0	11.5	5.1	−0.3	9.0
西　安	−0.2	5.6	8.4	17.5	19.0	26.4	27.0	24.9	22.5	15.6	9.7	4.0	15.0
兰　州	−5.6	2.3	5.8	16.4	17.5	22.7	23.4	21.1	18.7	11.2	4.5	−1.0	11.4
西　宁	−10.1	−1.8	1.1	11.5	12.5	15.7	17.1	15.6	12.8	6.3	0.2	−5.0	6.3
银　川	−7.9	0.2	4.2	15.2	16.3	22.5	23.8	21.5	18.6	10.4	4.4	−2.8	10.5
乌鲁木齐	−13.5	−5.8	−1.7	9.7	15.1	23.2	23.6	17.6	17.6	8.9	1.0	−7.7	7.8
海　口	19.7	20.4	23.5	26.6	28.0	29.8	29.4	29.2	27.9	26.6	24.0	19.0	25.4

1998年主要城市各月本站极端最高气温

单位:摄氏度

城市名 \ 月份	一月	二月	三月	四月	五月	六月	七月	八月	九月	十月	十一月	十二月	全年
北　京	8.4	13.5	22.4	30.2	31.1	37.2	34.7	34.7	32.5	28.8	20.2	12.6	37.2
天　津	7.2	13.4	26.4	32.1	31.5	37.4	35.2	35.5	34.5	29.7	21.7	13.3	37.4
石家庄	12.7	17.2	29.6	30.0	34.6	40.0	37.4	37.4	34.2	34.1	26.8	17.7	40.0
太　原	7.7	15.5	25.5	32.7	29.7	37.4	33.7	34.5	33.3	28.0	21.6	11.7	37.4
呼和浩特	2.2	10.5	17.0	30.6	28.9	35.7	32.4	29.3	32.4	24.2	14.4	4.8	35.7
沈　阳	1.6	14.0	15.9	28.5	31.3	32.2	32.2	31.8	30.6	25.6	18.7	8.4	32.2
大　连	7.2	9.5	15.7	20.5	26.5	28.7	30.7	32.0	30.7	26.5	18.6	12.8	32.0
长　春	−1.5	9.7	16.8	27.6	30.2	30.3	30.5	29.9	28.9	24.1	12.1	5.5	30.5
哈尔滨	−3.8	7.6	18.0	25.3	33.7	32.1	31.1	30.7	27.6	24.7	5.6	−4.9	33.7
上　海	16.7	26.4	23.0	30.2	31.9	34.2	37.3	37.8	31.9	28.1	26.5	17.7	37.8
南　京	13.5	24.9	26.4	32.8	32.0	33.2	37.2	36.0	32.8	32.5	27.0	19.0	37.0
杭　州	14.9	28.1	24.8	32.6	33.6	33.5	38.2	38.6	32.2	31.1	27.9	19.8	38.6
合　肥	13.0	24.0	25.9	32.7	33.5	33.6	37.6	36.0	35.1	34.3	27.5	21.2	37.6
福　州	25.2	27.2	28.3	33.2	32.1	36.0	38.6	39.0	33.3	34.7	31.6	21.9	39.0
南　昌	13.6	27.2	29.4	32.0	33.8	32.6	37.0	38.1	34.5	31.3	30.6	18.9	38.1
济　南	11.0	16.5	26.1	32.9	31.7	38.2	36.2	35.2	34.4	33.7	25.1	16.8	38.2
青　岛	9.4	12.8	16.3	20.1	28.4	28.8	32.4	31.2	33.2	28.0	21.9	13.6	33.2
郑　州	13.8	22.0	27.2	32.1	33.3	37.7	35.9	33.5	35.4	34.0	26.6	17.3	37.7
武　汉	14.1	26.9	27.1	32.3	34.3	33.7	37.7	37.8	35.3	31.9	28.4	19.9	37.7
长　沙	11.8	27.3	29.8	33.6	33.2	33.5	36.6	38.7	35.3	31.8	28.7	21.0	38.7
广　州	27.2	26.2	29.7	32.3	32.8	34.7	35.6	36.5	34.4	34.1	30.1	27.2	36.5
南　宁	28.9	31.0	31.7	37.6	35.4	35.8	36.3	36.3	35.9	34.3	29.4	29.1	36.3
桂　林	16.6	25.8	29.2	32.0	32.5	32.6	35.4	37.1	35.6	33.7	29.6	24.8	37.1
成　都	14.3	16.6	26.2	32.0	31.2	33.3	35.1	33.1	33.2	27.0	3.5	15.5	35.3
重　庆	14.7	19.5	27.0	35.1	33.5	33.7	36.3	37.1	37.2	32.2	26.1	16.5	37.2
贵　阳	13.8	23.4	31.0	30.5	32.0	30.5	31.4	32.2	31.5	27.8	25.8	24.0	32.2
昆　明	19.8	22.0	27.0	28.9	30.4	29.3	26.5	26.8	27.4	27.4	24.5	25.1	30.4
拉　萨	14.1	15.5	16.9	20.3	28.9	29.9	25.2	24.4	24.0	23.0	18.2	16.9	29.9
西　安	10.0	17.5	25.3	32.4	29.4	41.8	36.9	33.2	36.6	28.5	23.5	16.1	41.8
兰　州	8.6	15.1	21.6	33.4	31.0	36.6	35.2	32.3	33.0	26.8	18.9	12.4	36.6
西　宁	836	17.0	18.0	31.8	25.7	29.4	29.8	26.6	29.0	23.0	18.0	9.7	31.8
银　川	7.4	0.2	4.2	15.2	16.3	22.5	23.8	21.5	18.6	10.4	4.4	−2.8	23.8
乌鲁木齐	−1.8	6.4	13.0	30.1	26.6	35.4	35.5	33.7	36.0	29.4	18.3	4.1	36.0
海　口	32.0	34.0	36.0	37.7	36.5	37.4	37.7	36.3	33.4	30.9	29.8	31.0	37.7

1998年主要城市各月本站极端最低气温

单位:摄氏度

月份 城市名	一月	二月	三月	四月	五月	六月	七月	八月	九月	十月	十一月	十二月	全年
北　京	−14.2	−10.9	−3.0	−0.1	10.0	11.7	19.4	14.6	10.0	3.1	−9.5	−8.8	−14.2
天　津	−15.6	−10.6	−4.6	2.2	11.4	13.1	19.7	17.3	11.5	3.5	−7.0	−8.8	−15.0
石家庄	−12.3	−6.6	−1.9	0.7	10.6	14.9	20.4	17.4	14.4	4.4	−5.4	5.8	−12.3
太　原	−22.1	−15.1	−7.8	−3.7	6.2	9.5	14.4	11.4	4.9	−2.7	−10.7	−13.3	−22.1
呼和浩特	−25.7	−19.9	−14.5	−0.6	3.3	9.4	13.1	9.6	4.8	−3.5	−14.3	−16.8	−25.7
沈　阳	−24.0	−15.7	−8.3	−4.1	6.6	11.2	17.9	13.3	8.0	0.4	−14.2	−24.2	−24.2
大　连	−13.6	−7.0	−3.1	2.2	8.9	12.1	19.2	18.4	13.7	5.9	−7.6	−11.3	−13.6
长　春	−26.1	−18.3	−15.0	−6.6	3.0	9.4	15.5	12.0	3.1	−3.5	−19.9	−24.4	26.1
哈尔滨	−28.6	−21.6	−16.3	−8.9	1.5	9.7	15.9	11.0	1.5	−3.4	−20.7	−32.6	−32.6
上　海	−4.4	−1.9	−0.2	5.0	14.7	17.7	22.8	21.1	17.8	13.5	8.9	2.5	−4.4
南　京	−7.0	−3.6	−1.8	4.1	13.2	16.9	22.7	19.8	14.2	8.3	3.3	−2.2	−7.0
杭　州	−5.4	−1.7	−1.2	5.6	14.2	17.9	23.9	19.0	15.4	12.8	7.4	1.1	−5.4
合　肥	−10.5	−2.7	−1.4	3.9	11.6	17.0	22.8	20.5	15.5	8.2	2.9	−2.1	−10.5
福　州	3.8	4.8	7.1	11.0	17.0	20.9	24.0	21.6	20.0	17.0	12.6	8.4	3.8
南　昌	−2.5	0.2	0.8	6.7	13.0	19.2	22.4	19.7	18.0	14.1	7.2	2.0	−2.5
济　南	−11.5	−6.0	−2.6	0.0	11.6	14.7	21.5	18.1	14.5	6.2	−3.8	−7.8	−11.5
青　岛	−9.8	−5.1	−1.4	0.5	8.9	13.5	20.2	20.1	15.8	9.6	−0.9	−4.9	−9.8
郑　州	−9.0	−5.2	−1.4	0.7	9.7	14.2	21.0	17.8	13.4	3.8	−2.1	−5.0	−9.0
武　汉	−3.7	−0.6	−0.6	4.0	10.8	18.2	23.5	22.5	17.6	11.4	6.4	−1.1	−3.7
长　沙	−2.4	−0.1	0.2	4.3	12.0	19.0	23.5	20.8	16.1	11.0	6.1	−0.4	−2.4
广　州	5.1	5.0	8.1	16.3	17.4	20.6	22.4	23.6	20.9	16.8	13.5	9.5	5.0
南　宁	4.5	7.2	7.6	17.7	19.1	22.5	23.8	22.5	19.9	17.4	13.8	8.7	4.5
桂　林	0.0	2.0	2.6	9.7	14.2	19.7	23.4	20.3	18.3	15.6	10.9	3.9	0.0
成　都	−1.2	0.1	2.8	10.5	13.6	16.1	30.3	10.5	15.6	13.0	6.4	2.5	−1.2
重　庆	0.8	2.8	4.1	13.9	15.7	18.1	22.9	18.8	15.8	14.7	11.0	4.8	0.8
贵　阳	−4.2	−0.1	−0.2	9.9	11.9	14.1	20.6	16.4	12.5	10.0	6.3	1.5	−4.2
昆　明	0.9	2.1	4.2	8.2	11.3	14.7	16.5	14.4	10.6	7.9	6.2	0.9	0.9
拉　萨	−11.5	−9.9	−7.5	−4.3	1.0	7.6	6.7	8.7	5.5	0.2	−5.4	−10.5	−11.5
西　安	−10.8	−5.7	−2.1	5.1	9.9	15.9	19.7	17.5	9.3	6.7	−0.8	−3.7	−10.8
兰　州	−16.8	−10.6	−9.7	2.4	7.6	10.0	14.2	12.5	2.9	1.4	−4.3	−9.8	−16.8
西　宁	−23.1	−17.0	−13.3	−1.6	2.7	3.0	7.7	5.8	1.1	−4.6	−10.4	−15.5	−23.1
银　川	−21.7	−15.4	−9.6	−0.1	4.4	9.5	13.0	10.3	2.3	−3.0	−7.2	−12.6	−21.7
乌鲁木齐	−23.6	−15.3	−14.7	−2.5	0.0	10.9	12.5	12.9	0.0	−1.4	−12.6	−18.2	−23.6
海　口	10.8	11.3	15.2	21.0	21.4	24.2	24.4	23.5	24.3	21.0	18.8	12.5	10.8

1998 年主要城市各月降水量

单位:毫米

城市名 \ 月份	一月	二月	三月	四月	五月	六月	七月	八月	九月	十月	十一月	十二月	全年
北　京	1.3	26.3	4.3	54.7	61.5	142.9	247.9	114.4	4.7	61.8	11.3	0.6	731.7
天　津	0.7	11.0	4.8	74.9	80.1	47.8	146.3	93.3	7.0	31.0	3.7	0.0	500.6
石家庄	12.3	17.4	18.2	33.6	74.4	8.5	79.4	66.9	3.8	56.2	0.7	3.3	374.7
太　原	6.2	5.6	15.5	6.4	55.2	28.1	175.6	55.3	10.8	14.2			372.9
呼和浩特	6.6	14.5	3.6	55.6	68.9	49.7	195.6	115.0	33.9	18.8		0.0	562.2
沈　阳	3.5	2.6	24.1	41.0	73.2	76.4	282.0	239.8	52.0	33.1	11.7	18.2	857.6
大　连	1.9	15.6	23.4	16.9	57.1	52.3	142.3	375.9	92.6	29.5	9.5	1.8	818.8
长　春	2.9	4.6	11.9	11.3	60.5	125.5	134.3	186.8	25.7	37.9	14.3	7.6	623.3
哈尔滨	2.2	3.4	20.4	5.2	39.0	97.6	87.9	249.5	90.7	42.6	16.0	4.9	659.4
上　海	196.1	61.8	111.1	79.4	65.3	149.7	127.6	112.8	127.1	44.3	17.5	44.2	1136.9
南　京	112.8	32.1	134.6	130.5	112.5	222.0	285.5	109.4	23.9	41.7	10.4	23.6	1239.0
杭　州	206.5	98.5	233.8	138.0	155.8	176.2	192.8	44.5	185.0	30.7	25.0	51.6	1538.4
合　肥	82.8	53.4	116.2	200.5	149.9	125.7	111.6	230.9	5.4	17.0	1.9	27.7	1123.0
福　州	123.2	210.6	193.3	69.8	154.5	137.4	35.5	15.0	91.7	149.3	26.4	21.8	1328.5
南　昌	279.7	104.7	267.3	136.6	245.7	539.0	456.5	55.2	85.2	132.5	29.2	12.6	2344.2
济　南	2.3	20.7	18.8	40.0	91.2	40.0	140.2	386.9	8.7	1.2	0.0	6.5	772.5
青　岛	15.3	35.7	33.5	68.7	117.2	50.5	121.0	319.2	36.1	50.7	2.1	6.0	856.0
郑　州	9.9	24.0	64.3	39.1	167.6	29.4	248.8	186.3	0.6	7.4	0.5	3.9	781.8
武　汉	68.8	41.3	124.0	319.3	195.4	95.0	758.4	14.5	25.5	49.0	14.0	34.0	1739.2
长　沙	154.5	109.2	142.8	197.9	216.3	518.8	230.5	36.4	116.3	59.2	22.6	17.8	1822.3
广　州	73.2	112.0	40.8	245.3	305.9	369.8	223.1	120.7	164.8	48.3	22.4	9.8	1736.1
南　宁	56.2	16.6	61.5	94.6	139.4	308.9	376.7	136.3	28.7	15.2	5.3	34.6	1274.0
桂　林	89.9	105.6	191.4	181.3	327.8	766.7	297.4	73.8	20.3	44.6	27.4	17.2	2143.4
成　都	2.7	17.2	15.3	41.9	71.2	122.8	320.1	166.7	110.8	10.5	9.4	17.0	905.6
重　庆	11.4	28.8	1.5	194.1	188.3	337.1	198.5	282.9	116.9	99.5	4.8	34.2	1498.0
贵　阳	36.6	11.1	19.5	34.7	169.3	258.9	226.4	183.7	24.0	205.6	27.3	29.1	1226.1
昆　明	11.2	4.4	18.4	38.6	73.5	474.9	332.1	122.6	34.7	27.2	38.8	17.4	1193.8
拉　萨		0.1	19.3	14.3	11.3	85.7	144.6	226.2	63.2	16.2		0.0	580.9
西　安	9.4	0.4	34.7	64.4	110.8	5.3	155.7	141.9	31.5	44.9	0.8	0.7	600.5
兰　州	1.9	0.0	8.5	27.4	54.5	33.7	74.7	86.2	8.9	23.4		0.0	319.2
西　宁	4.0	0.5	23.0	30.4	82.3	79.6	79.8	105.9	25.8	28.4		0.6	460.3
银　川	1.0	0.0	7.8	4.7	75.8	9.2	31.7	25.7	21.3	20.5		0.0	197.7
乌鲁木齐	6.8	10.8	18.0	56.1	126.1	9.1	73.9	56.1	18.5	9.0	14.6	20.2	419.2
海　口	17.9	27.1	18.1	69.6	129.1	181.3	196.0	512.0	155.0	206.1	33.6	21.7	1567.5

1998年主要城市各月日照时数

单位:小时

城市名＼月份	一月	二月	三月	四月	五月	六月	七月	八月	九月	十月	十一月	十二月	全年
北京	174.4	194.3	207.8	175.8	272.7	196.1	193.0	246.4	204.7	183.7	172.0	199.8	2420.7
天津	154.2	152.6	196.0	183.8	244.1	207.9	170.1	204.5	210.6	169.3	150.6	163.2	2206.9
石家庄	143.1	152.9	140.8	166.0	196.6	185.4	122.6	213.1	187.5	149.1	151.6	101.3	1910.0
太原	170.5	167.4	171.9	223.3	242.5	265.1	226.4	251.2	244.5	184.3	200.4	180.9	2528.4
呼和浩特	44.1	132.1	186.0	231.5	267.1	258.3	246.7	271.2	253.2	236.9	213.1	203.2	2643.4
沈阳	165.5	170.7	253.0	243.9	254.2	196.3	151.9	178.0	214.9	204.1	111.7	151.0	2295.2
大连	185.6	178.9	225.6	195.0	242.6	200.1	127.1	200.0	257.2	201.0	169.4	195.3	2377.8
长春	194.8	212.8	265.7	260.7	287.9	269.6	181.1	198.5	209.2	206.7	161.4	173.7	2622.1
哈尔滨	152.9	188.9	249.8	221.6	274.8	249.4	213.2	173.4	210.4	175.8	135.2	143.3	2388.7
上海	100.4	112.9	93.7	159.1	135.2	97.9	226.1	218.2	174.6	156.0	126.8	119.3	1720.2
南京	107.3	114.0	108.1	178.9	154.7	187.5	258.3	234.8	205.6	206.8	199.7	156.5	2112.2
杭州	104.5	104.2	89.9	156.3	131.3	118.6	221.7	245.7	173.2	144.4	153.4	103.7	1746.9
合肥	103.3	117.1	116.4	160.4	166.2	160.7	226.4	201.6	190.5	184.9	193.4	136.0	1956.9
福州	64.2	61.7	79.3	134.2	60.4	70.5	181.7	214.9	133.7	133.6	112.8	83.6	1330.6
南昌	40.4	98.2	49.0	171.2	176.6	79.8	210.3	354.5	211.6	194.9	134.6	139.7	1860.8
济南	147.2	152.5	176.6	200.6	199.6	241.9	163.9	198.9	245.6	169.5	180.6	152.0	2228.9
青岛	161.9	151.6	155.6	137.4	187.7	148.2	152.4	165.5	243.6	208.6	189.5	184.8	2086.9
郑州	131.0	133.8	126.3	171.7	165.6	233.9	155.5	154.4	203.4	149.2	175.3	140.2	1940.3
武汉	82.6	130.8	94.5	190.5	184.9	157.3	217.4	231.3	210.9	198.4	178.7	142.3	2019.6
长沙	15.4	78.5	41.3	144.9	128.8	50.9	203.8	259.1	149.9	174.3	105.7	95.5	1448.1
广州	57.6	44.7	62.7	100.9	71.9	88.5	182.3	189.8	166.2	181.2	161.8	161.8	1469.4
南宁	26.6	37.1	38.9	146.1	115.2	76.4	157.2	237.3	191.1	191.8	138.1	97.0	1452.8
桂林	28.1	54.7	53.2	106.6	128.9	54.1	134.5	260.1	236.3	192.7	137.4	104.6	1491.2
成都	13.1	37.8	55.9	168.0	91.2	120.9	104.7	112.7	93.6	23.1	72.2	40.0	961.2
重庆	9.2	21.2	60.3	202.9	123.8	70.8	113.5	108.2	134.0	47.0	47.0	4.0	941.9
贵阳	2.5	48.3	57.7	147.6	111.8	30.4	64.0	141.5	152.6	130.8	87.1	83.6	1057.9
昆明	241.8	215.4	249.8	227.0	237.2	104.3	47.8	107.7	168.6	155.3	186.8	189.4	2131.1
拉萨	252.4	224.6	219.5	228.1	272.9	244.7	159.8	156.7	216.5	277.6	245.5	252.6	2750.9
西安	73.1	103.7	91.0	156.1	150.9	218.0	160.2	176.7	170.2	95.5	129.1	61.3	1585.8
兰州	177.6	188.0	178.5	249.8	216.6	267.3	223.8	227.3	217.5	195.7	210.0	187.6	2539.7
西宁	196.0	171.1	171.7	263.1	197.7	260.2	199.4	193.3	191.1	210.2	227.7	198.4	2479.9
银川	200.6	154.1	162.4	211.3	244.9	284.5	160.4	251.8	237.0	255.4	226.5	189.2	2578.1
乌鲁木齐	41.0	78.1	109.4	214.7	270.8	286.4	289.5	290.8	251.5	235.6	102.6	47.2	2217.6
海口	68.0	95.3	142.0	156.8	177.6	218.2	218.2	251.1	157.3	190.5	111.7	99.6	1886.3

附　录

中国气象局大事记

1 月

1 日　风云二号气象卫星投入业务运行，向国内外播发云图。

5 日　国务委员宋健主持会议，听取中国气象局党组工作汇报。国务院副秘书长刘济民、国家计委副主任王春正、国家科委副主任邓楠、人事部副部长张学忠、财政部副部长李延龄、法制局副局长曹康泰等汇报时在座。中国气象局党组书记温克刚，党组成员马鹤年、李黄、刘英金出席会议。

同日，中国气象局以中气人发〔1998〕1 号文批复机关服务中心，同意成立北京高新技术培训中心，该中心为机关服务中心下属事业单位。

9 日　中国气象局以中气业发〔1998〕1 号文批复浙江省气象局，同意成立宁波市海洋气象台，纳入全国海洋气象台统一布局，宁波市海洋气象台在原市气象台的基础上扩建，实行一个机构，两块牌子。18 日，宁波市海洋气象台成立。中国气象局局长温克刚，宁波市委常委、副市长徐杏先出席挂牌仪式。

同日，中国气象局以中气业发〔1998〕3 号文批复陕西省气象局，同意将佛坪县气象站迁至距现站址 900 米的佛坪县袁家庄黄家湾村“川道”。

11～15 日　全国气象局长会议在上海召开。上海市市长徐匡迪、副市长冯国勤、农委副主任潘龙清出席了开幕式。

16 日　中国气象局以中气发〔1998〕2 号文向国务院报送了关于西藏、青海等地降雪情况及未来天气趋势预测的报告。

22 日　温克刚局长主持召开第 1 次局长办公会议，审议《全国气象部门企事业单位负责人经济责任审计工作暂行规定》、“推进西部欠发达地区气象事业结构调整的若干倾斜政策”、新一代天气雷达“九五”建设计划有关问题。马鹤年、李黄、颜宏副局长出席会议。

同日，中国气象局以中气人发〔1998〕4 号文颁布嘉奖令，决定授予国家卫星气象中心总体技术处静止总体室、研究所(风云二号工程)、运行控制处、北京气象卫星地面站(风云二号工程)、业务处系统工程科 5 个单位为“风云二号静止气象卫星应用系统建设先进单位”称号，对做出重要贡献的李希哲等 12 名同志给予通令嘉奖。23 日，“风云二号”气象卫星应用系统及卫星建设表彰大会在京举行。温克刚局长，马鹤年、李黄、颜宏、刘英金副局长出席会议并为获奖集体和个人颁奖。

24 日　中国气象局以中气业发〔1998〕8 号文批复新疆维吾尔自治区气象局，同意七角井气象站迁至距现址直线距离 31.9 公里的兰新铁路十三间房火车站。

同日，中国气象局、重庆市人民政府以中气计发〔1998〕11 号文印发了关于重庆市(三峡库区)灾害性天气监测预警服务系统工程项目建议书的批复。

2 月

9 日　中国气象局以中气人发〔1998〕11 号文批

复黑龙江省气象局，同意在原松花江地区气象局哈尔滨市气象局合并的基础上，重新组建哈尔滨市气象局。

10日　中国气象局以中气发〔1998〕4号文向国务院报送了关于进一步加强人工影响天气工作的请示。

同日，中国气象局以中气人发〔1998〕12号文下发关于成立中国气象局海峡两岸气象科技交流中心的通知。原中国气象局对台工作领导小组下设的中国气象局对台工作办公室更名为中国气象局台湾事务办公室，同时成立中国气象局海峡两岸气象科技交流中心，与中国气象局台湾事务办公室一个机构，两块牌子，挂靠在政策法规司，以民间组织形式对台交往。

13日　中国气象局以中气办发〔1998〕4号文下发《1998年各省（区、市）气象局和计划单列市气象局主要工作目标》。

19～27日　温克刚局长率中国气象代表团一行5人分别访问了法国气象局、总部设在德国的欧洲气象卫星组织并顺访了德国气象局。2月19日和2月24日分别与贝松先生和莫尔博士签署了“中国气象局与法国气象局气象科技合作协议”和“中国气象局与欧洲气象卫星组织在气象卫星和卫星气象领域的合作协议”。

23日～3月4日　颜宏副局长率团赴马其顿出席世界气象组织大气科学委员会第12次届会。会上，颜宏当选为该委员会新一届副主席。

3月

11日　广西壮族自治区党委副书记杨基常拜访中国气象局，与李黄副局长就广西壮族自治区气象事业发展有关问题进行了座谈。

同日，国家技术监督局、中国气象局以技监局评发（1998）37号文下发关于对各级防雷检测机构开展计量认证工作的通知。

12日　中国气象局以中气计发〔1998〕28号文批复浙江省气象局，同意撤消天目山国家基本气象站；将其国家基本站任务交由淳安气象站承担。

12～13日　四大科学试验观测会议在京召开，温克刚局长出席会议并讲话，马鹤年副局长出席了会议。有关省（区、市）气象局正式签定加密观测任务合同。

13日　中国气象局在江西省井冈山市气象局举行全国气象部门革命传统教育基地挂牌仪式。

16日　浙江省副省长章猛进一行6人拜访中国气象局，并就浙江省气象工作有关问题与刘英金副局长进行了座谈。

21日　中国气象局、国家海洋局、北京市气象局在京联合举行世界气象日宣传咨询活动。中国气象局局长温克刚、副局长刘英金，国家海洋局副局长杨文鹤等参加了宣传咨询活动，并接受了中央电视台、北京电视台等新闻单位的采访。

23日　世界气象日，主题是“天气、海洋与人类活动”。中国气象局、国家海洋局在京联合举行首都纪念世界气象日座谈会。中国气象局局长温克刚，副局长颜宏、刘英金，国家海洋局局长张登义及科学技术部、外交部、教育部、交通部、农业部、林业局、环保局、中国科学院、总参气象局、空司气象局、海军气象中心、中国远洋运输（集团）总公司、中国海洋石油总公司等部门的有关领导、专家和首都新闻界的记者参加了会议。

23日～4月2日　中国气象局组织了世界气象组织热带气旋专家组代表团11人来北京、上海、广州等地进行气象业务考察。3月30日，颜宏副局长会见了考察团成员，主持了总结讨论会。

4月

2～4日　由国家发展计划委员会和国务院三峡工程建设委员会办公室共同委托，中国国际工程咨询公司主持召开的“长江三峡工程气象保障服务系统专项设计报告”审查会在中国气象局举行。来自国家发展计划委员会、国务院三峡办、中国气象局、信息产业部、水利部、中国科学院、北京大学、河海大学、长城计算机公司等17个单位的27名专家、学者参加了审查会。“长江三峡工程气象保障服务系统专项设计报告”通过专家审查。

5日　中国气象局以中气发〔1998〕6号文向国务院报送了关于1998年汛期旱涝趋势预测综合意见的报告。

8日　晚20时20分，风云二号气象卫星地面系统在接收卫星云图过程中图象信号和卫星遥测信号中断。9日，中国气象局以中气业发〔1998〕22号文向国务院办公厅报送了关于“风云二号”气象卫星出现故障的报告。

16日　中国气象局以中气人发〔1998〕29号文将“中国气象局精神文明建设领导小组”更名为“中国气象局精神文明建设指导委员会”，下设办公室，与机关党委一个机构两块牌子。委员会主任：温克刚，副主任：刘英金。

17日　全国天气预报工作会议在南昌召开。颜宏副局长出席会议并讲话。

21～30日　第四次国际热带气旋科学大会在海口召开。海南省副省长王厚宏会见了全体会议代表，中国气象局副局长颜宏，海南省省长助理李东生出席会议并讲话。来自美国、澳大利亚、中国等38个国家和地区的120名专家、学者与会。

27～29日　党组中心学习组召开研讨会，就中国气象局“三定”方案和基本气象系统岗位设置和岗位规范进行了专题研讨。温克刚局长，李黄、刘英金副局长及机关各职能司主要领导出席了会议。

5月

2～16日　李黄副局长率4人代表团赴摩洛哥出席世界气象组织仪器和观测方法委员会第12次会议。

3日　科学技术部、中国气象局联合在广州召开四大气象科学试验（第二次青藏高原大气试验、南海季风试验、华南暴雨试验和淮河流域能量与水分循环试验）新闻发布会。作为四大气象科学试验正式启动的标志，南海季风试验和华南暴雨实验作业中心在广州正式挂牌投入运作，“实验3号”海洋探测船也在当日从广州起航。温克刚局长出席新闻发布会，科技部部长朱丽兰向会议发了贺信。

5日　中国气象局以中气业发〔1998〕26号文批复江西省气象局，同意从1999年1月1日02时起将宁冈国家基本气象站测报任务调整到井冈山市气象台，宁冈气象站保留国家一般气象站的测报任务。

5～8日　全国气象部门文明服务示范单位经验交流会在山东威海召开。温克刚局长、刘英金副局长出席了会议。期间，温克刚局长检查了烟台市气象局的工作。

10～16日　丹麦交通部副国务秘书瑞默尔和丹麦气象局局长普拉姆一行来华访问，并参加中丹气象科技合作联合工作组会议。颜宏副局长率团与丹麦气象代表团进行了会谈。11日，温克刚局长、颜宏副局长会见丹麦气象代表团。

14日　全国汛期气象服务电话会议在京召开。温克刚局长在电话会议上强调，在公益服务与有偿服务中，要把公益服务放在首位；在决策服务与公众服务中，要把决策服务放在首位。

17～26日　越南水文气象总局阮德语总局长率领越南水文气象代表团一行7人访问中国，出席中国—越南气象科技合作联合工作组第4次会议，并与以中国气象局局长温克刚为首的中国气象代表团举行了会谈。

22～31日　温克刚局长一行13人赴台湾参加“海峡两岸及邻近地区暴雨与季风研究”讨论会。

31日～6月10日　应马来西亚气象局局长林中泰博士和泰国气象局局长曼纽恩·阮吉斯博士的邀请，以中国气象局副局长刘英金为团长的中国气象代表团一行12人赴马来西亚、泰国访问。

6月

2日　中国气象局以中气人发〔1998〕36号文印发《省和省以下气象部门基本气象系统岗位设置意见（试行）》《省和省以下气象部门基本气象系统岗位规范（试行）》。

2～10日　哈萨克斯坦水文气象总局副局长、

天气局局长戈扎赫米托夫·白乌山借助手来华访问，并参加中—哈气象科技合作第2次工作组会议。

6日 上午，国务院副总理温家宝在国务院第3会议室主持会议，专题听取中国气象局工作汇报。中国气象局局长温克刚就我国气象工作的基本情况、今后一个时期的主要任务和措施及当前工作中的几个主要问题作了全面汇报，颜宏副局长汇报了今年汛期旱涝趋势预测的会商情况。温家宝副总理在听取汇报后做了重要指示，他指出：气象事业是社会基础性公益事业，办好气象事业是政府履行社会服务职能义不容辞的责任。气象工作要继续坚持“以科技进步为动力，积极推进气象科学技术现代化，不断提高气象监测、预测能力；以气象服务为宗旨，准确及时地为经济建设和国防建设服务；以农业服务为重点，不断提高服务的社会经济效益”的方针。国务院副秘书长马凯、国家计委副主任刘江、财政部副部长李延龄、水利部副部长周文智、农业部副部长白志健、法制办副主任曹康泰、中国气象局副局长马鹤年、李黄、颜宏等出席了会议。

7月

2～3日 温克刚局长主持召开第7次局长办公会议，审议中国气象局1997年出售公有住宅楼房实施细则；审定气象标志；审议气象报纸提价问题；审议上海市气象局引进高性能计算机问题；审议《气象部门事业单位国有资产管理暂行办法》；审议全国气象局长研讨会方案。马鹤年、李黄、颜宏、刘英金副局长出席了会议。

7日 中国气象局以中气发〔1998〕12号文向国务院报送了《关于盛夏旱涝趋势预测意见的报告》。

10日 中国气象局以中气业发〔1998〕30号文批复黑龙江省气象局，同意将鸡西基准气候站迁移至距现址西南方向300米处。

中旬 国务院第12次总理办公会期间，温克刚局长向朱镕基总理简要汇报了入汛以来的气象预报和气象服务工作后，朱镕基总理说：“今年的预报比较准确，我走了几个省（指江西、湖南、湖北），反映都不错。”

15日 中国气象局以中气候发〔1998〕12号文下发关于进一步做好当前防汛气象服务的通知。

24日 凌晨，温家宝副总理主持国家防汛抗旱总指挥部紧急会议，对长江干流的防汛工作进行动员和部署。温克刚局长、颜宏副局长出席会议。中国气象局当日8时召开紧急会议，传达会议精神。15时，中国气象局召开第二次全国汛期气象服务电话会议，温克刚局长对做好防汛气象服务进行了再动员、再部署、再落实。

28日 上午8时，江泽民总书记打电话给中国气象局局长温克刚，询问长江中下游地区的天气情况。总书记还关切地询问副热带高压的活动情况及对我国天气气候的影响，并要求气象部门严密监视天气变化。温克刚局长详细回答了总书记的提问。

28～31日 全国气象部门援藏工作经验交流会在成都召开。李黄副局长出席了会议。参加会议的各省（区、市）气象局、各直属单位和成气院的代表和第一、二批援藏干部80余人。

29日 中国气象局党组以中气党发〔1998〕24号下发《关于在全国气象部门深入学习邓小平理论的通知》。

同日，中国气象局以中气业发〔1998〕32号文批复江西省气象局，同意把赣州气象站的地面气象观测基本站业务和高空探测业务迁移到赣州市东北方距原赣州站6公里的赣县气象站。

31日 国务委员、国务院秘书长王忠禹在中国气象局报送的《长江流域的降雨可望近期结束，全国防汛形势仍不能乐观》上批示：国家气象局及各地气象站在全国汛期期间进行了认真监测，做出准确预报，为指导防汛工作起了重要作用。请克刚同志转达对他们的谢意。

8月

1日 全国人大常委会委员长李鹏在中国气象局报送的《长江流域的降雨可望近期结束，全国防汛形势仍不能乐观》上批示：“温克刚同志：您送来的气象分析我都看，希望继续努力，做出高质量预报，为防汛和经济发展做出应有的贡献。”

同日，国务院总理朱镕基在中国气象局局长温克刚写给他的信上（请求支持以新一代天气雷达网为主的防汛抗洪气象服务系统立项建设）批示温家宝副总理：气象工作很重要，在这次防洪抢险中工作也很有成绩，所提雷达更新项目应予重视。

3日　长江中下游再次出现降水天气过程，中国气象局向湖北、湖南、江西、安徽、江苏、浙江省气象局发去慰问电。

3～7日　世界气象组织台风委员会研究协调小组会议在北京召开，来自台风委员会成员及世界气象组织代表14人参加了会议。

6日　国务院新闻办举行中外记者招待会，邀请国家防汛抗旱总指挥部办公室、民政部、中国气象局等部门领导介绍目前的抗洪救灾情况并答记者问。颜宏副局长出席了会议。

同日，中国气象局召开第三次电话会议，温克刚局长在会议上传达了国家防汛抗旱总指挥部第三次全体会议精神，要求各地全力以赴，夺取防汛抗台气象服务工作的全面胜利。

7日　19:00—19:20，江泽民总书记亲自打电话给温克刚局长，询问江西九江、湖北、湖南及长江上游天气情况，并对长江第4次洪峰情况以及北方降雨情况作了了解。

11日　中国气象局以中气人发〔1998〕40号文批复四川省气象局，同意成立眉山地区气象局(台)，该局为正处级事业单位，实行四川省气象局与四川省眉山地区行政公署双重领导，以四川省气象局领导为主的管理体制。

12日　中国气象局以中气计发〔1998〕167号文批复浙江省气象局，同意建设竺可桢纪念馆。

14日　21:00，温家宝副总理打电话给中国气象局局长温克刚，询问四川雨情实况及预报情况，是否会出现第6次洪峰及强度，未来天气形势及副热带高压走势和雨带的走向；询问东北地区天气形势，长江流域会不会出现第3次集中降水时段。温家宝副总理要求气象部门把20日以前的天气预报得详细些，尽量准确些；作出8月下旬趋势预报。温家宝副总理说：“气象部门的预报服务第一线的科技人员辛苦了，请向他们转达我的慰问！”。

16日　18:58，江泽民总书记亲自给中国气象局领导打电话（温克刚局长在武汉，颜宏副局长接电话），了解长江流域的天气情况。

16～21日　中国气象局党组派出由温克刚局长，邹竞蒙名誉局长，马鹤年、刘英金副局长带队的4个慰问检查组，分赴湖北、黑龙江、湖南、江西4省重灾区的气象台站，慰问奋战在第一线的干部职工，检查指导抗灾气象服务工作。

20日　江泽民总书记给中国气象局局长温克刚打电话，询问长江、嫩江、松花江天气情况。

21日　16:20，全国人大常委会委员长李鹏打电话给中国气象局局长温克刚，询问天气情况有关问题。

同日，中国气象局就嫩江、松花江流域出现全流域性的特大洪水向黑龙江、内蒙古、吉林省(区)气象局发去慰问电。

24日　江泽民总书记主持小范围座谈会，就长江流域今年特殊的天气气候的成因及未来趋势预测问题与有关专家进行了座谈。国家气候中心主任丁一汇、国家气象中心主任裘国庆出席会议。

26日　中国气象局以中气候发〔1998〕15号文下发关于全面做好当前防汛抗洪气象服务的紧急通知。

27日　温克刚局长主持召开第6次局务会议，传达全国城镇住房制度改革与住宅建设工作会议精神，部署中国气象局大院房改工作。刘英金副局长出席了会议。

9月

1～4日　中国气象局党组召开中心组学习研讨会。认真学习邓小平理论，研讨气象部门事业单位改革对策和气象事业结构调整的指导性意见。党组书记温克刚，党组成员马鹤年、李黄、颜宏、刘英金出席了会议。

1～10日　应中国气象局的邀请，世界气象组织多国别考察团对我国进行访问。考察团由埃及、苏丹、叙利亚、突尼斯、也门、巴基斯坦、马其顿、孟加拉气象局的局长或副局长及世界气象组织代表共9人组成。考察团在京期间，中国气象局局长温克刚会见了客人，颜宏副局长陪考察团成员赴西安、兰州访问。

2日 美国助理国务卿金伯乐女士到外交部进行工作访问期间，来到中国气象局与温克刚局长进行了会见。双方就全球气候变化、气象科技合作等问题交换了看法。

同日，中国气象局以中气业发〔1998〕37号文批复浙江省气象局，同意成立舟山市海洋气象台。

4日 国务委员罗干在中国气象局局长温克刚呈送的关于开展年度气象趋势预测的信上批示：谢谢。你们已尽了最大努力。

10日 温克刚局长分别给李岚清、温家宝副总理写信，针对今年我国出现的异常灾害性天气，建议加强大气科学基础研究。李岚清、温家宝副总理于当日作了批示。李岚清副总理批示："科技部：我感到加强这方面的科研很有必要，具体如何实施，请研酌。"温家宝副总理批示："请王春正、钮茂生、朱丽兰同志阅。今年气象预报比较准确，服务也及时，为防汛抗洪工作做出了重要贡献。气象工作是一项极为重要的社会事业，直接关系经济建设、防灾减灾和人民生活。随着国民经济和社会的发展，各方面对气象预报和服务的要求愈来愈高。面对近若干年来频繁发生的气象灾害，不仅要继续搞好气象的预报和服务工作，而且需加强重大灾害性天气气候的基础性研究，提高气象预报的准确性和服务能力。为此，我赞成对天气气候的基础性研究给予支持。请科技部对气象局推荐的两个科研项目组织论证。"

15日 '98特大气象灾害机理及防灾对策专家座谈会在京召开。温克刚局长出席会议。马鹤年、颜宏、刘英金副局长，叶笃正、陶诗言等十余位气象界专家和长江流域、松嫩流域气象部门的代表出席了会议。

21日～10月18日 卫星气象国际培训班在南京气象学院区域气象培训中心举办，来自发展中国家和地区的27名学员参加了培训。

28日 全国抗洪抢险总结表彰大会在人民大会堂召开。江泽民总书记在讲话中两次提到气象工作："水利、气象、水文等方面的科技工作者夜以继日地工作，发挥了重要的技术指导作用。"，"没有经过长期努力建设和发展起来的物质基础，没有水利、气象、水文等方面取得的技术进步，要夺取这样的胜利是难以想象的。"中国气象局局长温克刚、副局长马鹤年、李黄、刘英金及来自抗洪前线的湖北、安徽、江苏、浙江、内蒙古、吉林省(自治区)气象局的代表朱正义、刘孝昌、胡辛陵、席国耀、陈光明、宋玉发与会。

30日～10月9日 颜宏副局长率团赴德国参加了世界气象组织基本系统委员会特别届会。

10月

2～14日 以色列气象局局长偕助手访华，温克刚局长会见了客人，李黄副局长与以色列气象局局长讨论了双方可能合作的领域。

7～10日 中国气象学会数值天气预报专业委员会第7次全国会议在京召开。中国气象局局长温克刚出席会议并讲话。曾庆存、丑纪范、廖洞贤等著名学者及科研、业务、院校等单位从事数值天气预报研究、应用及计算机工作的代表80余人参加了这次学术交流会议。

10日 8:10，江泽民总书记打电话给温克刚局长，询问近期天气状况及有关气象问题。

12～14日 中国气象局局长温克刚列席十五届三中全会。

12～18日 香港天文台台长林鸿鋆先生一行4人来内地访问，李黄副局长与林鸿鋆先生一行进行两地合作会谈。

19日 国务院办公厅以国办发〔1998〕137号文，印发了经国务院批准的《中国气象局职能配置、内设机构和人员编制规定》。《规定》指出，中国气象局是经国务院授权、承担全国气象工作政府行政管理职能的国务院直属事业单位。

20～22日 第二届华风杯全国电视气象节目观摩评比会在京举行。

27 日　中国气象局购买曙光 1000A 并行计算机签约仪式在国家气象中心举行，这标志着这种具有 8 个计算结点和 1 个服务结点、浮点计算峰值可达每秒 36 亿次的民族高科技产品正式在中国气象局落户。中国气象局局长温克刚，国家科学技术部副部长邓楠以及国家信息产业部、中国科学院、国家“863 计划”专家组的有关领导出席了签字仪式。

28 日　全国气象部门防汛抗洪气象服务总结表彰电视会在京举行。马鹤年副局长宣读了中国气象局《关于表彰 1998 年防汛抗洪气象服务先进集体和先进个人的决定》。全国 31 个省(区、市)、计划单列市气象部门及中国气象局机关、直属单位的 80 个集体和 53 名个人受到表彰。来自中国气象局机关、直属单位，北京市气象局以及首都主要新闻单位的代表共 150 多人在北京主会场参加了会议。

29～30 日　中国气象局和航天工业总公司在京召开了“风云三号”气象卫星总体方案可行性论证报告评审会。来自国家计委、财政部、国防科工委、总装备部、中国科学院、中国气象局、航天工业总公司等有关部门及国家卫星中心、航天工业总公司八院、五院和有关厂所的领导和专家参加了评审会。

11 月

1～13 日　全国气象局长邓小平理论学习研讨班在京举办。中国气象局局长温克刚，名誉局长邹竞蒙，副局长马鹤年、李黄、颜宏、刘英金出席了会议。来自各省、自治区、直辖市气象局，计划单列市气象局，各直属单位、院校，各职能机构和派驻机构的主要负责人 60 人出席了会议。

3 日　中国气象局以中气业发〔1998〕41 号文批复新疆维吾尔自治区气象局，同意从 1999 年 1 月 1 日起将安迪河气象站的地面气象观测及发报业务调整到塔中气象站，建立塔中国家基本气象站。将安迪河气象站的高空气象探测及发报业务调整到民丰县气象站。安迪河气象站的地面、高空测报任务和区站号 51848 撤销，塔中气象站区站号确定为 51747。

10 日　’98 全国科技界抗洪救灾先进集体和先进个人表彰新闻发布会在京举行。气象部门有 9 个单位和 17 名个人获此荣誉。

18 日　温克刚局长主持机关机构改革动员大会。温克刚局长宣读了国务院机构改革主要精神，通报了中国气象局机构改革方案形成过程，并对机关近期工作提出了要求。局机关全体人员参加了会议。

19 日　上海市副市长冯国勤参观中国气象局，并就上海市气象现代化建设等问题与温克刚局长、李黄副局长进行了座谈。

25 日　中国气象局以中气业发〔1998〕42 号文印发了《全国大江大河流域天气预报业务联防规定》。

12 月

3 日　山东省政府副省长陈延明一行 5 人参观中国气象局，并就山东省气象事业发展问题与李黄副局长进行了商谈。

7～10 日　世界气象组织二区协(亚洲)全球通讯系统技术和协议区域培训研讨会在广州召开，来自亚洲地区的国家和地区及世界气象组织的代表 18 人参加了会议。

9～11 日　中国和加拿大大气观测系统研讨会在京召开。来自中国、加拿大、日本、韩国、马来西亚气象局和香港天文台、澳门地球物理气象台的专家围绕大气观测长期计划、高空和地面观测自动化、新一代雷达及中尺度基地建设、特种观测计划进行了交流与研讨。李黄副局长出席会议。

16 日　中国气象局在京举行纪念党的十一届三中全会 20 周年座谈会。局党组书记、局长温克刚主持会议，名誉局长邹竞蒙，党组成员、副局长马鹤年、刘英金出席会议。

1998年中国气象局机关职能机构及各省(区、市)、计划单列市气象局,直属单位、院校领导职务和非领导职务人员名单

中国气象局局级干部名单

工作单位	姓名	职务
中国气象局	温克刚	局长、党组书记
	马鹤年	副局长、党组成员
	李黄	副局长、党组成员
	颜宏	副局长、党组成员
	刘英金	副局长、党组成员、中纪委驻局纪检组组长
中国气象局	邹竞蒙	名誉局长

中国气象局局机关各职能机构司局级干部名单

工作单位	姓名	职务
中国气象局办公室	嵇启武	主任
	季本峰	副主任兼机关服务中心主任
	朱祥瑞	副主任
	顾兴本	助理巡视员
中国气象局监测网络司	郑国光	司长
	宗曼晔	副司长
	喻纪新	副司长
	马恒超	巡视员
中国气象局预测减灾司	萧永生	司长
	许小峰	副司长
	周曙光	副司长

工　作　单　位	姓　　名	职　　务
	刘　扬	助理巡视员
中国气象局科技教育司	章国材	司　　长
	汤　绪	副　司　长
	高学浩	副　司　长
	王远忠	助理巡视员
中国气象局计划财务司	韩通武	司　　长
	沈晓农	副　司　长
	张杰英	副　司　长
	黄更生	巡　视　员
中国气象局人事劳动司	孙先健	司　　长
	王祖亭	副司长兼人才交流中心主任
	张玉敏	副　司　长
中国气象局政策法规司	沈国权	司　　长
	李公顺	副　司　长
	朱小华	副　司　长
	王国增	助理巡视员
	阳世勇	助理巡视员
中国气象局外事司	王才芳	司　　长
	王小敏	副　司　长
	忻贤华	助理巡视员
中国气象局直属机关党委	温克刚	书　记(兼)
	李士斌	常务副书记
	游有源	副书记兼纪委书记
中国气象局离退休干部办公室	赵东儒	主　　任
中纪委驻中国气象局纪检组	徐松庆	副　组　长
审计署驻中国气象局审计局	李公顺	副　局　长

中国气象局直属单位司局级干部名单

工作单位	姓名	职务
总体规划研究设计室	阮水根	主任
	陈新强	副主任
	王春虎	副主任
中国气象出版社	毛耀顺	社长
	谢炳源	副社长
	周诗健	总编辑
中国气象报社	赵同进	社长
	李仁先	副社长
	林完红	总编辑
中国气象学会秘书处	梁景华	主持工作
	庄肃明	副秘书长
中国华云技术开发公司	王永增	副总经理
	陈善敏	副总经理
国家气象中心	裘国庆	主任
	姚奇文	副主任兼信息网络部主任
	秦祥士	副主任
	刘还珠	副主任、党委专职副书记
	施培量	副主任兼信息网络部常务副主任
国家卫星气象中心	钮寅生	主任
	方宗义	副主任
	董超华	副主任
	张文建	副主任
	蒋恩永	党委专职副书记
	许健民	总工程师(正司局级)
国家气候中心	丁一汇	主任
	祝昌汉	副主任
	王守荣	副主任
中国气象科学研究院	倪允琪	院长
	徐宝祥	副院长
	徐祥德	副院长
	李玉海	党委专职副书记
行政管理局	韩通武	局长(兼)
	张新建	副局长
	董文凯	副局长
	张国信	党委专职副书记

各省(区、市)气象局司局级干部名单

工作单位	姓名	职务
北京市气象局	恽耀南	局　长、党组书记
	杨宝忠	副局长、党组成员
	刘燕辉	副局长、党组成员
	谢　璞	副局长、党组成员
	胡　荷	党组纪检组组长、党组成员
	周保山	助理巡视员
天津市气象局	曾凡喜	局　长、党组书记
	朱洪涛	副局长、党组成员
	王宗信	副局长、党组成员
河北省气象局	汤仲鑫	局　长、党组书记
	吴　波	副局长、党组成员
	张广智	副局长、党组成员
	安保政	副局长、党组成员
	郭春德	党组纪检组组长、党组成员
山西省气象局	霍成福	局　长、党组书记
	郭洪源	副局长、党组成员
	胡永祥	副局长、党组成员
	王茂设	副局长、党组纪检组组长、党组成员
	刘九林	助理巡视员
内蒙古自治区气象局	赵国卫	局　长、党组书记
	李红宇	副局长、党组成员
	孔燕燕	副局长、党组成员
	陈光明	巡视员、党组成员
辽宁省气象局	王锦贵	局　长、党组书记
	刘万军	副局长、党组成员
	李　波	副局长兼党组纪检组组长、党组成员
	王达文	助理巡视员
吉林省气象局	宋玉发	局　长、党组书记
	薛东有	副局长、党组成员
	秦元明	副局长、党组成员

工 作 单 位	姓 名	职 务
	湖 涛	副局长、党组成员
黑龙江省气象局	陈立亭	局 长、党组书记
	贾世民	副局长、党组成员
	尹福安	副局长、党组纪检组组长、党组成员
	张广学	助理巡视员
上海市气象局	盛家荣	局 长、党组书记
	徐一鸣	副 局 长
	徐惠文	副局长、党组成员
	董 熔	副局长、党组成员
	李文志	党组纪检组组长、党组成员
江苏省气象局	胡辛陵	局 长、党组书记
	赵成志	副局长、党组成员
	卞光辉	副局长、党组成员
	谈阿如	党组纪检组组长、党组成员
浙江省气象局	席国耀	局 长、党组书记
	朱 青	副局长、党组成员
	徐国富	副局长、党组成员
	徐霜芝	副局长、党组成员
	沈水根	党组纪检组组长、党组成员
安徽省气象局	刘志澄	局 长、党组书记
	矫梅燕	副局长、党组成员
	杨 枫	副局长、党组成员
	洪明慧	党组纪检组组长、党组成员
	孙 健	副局长、党组成员
福建省气象局	李修池	局 长、党组书记
	陈 仲	副局长、党组成员
	林有年	副局长、党组成员
	吴章云	副局长、党组成员
	陈玉衡	党组纪检组组长、党组成员
	高时彦	助理巡视员
江西省气象局	陈双溪	局 长、党组书记
	毛道新	副局长、党组成员

工 作 单 位	姓 名	职 务
	李义源	副局长、党组成员
山东省气象局	蒋伯仁	局　长、党组书记
	刘可先	副局长、党组成员
	李　勇	副局长、党组成员
	张廷水	党组纪检组组长、党组成员
河南省气象局	张绍本	副局长、党组副书记
	庞天荷	副局长、党组成员
	王银民	副局长、党组成员
	刘金华	副局长、党组成员
	王万田	党组纪检组组长、党组成员
	季书庚	助理巡视员、党组成员
湖北省气象局	朱正义	局　长、党组书记
	陈晓元	副局长、党组成员
	姜海如	副局长、党组成员
	张育林	党组纪检组组长、党组成员
	陈汉民	巡　视　员
湖南省气象局	张正洪	局　长、党组书记
	曾庆华	副局长、党组成员
	祝燕德	副局长、党组成员
	费中运	党组纪检组组长、党组成员
	刘如湘	巡　视　员
广东省气象局	李明经	局　长、党组书记
	胡光骏	副局长、党组成员
	薛纪善	副局长、党组成员
	余　勇	副局长、党组成员
	林献民	副局长、党组成员
广西自治区气象局	林少雄	局　长、党组书记
	何海澄	巡视员、党组副书记
	黄立谦	副局长、党组纪检组组长、党组成员
	韦力行	副局长、党组成员
	丁凤育	副局长、党组成员
海南省气象局	邓昌松	局　长、党组书记

工作单位	姓名	职务
	甘　宇	副局长、党组成员
	吴岩峻	副局长、党组成员
四川省气象局	宋达人	局　长、党组书记
	曾熙竹	副局长、党组成员
	滕家谟	副局长、党组成员
	苏怀康	党组纪检组组长、党组成员
	李漱芳	巡视员、党组成员
	杨　波	助理巡视员
重庆市气象局	杜顺义	局　长、党组书记
	靳家宝	副局长、党组成员
	申学勤	副局长、党组成员
	胡怀林	副局长、党组纪检组组长、党组成员
	张有才	助理巡视员
贵州省气象局	李玉柱	局　长、党组书记
	陈光德	副局长、党组成员
	姚礼让	副局长、党组成员
	赵广忠	副局长、党组成员
	钟洪庆	副局长
	杨惠方	党组纪检组组长、党组成员
云南省气象局	刘建华	局　长、党组书记
	黄玉仁	副局长、党组纪检组组长、党组成员
	程建钢	副局长、党组成员
西藏自治区气象局	刘光轩	党组书记
	索朗多吉	局　长、党组副书记
	李长华	副局长、党组成员
	格桑曲珍	副局长、党组成员
	高　扬	副局长、党组纪检组组长、党组成员
	尼玛旦增	副局长、党组成员
	古桑曲吉	巡　视　员
陕西省气象局	程廷江	局　长、党组书记
	胡中联	副局长、党组成员
	陈洪田	副局长、党组成员
	胡宜品	党组纪检组组长、党组成员
甘肃省气象局	谢金南	局　长、党组书记
	邵志忠	副局长、党组纪检组组长、党组成员

工作单位	姓名	职务
	陈晓光	副局长、党组成员
	李春虎	副局长
青海省气象局	崔讲学	局　长、党组书记
	施守智	副局长、党组纪检组组长、党组成员
	阳　燮	副　局　长
	王江山	副局长、党组成员
宁夏自治区气象局	夏普明	副局长、党组副书记
	牛生杰	副局长、党组成员
	陈占林	副局长、党组纪检组组长、党组成员
	聂树勋	助理巡视员
新疆自治区气象局	徐羹慧	局　长、党组书记
	陈栋喜	副局长、党组纪检组组长、党组成员
	帕尔哈特	副局长、党组成员
	隋雨新	副局长、党组成员
	史玉光	副局长、党组成员
	于新文	副局长、党组成员
	吾甫尔	助理巡视员

计划单列市气象局局级干部名单

工作单位	姓名	职务
大连市气象局	孟庆楠	局　长、党组书记
	陈向东	副局长、党组成员
	周铭春	副局长、党组纪检组组长、党组成员
青岛市气象局	肖惠卿	局　长、党组书记
	孙典卿	副局长、党组成员
	左克进	副局长、党组纪检组组长、党组成员
宁波市气象局	李秀玲	局　长、党组书记
	国良和	副局长、党组纪检组组长、党组成员
	徐文宁	副局长、党组成员
	陈德霖	调研员(局级)

中国气象局直属学院院级干部名单

工作单位	姓名	职务
南京气象学院	屠琪璞	党委书记
	孙照渤	院　长
	靳道弟	党委副书记兼纪委书记
	蔡云祥	副院长
	周　军	副院长
	陆维松	副院长
北京气象学院	王　强	副院长
	张世英	党委副书记
	郑祖光	副院长
	段从众	副院长
	陈高远	副院级调研员
成都气象学院	段廷扬	院　长、党委书记
	杨　羽	党委副书记兼纪委书记
	董　豹	副院长
	黄宗捷	副院长
	吴显奎	副院长

中国气象局直属学校校级干部名单

工作单位	姓名	职务
南昌气象学校	陈　汀	校　长、党委书记
	蔡聪跃	党委副书记
	严智雄	副校长
	罗小平	副校长
	卓　峰	纪委书记
湛江气象学校	吴　扬	校　长、党委书记
	刘自强	党委副书记兼纪委书记
	张　兵	副校长
	李永治	副校长

中国气象年鉴联络员名单

张安芹(办公室)
王克煜(监测网络司)
张淑月(预测减灾司司)
丁　锐(科技教育司)
赵德强(计划财务司)
王　飞(人事劳动司)
李丽军(政策法规司)
吴亚香(外事司)
李德善(机关党委)
罗厚梅(纪检监察室)
徐卫建(审计局)
刘风进(离退休干部办公室)
贾秀娥(国家气象中心)
黄德印(国家卫星气象中心)
张　锦(国家气候中心)
黄辛媛(中国气象科学研究院)
牛国良(行政管理局)
张洪广(总体规划研究设计室)
张　斌(气象出版社)
任庆峰(中国气象报社)
吴建忠(中国气象学会)
王瑞东(北京气象学院)
曹冀鲁(北京)
王晓冬(天津)
刘文奎(河北)
沈晓峰(山西)
任致中(内蒙古)
徐凤莉(辽宁)
宣兆民(吉林)
宋英华(黑龙江)
冯　磊(上海)
庞小琪(江苏)
谢　慷(浙江)
褚万江(安徽)
冯　玲(福建)
王新宏(江西)
杨志利(山东)
吴大成(河南)
易桂安(湖北)
向德龙(湖南)
陈　蓉(广东)
杨年珠(广西)
黄居添(海南)
张万英(四川)
廖　颖(重庆)
罗丹平(贵州)
冯　颖(云南)
梁鑫鑫(西藏)
苏玲芬(陕西)
杨宏中(甘肃)
郑又兵(宁夏)
袁兆森(青海)
王秋香(新疆)
陈月娥(大连)
汪中虎(青岛)
祝　旗(宁波)
林秀斌(厦门)
陈爱军(南京气象学院)
伍丽伦(成都气象学院)
程明忠(南昌气象学校)
李永志(湛江气象学校)
汪大全(兰州气象学校)
程新金(中国科学院大气物理研究所)
原永泉(中国科学院兰州高原大气物理研究所)
尹燕芳(中国农业科学院农业气象研究所)
杨啸秋(机械工业部长春气象仪器研究所)
单景舟(空军气象学院)
赵　强(北京大学地球物理系)
王同美(广州中山大学大气科学系)
霍应希(兰州大学大气科学系)
周钦华(杭州大学地理系气象专业)
郑大伟(中国农业大学农业气象系)
刘新安　杨继武(沈阳农业大学农学系农业气象专业)
孙即霖(青岛海洋大学天气动力学专业)
白秋华(中国民航总局空中交通管理局气象处)
康永义(新疆生产建设兵团气象局)

中 国 气 象 年 鉴

（年刊 1986 年创刊）

主办单位　中国气象局办公室
编　　辑　《中国气象年鉴》编辑部
北京市海淀区白石桥路 46 号
邮编：100081　电话：68407230
主　　编　朱祥瑞
责任编辑　张桂森
出　　版　气 象 出 版 社
印刷装订　北京北商印刷厂印刷
开本：787×1092mm　16 开本　字数：55 千字　印张：22
印数：精装本　1—900　平装本　1—3300
1999 年 10 月第一版　1999 年 10 月第一次印刷

ISSN1004－7514　（国际标准刊号）

CN11－2936/P　（国内统一书刊号）

国内外公开发行　精装本　32.00 元
平装本　24.00 元